CB015128

ISSN 1413-652X

CADERNOS DE LITERATURA BRASILEIRA

INSTITUTO MOREIRA SALLES

CADERNOS DE
LITERATURA
BRASILEIRA

Capa: Euclides da Cunha, fotografado por George Huebner (Manaus, *c.* 1905, The Catholic University of America, Oliveira Lima Library, Washington-DC, EUA)

Edição especial, comemorativa do centenário de *Os sertões*, números 13 e 14 – Dezembro de 2002

CADERNOS DE LITERATURA BRASILEIRA é uma publicação semestral do Instituto Moreira Salles.

Assinaturas: tel. (0 XX 11) 3371-4455; internet – http://www.ims.com.br

Euclides em 1902, quando *Os sertões* faria com que, tendo dormido obscuro, acordasse célebre, como declarou o crítico Sílvio Romero

Rocha viva

OU

Euclides da Cunha, um narrador sincero, na significação integral do conceito, que encarou o país como ele o merece

Preliminares

Escrito nos raros intervalos de folga de uma carreira fatigante, *Os sertões* (1902), que a princípio se resumia à história da Campanha de Canudos, jamais perdeu sua atualidade. Comemorar o centenário de sua publicação é dever que temos por escusado apontar. Deu ao livro seu autor, Euclides da Cunha (1866-1909), uma feição que – para além de tornar apenas variante de assunto geral o tema que na origem o dominava – cedo o alçou ao topo do cânone brasileiro.

Não se trata apenas de um clássico. É a rocha viva, a pedra fundamental da cultura do país.

Com a presente edição especial dos Cadernos, de números 13 e 14, a primeira dedicada a um escritor já desaparecido, intentamos esboçar, parcialmente embora (qual o limite do vasto?), ante o olhar do futuro (qual a idade do tempo?), os traços mais expressivos (qual a tinta do gênio?) da trajetória euclidiana. E fazemo-lo porque a sua complexa realidade de fatores múltiplos e diversamente combinados – contrastes, confrontos –, aliada às virtudes históricas e à notável concepção formal, conduz sempre ao mesmo destino: o Brasil.

Estrutura tripartite

Euclides e sua obra são alcançados aqui numa estrutura que remete a *Os sertões*.

Caracterizemo-la, por ora, de relance: **O homem**, **A terra**, **A obra**, segmentos que se referem, respectivamente, à biografia do escritor, ao cenário de seu livro maior e ao conhecimento e discussão de aspectos de sua produção literária.

Num primeiro lance de vistas, tais partes poderão parecer fechadas em si mesmas. Engano. Há independência, mas também harmonia entre elas. Os variados cruzamentos logo se evidenciarão, impelidos por uma implacável força, por lições de ciência e arte, por uma educação advinda da pedra (à qual ainda volveremos).

Detenhamo-nos agora com vagar em cada divisão.

In memoriam

Há luto na primeira, "Memória Seletiva", de que se compõe **O homem**.

Diferentemente dos números anteriores, quiseram os editores dos Cadernos que ela não ficasse a cargo da própria Redação, e sim daquele que já despontava como biógrafo de Euclides da Cunha, posto que havia dez anos se debruçava sobre a vida do autor, visando a preparação de um livro: Roberto Ventura, professor de Teoria Literária e Literatura Comparada da Universidade de São Paulo.

Combinada a tarefa, para a qual, lhe foi dito, teria ampla liberdade – que escrevesse o que e quanto quisesse –, Ventura iniciou o trabalho que atravessou os parênteses que costumam contar uma vida no espaço entre duas datas, nascimento e morte. Em primeiro lugar, fez isso no próprio texto, escrito e reescrito à exaustão. Não lemos ali tão-somente as passagens mais relevantes da curta existência de Euclides. Acompanham-nas o quadro histórico que as emoldurava e, após o tiro que derrubou fatalmente o escritor, disparado pelo amante de sua mulher, Dilermando de Assis, o biógrafo cuidou em anotar as conseqüências da criação euclidiana – da qual registrara antes a gênese. Era-lhe transparente a impossibilidade de separar tais instâncias, vida, obra, época, sobretudo no caso de Euclides da Cunha.

Como o biógrafo mostrava-se interessado por todos os detalhes do periódico do Instituto Moreira Salles, acabou por assumir, naturalmente, ao lado de Walnice Nogueira Galvão – professora titular, também na USP, das mesmas disciplinas de Ventura –, o papel de consultor desta edição.

(A propósito, adotamos a grafia de Euclides com i, e não y – como se vê na assinatura do autor –, por sugestão de Ventura, que preferia a forma consagrada modernamente, e de Walnice, favorável a essa idéia. Tal postura ampara também a decisão dos CADERNOS de utilizar, seja em outros nomes, seja na transcrição de manuscritos, as grafias mais correntes.)

Na terça-feira 13 de agosto, o biógrafo foi a São José do Rio Pardo (SP), onde se desenrolava a tradicional Semana Euclidiana. Participou de debates do evento ao longo da tarde, jantou com amigos e deixou a cidade por volta das 23h, explicando que regressaria naquele avançado horário a São Paulo, onde morava, porque agendara compromisso para as 10h da manhã do dia seguinte. Ao se despedir do diretor da Casa de Cultura Euclides da Cunha, Álvaro Ribeiro de Oliveira Neto, Roberto Ventura disse que aquela havia sido a melhor Semana de sua vida. Este poderia ter sido também o seu melhor ano, especialmente se conseguisse, como planeava, fincar antes de dezembro o ponto final na biografia de Euclides. De repente, uma variante trágica. Contra a traseira de um caminhão colidiu o carro que Ventura dirigia, na altura do quilômetro 186 da Rodovia Adhemar de Barros, perto das 2h da manhã do já 14 de agosto, superstições ao largo, véspera do aniversário do assassinato do autor de *Os sertões*.

Esta edição é, pois, dedicada à memória de Roberto Ventura e, alargando o gesto, à de outras figuras que morreram do ano passado para cá e têm seus nomes ligados aos temas destes CADERNOS: Oswaldo Galotti (1911-2001), criador da Semana Euclidiana, e os conselheiristas José Calasans Brandão da Silva (1915-2001) e Renato Ferraz (1934-2002).

Dois olhares sobre Canudos

Prossigamos. Passado **O homem**, chega **A terra**.

É uma paragem impressionadora.

Também de maneira dessemelhante dos números anteriores, a "Geografia Pessoal" desta edição – vale dizer, o território que alimenta a literatura do escritor-tema, ou ao menos sua expressão mais genuína – não se dá a conhecer somente por meio de fotografias. Depois das imagens de Edu Simões, a região de Canudos, o país do Conselheiro – tema de estréia dos CADERNOS DE FOTOGRAFIA BRASILEIRA, que o Instituto Moreira Salles lança simultaneamente a esta publicação –, ganha radiografia completa em "Caderneta de campo", uma reportagem de vocação ensaística do jornalista Roberto Pompeu de Toledo, editor especial da revista *Veja*.

Poética

A terra leva até **A obra.**

Entra-se, sem mais surpresa, na incomensurável prosa euclidiana.

Em "Confluências", apresentam-se os relatos de quatro, por assim dizer, expedições a Euclides. Celso Furtado, economista, João Ubaldo Ribeiro, escritor, Leopoldo Bernucci, professor da Universidade do Texas, em Austin (EUA), e organizador de uma edição comentada de *Os sertões* (2002), e José Celso Martinez Corrêa, diretor que preparou para este ano uma adaptação teatral daquela obra, escrevem sobre seu encontro com o livro número 1 do cânone nacional.

Adstrita, muitas vezes, à condição canônica de *Os sertões*, a produção de Euclides da Cunha continua pouco explorada em certas veredas. A da poesia, por exemplo, beira o desconhecimento: terra ignota. Por isso ocorreu-nos privilegiá-la em "Inéditos/Manuscritos".

Ao classificar de quase desconhecida a poética euclidiana, não julgamos: contamos.

Expliquemo-nos. No próximo ano, Leopoldo Bernucci e Francisco Foot Hardman, professor do Departamento de Teoria Literária do Instituto de Estudos da Linguagem da Universidade Estadual de Campinas, lançarão um volume contendo cerca de cem poemas a mais que os 37 da chamada *Obra completa* (1966) do autor – a maioria oriundos do caderno *Ondas*, organizado por Euclides quando tinha entre 17 e 18 anos de idade.

São de *Ondas* as poesias "No túmulo de um inglês" e "Cenas da escravidão I", jamais publicadas em livro, que aparecem, com seus respectivos originais e notas de Foot Hardman, em "Inéditos/Manuscritos". Do mesmo caderno retiramos o poema "Álgebra lírica", que numa caderneta de notas do escritor surge, um pouco modificado e sob o título "Amor algébrico" – como já foi editado –, ao lado de problemas matemáticos. Mostrar essas duas versões na letra levemente inclinada e orgulhosa do jovem estudante pareceu-nos imperativo, o mesmo valendo para "D. Quixote" (cujo original – reproduzido pelo professor da Unicamp e cedido aos CADERNOS – está na Biblioteca Nacional) e "Página vazia" (escrito num álbum que pertenceu à doutora Francisca Praguer Fróes), ambos incluídos na *Obra completa*.

Sobre "Página vazia", abramos um outro parêntese. Trata-se de poema escrito por Euclides da Cunha logo após regressar de Canudos – datou-o de 14 de outubro de 1897. O conflito, aliás, é tematizado no corpo do texto. O álbum da doutora Francisca foi localizado no Rio em 2001 por Francisco Foot Hardman junto a Celina Fróes, nora da médica.

NO MEIO DO REDEMUNHO

Com o título "Anseios de amplidão", dado por Walnice Nogueira Galvão ao estudo de sua autoria que abre os "Ensaios", poderíamos resumir seu espírito – até porque, dispensável ratificar, a seção espelha-se, sonho de sinonímia, em Euclides e seu grande sertão, o texto. Ao analisar o sentido da viagem no autor, Walnice o aproxima de Joseph Conrad e de Lawrence da Arábia.

O papel dos principais setores envolvidos na guerra relatada em *Os sertões* é objeto de extensas reflexões: Cândido da Costa e Silva, das universidades Federal da Bahia e Estadual de Feira de Santana, em "O peregrino entre os pastores", ocupa-se da Igreja; o almirante-de-esquadra Mario Jorge da Fonseca Hermes contribui com "Os militares e a política na República: o episódio de Canudos"; o historiador Álvaro Pinto Dantas de Carvalho Júnior, trineto de Cícero Dantas Martins, o barão de Jeremoabo, fazendeiro e político de peso ao tempo do conflito, assina "*Os sertões* e os grupos oligárquicos baianos".

O "anseio de amplidão" prossegue: a palavra no meio do redemunho.

Assim, Francisco Foot Hardman apresenta "Mundos extintos: as poéticas de Euclides e Pompéia"; o romancista Milton Hatoum detém-se, em "Expatriados em sua própria pátria", naquele que considera o mais expressivo dos textos de *À margem da História* (1909), em que se esboça "uma análise geográfica ou histórico-social da Amazônia"; Berthold Zilly, do Instituto Latino-americano da Freie Universität Berlin, tradutor de *Os sertões* para o alemão, escreve "Uma construção simbólica da nacionalidade num mundo transnacional" e o geógrafo e sociólogo Antonio Carlos Robert Moraes, da Universidade de São Paulo, fecha a seção com "O sertão: um 'outro' geográfico".

Concentração em São Paulo

Resumimos, enfeixamos as linhas extensas dos "Ensaios" com um expediente de que nunca lançáramos mão.

Para substituir a "Entrevista", que sempre integra esta publicação e, em certa medida, busca sintetizá-la, realizamos, com o mesmo escopo, no dia 30 de setembro, na sede do IMS, em São Paulo, um colóquio ao qual estiveram presentes representantes de diversas áreas para discutir a obra euclidiana e seus elementos afins. Os principais trechos de seus depoimentos e do debate que ocorreu depois deles estão em "Mesa-redonda".

Participaram do encontro: pelos Cadernos, Antonio Fernando De Franceschi, diretor editorial, Rinaldo Gama, editor executivo, e Francesca Angiolillo, editora assistente; Walnice Nogueira Galvão (mediadora); Francisco Foot Hardman; os historiadores Marco Antonio Villa, da Universidade Federal de São Carlos, e Consuelo Novais Sampaio, da Universidade Federal da Bahia;

o historiador e geólogo José Carlos Barreto de Santana, da Universidade Estadual de Feira de Santana; Alberto Venancio Filho, membro da Academia Brasileira de Letras; os fotógrafos Anna Mariani e Cristiano Mascaro; o coronel Davis Ribeiro de Sena e Álvaro Ribeiro de Oliveira Neto, que além de dirigir a Casa de Cultura Euclides da Cunha, como assinalamos antes, preside o Grêmio Euclides da Cunha, também de São José do Rio Pardo.

Álvaro, aliás, colaborou ainda em "Perfis", escrevendo sobre Oswaldo Galotti, enquanto Fernando da Rocha Peres, do Centro de Estudos Baianos da Universidade Federal da Bahia, discorre a respeito de José Calasans Brandão da Silva.

BALANÇO

A obra encerra-se com o "Guia", o qual, produzido com a colaboração de Adelino Brandão – que lançou no primeiro semestre de 2002 uma bibliografia comentada do escritor –, faz um balanço das edições, traduções, fortuna crítica (sem incluir artigos publicados na imprensa, que somam milhares) e adaptações da obra euclidiana: o rio perene e seus afluentes.

Estes CADERNOS – que contam com vinhetas feitas especialmente pelo cordelista José Costa Leite – trazem ainda dois encartes: "O fim da guerra do fim do mundo", contendo o fac-símile de um ofício – guardado no Arquivo Histórico do Exército – do general Artur Oscar, comandante da 4ª Expedição, endereçado ao ministro da Guerra, marechal Carlos Machado de Bittencourt, no qual conta como foi o assalto decisivo ao arraial do Conselheiro, e "Passeio dentro de Canudos", mapa preparado pelo fotógrafo e pesquisador Claude Santos com as prováveis caminhadas de Euclides no palco do conflito.

ÚLTIMAS PALAVRAS

Fechemos este intróito.

Seria redundante, quase um lugar-comum, enumerar equívocos cometidos por Euclides da Cunha em diferentes momentos, inclusive de *Os sertões*. Fiquemos com Gilberto Freyre, que observou: "Noutro, esses defeitos seriam imensos; em Euclides não. Suas qualidades são tão fortes que toleram a vizinhança de defeitos mortais para qualquer escritor menos vigoroso". Pudera: entre suas características estava, também segundo Freyre, a de escrever perigosamente.

Para classificar a obra-prima de Euclides da Cunha, usamos no início uma imagem que ele aplicou ao sertanejo: rocha viva.

A locução sugere-nos um símile eloqüente.

Rocha viva o foi o próprio Euclides.

Simples: porque aliou gêneros díspares, disto resultando uma literatura de aspereza e poeticidade, própria de um "misto de celta, de tapuia e grego", espécie de escudo intelectual a proteger o frágil romântico; porque aprendeu que, no sertão, uma pedra de nascença entranha a alma, mas existe a sensibilidade da razão; porque, narrador sincero, decifrou a pedra da História de seu país e o encarou como ele merece.

O HOMEM

À frente da História

Texto e pesquisa de imagens: Roberto Ventura

1866 Nasce, em 20 de janeiro, na Fazenda Saudade, em Cantagalo, região serrana no vale do rio Paraíba do Sul, na província do Rio de Janeiro, Euclides Rodrigues Pimenta da Cunha, primogênito de Manuel Rodrigues Pimenta da Cunha, contador nas fazendas da região, e de Eudóxia Alves Moreira. É batizado em 24 de novembro na igreja de Santa Rita do Rio Negro, atual distrito de Euclidelândia, no município de Cantagalo. Seus avós paternos são o português Manuel Rodrigues Pimenta da Cunha – que traficava escravos para a Bahia – e a brasileira Teresa Maria de Jesus Viana, e os maternos, Joaquim Alves Moreira e Carolina Florentina Mendes, proprietários de fazenda de café em Cantagalo.

1868 No dia 9 de agosto, nasce sua irmã, Adélia Pimenta da Cunha.

1869 Sua mãe, Eudóxia, morre de tuberculose em 1º de agosto. Euclides e Adélia passam a viver com os tios maternos Rosinda e Urbano Gouveia em Teresópolis (RJ).

1871 Morre sua tia Rosinda. Com a irmã, Adélia, vão morar na Fazenda São Joaquim, dos tios maternos Laura e Cândido José de Magalhães Garcez, em São Fidélis (RJ), onde convivem com os primos Cândido e Trajano.

1874 Após completar 8 anos, inicia os estudos no Instituto Colegial Fidelense, em São Fidélis.

1875 A segunda edição de *Espumas flutuantes*, de Castro Alves, inclui poema do pai de Euclides, "À morte de Castro Alves", dedicado ao poeta abolicionista, morto em 1871, aos 24 anos.

1876 Antônio Vicente Mendes Maciel, o Conselheiro, com 46

Fotos: Revista *Dom Casmurro*/Acervo Roberto Ventura

O pai, Manuel Pimenta da Cunha

Eudóxia Alves Moreira, mãe do autor

Euclides da Cunha aos 10 anos de idade

NOTA DA REDAÇÃO: Roberto Ventura morreu em meio ao levantamento iconográfico que fazia para esta seção. A equipe dos CADERNOS complementou o trabalho incluindo as imagens que vêm assinaladas com um asterisco.

A vida dramática de EC/Acervo RV

Fazenda Saudade, em Cantagalo (RJ), onde nasceu o escritor, a 20 de janeiro de 1866

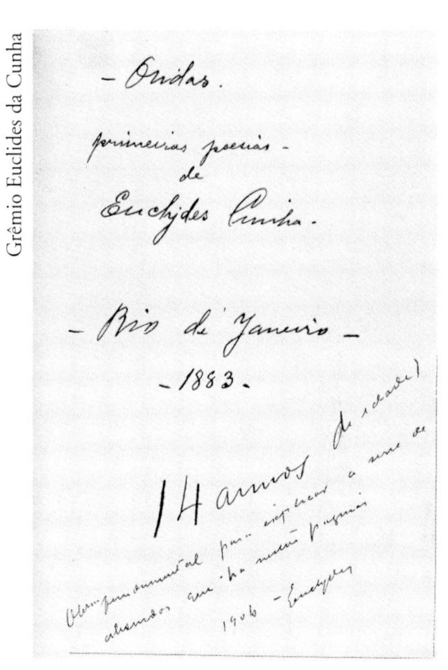

Grêmio Euclides da Cunha

– Ondas.
primeiras poesias –
de
Euclydes Cunha.

– Rio de Janeiro –
– 1883.

14 annos

Caderno *Ondas*, de primeiros poemas

anos, é preso na Bahia e enviado a Fortaleza e a Quixeramobim, sua cidade natal, no Ceará, sob a acusação infundada de ter matado a mãe e a esposa. Ao ser solto, promete construir 25 igrejas e retorna à Bahia. O título de conselheiro, que se pregou ao seu nome, era previsto pela Igreja para pessoas de vida exemplar, de preferência sacerdotes, capazes de dar instruções religiosas e de conduzir o povo em orações.

1877 Euclides passa breve período na casa da avó paterna na cidade de Salvador da Bahia de Todos os Santos (atual Salvador) e freqüenta o Colégio Bahia, dirigido por Carneiro Ribeiro e Cônego Lobo.

1879 Muda-se para a casa do tio paterno, Antônio Pimenta da Cunha, no largo da Carioca, no Rio de Janeiro, e estuda no colégio Anglo-Americano.

1882 O arcebispo da Bahia, dom Luís Antônio dos Santos, proíbe Antônio Conselheiro de fazer pregações por não ser ordenado.

1883 Depois de ter freqüentado os colégios Vitório da Costa e Menezes Vieira, matricula-se no Colégio Aquino, na rua da Ajuda, próximo do Passeio Público, no centro do Rio, onde tem aulas de matemática com Benjamin Constant, de quem voltará a ser aluno na Escola Militar. Escreve seus primeiros poemas em um caderno, ao qual dá o título de *Ondas*. Nestes versos, evoca as imagens marítimas freqüentes na poesia romântica de Victor Hugo e Castro Alves. Exalta, em sonetos dedicados aos líderes jacobinos da Revolução Francesa, a força revolucionária da palavra. Lê *Vozes da América*, com os poemas abolicionistas de Fagundes Varela, e, em francês, *Eloqüência e improvisação*, livro de Eugène Paignon sobre oratória.

1884 Publica, em 4 de abril, em *O Democrata*, jornal dos alunos do Colégio Aquino, seu primeiro artigo, revelando a percepção dramática da natureza, que se fará presente em toda a sua obra. Descreve as matas e as florestas do Rio e critica o progresso representado pela estrada de ferro, que degradaria a beleza da paisagem: "Tudo isto me revolta, me revolta vendo a cidade dominar a floresta, a sarjeta dominar a flor!"

1885 Faz, em março, exames para ingresso no curso de engenharia

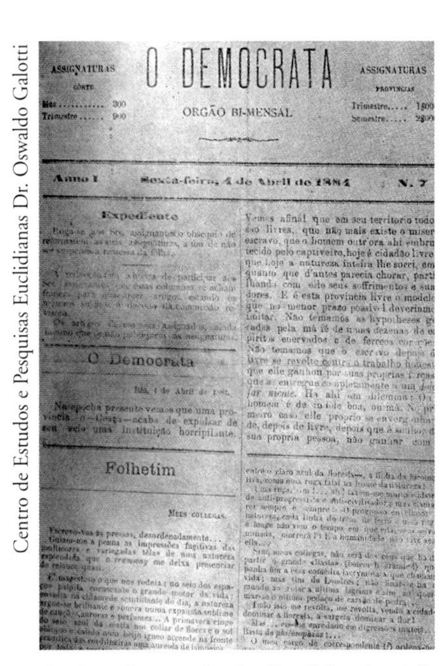

Centro de Estudos e Pesquisas Euclidianas Dr. Oswaldo Galotti

ASSIGNATURAS CÔRTE
O DEMOCRATA
ORGÃO BI-MENSAL
ASSIGNATURAS PROVINCIAS

Anno I — Sexta-feira, 4 de Abril de 1884 — N. 7

Expediente

O Democrata

Folhetim

Artigo de estréia de Euclides (1884)

Fotos: *Dom Casmurro*/Acervo RV

Euclides da Cunha aos 20 anos de idade

da Escola Politécnica, do Rio, o qual freqüenta por apenas um ano letivo.

1886 Matricula-se, em 26 de fevereiro, no curso de Estado-maior e Engenharia Militar da Escola Militar – na Praia Vermelha, no bairro da Urca, Rio –, que paga soldo e fornece alojamento e comida. Pelo regulamento vigente, ao fim de dois primeiros anos, o aluno da Escola Militar completa o curso de infantaria; após o terceiro ano, o de artilharia. O quarto ano, seria o de estado-maior, e o quinto, de engenharia militar e bacharel em matemática, ciências físicas e naturais. Incluído no estado efetivo da 2ª Companhia com o número 308, tem como colegas Alberto Rangel, Lauro Müller, Cândido Rondon e Tasso Fragoso. A escola é um centro de irradiação de idéias positivistas e evolucionistas, que trazem a crença na evolução da humanidade e reforçam sua certeza do fim próximo da Monarquia. Entre os dias 3 e 6 de novembro, fica recolhido na enfermaria da Escola Militar, com colite. Tira, no primeiro ano do curso, nota 8,0 em álgebra superior, geometria analítica e cálculo diferencial e integral; 9,0 em física experimental e química inorgânica; 7,0 em desenho topográfico e 8,0 em exercícios práticos.

1887 Por três vezes, entre maio e setembro, passa pela enfermaria da escola. Publica, a partir de 1º de novembro, artigos e poemas na *Revista da Família Acadêmica*, editada pelos alunos da Escola Militar. Conclui o segundo ano do curso com 8,0 em tática, estratégia, história militar, castrametração, fortificação e balística; 7,0 em direito internacional, direito natural, direito público e direito militar; e 7,0 em desenho de geometria descritiva. De volta à enfermaria em 31 de dezembro, recebe licença de dois meses para tratar da saúde e visita a irmã, Adélia, e a tia Laura na Fazenda São Joaquim, em São Fidélis.

1888 Os cadetes da Escola Militar desfilam, na noite de 13 de maio e no dia 16, pelas ruas do Rio de Janeiro em comemoração à Lei Áurea. Tomam parte ainda, no dia 20, da grande parada da imprensa, comemorativa da abolição. Homenageiam, em junho, Benjamin Constant por sua promoção ao posto de tenente-coronel e lhe oferecem um luxuoso exemplar da *Síntese subjetiva*, do positivista francês Auguste Comte. Transferido para a 1ª Companhia com o número 188, Euclides permanece, de 18 a 20 julho, na enfermaria da escola. É nomeado, em 27 de setembro, sargenteante da 1ª Companhia.
Sai de forma, em 4 de novembro, durante a revista das tropas pelo ministro da Guerra, Tomás Coelho. O general José Clarindo de Queiroz, comandante da escola, tinha marcado inspeção para impedir os cadetes de tomar parte do comício no desembarque do republicano Lopes Trovão, vindo da Europa. O cadete 188 atira ao chão o sabre-baioneta, depois de tentar sem sucesso parti-lo sobre a perna, e interpela o ministro sobre a carreira no Exército, pois não eram

Em forma, na Escola Militar, no Rio (é o quinto da primeira fila, a contar da direita)

Canudos: campanha militar/Acervo RV

General Solon Ribeiro, sogro do escritor

feitas promoções para o posto de alferes-aluno desde 1885. Seu protesto faz parte de um plano de rebelião acertado com os colegas para depor dom Pedro II e proclamar a República. Recolhido à enfermaria da escola, é transferido para o hospital militar no morro do Castelo e fica depois detido na Fortaleza de Santa Cruz.

Os jornais noticiam o protesto de Euclides, que é discutido no Congresso e se soma aos muitos atritos, iniciados em 1884, entre o Exército e o governo sobre o direito dos militares de exprimirem suas opiniões políticas. Por decisão do imperador, deixa de ser submetido ao conselho de guerra – o que evita a aplicação da pena de enforcamento prevista no código militar. Sua matrícula na Escola Militar é trancada em 13 de novembro, sendo desligado do Exército no dia 14 de dezembro sob o pretexto de incapacidade física.

Convidado por Júlio Mesquita para escrever em *A Província de São Paulo*, hoje *O Estado de S. Paulo*, jornal engajado na campanha republicana, viaja à capital paulista em 20 de dezembro. Estréia na imprensa diária, em 22 de dezembro, com "A pátria e a dinastia", o primeiro de uma série de artigos de propaganda, em que ataca o imperador e a família real.

1889 No dia 1º de janeiro, saúda o novo ano, em *A Província de São Paulo*, com o artigo "89", no qual faz o paralelo entre a Revolução Francesa de 1789 e as comemorações do seu centenário no Brasil, pregando a implantação da República. De 10 a 24 de janeiro, publica "Atos e palavras", oito crônicas políticas que assina com o pseudônimo Proudhon.

Regressa ao Rio em 28 de janeiro e faz, em maio, provas na Escola Politécnica, onde prossegue os estudos de engenharia. Passa breve período na Fazenda São Joaquim e publica, em *A Província de São Paulo*, os artigos "Da corte" (em 17 de maio), "Homens de hoje" (em 22 e 28 de junho) e "Definamo-nos" (em 23 de julho).

Só sabe da Proclamação da República na manhã do dia seguinte, em 16 de novembro, ao ler os jornais e conversar com um colega da Politécnica, Edgar Sampaio, que lhe conta os detalhes do movimento militar que derrubou a Monarquia. Edgar o convida para reunião à noite na casa do tio, o major Frederico Solon Sampaio Ribeiro, onde Euclides conhece Ana Emília, a Saninha, sua futura mulher. Apresenta-se, no mesmo dia, ao marechal Deodoro da Fonseca, chefe do governo provisório, que o recebe de forma afetuosa como o cadete que contribuiu para a causa republicana nas páginas de *A Província*.

Retorna ao Exército com o apoio do major Solon, seu futuro sogro, e dos colegas da Escola Militar, que pedem sua reintegração a Benjamin Constant, o antigo professor, agora ministro da Guerra. Encontra-se com Benjamin no dia 17 e é readmitido na carreira militar dois dias depois. No dia 21, recebe a esperada promoção a alferes-aluno, que deu origem a seu protesto um ano antes, com direito a aumento de soldo.

1890 Matricula-se, em 8 de janeiro, na Escola Superior de Guerra, subdivisão da Escola Militar criada pela reforma de março de 1889, onde são dados, nos primeiros dois anos, o curso de artilharia, no terceiro, estado-maior, e no quarto, engenharia militar. O aluno também se submete, no fim do quarto ano, a provas de latim, filosofia e retórica para a ob-

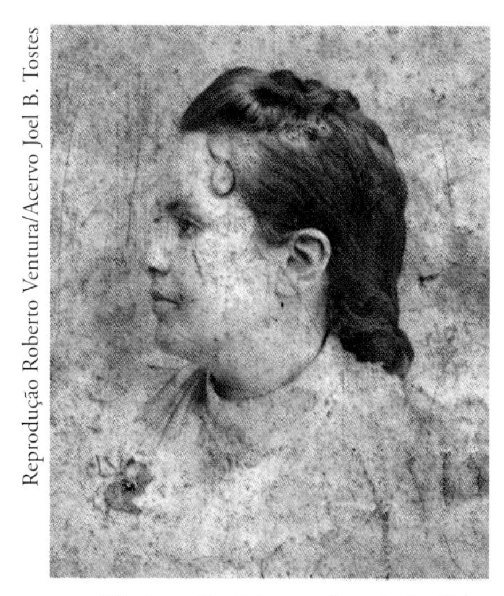

Reprodução Roberto Ventura/Acervo Joel B. Tostes

Ana Ribeiro, a Saninha, mulher de Euclides

tenção do diploma de bacharel em Matemática, Ciências Físicas e Naturais. Em 25 de janeiro, presta os exames que lhe faltavam para completar o curso de artilharia, interrompido por sua indisciplina em 1888. Tira, no dia 15, uma licença de duas semanas e viaja a São Paulo. É promovido a segundo-tenente em 14 de abril, beneficiado pela política favorável aos cadetes e oficiais próximos ao marechal Deodoro, primeiro presidente do país. Decepcionado com o novo regime, ataca, no jornal *Democracia*, do Rio, entre 3 de março e 2 de junho, alguns atos do governo, como a indenização oferecida a dom Pedro II, que o ex-imperador altivamente recusou. Em carta ao pai, critica Benjamin Constant, que agora nomeia parentes e conhecidos para cargos públicos. Considera que o país entrava no "desmoralizado regime da especulação", fazendo alusão à política financeira, chamada de encilhamento, promovida pelo ministro da Fazenda, Rui Barbosa, que, em 17 de janeiro,

Cepe Dr. Oswaldo Galotti

Escola Superior de Guerra
Em nome da Republica dos Estados Unidos do Brazil

Diploma de bacharel em Matemática e Ciências Físicas e Naturais do escritor (1892)

autorizou os bancos privados a fazerem grandes emissões de moeda e concedeu privilégios às empresas do conselheiro Francisco de Paula Mayrink. Casa-se, em 10 de setembro, com Ana Emília Ribeiro, que na ocasião tinha 18 anos. A cerimônia civil é realizada à tarde na casa dos sogros, na rua São Luís Gonzaga, e pouco depois, a religiosa, na Igreja do Senhor do Bonfim e Nossa Senhora do Paraíso, à rua Monsenhor Manuel Gomes, próximo à atual avenida Brasil, no bairro de São Cristóvão, no Rio.
É aprovado no terceiro ano do curso da Escola Superior de Guerra com 7,0 em trigonometria esférica, astronomia e geodésia; 9,0 em mineralogia e geologia; e 8,0 em desenho de cartas geográficas e em prática.

1891 Tira, em 29 de janeiro, um mês de licença para tratamento de saúde e viaja com Ana para a Fazenda Trindade, de seu pai, Manuel, localizada em Nossa Senhora do Belém do Descalvado (atual Descalvado), no interior de São Paulo. É transferido para o 5º Batalhão de Artilharia em 5 de junho. Sua filha Eudóxia – cujo nome é escolhido por Euclides em homenagem à mãe – morre com poucas semanas de vida. Deodoro da Fonseca dissolve, em 3 de novembro, o Congresso, que rejeitou a proposta do governo de conceder nova autorização para emissão de moeda ao Banco da República, do conselheiro Mayrink. Euclides comparece a reuniões na casa do vice-presidente, o marechal Floriano Peixoto, de preparação do contragolpe da Marinha, que derruba Deodoro no dia 23 e conduz seu vice à Presidência.
Tira, no quarto ano da Escola Superior de Guerra, 7,0 em construção civil e militar, hidráulica e estradas; 9,0 em biologia, botânica e zoologia; 8,0 em direito administrativo, administração militar, economia e política; e 8,0 em desenho de arquitetura e em prática.

Dom Casmurro/Acervo RV

Euclides da Cunha aos 25 anos de idade

1892 Conclui, em 8 de janeiro, o curso de estado-maior e engenharia militar da Escola Superior de Guerra e é promovido, no dia seguinte, a tenente, seu último posto na carreira. Recebe, no dia 16, o diploma de bacharel em Matemática e Ciências Físicas e Naturais, que traz medalha com dedicatória à memória de sua mãe e da filha, ao pai e à Saninha. Durante uma audiência com o marechal Floriano, recebe a oferta para escolher o posto que desejar; Euclides aceita, porém, apenas o previsto em lei: um estágio na Estrada de Ferro Central do Brasil. Trabalha, a partir de 1º de fevereiro, no trecho paulista da ferrovia entre a capital e a cidade de Caçapava.

Em artigos publicados em *O Estado de S. Paulo*, de 15 de março e 6 de julho, sob os títulos "Da penumbra" e "Dia a dia", faz a defesa do governo de Floriano Peixoto, envolvido na controvérsia sobre a legalidade de seu mandato presidencial. Adota uma postura conservadora de consolidação da República e ataca os adversários do presidente, que compara aos camponeses rebeldes da Vendéia, inimigos da Revolução Francesa; o mesmo mote seria utilizado mais tarde nos seus primeiros textos sobre o conflito de Canudos publicado naquele jornal.

Critica, também em *O Estado de S. Paulo*, em 24 de maio e 1º de junho, o projeto de organização da Escola Politécnica de São Paulo, elaborado pelo engenheiro Antônio Francisco de Paula Souza, devido à ausência em seu programa de cursos de astronomia, biologia, economia política e engenharia geográfica. Revela, em carta de 7 de junho ao advogado paulista Reinaldo Porchat, sua intenção de abandonar a carreira militar e trabalhar em São Paulo como professor na Politécnica. Mas suas críticas ao projeto o impedirão de ingressar na Politécnica, fundada no ano seguinte sob a direção de Paula Souza, que se manterá à frente da instituição até sua morte, ocorrida em 1917.

É nomeado, em 4 de julho, auxiliar de ensino teórico na Escola Militar do Rio. Em agosto, dá suas primeiras aulas de física (às segundas, quartas e sextas-feiras). Nasce, em 11 de novembro, seu filho Solon Ribeiro da Cunha.

1893 Escreve, em abril, artigo com críticas ao governo do marechal Floriano, que *O Estado de S. Paulo* se recusa a publicar. Acometido de forte pneumonia, interrompe em maio a colaboração com o jornal. É novamente nomeado, em 16 de agosto, engenheiro praticante na Estrada de Ferro Central do Brasil.

Antônio Conselheiro inaugura, em 18 de agosto, a Igreja de Santo Antônio, depois conhecida como Igreja Velha, no povoado de Canudos, às margens do rio Vaza-Barris, no nordeste da Bahia. Fixa-se com seus seguidores no lugarejo, que passa a chamar de Belo Monte, após entrar em cho-

Fotos: Instituto Geográfico e Histórico da Bahia

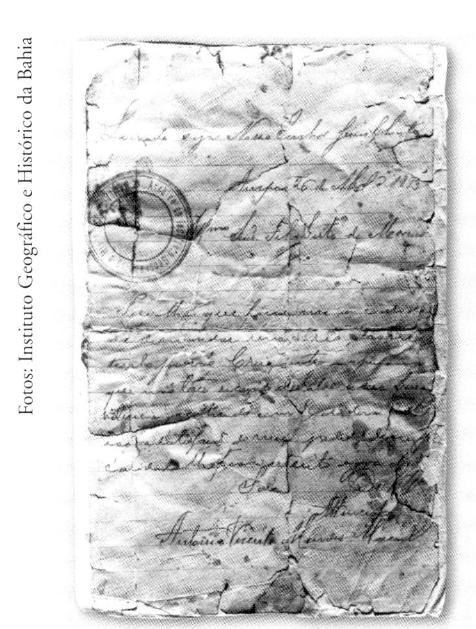

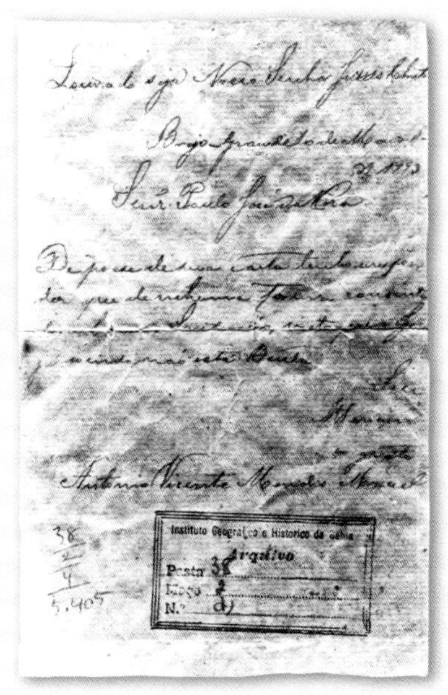

Instituto Geográfico e Histórico da Bahia
Arquivo
Pasta
Maço
N.º

Cartas de Antônio Vicente Mendes Maciel, o Conselheiro ou Bom Jesus Conselheiro

Chave da Igreja Velha de Canudos (BA)

Centro de Estudos Baianos/Col. José Calasans

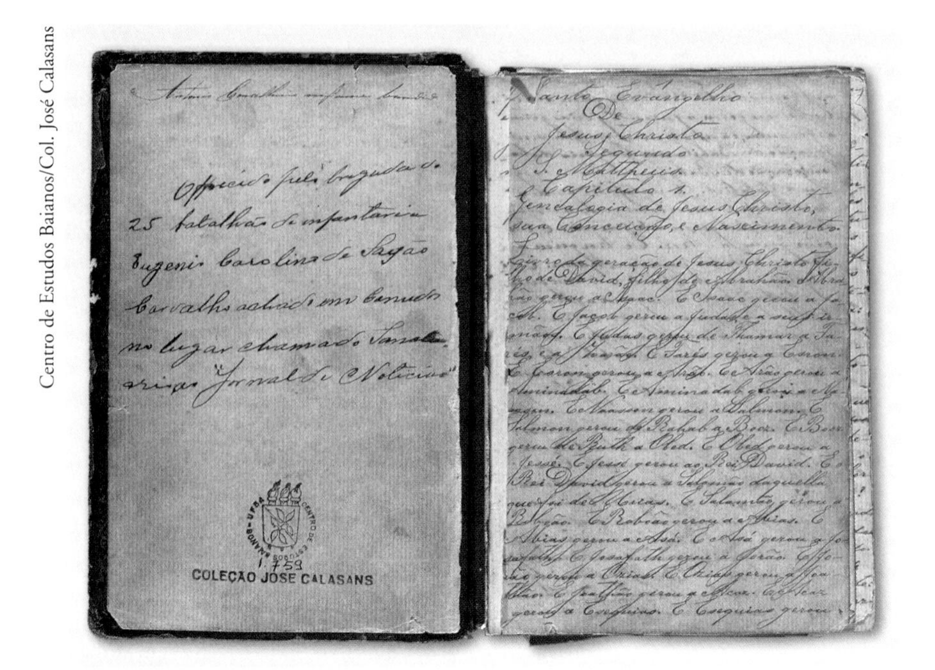

Caderno do Conselheiro com apontamentos da Divina Lei de Nosso Senhor Jesus Christo

que com força policial em Masseté, enviada ao seu encalço por causa de sua participação em protestos contra a cobrança de impostos nas cidades baianas de Bom Conselho, Itapicuru, Soure, Amparo e Bom Jesus.

A Revolta da Armada irrompe em 6 de setembro na capital da República com a tomada de navios de guerra pelos rebeldes da Marinha, que combatem as forças do Exército e exigem novas eleições presidenciais. Preso no dia 26, sob a suspeita de envolvimento com a insurreição, o general Solon passa quase um ano encarcerado na Fortaleza de Conceição. Ana se refugia com o filho na fazenda do sogro em Descalvado, para escapar aos bombardeios no Rio.

Euclides solicita, em outubro, audiência com o marechal Floriano – a fim de pedir garantias de vida para o sogro, pois correm boatos sobre seu fuzilamento. Tem atritos com a sogra, Túlia, e o cunhado Adroaldo. O general Solon se queixa, nas cartas do cárcere, do genro "imprestável", que não o visita, nem sequer lhe escreve. Designado em 22 de dezembro para servir na Diretoria de Obras Militares, constrói trincheiras no litoral, ao mesmo tempo que padece de forte tosse, agravada pela tuberculose, mas não pode solicitar licença médica devido aos combates no Rio e em Niterói.

1894 Assiste, em 8 de fevereiro, a uma inesperada visita do marechal Floriano, que aparece incógnito no meio da noite, vestido à paisana, para inspecionar a fortificação que erguia no cais do porto, próximo ao Morro da Saúde, a fim de abrigar o canhão que deveria bombardear as embarcações rebeladas. O episódio será contado em "De um diário da Revolta", publicado em 1903 na revista *Paulópolis* e depois incluído em *Contrastes e confrontos*, de 1907, com o título "A esfinge". Lê, em meio a tantos conflitos, a obra histórica do inglês Thomas Carlyle, *A Revolução Francesa*, que o consola com suas críticas aos abusos do poder revolucionário.

Protesta, em 18 e 20 fevereiro, em cartas à *Gazeta de Notícias*, do Rio, contra a execução sumária dos prisioneiros políticos, pedida pelo senador florianista João Cordeiro, do Ceará. Como punição, é transferido em 28 de março para a cidade serrana de Campanha, no sul de Minas Gerais, com a missão de adaptar um

Dom Casmurro/Acervo RV

Euclides em Campanha (MG): é o primeiro à dir., com a perna cruzada e chapéu na mão

prédio da Santa Casa de Misericórdia para servir de quartel ao regimento de cavalaria. Permanece na cidade até maio de 1895. Durante a sua estada, examina as características físicas da região em busca de argila para a fabricação de tijolos. Lê os estudos de geologia do francês Emmanuel Liais – que depois citará em *Os sertões* – a fim de se preparar para concurso jamais realizado para a Escola Politécnica de São Paulo. Nasce, em 18 de julho, seu filho Euclides Ribeiro da Cunha Filho, o Quidinho. Desentende-se com a mulher. Discursa, em 7 de novembro, nos festejos pela chegada da primeira locomotiva à estação da cidade.
O governo derrota, em 26 de setembro, os rebeldes da Armada e o general Solon é inocentado em 14 de dezembro, já no governo de Prudente de Morais, depois de ser submetido a um conselho de investigação e de guerra. Nomeado comandante do 3º Distrito Militar, com sede em Salvador, Solon reafirma sua inocência em artigos no *Jornal do Commercio*, do Rio de Janeiro.

*Convento dos capuchinhos, Salvador/Pesq. e repr. Claude Santos

Os freis italianos João Evangelista de Monte Marciano e Caetano de Leo, que, em 1895, foram enviados a Canudos; o primeiro sugeriu intervenção do governo no arraial

1895 O general Solon é repreendido em janeiro e transferido para o 7º Distrito Militar em Mato Grosso por causa dos artigos no *Jornal do Commercio*. Euclides rompe um longo silêncio, ao escrever ao sogro, no mesmo mês, com o propósito de recomendar que não aceite a transferência para Mato Grosso, que considera desonrosa, mas o general Solon ignora a atrevida sugestão. Obtém, em 28 de junho, licença do Exército, por ser considerado incapaz para o serviço militar devido à tuberculose. Muda-se para a fazenda do pai e se dedica às atividades agrícolas, mas logo se aborrece com a monotonia da "vida da roça". Trabalha, a partir de agosto, como engenheiro-ajudante na Superintendência de Obras Públicas em São Paulo, com salário de 600 mil réis, posição que obtém graças a Júlio Mesquita.
O arcebispo da Bahia, dom Jerônimo Tomé, envia a Canudos dois capuchinhos italianos, os freis João Evangelista de Monte Marciano e Caetano de Leo, acompanhados do padre Vicente Sabino dos Santos, do Cumbe (atual Euclides da Cunha), com a incumbência de dispersar a comunidade. De volta a Salvador, frei Marciano apresenta relatório da missão fracassada, em que sugere a intervenção do governo como única forma de conter a expansão do povoado, cujos moradores se recusavam a pagar impostos e a obedecer à Igreja.

Flávio de Barros/Acervo IGHB

Casa típica do povoado liderado por Antônio Conselheiro, construída de pau-a-pique

*Cepe Dr. Oswaldo Galotti

Tenente Manuel da Silva Pires Ferreira, que chefiou a 1ª Expedição contra o arraial

Dom Casmurro/Acervo RV

Major Febrônio de Brito, que esteve à frente das tropas da 2ª Expedição

1896 O general Solon desaconselha o genro a deixar o Exército, que considera a melhor profissão do país, mas este resolve deixar de vez "o seio da madrasta classe militar". Euclides obtém, em 13 de julho, reforma no posto de tenente e passa a receber a terça parte do soldo, por contar com nove anos, quatro meses e oito dias de serviço. Visita, em 28 de agosto, São José do Rio Pardo, no interior de São Paulo, como engenheiro do estado, encarregado de fiscalizar as obras da ponte metálica sobre o rio. Nomeado, em 18 de setembro, engenheiro-ajudante de primeira classe com salário de 900 mil réis, trabalha no 5º Distrito de Obras Públicas em São Carlos do Pinhal (SP). Retorna, em 24 de setembro, a São José, para rever a localização da ponte e designa o engenheiro Amaro Batista como fiscal das obras. Faz, em outubro, viagem de exploração ao rio Grande, na divisa entre os estados de São Paulo e Minas Gerais, e prepara, no mês seguinte, o relatório anual das obras da superintendência.
O juiz Arlindo Leoni, de Juazeiro, na Bahia, solicita o envio de força estadual por causa dos boatos de invasão da cidade pelos conselheiristas, que viriam retirar a madeira encomendada para as obras da igreja nova em Canudos, pela qual já haviam pago. O tenente Manuel da Silva Pires Ferreira comanda a 1ª Expedição contra a comunidade, formada por três oficiais, 113 praças, um médico, uma ambulância e dois guias. Mas a tropa é atacada, em 21 de novembro, em Uauá, a cerca de 50 quilômetros de Canudos, e obrigada a retroceder a Juazeiro.
O general Solon Ribeiro é afastado em 14 de dezembro do comando do 3º Distrito Militar na Bahia devido a atritos com o governador Luiz Viana por causa da organização da 2ª Expedição, chefiada pelo major Febrônio de Brito. Composta por dez oficiais, 609 praças, um médico, um farmacêutico, um enfermeiro e uma ambulância, a nova expedição parte de Salvador em 25 de novembro.

1897 Em Canudos, após dois dias de combate, a 2ª Expedição é derrotada e em 20 de janeiro inicia a retirada.
Euclides retoma, em 4 de março, a colaboração com *O Estado de S. Paulo*, ao escrever sobre a *Distribuição dos vegetais no esta-*

Benjamin Mullock/Col. GF – Acervo IMS

Estação ferroviária em Calçada, Salvador, de onde as tropas partiam para Canudos

do de São Paulo, de Alberto Loefgren. Toma posse, em 5 de maio, como sócio correspondente do Instituto Histórico e Geográfico de São Paulo, por indicação do botânico Loefgren, do geólogo Orville Derby e do engenheiro e geógrafo Teodoro Sampaio.

Publica, em 14 de março e 17 de julho, "A nossa Vendéia", dois artigos em *O Estado de S. Paulo* sobre a surpreendente derrota da 3ª Expedição contra Canudos, com 1 300 homens, cujo comandante, o coronel Antônio Moreira César, morreu na madrugada de 4 de março, poucas horas após o primeiro ataque à cidade. O desastre da 3ª Expedição provoca manifestações, em que são destruídas as redações dos jornais monárquicos *Gazeta da Tarde*, *Liberdade* e *O Apóstolo* no Rio, e *O Comércio de São Paulo* na capital paulista. Também é assassinado no Rio o coronel Gentil de Castro, jornalista favorável à Monarquia, que tentava fugir de trem para Petrópolis. Nos artigos, aproxima o conflito na Bahia da rebelião contra a Revolução Francesa desfechada por camponeses monarquistas e católicos da região da Vendéia, de 1793 a 1796. Afirma, a partir de tal paralelo, sua certeza da vitória do governo: "A República sairá triunfante desta última prova". Enfoca a guerra como o resultado da natureza instável e mestiça do sertanejo e toma as características naturais da região como aliadas dos conselheiristas, por fornecer munições aos rebeldes e dificultar o avanço das tropas. Obtém de Teodoro Sampaio, seu colega na Secretaria de Agricultura, Comércio e Obras Públicas – que percorreu em 1880 o interior da Bahia com a Comissão Milnor Roberts e trabalhou no prolongamento da estrada de ferro de Salvador a Juazeiro –, informações históricas e geográficas, além de um mapa inédito da região de Canudos, que por seu intermédio foi enviada uma cópia ao Estado-maior do Exército. No final de julho, recebe convite de Júlio Mesquita para cobrir a 4ª Expedição contra Canudos como

Canudos: campanha militar/Acervo RV

Metralhadora Nordenfelt, usada na guerra

AE

Júlio Mesquita, de *O Estado de S.Paulo*

*Acervo Álvaro Pinto Dantas de Carvalho

O engenheiro e geógrafo Teodoro Sampaio

repórter de *O Estado de S. Paulo*. O jornal publicava, desde a derrota da 3ª Expedição, editoriais com o título de "Pela República", em que conclamava o governo a reprimir os conselheiristas com todos os meios a seu dispor. O presidente Prudente de Morais o nomeia, em 31 de julho, adido do estado-maior do ministro da Guerra, marechal Carlos Machado de Bittencourt.

Além de *O Estado de S.Paulo*, jornais de Salvador (*Diário de Notícias* e *Jornal de Notícias*) e do Rio (*Gazeta de Notícias*, *Jornal do Brasil*, *Jornal do Commercio*, *A Notícia* e *O Paiz*) enviam correspondentes para cobrir a última expedição contra Canudos, da qual fazem parte 421 oficiais, 6.160 praças e 24 médicos. Os repórteres conseguem enviar notícias do front graças às linhas telegráficas instaladas entre Monte Santo e a capital do estado. A campanha é fotografada, por encomenda do Exército, por Flávio de Barros, profissional baseado em Salvador. Outro fotógrafo, cujas imagens se perderam, o espanhol Juan Gutierrez, morre em 28 de junho de 1897, logo após chegar ao morro da Favela, próximo a Canudos. Euclides toma, em 1º de agosto, o trem de São Paulo para o Rio e embarca, no dia 3, no vapor *Espírito Santo* com destino a Salvador, onde chega no dia 7. Hospedado na casa do tio José Pimenta da Cunha, na rua da Mangueira, atual Rocha Galvão, comparece todos os dias ao palácio de governo, onde está instalado o marechal Bittencourt, e se encontra com o governador Luiz Viana. Assiste ao embarque das tropas e ao desembarque dos feridos na Estação da Calçada, visita as redações de jornais e faz pesquisas sobre Canudos e o Conselheiro. Participa, no dia 19, do interrogatório de Agostinho, menino-jagunço de 14 anos, que lhe revela a dimensão mística e religiosa do conflito, ao afirmar que o objetivo dos combatentes era "salvar a alma".

Deixa, em 30 de agosto, a capital baiana, acompanhando o marechal Bittencourt, que segue para Monte Santo, de modo a garantir o abastecimento das tropas em Canudos. Chega a Monte Santo na noite de 6 de setembro, depois de viajar de trem para Alagoinhas e Queimadas e cavalgar até Cansanção, onde assiste à missa celebrada pelos freis Pedro Sinzig e Gabriel Grömer. Faz, com o jornalista Alfredo Silva, de *A Notícia*, do Rio, incursão nos arredores de Monte Santo, observa as plantas e os minerais da região e tira do alto da serra de Piquaraçá algumas fotografias, que se perderam. Parte, em 13 de setembro, de Monte Santo e alcança Canudos às 2 horas da tarde do dia 16. Avista, de binóculo, o povoado semidestruído pelo bombardeio, janta com o general Artur Oscar de Andrade Guimarães, comandante da 4ª Expedição, escreve sua primeira reportagem da frente de batalha e se abriga na barraca do capitão Abílio Noronha da Silva, assistente do general. Desce, no dia 19, à Fazenda Velha e observa Canudos de perto, surpreendendo-se com o elevado número de casas.

Antônio Conselheiro morre de desinteria em 22 de setembro, após ter sido ferido na perna no dia 6 por estilhaço de bala ou granada. O repórter de *O Estado de S. Paulo* passeia dentro do povoado no dia 29 e se decepciona com o aspecto primitivo de suas casas, que se acumulam em um caótico labirinto de becos. Registra, em uma caderneta de bolso, expres-

Fotos: Flávio de Barros/Acervo IGHB

Missa em Cansanção, na Bahia, presenciada pelo escritor Euclides da Cunha (assinalado)

Corpo do Conselheiro, que morreu a 22 de setembro de 1897 e foi exumado em 6 de outubro

sões populares e regionais, anota as variações de pressão e temperatura, faz desenhos de Canudos e das serras da região e copia diários dos combatentes. Transcreve poemas populares e profecias apocalípticas, depois citados em *Os sertões*, sobre o retorno do rei português dom Sebastião, morto em batalha em 1578 contra os mouros na África, e sobre a esperança de inversão climática entre o litoral e o sertão: "O sertão virará praia e a praia virará sertão". Assiste, em 1º de outubro, ao violento assalto de seis mil soldados contra Canudos, cuja ferocidade o deixa em estado de choque. Confessa, em sua última reportagem para o jornal, o profundo desapontamento provocado pela visão das centenas de feridos que gemiam amontoados no chão, numa cena tão lúgubre que lhe lembrou o vale do Inferno de *A divina comédia* (*c.* 1313-1320), de Dante Alighieri. Após 18 dias na frente de batalha, retira-se doente de Canudos, com acessos de febre, na manhã de 3 de outubro, dois dias antes da queda do povoado. Não assiste à chacina dos prisioneiros, à tomada e ao incêndio da cidade, nem à descoberta do cadáver do Conselheiro e de seus escritos, fatos ocorridos entre 3 e 6 de outubro, não mencionados, portanto, nas reportagens – e só relatados depois, de forma sucinta, em *Os sertões*.

Dom Casmurro/Acervo RV

Artur Oscar, comandante da 4ª Expedição

*Biblioteca da Presidência da República

O presidente Prudente José de Morais

A guerra provoca a destruição de uma cidade com 5.200 casebres, segundo a contagem feita pelo Exército, cuja população foi estimada entre 10 mil e 25 mil habitantes. Entretanto, o presidente Prudente de Morais enaltece, em 7 de outubro, tal campanha de extermínio: "Em Canudos não ficará pedra sobre pedra, para que não mais possa reproduzir-se aquela cidadela maldita e este serviço a nação deve ao heróico e correto exército". O conflito traz enormes perdas para o exército, com a morte de 910 soldados e oficiais na 4ª Expedição e um total de 5.000 baixas ao longo da campanha.

Euclides retorna a Salvador em 13 de outubro e escreve, no dia seguinte, no álbum da médica Francisca Praguer Fróes, o poema "Página vazia", em que afirma seguir revendo na mente as "Muitas cenas do drama comovente/Da Guerra despiedada e aterradora". Parte da Bahia em 16 de outubro, desembarca no Rio quatro dias depois e chega de trem, no dia 21, a São Paulo, onde é recebido por jornalistas de *O Estado* e por engenheiros da Superintendência de Obras. Entrega ao geólogo Orville Derby pe-

Fotos: Flávio de Barros/Acervo IGHB

Ruínas da Igreja Velha, de Sto. Antônio

A Igreja Nova, de Bom Jesus, destruída

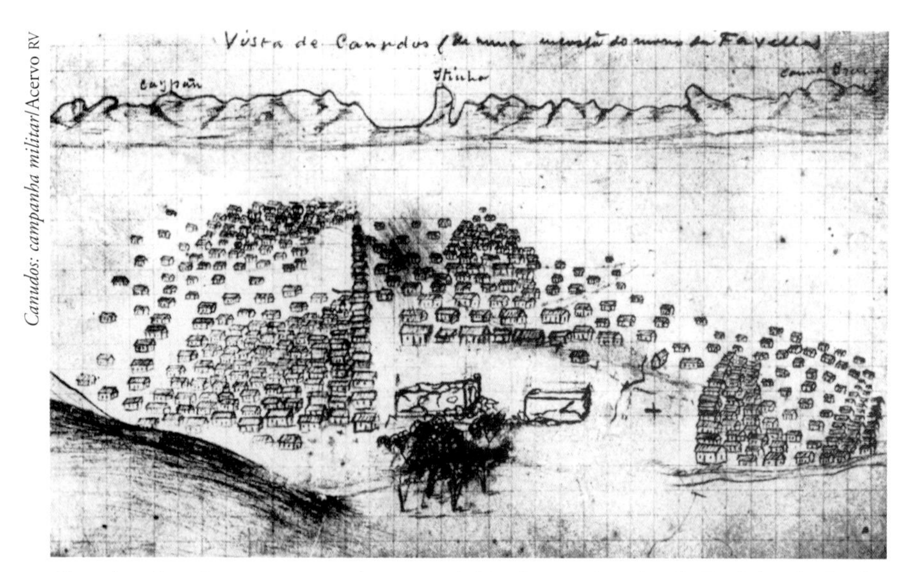

Canudos: campanha militar/Acervo RV

Canudos vista de uma encosta do morro da Favela, em desenho de Euclides da Cunha

dras trazidas da Bahia para análise e a Gabriel Prestes, diretor da Escola Normal, o menino Ludgero, órfão de Canudos, que é adotado. Tira quatro meses de licença para tratar da saúde e viaja para a fazenda do pai, em Descalvado, onde começa a escrever *Os sertões*.

Suas reportagens sobre a guerra se encerram com "O batalhão de São Paulo", que o *Estado* publica em 26 de outubro, por ocasião do regresso do 1º Batalhão de Polícia paulista. Euclides elogia, no artigo, a bravura dos combatentes desse regimento. No mesmo dia, o monarquista Afonso Arinos acusa, em *O Comércio de São Paulo*, o general Artur Oscar de ter ordenado a degola dos prisioneiros e o incêndio do povoado; divulga ainda, em 22 de dezembro, o relatório de Lélis Piedade, do Comitê Patriótico da Bahia, sobre os abusos cometidos contra mulheres e crianças. *O Comércio* é o único jornal a protestar, de forma veemente, contra as atrocidades cometidas pelas Forças Armadas em Canudos.

Euclides contribui, em 16 de novembro, com 200 mil réis, para a subscrição em favor da família do marechal Bittencourt, que morreu, no dia 5, ao defender o presidente da República, atacado a faca pelo soldado Marcelino Bispo de Melo durante recepção no Arsenal de Guerra, do Rio, ao general João da Silva Barbosa, que retornava de Canudos. O atentado foi tramado por jacobinos e florianistas, que tinham se aliado ao vice-presidente, o baiano Manuel Vitorino Pereira, e ao deputado Francisco Glicério, chefe do Partido Republicano Federal, incapazes de deter a candidatura presidencial do governador paulista Campos Salles, patrocinada por Prudente. No dia seguinte ao atentado, são atacadas no Rio as redações dos jornais jacobinos, entre eles *O Jacobino*, dirigido por Deocleciano Mártir, apontado como o principal instigador do atentado.

Raimundo Nina Rodrigues, da Faculdade de Medicina da Bahia, publica, ainda em novembro, na *Revista Brasileira*, "A loucura epidêmica de Canudos", em que diagnostica o líder da comunidade como portador de psicose primitiva e delírio crônico. Recebe do major Miranda Curio, médico-chefe da 4ª Expedição, o crânio do Conselheiro; divulgará, em 1901, parecer sobre suas medidas cefálicas, que apresentavam, segundo ele, as características normais de um "mestiço", com os traços antropológicos de diferentes raças.

O capitão Cândido José Mariano, comandante da força policial do Amazonas e ex-colega de Euclides na Escola Militar, publica, em Manaus, relatório sobre a atuação do 1º Batalhão de Infantaria em Canudos.

1898 Reassume, em 5 de janeiro, seu cargo na Superintendência de Obras Públicas e publica, em *O Estado*, no dia 19, o "Excerto de um livro inédito", tre-

*Instituto Histórico Geográfico Brasileiro

Marechal Bittencourt, ministro da Guerra

*Arquivo Fotográfico Municipal – S. José do Rio Pardo

A ponte sobre o rio Pardo, em 1900, durante reconstrução supervisionada pelo escritor

cho de *Os sertões*, em que defende a tese de que o sertanejo é um forte, cuja energia contrasta com a debilidade dos "mestiços" do litoral.
Desaba no dia 23, à 1 hora da madrugada, a ponte em São José do Rio Pardo, construída em parte sob sua fiscalização e inaugurada havia pouco mais de um mês. Euclides segue no mesmo dia para a cidade com engenheiros da superintendência, de modo a acompanhar a sua desmontagem. Fala, em 5 de fevereiro, no Instituto Histórico e Geográfico de São Paulo, sobre a "Climatologia dos sertões da Bahia" e propõe a construção de açudes para resolver o problema das secas no Nordeste.
Em março se muda para São José do Rio Pardo, onde ficará até maio de 1901, para reconstruir a ponte metálica. Torna-se amigo do intendente (prefeito) Francisco de Escobar, que irá considerar o seu "melhor colaborador" de *Os sertões* em São José. Grande parte do livro será escrito na cidade – durante o dia no barracão de obras e à noite, em sua residência, na esquina das ruas 13 de Maio e Marechal Floriano.
O general João Tomas Cantuária apresenta, em maio, ao presidente Prudente de Morais o relatório do Ministério da Guerra, contendo os ofícios e as partes de combate sobre as operações do exército em Canudos. São publicados vários livros a respeito do conflito: o romance *Os jagunços*, de Afonso Arinos, e duas memórias de ex-combatentes, *Última expedição a Canudos*, do tenente-coronel Emídio Dantas Barreto, futuro ministro da Guerra e governador de Pernambuco de 1911 a 1915, e *A quarta expedição contra Canudos*, do major Antônio Constantino Néri, governador do Amazonas de 1904 a 1908. Júlio Procópio Favila Nunes, antigo correspondente da *Gazeta de Notícias*, do Rio, publica fascículos intitulados *Guerra de Canudos*.

1899 A degola dos prisioneiros em Canudos é denunciada pelo estudante de medicina Alvim Martins Horcades em *Descrição de uma viagem a Canudos*, pelo deputado baiano César Zama, sob o pseudônimo de Wolsey, no *Libelo republicano*, e por Manuel Benício, correspondente do *Jornal do Commercio*, do Rio, no romance-reportagem *O rei dos jagunços*.

1900 Morre, em 10 de janeiro, em Belém, o general Solon Ribeiro, comandante do 1º Distrito Militar. Em São José do Rio Pardo, Euclides se assusta com Ana vestida de preto, que pensa ser o fantasma do sogro. Termina, no dia 26, os trabalhos de alvenaria da ponte e conclui, em 14 de junho, o conserto da parte metálica. Finaliza, em maio, a primeira versão de *Os sertões*, cujos originais são passados a limpo pelo comerciante José Augusto Pereira Pimenta, a quem promete dar 10% dos direitos da primeira edição.

Dom Casmurro/Acervo RV

Escobar, "melhor colaborador" de *Os sertões*

A vida dramática de EC/Acervo RV

O barracão de obras, de tábuas e folhas de zinco, próximo à ponte que Euclides reconstruiu

Francisco Mangabeira, voluntário nos hospitais de campanha, em Canudos, publica na Bahia *Tragédia épica*, poema sobre a guerra.

1901 Euclides é nomeado em 15 de janeiro chefe do 5º Distrito de Obras Públicas, com sede em São Carlos do Pinhal, onde conclui *Os sertões*. Publica, em 31 de janeiro, em *O Estado de S. Paulo*, o estudo histórico e político, "O Brasil no século XIX", inspirado em *Um estadista do Império* (1897-8), do monarquista Joaquim Nabuco, incluído depois em *À margem da História*, de 1909, com o título "Da Independência à República". Nasce, no mesmo dia, seu filho Manuel Afonso Ribeiro da Cunha. Em fevereiro, fracassa em nova tentativa de ingresso na Escola Politécnica de São Paulo, dirigida por seu inimigo Paula Souza. A ponte sobre o Rio Pardo é reinaugurada em 18 de maio, à 1 hora da tarde, pelo secretário de Agricultura, Comércio e Obras Públicas, Antônio Cândido Rodrigues. O engenheiro ganha um taqueômetro dos moradores e é homenageado pela Câmara Municipal com a colocação de uma placa com seu nome no vão central da ponte. Manuel Afonso é batizado à tarde, e Euclides recebe convidados e trabalhadores da ponte em sua casa à noite. É transferido, em novembro, para o 2º Distrito de Obras, com sede em Guaratinguetá, que abrange 31 municípios do norte do estado de São Paulo, numa área de 16 mil quilômetros quadrados. Muda-se, em 2 de dezembro, para Lorena, no vale do rio Paraíba do Sul, em cujo renomado Colégio São Joaquim matricula os filhos Solon e Manuel Afonso. Lê, em tradução francesa, *A luta das raças*, de Ludwig Gumplowicz, professor de Direito Público na Universidade de Graz, Áustria, cuja teoria sobre a determinação da história pela luta entre raças menciona na "Nota preliminar" de *Os sertões*. O sociólogo de origem polonesa se matará em agosto de 1909, quatro dias após a morte de Euclides, que se considerava seu discípulo.
Assina, em 17 de dezembro, contrato com a editora Laemmert, do Rio, para a publicação de 1.200 exemplares de *Os sertões*, assumindo o compromisso de pagar a metade dos custos da edição, 1 conto e 500 mil réis, quase o dobro de seu salário de engenheiro. O editor Gustavo Massow aceita o

Cepe Dr. Oswaldo Galotti

Ana e os filhos no quintal de casa, em S. José do Rio Pardo; foto tirada pelo escritor

Grêmio Euclides da Cunha

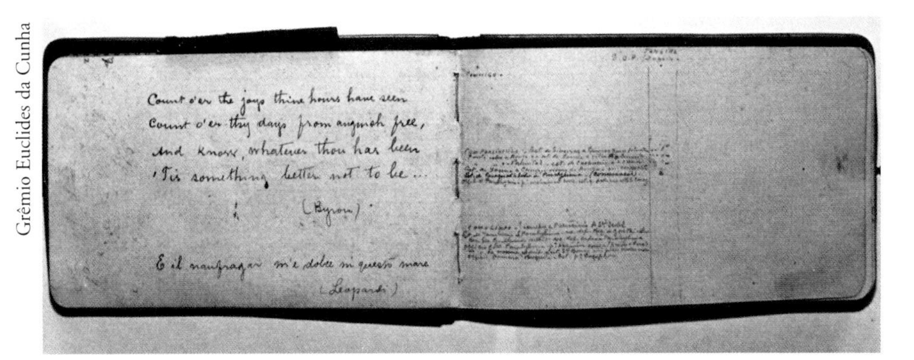

Caderneta usada por Euclides da Cunha, de 1902 a 1909, com versos de Byron e Leopardi

livro graças à recomendação do engenheiro da Politécnica de São Paulo Garcia Redondo, do jurista e escritor Lúcio de Mendonça e do influente crítico José Veríssimo. A publicação da obra foi antes recusada pelo *Estado de S. Paulo* e pelo *Jornal do Commercio*, do Rio.

1902 Recebe, em 27 de janeiro, as primeiras provas de *Os sertões*, que revisa em Lorena. Viaja, em junho, com o poeta Vicente de Carvalho, às ilhas de Búzios e da Vitória, no litoral norte de São Paulo, de modo a fazer estudo – que inclui mapas e desenhos – para a construção de um presídio no local. Retorna a Búzios, em agosto, com José Cardoso de Almeida, secretário de Justiça do estado de São Paulo, e o pintor Benedito Calixto.

Envia, em outubro, um dos primeiros exemplares ou as provas encadernadas de *Os sertões* a Francisco de Escobar, que aponta erros de acentuação, pontuação e concordância no livro. Faz, em novembro, com a ajuda dos impressores, na Companhia Tipográfica do Brasil, à rua dos Inválidos, no Rio, 37 correções – 12 acréscimos e 25 supressões – nos 1.200 exemplares impressos. São ao todo mais de 44 mil correções, feitas com bico de pena, ponta de canivete, raspadeira e tipos móveis.

Os sertões (Campanha de Canudos), grosso volume com 637 páginas, chega às livrarias em 2 de dezembro, no dia seguinte ao desembarque de José Maria da Silva Paranhos Júnior, o barão do Rio Branco, no Rio de Janeiro, vindo de Berlim para assumir o Ministério das Relações Exteriores. Sua narrativa da Guerra de Canudos é ilustrada com desenhos de paisagens e mapas geológicos, botânicos e geográficos, inspirados nas viagens de exploração científica, além de trazer fotografias de Flávio de Barros. Acusa, no livro, o Exército, o governo e a Igreja pela destruição da comunidade e reconhece a omissão de sua cobertura da guerra, ao denunciar a chacina dos prisioneiros, sobre o qual antes se calou. Critica ainda o confronto entre Canudos e a Vendéia, que empregou em seus artigos para *O Estado de S. Paulo*, e descarta a idéia de uma conspiração monárquica, com o apoio de países estrangeiros, que justificou o massacre.

Sai, em 3 de dezembro, no *Correio da Manhã*, do Rio, artigo de José Veríssimo, que elogia *Os sertões* como obra de literatura, história e ciência, mas faz reparos à sua escrita rebuscada e ao emprego de palavras técnicas. Euclides agradece a resenha em carta do mesmo dia, escrita de Lorena, porém defende a aliança entre ciência e arte e o uso de vocabulário científico.

Sobre o conflito na Bahia também são publicados *A guerra de*

Foto Roberto Ventura/Arquivo ABL

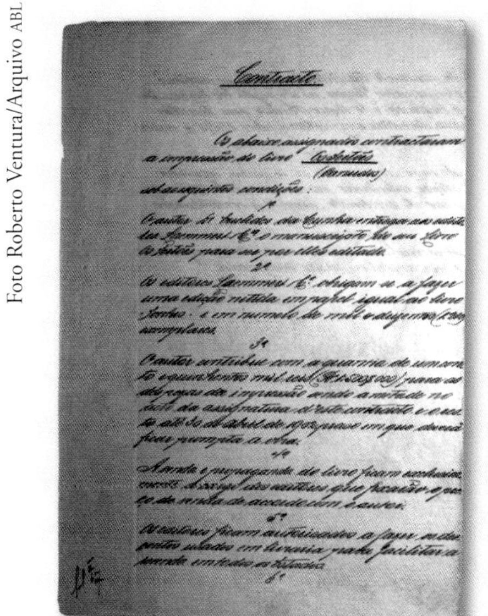

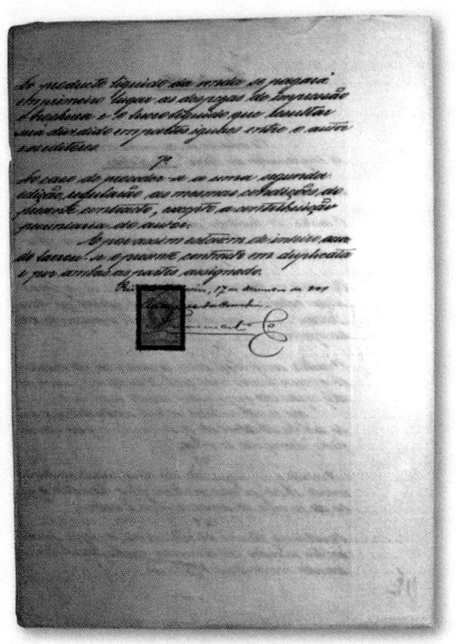

Contrato com a editora Laemmert, do Rio, datado de 1901, para publicação de *Os sertões*

Canudos, do tenente Henrique Duque-Estrada de Macedo Soares, participante da 4ª Expedição, e *A campanha de Canudos*, do jurista e político Aristides Milton.

1903 Indignado com o artigo de Veríssimo, que chega a chamar – em carta a Euclides – de "animal cego", Coelho Neto enaltece *Os sertões*, em 1º e 2 de janeiro, em *O Estado de S. Paulo*, como uma das mais empolgantes obras da literatura brasileira. Referindo-se de forma velada a Veríssimo, ataca certa "crítica melindrosa" e "infecunda", que exige um estilo simples e trivial e renega as palavras antigas ou inventadas, por ignorar que "todo verdadeiro escritor é um revelador", recorrendo a requintes de linguagem para exprimir suas impressões.

José de Campos Novais critica, na *Revista do Centro de Ciências, Letras e Artes* de Campinas, em 31 de janeiro, aspectos de geologia e botânica levantados em *Os sertões*, além do uso de palavras inventadas ou afrancesadas. O capitão Moreira Guimarães, colega de Euclides na Escola Militar, defende o Exército no *Correio da Manhã*, do Rio, em quatro artigos publicados entre 3 de fevereiro e 7 de março, nos quais também aponta contradições na obra recém-lançada, sobretudo entre a imagem do sertanejo como "rocha viva" e a afirmativa da ausência de unidade do povo brasileiro.

Euclides revela, em fevereiro, em carta ao engenheiro belga Luís Cruls, diretor do Observatório Astronômico no Rio e ex-chefe da Comissão de Reconhecimento do Alto Javari, seu desejo de viajar ao Acre, que se tornou alvo de disputas territoriais entre Brasil, Peru e Bolívia. Araripe Júnior, no *Jornal do Commercio*, do Rio, de 6 e 18 de março, classifica como original a forma artística de *Os sertões*, em que se misturam a elevação histórico-filosófica, o talento épico-dramático e o gênio trágico. No mesmo artigo, aproxima Euclides dos grandes nomes da literatura universal, como o grego Xenofonte, o escocês Walter Scott, o francês Gustave Flaubert e o russo Fiódor Dostoiévski.

A primeira edição de *Os sertões* se esgota em pouco mais de dois meses e rende a Euclides 2 contos e 200 mil réis, com um lucro de 700 mil réis. Mas, como escreve ao pai, o que lhe importa é o "lucro de ordem moral", resultante do reconhecimento obtido, pois todos o elogiaram, até o visconde de Ouro Preto, último chefe de gabinete da Monarquia.

Começa, em março, a tomar notas para a *História da revolta*, livro sobre a rebelião da Marinha, que combateu no Rio, de 1893 a 1894, como oficial do Exército.

Acervo da Fundação Biblioteca Nacional – Brasil

O crítico José Veríssimo, que fez alguns reparos ao estilo euclidiano

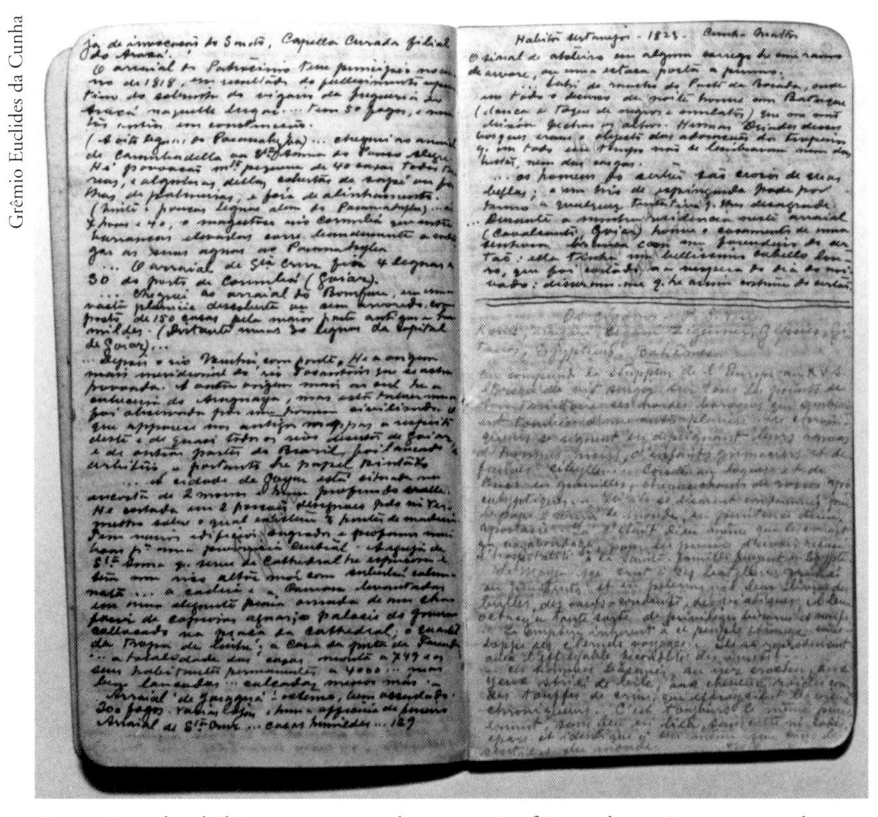

Grêmio Euclides da Cunha

Anotações sobre hábitos e costumes dos sertanejos feitas pelo escritor numa caderneta

Foto: Roberto Ventura/Col. Pedro Corrêa do Lago

Os Sertões

(Campanha de Canudos)

por

Euclydes da Cunha

Laemmert & C. - Editores
66, Rua do Ouvidor, 66 – Rio de Janeiro
Casa filial em S. Paulo
1902

Os sertões, com uma dedicatória "aos companheiros d'*O Estado de S.Paulo*"

Publica, na revista *Paulópolis*, um trecho dessa obra sobre o encontro noturno com o marechal Floriano Peixoto, quando construía fortificações no porto do Rio. Irá interromper contudo a redação do livro ao ser nomeado, no ano seguinte, para a expedição ao Purus, o que fará seu interesse se voltar para os temas amazônicos. É eleito, em 24 de abril, sócio correspondente do Instituto Histórico e Geográfico Brasileiro e toma posse em 20 de novembro com virulento discurso, em que elogia o Império como fase integradora do país e ataca a Constituição republicana, que consagrou o feudalismo dos governadores. Aceita, em 6 de junho, a proposta do editor Massow, que lhe oferece 1 conto e 600 mil réis pelos direitos da segunda edição de *Os sertões*, que sai corrigida no dia 9 de julho. Acrescenta à nova edição oito notas finais, nas quais responde, sem nomear seus interlocutores, às questões de botânica, geologia, etnologia e vocabulário abordadas por Campos Novais e Moreira Guimarães.

Elege-se em 21 de setembro, com 24 votos de um total de 31, para a cadeira nº 7 da Academia Brasileira de Letras, cujo patrono é Castro Alves. Demite-se, em 31 de dezembro, da Superintendência de Obras Públicas devido à crise financeira do estado de São Paulo, provocada pela queda do preço do café e da arrecadação de impostos, que determina a redução dos vencimentos dos funcionários, fazendo seu salário de engenheiro-chefe cair de 900 mil para 600 mil réis.

1904 Trabalha, a partir de 15 de janeiro, como engenheiro fiscal na Comissão de Saneamento de Santos – onde recebe 1 conto e 250 mil réis mensais –, e mora até setembro na cidade vizinha do Guarujá. Demite-se da Comissão em 24 de abril, após se desentender com o gerente da City of Santos Improvements, Hugh Stenhouse, e com o diretor da Secretaria de Agricultura, Comércio e Obras Públicas, Eugenio Lefevre, por causa da cobrança das contas de água devidas por uma casa de banhos, que se encontrava em litígio com a companhia de abastecimento. Vai ao Rio pedir emprego a Lauro Müller, seu antigo colega na Escola Militar, agora ministro da Viação e Obras Públicas, mas nada obtém. Sem trabalho fixo, retoma a colaboração com *O Estado de S. Paulo* e passa a escrever para *O País*, do Rio. Com dificuldades financeiras, transfere em abril, para a editora Laemmert, os direitos de *Os sertões* pela módica quantia de um conto e 800 mil réis, pouco mais do que tinha recebido pela segunda edição. Motivada pelo sucesso de vendas, a Laemmert reúne, em *Juízos críticos*, 15 artigos sobre o livro, publicados em jornais do Rio e São Paulo.

Publica, em *O Estado de S. Paulo*, em 1º de Maio, dia do trabalho, "Um velho problema", em que critica a Revolução Francesa por ter sido incapaz de impedir o predomínio da propriedade burguesa – e manifesta sua adesão ao socialismo de Karl Marx.

Cepe Dr. Oswaldo Galotti

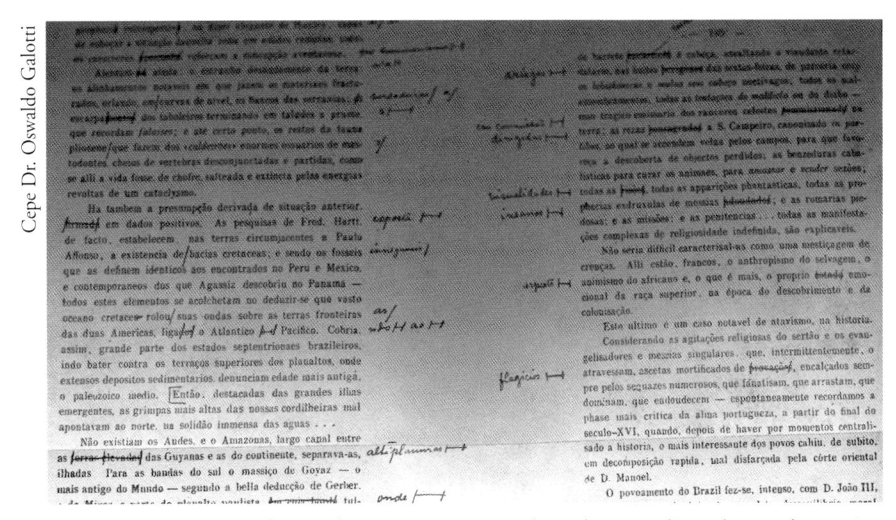

Páginas com correções feitas pelo escritor nos exemplares de uma edição de sua obra maior

Casa de Cultura Euclides da Cunha

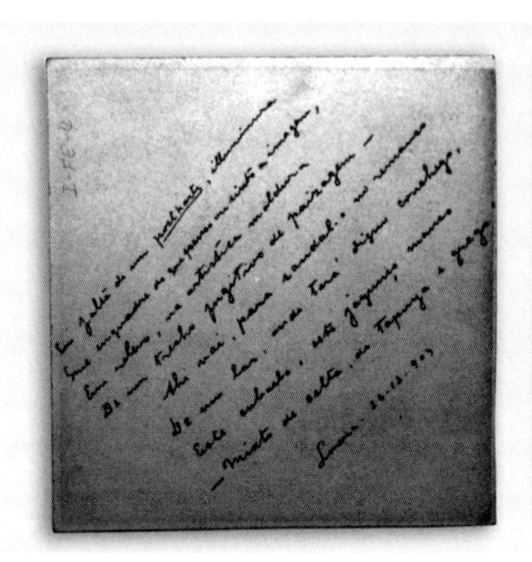

"Misto de celta, de tapuia e grego", diz o poema no verso da foto enviada a Lúcio Mendonça

Participa, pelas páginas do jornal, do debate sobre os conflitos de fronteira. Condena o envio de tropas brasileiras para o Alto Purus e defende uma solução diplomática que permita incorporar o território do Acre. Propõe, em *O Paiz*, uma "guerra dos cem anos" contra as secas do Nordeste, que inclua a exploração científica da região, a construção de açudes, poços e estradas de ferro e o desvio das águas do rio São Francisco para as regiões afetadas pela estiagem.

É nomeado pelo barão do Rio Branco, em 9 de agosto, chefe da Comissão Brasileira de Reconhecimento do Alto Purus, na fronteira entre o Brasil e o Peru, com a missão de fazer o levantamento cartográfico do rio. A nomeação se dá graças ao diplomata e historiador Oliveira Lima e sobretudo a José Veríssimo, que o recomendou a Rio Branco. Muda-se, em setembro, para o bairro do Cosme Velho, no Rio, de modo a fazer os preparativos da expedição, para a qual contrata o fotógrafo Egas Chaves Florence, apesar do veto de Joaquim Tomás do Amaral, visconde de Cabo Frio, diretor-geral do Itamaraty, que julgava oneroso e desnessário tal registro fotográfico. Desiste, em setembro, de seu "velho ideal", a nomeação para a Escola Politécnica de São Paulo, pois não obteve votos favoráveis dos membros da congregação por força da antiga rivalidade com seu diretor, Paula Souza.

Parte do Rio, em 13 de dezembro, no vapor *Alagoas*, rumo a Manaus, onde chega no dia 30 com o coronel Belarmino de Mendonça, chefe da Comissão de Reconhecimento do Alto Juruá. No trajeto, faz escalas em Vitória, Salvador, Recife, São Luís do Maranhão e Belém. Visita, em Salvador, a redação de o *Diário de Notícias* e recebe a bordo seu primo, o engenheiro Arnaldo Pimenta da Cunha, nomeado auxiliar técnico da comissão. No Recife, na companhia de Oliveira Lima, vai à residência de Clóvis Beviláqua e à Faculdade de Direito, além de conhecer igrejas e conventos de Olinda. Em Belém, visita a redação da *Folha do Norte* e se encontra com os naturalistas Emílio Goeldi e Jacques Huber no Museu Paraense de História Natural.

1905 Permanece em Manaus de janeiro a abril, às voltas com os preparativos da expedição ao Purus. Hospeda-se na aprazível Vila Glicínia, perto do reservatório do Mocó, residência do engenheiro Alberto Rangel, seu ex-colega da Escola Militar. É acometido de febre e se exaspera com o calor úmido da cidade, "meca tumultuária dos seringueiros", "comercial e insuportável",

Reprodução RV/Arquivo do Itamaraty

Lanchas usadas na expedição ao Alto Purus, em foto tirada por Egas Chaves Florence

cujo clima julga, com ironia, bom apenas para as palmeiras. Mas logo se reconcilia com a natureza amazônica e suas "manhãs primaveris e admiráveis".

O atraso do Itamaraty no envio das instruções para a viagem, que só chegam em 19 de março, é prejudicial aos expedicionários, por ter de sair na vazante dos rios. Em alguns trechos do percurso, são obrigados a abandonar as lanchas a vapor e continuar em canoas a remo ou arrastadas a pulso. Composta por nove membros e 20 soldados, a comissão brasileira parte em 5 de abril do igarapé São Raimundo, em Manaus, em duas lanchas e um batelão com mantimentos. Segue acompanhada pelos membros da comissão peruana, chefiada pelo capitão de corveta Pedro Alejandro Buenaño, com quem Euclides terá inúmeros atritos. Chega à foz do Purus em 9 de abril, às 7 horas da manhã, e atinge a foz do Chandless em fim de maio. Nos acampamentos, à noite, tem visões de uma mulher vestida de branco,

Fotos: *Dom Casmurro*/Acervo RV

Em Manaus, membros da Comissão Brasileira do Alto Purus, chefiada pelo escritor

Euclides entre os primos Arnaldo (esq.), que o acompanhou ao Purus, e Nestor

que lhe diz: "A estrada do cemitério já chegou à porta da fazenda". A aparição o perseguia desde os tempos de São José do Rio Pardo, conforme revelou em conversa com Coelho Neto. Os membros da comissão brasileira chegam famintos e esfarrapados ao Cujar, uma das cabeceiras do Purus, devido ao naufrágio do barco com mantimentos. Mas desvendam o mistério da ligação do Purus com os rios Ucaiale e Madre de Dios, feita através de canais abertos pelos caucheiros e seringueiros.

Retorna a Manaus em 23 de outubro, depois de fazer, em seis meses e meio, o itinerário de 3 210 quilômetros para o o reconhecimento do rio Purus. Repleta de dificuldades, a viagem foi danosa para a saúde de Euclides, que passou fome e contraiu malária na selva. Em 28 de outubro, dá entrevista sobre a expedição para o *Jornal do Comércio*, da capital amazonense, em que destaca seus feitos patrióticos. Redige, em Manaus, com o comissário peruano, o relatório da expedição – que conclui em 16 de dezembro – e embarca para o Rio no dia 18.

A editora Laemmert publica, durante sua estada na Amazônia, a terceira edição de *Os sertões*, a última que Euclides lançou em vida. O general Dantas Barreto, ex-combatente em Canudos, edita o romance histórico *Acidentes da guerra*, sobre a 3ª Expedição, chefiada pelo coronel Antônio Moreira César.

1906 Regressa ao Rio em 5 de janeiro com a saúde debilitada pela malária. Encontra Ana grávida do cadete Dilermando de Assis. Irrita-se com o cosmopolitismo postiço da capital, transfigurada pelas reformas do prefeito Francisco Pereira Passos, que demoliu o casario antigo para remodelar o centro e abrir a avenida Central, atual avenida Rio Branco.

Publica, em janeiro, na luxuosa revista *Kosmos*, "Entre os seringais", em que denuncia o trabalho semi-escravo dos seringueiros do Acre. Trabalha como adido do barão do Rio Branco,

Dom Casmurro/Acervo RV

O autor, de cabeça tapada, assina o termo da expedição ao Alto Purus, em 1905

com a missão de preparar mapas sobre questões de fronteira e redigir instruções técnicas para a construção da estrada de ferro Madeira-Mamoré. Sente o desconforto de uma posição instável, sujeita às graças do barão, já que não pertence ao quadro efetivo de funcionários e não consegue ingressar tampouco na carreira diplomática, que teria, segundo ele, "a altíssima valia de ser uma carreira... para fora do Brasil".

Conclui, em 10 de março, as "Notas complementares do comissário brasileiro" sobre a história e a geografia do Purus, que inclui no *Relatório da comissão mista Brasileiro-Peruana de reconhecimento do Alto Purus*, publicado em junho pela Imprensa Nacional. Recebe, em julho, convite para fiscalizar a construção da ferrovia Madeira-Mamoré na selva, mas recusa a indicação devido à oposição do pai. Nasce, em 11 de julho, Mauro, que morre de debilidade congênita sete dias depois. Ana afirmará em 1909, no inquérito sobre a morte de Euclides, que havia tomado remédios abortivos na tentativa de interromper a gravidez e que fora também impedida pelo marido de amamentar a criança, filho de Dilermando. Sai, em setembro, pela Livraria Francisco Alves, *Peru versus Bolívia*, reunião de oito artigos publicados no *Jornal do Commercio*, do Rio, de 9 de julho a 13 de agosto. Toma, nestes artigos, partido da Bolívia contra as pretensões territoriais do Peru, que reivindicava parte do Acre. Começa a escrever, em setembro, *Um paraíso perdido*, sobre a Amazônia, cujo título evoca o poema épico do inglês John Milton, *Paradise lost* (1667), sobre a queda de Adão e sua expulsão do paraíso. Sua morte, três anos depois, iria interromper a redação do livro,

AE

Sílvio Romero, que fez o discurso de recepção ao escritor na ABL (1906)

Euclides da Cunha a seus amigos/Acervo RV

Vila Glicínia, chalé de Alberto Rangel, em Manaus, onde Euclides se hospedou (1905)

*Arquivo Dirce de Assis Cavalcanti

Dilermando de Assis no ano de 1907

cujos originais se perderam. Sílvio Romero pronuncia, em 18 de dezembro, na Academia Brasileira de Letras, o discurso de recepção a Euclides em cerimônia assistida por 16 acadêmicos, entre eles Machado de Assis, Oliveira Lima, Artur Azevedo, Graça Aranha e José Veríssimo. Comparecem também o presidente Afonso Pena e os ministros Augusto Tavares de Lira, da Justiça, e Miguel Calmon, da Viação e Obras Públicas, que são obrigados a ouvir os ataques do inflamado orador ao governo. Em discurso mais contido do que o de Romero, Euclides aborda a obra poética do patrono da cadeira, Castro Alves, e de seu predecessor, Valentim Magalhães.

1907 Sai, em janeiro, *Contrastes e confrontos*, pela Livraria Chardron, do Porto (Portugal), com prefácio do filósofo português José Pereira de Sampaio (Bruno). O livro contém 28 artigos de *O Estado de S. Paulo*, *O Paiz* e *O Comércio de São Paulo*, em que trata da Amazônia e de questões históricas, como a Proclamação da República, a deposição do marechal Deodoro da Fonseca e a Revolta da Armada, além de assuntos de política internacional, como a expansão do imperialismo. A segunda edição será lançada em novembro, com o acréscimo de seu "Discurso de recepção" na academia. Escreve, em agosto, o prefácio de *Inferno verde*, livro de relatos amazônicos de Alberto Rangel, publicado no ano seguinte, em que propõe uma "guerra de mil anos contra o desconhecido", de modo a arrancar os "derradeiros véus" da Amazônia, esfinge cuja decifração permitiria esclarecer os últimos mistérios da história natural. Nasce, em 16 de novembro, Luís Ribeiro da Cunha, registrado como seu filho, mas que irá adotar, já adulto, o sobrenome Assis, de seu pai biológico Dilermando. Euclides diz a Coelho Neto, em tom de pilhéria, que o menino parecia uma "espiga de milho num cafezal", pois destoava, com seus cabelos louros, de seus outros três filhos, mais morenos. Convidado pelo Centro Acadêmico 11 de Agosto, da Faculdade de Direito de São Paulo, profere, em 2 de dezembro, a conferência "Castro Alves e seu tempo", em que trata do impacto social da obra do poeta baiano e da importância literária de sua linguagem elevada e hiperbólica, com a qual se identificava. Publicada pelo *Estado de S. Paulo* e pelo *Jornal do Commercio*, do Rio, a palestra sai também como opúsculo pela Imprensa Nacional, com o resultado da venda destinado à construção do busto do poeta em São Paulo. As referências mordazes à "crítica reportada e sabedora", cheia de escrúpulos com os excessos literários, provoca o rompimento de suas relações com José Veríssimo, que se considera atacado e passa a silenciar sobre a obra de Euclides, que omitirá da sua *História da literatura bra-*

Cepe Dr. Oswaldo Galotti

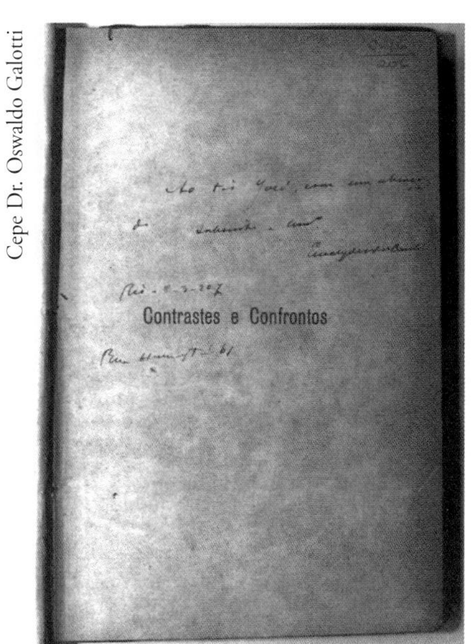

Dedicatória da 2ª edição de *Contrastes e confrontos* ao médico Afrânio Peixoto

Dom Casmurro/Acervo RV

O autor de *Os sertões* flagrado no Rio pela revista *Fon-Fon*, no ano de 1908

*Acervo IMS

Pavilhão da Exposição Nacional, no Rio de Janeiro, que abrigava o restaurante Pão de Açúcar, onde Euclides da Cunha discursou em homenagem ao político Assis Brasil

sileira (1916). Veríssimo não irá escrever também sobre *À margem da História*, livro póstumo do autor de *Os sertões*.

1908 Recebe do médico e escritor Afrânio Peixoto caderno manuscrito com os sermões de Antônio Conselheiro, que incluem pregações sobre os dez mandamentos, o discurso contra a República e o relato da Paixão de Cristo. No fim da Guerra de Canudos, o médico baiano João Pondé descobriu esse e mais outro caderno enterrados junto ao cadáver do Conselheiro, no santuário próximo à Igreja Velha. Seus filhos Solon e Quidinho estudam no renomado Colégio Anchieta, em Friburgo (RJ), mas os padres jesuítas logo expulsam o mais novo por indisciplina. Discursa, em 22 de agosto, no banquete em homenagem ao político Assis Brasil, realizado no restaurante Pão de Açúcar, em um dos pavilhões da Exposição Nacional, comemorativa do centenário da abertura dos portos. Observa que a exposição, dedicada ao progresso, foi erguida no local onde outrora existira a Escola Militar da Praia Vermelha, fechada em 1904, após a participação dos cadetes em tentativa de golpe de estado durante a Revolta da Vacina. Escreve, em 30 de setembro, o prefácio de *Poemas e canções*, de Vicente de Carvalho, genro de Júlio Mesquita, que ingressará, no ano seguinte, na Academia Brasileira de Letras com o apoio de Euclides. Expõe, em "Antes dos versos", sua concepção da poesia moderna, à qual caberia idealizar a natureza, de modo a permitir ao homem escapar ao "rigorismo" prático e racional da vida civilizada. É envolvido, em novembro, no "Caso do telegrama nº 9", incidente diplomático provocado pelo ministro das Relações Exteriores da Argentina, Estanislau Zeballos, que acusa o barão do Rio Branco de enviar telegrama cifrado às legações brasileiras com instruções para campanha difamatória contra seu país. Zeballos faz também alusão às cartas trocadas com Euclides, que desafia o ministro argentino a divulgar sua correspondência, ao mesmo tempo que torna pública a recebida do "grande cachorrão", que acaba afastado de seu posto.
Publica, em 30 de setembro, no *Jornal do Commercio*, do Rio, a

Euclides da Cunha a seus amigos/Acervo RV

O escritor (assinalado) carrega em 1º de outubro de 1908 o caixão de Machado de Assis, à saída da Academia Brasileira de Letras, rumo ao cemitério São João Batista

Dom Casmurro/Acervo RV

Euclides em sua casa, em Copacabana

crônica "A última visita", sobre a inesperada homenagem de um anônimo estudante a Machado de Assis em seu leito de morte, na casa da rua Cosme Velho. A crítica Lúcia Miguel Pereira revelará, em *Machado de Assis* (1936), que o desconhecido visitante era Astrojildo Pereira, que tinha à época 17 anos, futuro fundador e primeiro secretário-geral do Partido Comunista Brasileiro, autor de estudos sobre o romancista de *Dom Casmurro*.

Com a morte de Machado, Euclides ocupa por breve período a presidência da Academia Brasileira de Letras, até passar o cargo para Rui Barbosa. Inscreve-se, em 19 de dezembro, no concurso para a cadeira de lógica no Ginásio Nacional (Colégio Pedro II), no Rio, como 13º candidato, o que considera mau augúrio.

1909 Refere-se, em carta a Vicente de Carvalho, datada de 10 de fevereiro, à fatalidade como a "maldade obscura e inconsciente das coisas", que inspirou a concepção trágica dos gregos. Faz, em 17 de maio, com outros 15 concorrentes, a prova escrita sobre "Verdade e erro" no concurso para o Ginásio Nacional. Assiste, no Cinema Ouvidor, na tarde do mesmo dia, com Coelho Neto, a filme americano sobre vaqueiro que mata a esposa adúltera, e exclama exaltado ao final da projeção: "Essa é a verdadeira justiça. Para a adúltera não basta a pedra israelita, o que vale é a bala."

No dia 25, discorre sobre a "Idéia do ser", questão que julga pertencer à metafísica e que nada teria a ver, segundo ele, com o programa de lógica naquilo que chamou de "o mais ilógico dos concursos". A comissão julgadora anuncia, em 7 de junho, o resultado do concurso: o filósofo cearense Farias Brito, autor de *Finalidade do mundo*, é classificado em 1º lugar, e Euclides fica em 2º lugar, apesar de seu renome como escritor.

Muda-se, em junho, da rua Humaitá para casa na rua Nossa Senhora de Copacabana, cujos fundos davam para a praia. Comenta, em carta para Oliveira Lima, as dificuldades do concurso de que participa e observa, com ironia, que se encontrava em uma "situação maravilhosa [...] A ver navios! [...] nesta adorável República, que me deixa sistematicamente de lado". Acaba porém nomeado, em 15 de julho, professor de lógica no Ginásio Nacional graças à interferência junto ao presidente da República, Nilo Peçanha, do barão do Rio Branco e do escritor e deputado Coelho Neto. Recebe, em 21 de julho, a cadeira de lógica de Escragnolle Dória, seu antigo colega no Colégio Aquino. Passa a ensinar das 11 da manhã ao meio-dia, às segundas, quartas e sextas-feiras, e dá sua décima e última aula na sexta-feira 13 de agosto. Devolve, em 25 de julho, aos editores Lello & Irmão, as provas de *À margem da História*, reunião de estudos históricos e de ensaios sobre a Amazônia, que sairá em setembro, mês seguinte à sua morte. Concede, em um domingo de sol, em sua casa em Copacabana, entrevista a Viriato Corrêa, da

Roberto Ventura

A atual estação da Piedade, no Rio, na qual o escritor desceu na manhã de 15 de agosto de 1909 para ir à residência de Dilermando de Assis, onde seria assassinado

Revista *A Careta*/Acervo RV

Casa na estrada Real de Sta. Cruz, hoje av. Suburbana, onde Euclides morreu (1909)

Illustração Brasileira, na qual fala das dificuldades para publicar *Os sertões* e das infindáveis correções em suas sucessivas edições.

Vai, em 10 de agosto, com seu filho Quidinho, à elegante redação do *Jornal do Commercio*, na av. Central, e recebe de Félix Pacheco o *Atlas do Brasil*, do barão Homem de Melo e de Francisco Homem de Melo, que deveria resenhar. Volta ao jornal, três dias depois, para avisar que não conseguiu terminar o artigo, que deixará inacabado na palavra truncada "descri". Morre, em 15 de agosto, um domingo chuvoso, depois de trocar tiros com o aspirante Dinorá e seu irmão, o cadete Dilermando de Assis. É atingido por três disparos na casa dos Assis, localizada na estrada Real de Santa Cruz, atual avenida Suburbana, no bairro da Piedade, no Rio. Quando já se retirava ferido, cai no pequeno jardim à frente da residência, fulminado por um tiro no peito disparado por Dilermando. Levado para a cama de seu rival, lá expira. Dilermando é ferido por quatro projéteis. Seu irmão Dinorá recebe um tiro na altura do ombro, próximo à coluna, e passa a ter dificuldades de locomoção, cometendo o suicídio em 1921.

Velado na Academia Brasileira de Letras, o escritor é enterrado no dia 16 de agosto, às 17h, na sepultura nº 3 026 do Cemitério São João Batista. Na Câmara dos Deputados, Coelho Neto compara sua morte à tragédia *Oréstia* (458 a.C.), do poeta grego Ésquilo, em que Agamêmnon, rei de Argos, é assassinado por sua esposa Clitemnestra e pelo amante desta, Egisto, quando voltava triunfante da Guerra de Tróia.

Dois dias após sua morte, José Veríssimo, que o havia consagrado com artigo sobre *Os sertões*, escreve ao acadêmico Mário de Alencar para confessar que não tinha muita simpatia por Euclides e que se esforçava por tolerá-lo, já que achava insuportável o seu "egotismo". Afirma ainda, em uma previsão equivocada, que sua obra não iria sobreviver. Apesar disso, Veríssimo preside, em 28 de agosto, sessão da academia na qual manifesta pesar pela perda do "saudoso companheiro" e declara aberta sua vaga, que será ocupada por Afrânio Peixoto.

Araripe Júnior publica, em 7 de setembro, no *Jornal do Commercio*, do Rio, "Dois vulcões extintos: Raul Pompéia e Eucli-

Dom Casmurro/Acervo RV

Tiroteio entre o escritor e os irmãos Dilermando e Dinorá, segundo a revista *O Malho*

Dom Casmurro/Acervo RV

Velório de Euclides na ABL, antes de seguir para o cemitério São João Batista, no Rio

des da Cunha", em que aproxima os dois autores, desaparecidos de forma trágica e prematura, que enfocavam os temas brasileiros dentro do quadro mais amplo do avanço da civilização européia e do futuro dos países sul-americanos. O barão do Rio Branco assina, no dia seguinte, o Tratado Brasileiro-Peruano sobre o Alto Purus e o Alto Juruá, que estabelece, após seis anos de árduas negociações, as fronteiras definitivas entre os dois países.

Morre, em 6 de outubro, o pai do escritor, Manuel Rodrigues Pimenta da Cunha, na Fazenda Trindade, cuja plantação de café se encontrava insolvente com uma dívida de 280 contos de réis, superior ao valor da propriedade. Ao saber da morte de Euclides, Manuel afirmara que estava satisfeito, pois o filho tinha morrido dignamente "em defesa da honra".

1911 Dilermando de Assis é absolvido, em 5 de maio, no processo pela morte de Euclides em que seis jurados afirmaram a legítima defesa e seis a negaram. Porém o promotor apela da decisão do júri e a sentença é anulada, sendo o réu – defendido por Evaristo de Moraes e Caetano Delamare Garcia – libertado e submetido três anos depois a novo julgamento. Na Academia Brasileira de Letras, Araripe Júnior discursa, em 15 de agosto, na recepção de Afrânio Peixoto, que fez a autópsia de Euclides no Instituto Médico Legal e iria ocupar sua cadeira na instituição. Os irmãos Edgar Süssekind de Mendonça e Carlos Süssekind de Mendonça, filhos de Lúcio de Mendonça, que recomendou *Os sertões* à Laemmert, e mais alguns alunos do Colégio Pedro II, fundam o Grêmio Euclides da Cunha, no Rio. A Livraria Francisco Alves publica a quarta edição de *Os sertões*, que segue o texto da terceira.

1912 Amigos de Euclides se reúnem, em 15 de agosto, em São José do Rio Pardo, diante do barracão de obras por ele ocupado à época em que lá trabalhava, para recordarem o escritor; tem início ali a romaria anual em memória do autor de *Os sertões*.

1913 Presidente de honra do Grêmio Euclides da Cunha, Alberto Rangel lança, em discurso proferido a 15 de agosto, junto à sepultura de Euclides no Cemitério São João Batista, a divisa: "Por protesto e adoração". O Grêmio passa a publicar anualmente, até 1939, a *Revista do Grêmio Euclides da Cunha*, sob a direção dos irmãos Süssekind de Mendonça e de Francisco Venancio Filho.

1914 Sai, pela Livraria Francisco Alves, a quinta edição de *Os sertões*, organizada por Afrânio Peixoto, à qual são incorporadas cerca de 2.600 correções, deixadas pelo autor em exemplar da tercei-

Grêmio Euclides da Cunha

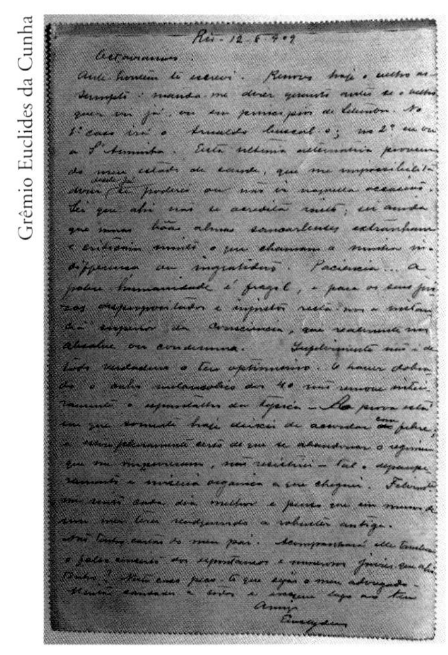

Última carta do escritor, de 12.08.09, destinada ao cunhado Otaviano Vieira

*Acervo da Fundação Biblioteca Nacional – Brasil

O ficcionista Henrique Coelho Neto

ra edição. Dilermando de Assis é absolvido, em 30 de outubro, em novo julgamento, por cinco votos contra dois, pois o júri aceita a tese da legítima defesa.

1915 Coelho Neto discursa, em 20 de janeiro, na inauguração da lápide do escritor no Cemitério São João Batista e anuncia que Euclides iria ressuscitar, como Jesus Cristo, por meio da celebração dos amigos.

1916 Morre, em 6 de maio, Solon Ribeiro da Cunha, seu filho mais velho, em tiroteio no seringal Miraflor, em Tarauacá, no Acre, onde trabalhava como delegado de polícia. O antropólogo Edgar Roquette Pinto inaugura, em 6 de junho, no Museu Nacional, do Rio, a Sala Euclides da Cunha, em que o cérebro do escritor, retirado para exame por Afrânio Peixoto, é exibido em recipiente de vidro junto com objetos de etnografia sertaneja.
O segundo-tenente Dilermando de Assis mata, em 4 de julho, em um cartório de órfãos no centro do Rio, o aspirante naval Euclides da Cunha Filho, o Quidinho, que tentou vingar a morte do pai. Novamente absolvido por legítima defesa, o militar é posto em liberdade em 13 de novembro.

1918 Vicente de Carvalho discursa, em 18 de maio, na inauguração do busto de Euclides em São José do Rio Pardo, próximo ao barracão em que dirigiu as obras de reconstrução da ponte.

1919 O Grêmio Euclides da Cunha reúne, em *Por protesto e adoração*, as conferências promovidas a partir de 1913, em 15 de agosto de cada ano, em homenagem ao escritor.

1925 A Câmara Municipal de São José do Rio Pardo resolve, em 15 de setembro, consagrar o dia 15 de agosto à memória de Euclides e transforma a data, aniversário de sua morte, em feriado local. José Honório de Silos, Jovino de Silos e Francisco Teive de Magalhães fundam, com o prefeito José Pereira Martins de Andrade, o Grêmio Euclides da Cunha de São José do Rio Pardo.

1928 É inaugurada, em 15 de agosto, em São José do Rio Pardo, a redoma de cimento e vidro em torno do antigo barracão de obras, que será incorporado ao Patrimônio Artístico e Histórico Nacional em 1939.

1932 O coronel Euclides Figueiredo ordena a destruição de diversas pontes e pontilhões construídas pelo escritor no Vale do rio Paraíba do Sul, de modo a deter o avanço das tropas enviadas por Getúlio Vargas para reprimir a Revolução Constitucionalista de São Paulo.

1938 A 1ª Semana Euclidiana é realizada de 9 a 15 de agosto, em São José do Rio Pardo, por iniciativa do médico e pesquisador

Casa de Cultura Euclides da Cunha

Redoma de cimento e vidro em torno do barracão de obras da ponte de S.José do Rio Pardo

Oswaldo Galotti. O evento, com palestras e conferências sobre a vida e a obra de Euclides, passa a ser realizado anualmente. Francisco Venâncio Filho reúne, em *Euclides da Cunha a seus amigos*, a correspondência do escritor. Sai, pela editora Mercatali, de Buenos Aires, a tradução de *Os sertões* para o espanhol, feita por Benjamin de Garay. A obra será relançada em 1982 pela editora Plus Ultra, também da capital argentina.

Casa de Cultura Euclides da Cunha

O sobrado em que Euclides da Cunha residiu em São José do Rio Pardo, atual Casa de Cultura

1939 Elói Pontes publica *A vida dramática de Euclides da Cunha*, sua primeira biografia, e a Livraria José Olympio causa controvérsia ao exibir, na loja que mantinha à rua do Ouvidor, a carteira do escritor varada por bala e a foto de seu cadáver no necrotério. Antônio Simões dos Reis reúne, em *Canudos: diário de uma expedição*, os artigos e telegramas sobre o conflito escritos por Euclides para *O Estado de S. Paulo*.

*Cepe Dr. Oswaldo Galotti

O médico Oswaldo Galotti, que criou a Semana Euclidiana no ano de 1938

1940 Francisco Venâncio Filho aborda, em *A glória de Euclides da Cunha*, a vida e a obra do autor de *Os sertões* e o movimento euclidiano, do qual é um dos principais mentores.

1941 Gilberto Freyre trata, em "Atualidade de Euclides da Cunha", depois incluído em *Perfil de Euclides e outros perfis*, de 1944, da "sensualidade verbal" do escritor, deslumbrado pela sonoridade das palavras, e de sua tendência a "glorificar os homens e a paisagem", resultante de seu encanto pela técnica da escultura.

1944 É publicada, pela University of Chicago Press, a tradução americana de *Os sertões*, assinada por Samuel Putnam, com o título de *Rebellion in the Backlands*, que terá sucessivas reedições. O Instituto Nacional do Cinema Educativo, dirigido por Humberto Mauro, produz o curta-metragem *Euclides da Cunha* como parte de uma galeria de heróis-escritores promovidos pelo Estado Novo.

1945 Sai, pela editora Wahlström & Widstrand, de Estocolmo, a tradução de *Os sertões* para o sueco, realizada por T. Warburton.

1946 É criada, em 14 de agosto, em São José do Rio Pardo, a Casa de Cultura Euclides da Cunha – no sobrado em que o escritor

Cepe Dr. Oswaldo Galotti

Cartaz da Olimpíada Euclideana (1946)

residiu –, dedicada à guarda de seus originais e documentos e responsável pela organização anual da Semana Euclidiana. Têm início os estudos para a construção do açude de Cocorobó no vale do rio Vaza-Barris, obra que o presidente Getúlio Vargas havia prometido realizar ao visitar Canudos em outubro de 1940.

1947 A editora Caravela, do Rio, publica tradução francesa de *Os sertões* feita por Sereth Neu e que será depois relançada em 1951 pela editora Julliard, de Paris. Odorico Tavares entrevista contemporâneos de Antônio Conselheiro para reportagens na revista *O Cruzeiro*, ilustradas com fotos de Pierre Verger, depois reunidas em *Bahia: imagens da terra e do povo* (1951).

1948 Sílvio Rabelo aborda a vida e a obra do escritor na biografia *Euclides da Cunha*. É publicada, pela editora Westermann, de Copenhague, a tradução de *Os sertões* para o dinamarquês, assinada por Richard Wagner Hansen.

*Marcel Gautherot/ Fundação Pierre Verger

Pierre Verger, cujas fotos de Canudos saíram na revista *O Cruzeiro* em 1947

1950 José Calasans Brandão da Silva recolhe, no sertão da Bahia, depoimentos de sobreviventes da Guerra de Canudos, que se tornam a base de diversos trabalhos sobre Belo Monte e o Conselheiro: *O ciclo folclórico do Bom Jesus Conselheiro* (1950), *No tempo de Antônio Conselheiro* (1959), *Canudos na literatura de cordel* (1984), *Quase biografias de jagunços* (1986) e *Cartografia de Canudos* (1997).
Aroldo de Azevedo contesta, em artigo no *Boletim Paulista de Geografia*, algumas informações geográficas contidas no livro de Euclides – entre elas a denominação do planalto brasileiro como "planalto central do Brasil" e suas idéias geológicas sobre a formação do sertão baiano.

1952 O escritor francês Lucien Marchal ganha prêmio da revista *La Gazette des Lettres* pelo romance *Le mage du sertão* (O mago do sertão), inspirado nos acontecimentos de Canudos. O Departamento Nacional de Obras Contra as Secas (Dnocs) começa a construir o açude de Cocorobó na região de Canudos.

1953 É publicada, pela editora Sperling & Kupfer, de Milão, a tradução italiana de *Os sertões*, realizada por Cornelio Bisello, sob o título de *Brasile ignoto*.

1954 A Wereldbibliotheek, de Amsterdã, lança a tradução holandesa de *Os sertões*, feita por M. de Jong.

*Arquivo José Calasans

José Calasans, que colheu depoimentos, na Bahia, de sobreviventes do conflito

1956 Antônio da Gama Rodrigues reconstitui, em *Euclides da Cunha*, suas atividades como engenheiro da Superintendência de Obras Públicas de São Paulo.

1958 João Felício dos Santos publica o romance histórico *João Abade*, sobre o chefe militar do Conselheiro e líder das operações de guerra contra o exército. Dante de Melo contesta, em *A verdade sobre Os sertões*, os aspectos militares da reconstituição da Guerra de Canudos feita por Euclides.

1959 A Editora de Literatura Popular, de Pequim, publica *Fudi*, trechos de *Os sertões* em chinês, traduzidos por Pei Chin. Paulo Dantas recria, no romance *Capitão jagunço*, a figura enigmática do capitão Jesuíno de Lima, guia de todas as expedições militares contra Canudos, que atuou no povoado como comerciante até ser expulso pelos conselheiristas.

1960 Olímpio de Souza Andrade aborda, em *História e interpretação*

de Os sertões, a vida e a obra do escritor até o lançamento do livro que o consagrou. O general Tristão de Alencar Araripe procura reabilitar, em *Expedições militares contra Canudos*, os soldados e oficiais que participaram da campanha, refutando as críticas feitas pelo escritor à atuação do Exército.

1962 Honório Vilanova, irmão de Antônio Vilanova, maior comerciante em Canudos no tempo do Conselheiro, concede, em Assaré (CE), depoimento a Nertan Macedo, no qual conta detalhes do cotidiano do arraial, publicado, dois anos depois, em *Memorial de Vilanova*.

1963 Glauber Rocha lança *Deus e o Diabo na terra do sol*, filmado em Monte Santo e Canudos e inspirado em *Os sertões* e em *Grande sertão: veredas*, de João Guimarães Rosa. As profecias sebastianistas e apocalípticas, que Euclides recolheu em Canudos, ressurgem no filme pelas falas do

*Rogério Duarte/Col. Lúcia Telles

Pôster do filme *Deus e o Diabo na terra do sol* (1963), dirigido por Glauber Rocha

beato Sebastião e pela trilha sonora composta por Sérgio Ricardo, que recria a profecia atribuída ao Conselheiro: "O sertão vai virar mar". Rui Facó aborda, em *Cangaceiros e fanáticos*, movimentos místicos e messiânicos, como o de Canudos e o de Juazeiro do Norte (CE) – liderado pelo padre Cícero Romão Batista –, cuja principal motivação seria a luta contra o monopólio da terra e o poder dos latifundiários. Modesto de Abreu analisa, em *Estilo e personalidade de Euclides da Cunha*, a linguagem de *Os sertões*, a qual relaciona ao caráter "torturado" de seu autor.

1964 Clóvis Moura trata, em *Introdução ao pensamento de Euclides da Cunha*, dos aspectos políticos e científicos da obra do escritor.

1965 Maria Isaura Pereira de Queiroz investiga, em *O messianismo no Brasil e no mundo*, os movimentos messiânicos ao longo da história, entre eles a comunidade de Canudos e outras manifestações sebastianistas ocorridas no Brasil, como a de Cidade do Paraíso Terrestre (1817-20) e Pedra Bonita (1836-8), ambas em Pernambuco, e do Contestado (1912-6), em Santa Catarina.

1966 Leandro Tocantins trata, em *Euclides da Cunha e o paraíso perdido*, da expedição do escritor ao Purus e de seus escritos sobre a Amazônia. A editora Aguilar, do Rio de Janeiro, publica a *Obra completa* de Euclides da Cunha, organizada por Afrânio Coutinho, com seus artigos, livros, cartas e parte de seus relatórios e poemas.

*Companhia das Letras/Divulgação

O húngaro Sándor Márai, que lançou romance recriando o final de Canudos

1968 O general Umberto Peregrino aborda, em *Euclides da Cunha e outros estudos*, a carreira militar do escritor e suas relações com as forças armadas.

1969 Chuvas torrenciais enchem o açude de Cocorobó, que submerge a Canudos original, destruída pela segunda e última vez. Seus habitantes se mudam para o povoado vizinho do Cocorobó, que passa a adotar o nome de Nova Canudos e a se chamar Canudos em 1985.

1970 O escritor húngaro Sándor Márai lança, no Canadá, *Veredicto em Canudos*, romance no qual recria ficcionalmente os momentos finais do conflito. A tradução brasileira da obra, feita por Paulo Schiller, só sairia em 2002, em comemoração ao centenário de *Os sertões*.

1971 Irene Reis relaciona, na *Bibliografia de Euclides da Cunha*, 3.010 escritos e imagens do escritor, além de estudos sobre sua vida e obra.

*Edu Garcia/AE

O peruano Vargas Llosa, cujo *A guerra do fim do mundo* (1981) parte de *Os sertões*

1974 Walnice Nogueira Galvão reúne, em *No calor da hora*, os artigos e as reportagens sobre a 4ª Expedição contra Canudos, publicados nos jornais de Salvador, Rio de Janeiro e São Paulo. Ataliba Nogueira publica, em *Antônio Conselheiro e Canudos*, um dos cadernos manuscritos com os sermões e as prédicas do líder da comunidade, que revelam que ele seguia um catolicismo penitente corrente na Igreja do século 19.

1975 Olímpio de Souza Andrade transcreve, em *Caderneta de campo*, o caderno de notas utilizado por Euclides na cobertura da Guerra de Canudos, contendo o seu diário de campanha, os desenhos e croquis, os rascunhos de suas reportagens e os primeiros esboços de *Os sertões*.

1976 Walnice Nogueira Galvão analisa, em *Saco de gatos*, a reviravolta de opinião de Euclides entre a cobertura jornalística da guerra e o livro de 1902. O documentário *Canudos*, de Ipojuca Pontes, futuro secretário de Cultura do governo de Fernando Collor de Mello entre 1990 e 1992, representa o Brasil nos festivais de Cannes (França) e San Sebastian (Espanha).

1978 Edmundo Moniz situa, em *A guerra social de Canudos*, o movimento liderado pelo Conselheiro na linha do pensamento utópico de Thomas Morus e considera, em uma interpretação controversa, que houve a tentativa de estabelecer uma sociedade socialista no sertão da Bahia.

1980 A Biblioteca Ayacucho, de Caracas, publica tradução espanhola de *Os sertões*, feita por Estela dos Santos, com prólogo, notas e cronologia de Walnice Nogueira Galvão.

1981 O escritor peruano Mario Vargas Llosa recria, no romance *La guerra del fin del mundo*, inspirado em *Os sertões*, o conflito de Canudos como um monstruoso "mal-entendido". A tradução brasileira de Remy Gorga Filho sai no mesmo ano.

1982 Os restos mortais de Euclides e de seu filho Quidinho são trasladados, em 15 de agosto, em duas pequenas urnas envoltas pela bandeira brasileira, do Cemitério São João Batista no Rio para um mausoléu em São José do Rio Pardo, à beira do rio, onde se encontram até hoje.

1983 O cérebro do escritor, guardado em recipiente de vidro no Museu Nacional, do Rio, é sepultado, em 10 de setembro, na Casa de Euclides da Cunha, em Cantagalo, sua cidade natal. Nicolau Sevcenko aborda, em *Literatura como missão*, as obras de Euclides da Cunha e Lima Barreto como representativas das tensões sociais e culturais na primeira década do século 20, quando se deu a reforma urbana do Rio de Janeiro. Em *Euclides: a espada e a letra*, Franklin de Oliveira interpreta *Os sertões* como ensaio de crítica histórica e faz a biografia intelectual do escritor.

1984 A Pastoral da Terra passa a celebrar em 5 de outubro de ca-

*Casa de Cultura Euclides da Cunha

Mausoléu com os restos mortais do escritor, levados do Rio para S. José do Rio Pardo em 82

da ano, aniversário do término da guerra, missa pelos mortos em Canudos. Surge, na região do conflito, o movimento do "Corta-cerca", inspirado em Antônio Conselheiro, como reação à crescente ocupação das terras pelos fazendeiros – mas os participantes são presos e intimidados e a Pastoral é desativada.

1985 A editora Brasiliense, de São Paulo, publica edição crítica de *Os sertões*, organizada por Walnice Nogueira Galvão. É criado o município de Canudos.

1986 A Fundação Casa de Rui Barbosa, no Rio, relaciona, em *Canudos: subsídios para a sua reavaliação histórica*, 458 documentos sobre a guerra – existentes no Arquivo do Exército, Arquivo Nacional, Biblioteca Nacional, Fundação Casa de Rui Barbosa, Instituto Histórico e Geográfico Brasileiro, Ministério das Relações Exteriores, Museu Histórico Nacional e Núcleo Sertão –, além de listar 618 obras e artigos. É criado o Parque Estadual de Canudos, sob a responsabilidade da Universidade do Estado da Bahia e da Secretaria de Educação e Cultura.

1987 Judith Ribeiro de Assis, filha de Ana e Dilermando de Assis, dá depoimento ao jornalista Jeferson de Andrade, que resulta no livro *Anna de Assis*, no qual ataca a figura de Euclides, a quem acusa de ter provocado a morte de Mauro, filho adulterino do casal.

1988 É publicado *Canudos: memórias de um combatente*, de Marcos Evangelista da Costa Vilela Júnior, sargento da 3ª e da 4ª Expedição, que lutou depois, na década de 1910, contra a revolta religiosa do Contestado, em Santa Catarina.

1989 O escritor José J. Veiga imagina, no romance *A casca da serpente*, uma outra história de Canudos, cujo líder teria sobrevivido à guerra para tentar reconstruir, com pouco êxito, sua comunidade.

1990 Dirce de Assis Cavalcanti relata, em *O pai*, como descobriu tardiamente ser filha do homem que matou o escritor. Joel Bicalho Tostes, viúvo de Eliete da Cunha Tostes, neta de Euclides, concede, em *Águas de amargura*, depoimento a Adelino Brandão, em que defende o avô de sua mulher das acusações de Judith Ribeiro de Assis e apresenta o atestado de óbito de Mauro como comprovação de sua morte por debilidade congênita.
A Rede Globo de Televisão coloca no ar a minissérie *Desejo*, escrita por Glória Perez e dirigida por Wolf Maya e Denise Saraceni, que trata da tragédia conjugal de Ana e Euclides, vividos pelos atores Vera Fischer e Tarcísio Meira. Alexandre Otten aborda, em *Só Deus é grande*, o ideário religioso de Antônio Conselheiro e seu papel na construção da comunidade do Belo Monte.

*Rogério Reis/Tyba

J.J. Veiga, que criou em *A casca da serpente*, de 89, uma outra história para Canudos

*Mario Cravo Neto

O conselheirista Renato Marques Ferraz

1991 Renato José Marques Ferraz, Manoel Antonio dos Santos Neto e José Carlos da Costa Pinheiro preparam a *Cartilha histórica de Canudos*, destinada a transmitir aos estudantes e moradores a história da região.

1993 Jorge Coli e Antoine Seel publicam, pela editora Métailié, de Paris, nova tradução francesa de *Os sertões*, com o título de *Hautes terres*. Júlio José Chiavenato recria, no romance *As meninas do Belo Monte*, o destino das crianças de Canudos, capturadas e maltratadas por soldados e ofi-

*Portfolium/ Divulgação

Cartaz do vídeo de Antonio Olavo (93)

ciais. O jurista Miguel Reale aborda, em *Face oculta de Euclides da Cunha*, a presença da filosofia na obra do escritor, cuja faceta de pensador teria vindo à tona se não tivesse morrido aos 43 anos, logo após ingressar como professor de lógica no Ginásio Nacional. Antonio Olavo refaz, no documentário *Paixão e guerra no sertão de Canudos*, a trajetória do Conselheiro no Ceará, Pernambuco, Sergipe e Bahia.

1994 Berthold Zilly recebe os prêmios Wieland e Jane Scatcherd pela tradução alemã de *Os sertões*, publicada pela Suhrkamp; o trabalho seria premiado ainda no ano seguinte pela União de Críticos de São Paulo. Fernando Henrique Cardoso, candidato do PSDB à Presidência da República, promete, em comício realizado em Canudos, levar o asfalto até a cidade e dar água e irrigação para o sertão nordestino. A promessa de campanha é parcialmente cumprida depois de seis anos, em 2000, quando é pavimentada a estrada entre Canudos e Bendengó. *Os sertões* é apontado como o mais importante livro da cultura brasileira em pesquisa feita pelo jornalista Rinaldo Gama, da revista *Veja*, com 15 intelectuais brasileiros. A obra de Euclides recebeu um total de 15 votos, seguido de *Casa-grande & senzala*, de Gilberto Freyre, com 14, e *Macunaíma*, de Mário de Andrade, com 11. Na mesma enquete, Machado de Assis foi porém o escritor mais votado, sendo a único a figurar na lista com dois títulos: *Dom Casmurro* e *Memórias póstumas de Brás Cubas*.

1995 Leopoldo Bernucci investiga, em *A imitação dos sentidos*, as fontes literárias e jornalísticas de *Os sertões*. O historiador Marco Antonio Villa aborda, em *Canudos: o povo da terra*, o papel do catolicismo na formação da comunidade. Outro historiador, o americano Robert Levine, trata, em *Vale of tears* (*O sertão prometido*, na edição brasileira publicada no mesmo ano), dos conflitos políticos e religiosos que levaram à eclosão da guerra. Marcia Japor de Oliveira Garcia e Vera Maria Furstenau relacionam, em *O acervo de Euclides da Cunha na Biblioteca Nacional*, 4.075 referências ao escritor existentes naquela instituição, localizada no Rio. A Casa das Culturas do Mundo, em Berlim, Alemanha, realiza encontro sobre *Os sertões*, com a participação de Walnice Nogueira Galvão, Francisco Foot Hardman, Luiz Costa Lima, Sérgio Paulo Rouanet e Berthold Zilly.

1996 Oleone Coelho Fontes conta, em *O Treme-terra*, a vida e a carreira do coronel Antônio Moreira César, comandante da 3ª Expedição contra Canudos. O Centro de Estudos Euclides da Cunha, da Universidade do Estado da Bahia, publica *Arqueologia histórica de Canudos*, com os resultados de pesquisa arqueológica realizada por Paulo Zanettini na região.

1997 A destruição de Canudos é relembrada, após 100 anos, com eventos realizados na Universidade Federal do Ceará, em Fortaleza; na Universidade Federal da Bahia e na Universidade do Estado da Bahia, em Salvador; no Museu da República, no Rio de Janeiro; e na Universidade de Colônia, na Alemanha. Walnice Nogueira Galvão e Oswaldo Galotti reúnem, na *Correspondência de Euclides da Cunha*, cerca de 400 cartas do escritor, das quais 107 inéditas. Luiz Costa Lima investiga, em *Terra ignota*, os aspectos literários e científicos de *Os sertões*. Lizir Arcanjo Alves aborda, em *Humor e sátira na guerra de Canudos*, a forma jocosa como os jor-

Dom Casmurro/Acervo RV

Moreira César, chefe da 3ª Expedição, biografado em *O Treme-terra* (1996)

nais e as revistas trataram Canudos e o Conselheiro. Frederico Pernambucano de Mello revê a história da comunidade em *Que foi a guerra total de Canudos*. Vicente Dobroruka trata, em *Antônio Conselheiro*, da vida do líder de Canudos. Os poetas Augusto e Haroldo de Campos abordam, em *Os sertões dos Campos*, os aspectos poéticos e sonoros da prosa do escritor. Sérgio Rezende dirige o filme *Guerra de Canudos*, cujos protagonistas são os membros de uma família sertaneja divididos pelo conflito. Ayrton Marcondes cria, no romance *Canudos*, as memórias ficcionais de frei Monte Marciano. Sai *Canudos: campanha militar (4ª Expedição)*, de Davis Ribeiro de Sena. Adelino Brandão publica *Paraíso perdido*, biografia romanceada do escritor.

1998 Regina Abreu aborda, em *O enigma de* Os sertões, a canonização do livro e de seu autor pelo movimento euclidiano, surgido no Rio em 1911 e em São José do Rio Pardo no ano seguinte. A editora Ática relança a edição crítica de *Os sertões*, organizada por Walnice Nogueira Galvão.

1999 Paulo Zanettini e Erika Robrhan-González, da Universidade de São Paulo, fazem pesquisas arqueológicas em Canudos, cujas ruínas afloraram das águas do açude de Cocorobó devido à seca que assolou a região, tornando visíveis a base do cruzeiro e os restos da Igreja Velha, de Santo Antônio, e da Nova, de Bom Jesus, além de trincheiras, barricadas e vestígios de acampamentos

*Acervo Álvaro Pinto Dantas de Carvalho

Cícero Dantas Martins, barão de Jeremoabo

e habitações. Lourival Holanda analisa, em *Fato e fábula*, as figuras de linguagem e os aspectos retóricos de *Os sertões*, sobretudo o uso da ironia por Euclides, que lhe permite rever e criticar o ideário republicano. Consuelo Novais Sampaio publica *Cartas para o barão*, que reúne 70 missivas recebidas pelo fazendeiro e político baiano Cícero Dantas Martins, o barão de Jeremoabo, durante o conturbado período da expansão e destruição de Canudos. A correspondência revela a forte presença de ex-escravos na comunidade e mostra os esforços do barão para impedir a atuação do Conselheiro em seu reduto eleitoral, tendo solicitado em 1893 o envio de força policial contra o líder religioso.

2000 Walnice Nogueira Galvão reúne, em *Diário de uma expedição*, os artigos e os telegramas sobre Canudos escritos por Euclides para *O Estado de S. Paulo*. A Biblioteca Nacional promove o seminário "Repensando o Brasil com Euclides da Cunha", cujas palestras são publicadas no ano seguinte pela *Revista Tempo Brasileiro*.

2001 José Carlos Barreto de Santana aborda, em *Ciência & arte*, o papel das ciências naturais em *Os sertões* e as relações do escritor com os cientistas de seu tempo. Walnice Nogueira Galvão resume, em *O Império do Belo Monte*, a história de Canudos e de seu líder. Sai, pela editora Meulenhoff, nova tradução holandesa de *Os sertões*, assinada por August Willemsen.

2002 A editora Ateliê lança edição de *Os sertões*, com prefácio e notas de Leopoldo Bernucci. Fernando da Rocha Peres e Walnice Nogueira Galvão editam o *Breviário de Antônio Conselheiro*, em que são reproduzidos alguns dos evangelhos existentes em um dos cadernos manuscritos do líder de Canudos. Adelino Brandão reúne, em *Euclides da Cunha: bibliografia comentada*, 9.372 referências ao escritor. José Celso Martinez Corrêa, do Teatro Oficina de São Paulo, pre-

*Juan Esteves

Ensaio da montagem de *Os sertões*, sob direção de José Celso Martinez Corrêa

para encenação de *Os sertões*, cuja adaptação realiza com Tommy Pietra e Flávio Rocha. São programados eventos em comemoração do centenário de publicação de *Os sertões* pela Casa de Cultura Euclides da Cunha, em São José do Rio Pardo; pela Faculdade de Comunicação Social Cásper Líbero, de São Paulo; e pela Universidade Federal do Rio Grande do Sul, em Porto Alegre. As universidades do Estado da Bahia, Estadual de Feira de Santana, Católica de Salvador e Federal da Bahia organizam um simpósio internacional em Salvador, Feira de Santana e Canudos. Diversos lançamentos são anunciados tendo em vista o centenário: *História e interpretação de* Os sertões (edição revista), de Olímpio de Souza Andrade; *Canudos, história em versos*, de Manuel Pedro das Dores Bombinho, combatente da 4ª Expedição; *Euclides da Cunha e* Os sertões, organizado por José Leonardo Nascimento; *O clarim e a oração*, organizado por Rinaldo de Fernandes. A *Revista Brasileira*, da Academia Brasileira de Letras, a *Revista Canudos*, do Centro de Estudos Euclides da Cunha, de Salvador, e a *Revista USP*, da Universidade de São Paulo, publicam números especiais sobre Euclides da Cunha e *Os sertões*. Chuvas enchem o açude do Cocorobó e as ruínas de Canudos desapareceu mais uma vez sob as águas. Cumpre-se, de certo modo, a profecia registrada por Euclides em *Os sertões* e retomada por Glauber Rocha em *Deus e o Diabo na terra do sol* de que o sertão iria virar *praia* ou *mar*.

Cristiano Mascaro

O açude de Cocorobó, cujas águas encobriram, de novo em 2002, as ruínas de Canudos

NOTA DE AGRADECIMENTO

O autor agradece as sugestões de Leopoldo Bernucci, Walnice Nogueira Galvão, Rodolpho José del Guerra, Francisco Foot Hardman, Milton Hatoum, Frederico Pernambucano de Mello, Álvaro Ribeiro de Oliveira Neto, José Carlos Barreto de Santana, Manoel dos Santos Neto, John Schulz, Carmen Trovatto, Alberto Venancio Filho e Marco Antonio Villa.

Ariovaldo Santos/AJB

Roberto Ventura (1957-2002) foi professor de Teoria Literária e Literatura Comparada na Universidade de São Paulo. Autor de História e dependência: cultura e sociedade em Manoel Bomfim *(com Flora Süssekind; São Paulo: Moderna, 1984),* Estilo tropical: história cultural e polêmicas literárias no Brasil *(São Paulo: Companhia das Letras, 1991),* Folha explica *Casa-grande & senzala (São Paulo: Publifolha, 2000) e* Folha explica *Os sertões (São Paulo: Publifolha, 2002), vinha trabalhando havia dez anos numa biografia de Euclides da Cunha, que pretendia terminar ainda em 2002.*

A TERRA

Canudos, Monte Santo e Macururé

YASHICA

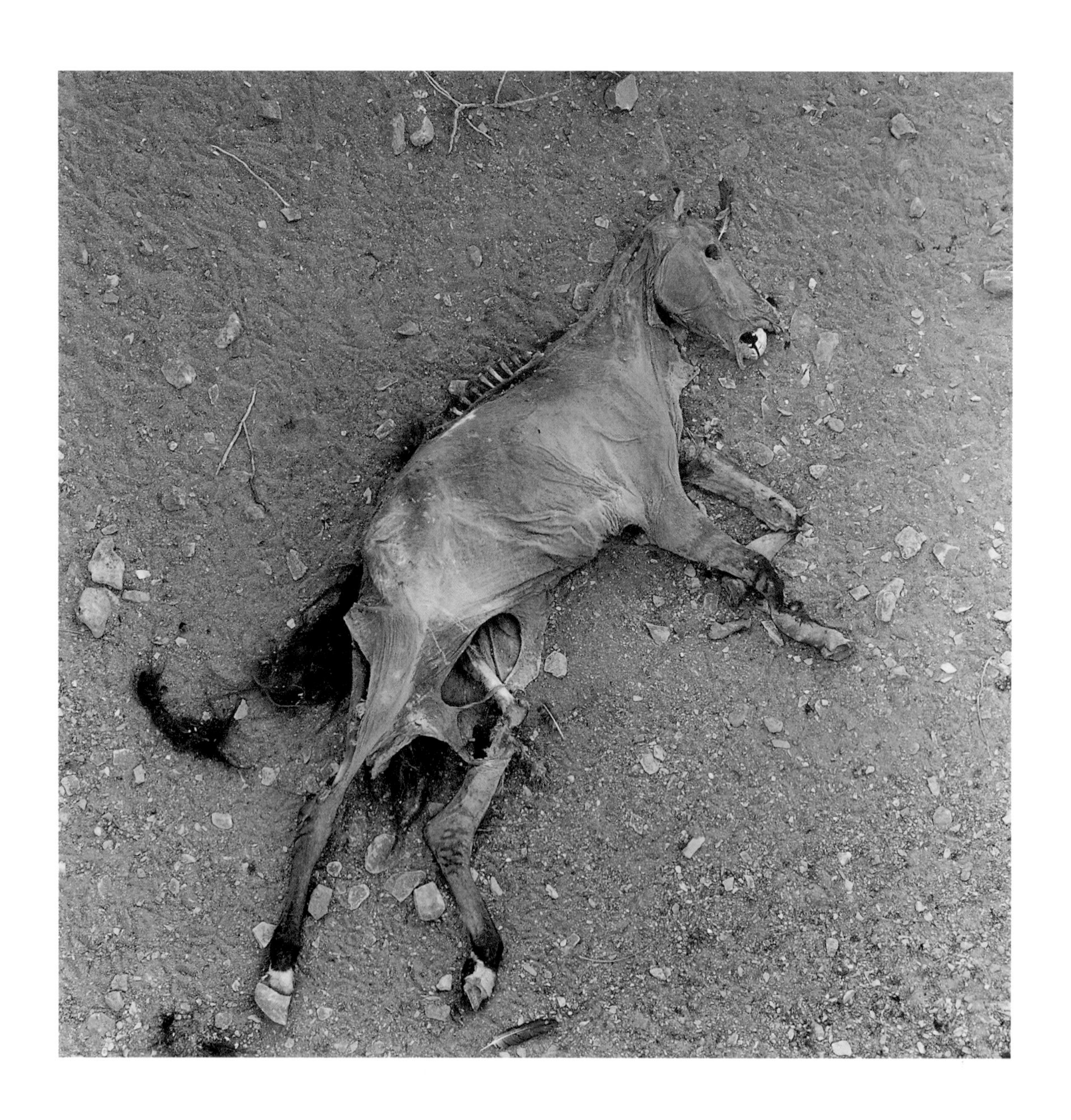

Caderneta de campo

Viagem aos domínios do Conselheiro

Roberto Pompeu de Toledo

I

O vos omnes qui transitis per viam, attendite, attendite... *

Tem latim no sertão! É Quinta-Feira Santa, 8 da noite, em Monte Santo, no nordeste da Bahia, a 350 quilômetros de Salvador, e transcorre um dos eventos mais esperados do calendário local: a Procissão do Encontro. Em Monte Santo, sede do município a que pertencia Canudos na época da guerra, estamos bem afundados no país de Antônio Conselheiro. Para os dois lados, tanto para os conselheiristas quanto para o Exército, o local foi importante. Para os conselheiristas porque a cidadezinha, já desde cem anos antes, quando o frade italiano Apolônio de Todi ali implantou um santuário sobre a serra então conhecida como Piquaraçá, é centro de culto e peregrinações. Para o Exército porque, com exceção da 1ª Expedição, as outras três a tiveram como base das arremetidas contra Canudos. Monte Santo é sobretudo o que está no alto, o "monte santo" propriamente dito, e não o povoado embaixo. Frei Apolônio de Todi, julgando que a serra de Piquaraçá assemelhava-se ao Calvário, implantou, no cocuruto do morro, a Igreja de Santa Cruz e, para alcançá-la, fez um caminho de três quilômetros, salpicado de 25 capelinhas. O resultado, segundo Euclides da Cunha, é "um prodígio de engenharia rude e audaciosa". É também uma visão rara e emocionante no meio daqueles sertões ingratos – uma serra na qual se reconhece, de longe, o caminho sinuoso, de pedra, espaçado por capelinhas brancas que lhe são como contas de um rosário. Lá em cima,

* "Ó vós todos que passais pelo caminho, olhai, olhai..."

no fim do caminho, "monumento erguido pela natureza e pela fé", para de novo recorrer a Euclides, o templo principal destaca-se "mais alto que as mais altas catedrais da terra".

Para a Procissão do Encontro, a imagem de Jesus carregando a cruz vem sendo conduzida por um grupo que percorre uma das bordas da praça central da cidade enquanto outro grupo conduz, por uma via transversal, a imagem de Nossa Senhora. O povo vai entoando, atrás do Cristo, cantos como: "Ouvenos, Senhora, mãe da piedá/Livrai-nos das penas da eternidá", assim mesmo, com as últimas sílabas comidas. Outro canto invoca "o Nordeste, terra prometida para os nordestinos". Quando enfim os dois grupos se encontram, a mãe dolorosa diante do filho a caminho do supremo sacrifício, o drama é intensificado pela aparição da mulher cujo lenço se impregnara dos traços do Cristo, pintado de sangue e suor, ao enxugá-lo. É a Verônica das antigas lendas e tradições. A Verônica de Monte Santo está postada num dos ângulos da esquina onde se deu o encontro sagrado. De lá solta seu canto poderoso, enquanto exibe o santo pano, em movimentos circulares dos braços, e é então que o latim ecoa nas lonjuras do Nordeste do Brasil:

... attendite, attendite – et videte si est dolor sicut dolor meus. *

O latim reforça a impressão de que, por estas bandas, o tempo corre diferente, quando corre, e se é que corre. Há um cheiro de eternidade no sertão. Quem entoa o canto é – atentai, atentai para o perfil – uma ex-empregada doméstica, negra e nonagenária: a aposentada Alzira Maria de Jesus, mais conhecida pelo apelido de Dona Pequena. Ela é pequena mesmo, de altura – e gordinha. Nasceu numa fazenda da região, a Fazenda Santa Rita, numa área onde seus ancestrais estiveram instalados desde quando eram escravos. Ao mudar-se para a zona urbana do município, prestou serviços na casa de um professor e do juiz, entre outros. Dona Pequena nunca casou, e virou beata. Cantava no coro da igreja, onde sobressaía sua forte voz de contralto. Do coro, foi destacada para papéis-solo, como este da Verônica, para o qual está escalada já há vários anos. O sucesso é sempre grande. Tanto assim que, ao encer-

* "...olhai, olhai – e vede se há dor igual à minha dor."

ramento da procissão, enquanto os dois grupos, agora reunidos, entram na igreja matriz levando de volta as imagens de Jesus e Maria, a cantora é convidada pelo mestre-de-cerimônias que fala pelo serviço de alto-falantes a dar um bis. Agora à porta da igreja, ela de novo ergue a voz, pausada – e o canto solene e merencório ressoa ainda uma vez, acrescentando seu mistério ao mistério do sertão.

A solenidade chega ao fim, mas logo mais, de madrugada, começará outra, mais prestigiosa ainda: a subida do monte, para trazer lá de cima, em outra procissão, o Cristo morto. Pelo alto-falante, o mestre-de-cerimônias convoca o público a reunir-se na praça às 5h30, para iniciar a subida. E adverte: "Vamos a Santa Cruz, mas sem beber, brigar ou xingar os outros".

Ainda não são 9 horas, e Monte Santo regurgita de gente e animação. Euclides da Cunha descreveu o povoado como se limitando, praticamente, a uma praça. Hoje cresceu um pouco, mas não muito, e a praça, se não é tudo, é quase tudo. Monte Santo, o povoado, não passa de uma ante-sala, ou hall de entrada, para o majestoso cenário ao fundo. Em outros termos, Monte Santo, o povoado, é apenas um suporte para servir a Monte Santo, o morro. É como se o Rio de Janeiro tivesse sido implantado para servir ao Corcovado. E tanto é assim que o povoado só surgiu depois que frei Apolônio de Todi riscou sua réplica do Calvário na serra que tanto lhe despertara a atenção e os cuidados. Esse religioso, incumbido de missão evangelizadora que na verdade tinha por destino a Ilha de São Tomé, mas que, por acidentes na travessia marítima, foi aportar em Salvador, no ano de 1779, e acabou por se fixar no sertão da Bahia, viu-se invadido por forte impressão ao dar pela primeira vez com a serra de Piquaraçá[1]. Corria o ano de 1785. "Chegando ao pé desta serra, dei com uma casinha de palha, onde o reverendo vigário vinha de quatro em cinco anos, e nesta desobrigava sete ou oito dias a gente que vinha e era chamada Casa de Oração, o que vendo me deixou confuso", deixou escrito o frade num documento de sintaxe atrapalhada[2]. Mais que tudo impressionou-o a serra, ao fundo. No dia 1º de novembro, Todos os Santos, organizou uma pequena procissão para galgá-la e no caminho foi marcando com cruzes os passos do Senhor e da Nossa Senhora das Dores. A certa altura do percurso, violenta ventania abateu-se sobre o morro. O medo apoderou-se dos fiéis. Frei Apolônio ordenou que orassem e fizessem o sinal-da-cruz. Pronto: o vento cessou. Milagre! Estava inaugurada a fama de santidade do lugar. O frade ordenou que não mais chamassem a serra de Piquaraçá, e sim de Monte Santo. Para ali começaram a afluir os doentes, os cegos, os estropiados. Capelinhas foram erguidas nos lugares que haviam sido marcados com as cruzes, e uma igreja maior no ponto final do percurso. O povoado, embaixo, adensou-se. Em 1790 foi criada a freguesia e a irmandade dos Santos Passos. Em 1821 a freguesia foi elevada a vila[3].

A cidade está plantada bem ao sopé do morro, começando por deitar-se, em ligeiro declive, sobre as últimas inclinações da encosta. A partir da praça, dão-se dois passos e já se está subindo a serra. A praça é ampla e quadrada e tem seu encanto. Circundam-na pequenas casas, algumas graciosas, encimadas por platibandas com recortes imitando ameias, como se fossem miniaturas de castelos. A maior das casas, hoje sede da prefeitura, serviu de QG ao comando das expedições contra Canudos. Euclides descreveu a praça como tendo ao centro "o indefectível barracão da feira", de um lado "pequena igreja" e, de outro, "o único ornamento da vila – um tamarineiro, secular talvez"[4]. As dimensões da praça, a julgar pelas fotos da época, tiradas pelo histórico fotógrafo da Guerra de Canudos, Flávio de Barros, continuam as mesmas, mas o conjunto obedece a novo arranjo. A feira já não se limita apenas à praça, mas transborda virtualmente para a cidade inteira. A "pequena igreja" já não é tão pequena. Trata-se da igreja matriz, consagrada ao Sagrado Coração de Jesus, que não deve ser confundida com as capelas ou a igreja do morro. Esta é a igreja de baixo. Sua posição é a mesma dos tempos de Euclides, dentro da praça, não exatamente no centro, e sim desviada para um dos lados. O tamarineiro famoso, que aparece também em foto de Flávio de Barros, foi abatido na década de 60, dentro de um programa de remodelação da área, e a população não lamentou muito: corria a crença de que ele dava azar, e a cidade não progredia por causa de seus maus fluidos. Em compensação a praça ganhou outras árvores e, a um certo trecho, sobre pequeno terraço ao qual se acede subindo três degraus, a grande surpresa – a "Matadeira"!

O leitor de *Os sertões* lembra que "Matadeira" era o apelido dado pelos sertanejos à Whitworth 32, a mais poderosa das armas levadas pela 4ª Expedição ao teatro de guerra, descrita por Euclides como "tremenda máquina". Pesando, ainda segundo Euclides, 1.700 quilos, a Whitworth, de fabricação inglesa, mais atrapalhou do que ajudou os expedicionários do general Artur Oscar. Transportá-la pelas veredas do sertão foi trabalho de Hércules. Ela causava "o entupimento dos caminhos, a redução da marcha, a perturbação das viaturas, um trambolho a qualquer deslocação vertiginosa de manobras"[5]. Continuou a atrapalhar, depois de instalada no alto do morro da Favela, já em Canudos, a cavaleiro da aldeia irredenta, pela dificuldade que a operação de pô-la em funcionamento representou para as mãos imperitas dos artilheiros. Os tiros, apontados para a Igreja Nova, a mais sólida e mais alta das construções do arraial, e por isso mesmo utilizada como fortaleza por seus defensores, sempre passavam acima do alvo. O canhão transformou-se então – as palavras são sempre de Euclides – em "monstruoso fetiche desafiando o despertar de velhas ilusões primitivas"[6]. Os oficiais rodeavam-na, davam palpites, arriscavam-se a experimentar a pontaria. Até um médico, Alfredo Gama, cedeu à tentação de fazer sua tentativa. O canhão explodiu, por efeito de um escapamento de gás em seu mecanismo. O médico morreu.

Entre os sertanejos, que não tiveram conhecimento dos sucessivos fiascos, mas apenas da reputação de brutamontes da Whitworth, ela despertava o medo e a raiva. E a tal ponto extremaram-se tais sentimentos que acabaram por provocar um dos mais inacreditáveis episódios da guerra: o assalto de um grupo de uma dúzia de jagunços que, aventurando-se até o alto da Favela, tentou, a golpes de mão, destruir a máquina mortífera. O ataque foi de iniciativa de um menino de 18 anos, filho de Joaquim Macambira, um dos principais estrategistas de Antônio Conselheiro. À frente de 11 companheiros, ele arrastou-se morro acima, esgueirou-se por entre os vãos do acampamento dos soldados e, no momento que julgou oportuno, quando nenhum dos homens da tropa aparecia por perto, atirou-se, com seus liderados, contra o canhão. Um dos homens, segundo Euclides narra em *Os sertões*, tinha uma alavanca, que aplicou com força contra o aço amaldiçoado. O som metálico da pancada soou como alarma para os soldados, que num instante cercaram os assaltantes. Eles foram mortos a tiros de espingarda e golpes de sabre, menos um, que conseguiu fugir[7].

Mas... É essa a famosa "Matadeira"? Diante do cano de canhão exposto na praça de Monte Santo, o sentimento é de decepção. Essa a temível peça de 1.700 quilos, que obstruía os caminhos, explodia contra seus próprios operadores e espalhava o terror a ponto de provocar uma operação suicida como a montada pelo jovem Macambira? Não pode ser... A "Matadeira" que se tem diante dos olhos, baixinha, de talvez pouco mais de um metro de comprimento, parece precária e impotente como um velho bacamarte. Se é que foi mesmo um dia isso tudo que se diz dela, é como uma antiga beldade que perdeu os dentes ou um ex-campeão dos pesos pesados carcomido pela tísica. Na verdade, este é o pedaço que sobrou da "Matadeira" depois dos acidentes que a vitimaram e do desgaste a que foi submetida, e a visão que ela apresenta hoje, toda inocência, neste recanto da praça de Monte Santo transformado em asilo de sua aposentadoria, combina menos com as histórias de terror que espalhou do que a versão de que não tivesse passado de um blefe. Em *Os sertões*, depois dos percalços iniciais, a Whitworth aparece como tendo sido recuperada, assim como ajustada a mira de seus operadores, a ponto de ter causado consideráveis estragos ao inimigo antes de calar-se definitivamente, num acidente em que perde a peça do obturador. No entanto, segundo um estudioso militar da Guerra de Canudos, o coronel Davis Ribeiro de Sena, ela simplesmente não teria participado da guerra senão com seu peso difícil de carregar e, pior, seus achaques. A explosão que lhe arrebentou a culatra, logo nas primeiras horas de uso, a teria posto definitivamente fora de combate[8].

A "Matadeira" não está só na pequena elevação a que chamamos de terraço, erguida a um recanto da praça de Monte Santo. Naquele mesmo espaço, prodígio de convivência entre contrários, apresentam-se, enfileirados, um busto do marechal Carlos Machado de Bittencourt, ministro da Guerra, que nas semanas finais da luta estabeleceu-se em Monte Santo para dali supervisionar as operações, e uma escultura representando o Conselheiro. Num pequeno espaço, homenageiam-se os dois lados do conflito e, de quebra, a mais famosa arma ali presente. Uma placa junto à Whitworth explica: "Peça: a

"Matadeira". Monumento transferido de Canudos para o QG da 6ª RM, no comando do general J. Almeida Freitas. Salvador, 1-9-1961". No busto do marechal Bittencourt, antes um burocrata da guerra do que herói, cujo maior feito foi organizar os comboios de muares que, a partir de Monte Santo, mantiveram abastecidas as tropas na linha de frente, lê-se: "Marechal Bittencourt, mártir da República, esteve neste local, berço da Intendência, prevendo e provendo. 22 de março de 1973". A homenagem ao marechal, chamado de "mártir" porque acabou assassinado num atentado no Rio de Janeiro cujo verdadeiro alvo era o presidente Prudente de Morais, durante recepção a tropas que voltavam de Canudos, foi prestada, como se percebe, nos anos de apogeu do regime militar. Enfim, sob a escultura do Conselheiro não está escrito nada, nem precisaria. O Conselheiro sempre fala por si, ele e as poses e expressões dramáticas com que costuma ser representado. Aqui, ele aparece segurando a cruz, do jeito como costumava liderar o cortejo de seguidores em seus tempos de peregrino. A escultura é de madeira, como convém a um sertanejo, não do bronze com que se reproduziu a cabeça do marechal Bittencourt. Também como convém a um sertanejo, um mandacaru, quase da mesma altura, faz companhia ao Conselheiro.

***

Uma das graciosas casas com platibandas decoradas que circundam a praça está toda iluminada nesta noite de quinta-feira – iluminada e com as portas e janelas, que dão diretamente para a rua, abertas, como é de esperar de uma casa do interior em noite de feriado. Pegada à Farmácia Vida, esta é a casa de Ildegardo Cordeiro Amador Pinto, mais conhecido por Dedega. Entra-se na casa, surpreendentemente comprida para sua pouca frente, e vê-se que está cheia de gente – os filhos, outros parentes, amigos, o neto bebê do Dedega. Ele e a mulher, Conceição, são dois entusiastas de Monte Santo e seus principais animadores culturais. Dedega, escrivão aposentado, é também escultor. A casa abriga obras variadas dos artistas e artesãos do sertão, algumas antigas, algumas do próprio Dedega – oratórios, santos, ex-votos. Ele é também o criador e diretor do Museu do

Sertão, situado numa casa atrás da igreja matriz, já quando a cidade se empina em direção ao morro, e que aloja peças de artesanato, fósseis encontrados na região, reproduções das fotos de guerra de Flávio de Barros e até uma cópia em gesso, em tamanho natural, do meteorito de Bendengó. "Por que não trazer o Bendengó de volta a Monte Santo?", pergunta Dedega. "Não seria justo?"

O meteorito citado, o maior já encontrado no Brasil e 11º entre os maiores já encontrados no mundo, com suas 5,3 toneladas de peso, 2,15 metros de comprimento e 1,5 metro de largura, foi achado às margens do riacho Bendengó, afluente do rio Vaza-Barris, numa região então pertencente ao município de Monte Santo (hoje pertence à vizinha Uauá), no ano de 1784[9]. Percebeu-se a coincidência? Ou a quase coincidência? Apenas um ano separa a descoberta do Bendengó, uma grande e compacta massa de ferro e níquel, da descoberta da serra de Piquaraçá por frei Apolônio de Todi. Enquanto este via um sinal do céu no morro que tornou sagrado, o céu mandava, direto, sua mensagem, a apenas 48 quilômetros de distância. Alguém já terá pensado nisso? Bem, a verdade é que o céu não mandou sua mensagem naquele ano. O meteorito caiu sabe-se lá quando. O que ocorreu em 1784 foi seu achamento por um sertanejo de 18 anos, Joaquim da Mota Botelho, morador de uma fazenda da região[10]. Mas que custa pensar em coincidência miraculosa, sinais simétricos do Alto? No acervo de tantos prodígios do sertão sempre cabe um a mais. A princípio aquela pedra preta foi tomada como preciosa e a notícia de sua existência confundiu-se com as lendas de minas de ouro e de prata que permearam aquela e outras regiões do Brasil na época dos bandeirantes. Mais de cem anos depois, em 1887, quando já estava bem assentado que se tratava de um meteorito, dom Pedro II, cujo espírito científico se ouriçava com tais fenômenos, ordenou seu deslocamento do local onde viera a aportar neste planeta até o Rio de Janeiro, onde ficaria aos cuidados do Museu Nacional. O transporte foi operação grandiosa, que exigiu a fabricação de um carreto especial, constituído de uma plataforma de ferro e de quatro pares de rodas, duas de ferro e duas de madeira, o conjunto todo pesando 1,2 tonelada, para suportar a enorme oferenda do céu. Nem por isso o carreto deixou de ter seus eixos partidos, por quatro vezes, e de rolar abaixo sua carga, outras sete vezes, ao longo do trajeto de 113 quilômetros coberto em 126 dias – menos de um quilômetro por dia – por vias intransitáveis, até chegar à estação de Jacurici, de onde a empreitada prosseguiu por via férrea até Salvador e de lá por mar até o Rio de Janeiro. Tendo sido iniciado em 7 de setembro de 1887, o trabalho de remoção do Bendengó encerrou-se apenas em 15 de junho de 1888, com a chegada ao Rio de Janeiro[11].

Hoje já não daria tanto trabalho trazê-lo de volta. "Por que não?", pergunta Dedega. Em sua casa encontra-se agora outra visita – o prefeito da cidade, Jorge Andrade. O prefeito faz coro com Dedega na argumentação de que Monte Santo mereceria maior divulgação e maior afluxo de visitantes. É realmente de estranhar que Monte Santo, contando com um cenário como a serra que lhe serve de pano de fundo, com uma obra original como o Calvário nela plantado, e ainda por cima havendo exercido papel capital num episódio como a Guerra de Canudos, e tendo sido imortalizada num livro como *Os sertões*, seja tão pouco conhecida fora do Nordeste. Quando o governo da Bahia decidiu patrocinar a construção de um hotel na região, acenderam-se em Monte Santo as esperanças de que a cidade fosse a escolhida. No entanto, foi na vizinha, maior e mais rica Euclides da Cunha, a antiga Cumbe dos tempos do Conselheiro, rebatizada nos anos 1930 com o nome do grande historiador da Guerra de Canudos, que o hotel acabou sendo edificado – e batizado com o nome de Hotel do Conselheiro. O prefeito Jorge Andrade, filiado ao PFL, jeito modesto de interiorano e já em seu segundo mandato, até tinha o local ideal para a edificação do hotel: um amplo terreno anexo à casa que abriga o Museu do Sertão, no início da encosta do morro, junto a uma mina de água. Andrade ainda tem esperança, e mais ainda Conceição, a mulher de Dedega, outra entusiasta da idéia, de que algum investidor se resolva a encarar a empreitada da construção do hotel. O problema, e eles são os primeiros a reconhecê-lo, é a pobreza da região. O turista que vem a Monte Santo é o sertanejo da Bahia mesmo ou, no máximo, de outros Estados nordestinos. Eles vêm rezar ou pagar promessas, principalmente, em dias como estes, na Semana Santa, e mais ainda no dia 1º de novembro, data da primeira e milagrosa procissão de frei Apolônio, em que se comemora também a fundação da cidade. Muitos nem se hospedam nos pequenos e precários hotéis da cidade. Dormem nos próprios ônibus que os trouxeram em excursões.

Monte Santo tinha uma população de 54.552 habitantes ao tempo do Censo 2000. Desses, apenas 7.226, menos de 14%, viviam na área urbana. Os restantes 47.326 espalhavam-se pela área rural, pontilhada por 43 povoados. A dispersão da população, não bastassem as condições de pobreza próprias de um dos pedaços mais pobres do Brasil, dificulta a extensão dos benefícios de infra-estrutura. Dos 12.648 domicílios contados em 2000 (estamos sempre seguindo os dados do IBGE relativos ao Censo daquele ano), apenas 1.918 eram conectados à rede geral de abastecimento de água. Outros 1.339 contavam com poços ou nascentes, mas a grande maioria – 9.391 – não tinha poço nem era coberta pela rede geral. Os domicílios com banheiro ou sanitário não passavam de 3.276. E aqueles que, além de ter banheiro, estavam ligados à rede pública de esgoto não passavam de 20. Vinte! Os domicílios que contavam com o serviço de coleta de lixo eram 668. O IBGE apurou uma taxa de analfabetismo de 41,5% entre a população de mais de 10 anos de idade – mais de três vezes a taxa nacional, de 12,3%, e mais de uma vez e meia a taxa nordestina, de 24,6%. Mas no campo da educação as cifras indicam progressos. A população de crianças de 4 a 9 anos era, em 2000, de 6.438, e de crianças ou adolescentes de 10 a 19 anos, de 13.182. Contra esse universo de potenciais candidatos à escola fundamental, as matrículas nesse nível de ensino montavam a 15.673, um número alto, que confere credibilidade à afirmação do prefeito de que, hoje em dia, não há no município criança fora da escola. Para esse quadro, reconhece o prefeito, contribuem sobremaneira projetos federais como o Programa de Erradicação do Trabalho Infantil (Peti) e o Bolsa Escola. Não só no que se refere à educação, mas a tudo, Monte Santo depende do governo federal. O IBGE apurou que as transferências para a cidade do Fundo de Participação dos Municípios somaram, em 2000, 4.291.922,82 reais. A arrecadação própria do município, constituída basicamente pelos aportes provenientes do ISS e do IPTU, embora não seja precisada nos relatórios do Censo, com certeza não chegou a 10% disso. Não é à toa que o povo recorre tão insistentemente ao socorro da fé no morro milagroso.

II

O povo havia sido convocado a concentrar-se às 5h30, mas em pequenos grupos, primeiro, depois em grupos cada vez maiores, começou a subir o morro muito antes. Na casa de Dedega haviam avisado: o costume é, a partir de meia-noite, já haver gente subindo. Às 5 da manhã desta Sexta-Feira Santa, 29 de março de 2002, hora em que a treva começa a se dissipar anunciando uma manhã úmida, com muitas nuvens no céu, uma pequena multidão já se atira morro acima. Seriam, com perdão pela comparação sacrílega, levas comparáveis às que percorrem as aléias do Parque do Ibirapuera ou o calçadão de Ipanema nas manhãs de domingo. Com a diferença de o caminho aqui ser bem mais estreito, o que aperta o caudal humano e torna-o mais compacto. Os rigores que se apresentam no percurso também são incomparavelmente mais agudos. Euclides da Cunha descreveu assim, em *Os sertões*, o caminho de subida do Monte Santo:

> Começa investindo com a montanha, segundo a normal de máximo declive, em rampa de cerca de vinte graus. Na quarta ou quinta capelinha inflete à esquerda e progride menos íngreme. Adiante, a partir da capela maior – ermida interessantíssima, erecta num ressalto de pedra a cavaleiro do abismo –, volta à direita, diminuindo de declive até a linha de cumeadas. Segue por esta segundo uma selada breve. Depois se alteia, de improviso, retilínea, em ladeira forte, arremetendo com o vértice pontiagudo do monte, até ao Calvário, no alto![12]

O caminho tem início como prolongamento de uma das ruas atrás da praça. Não terá mais do que 2 metros, ou no máximo 2,5 metros de largura, e é margeado, de um lado e outro, por muretas de meio metro de altura e outro tanto de largura. O chão é de pedra, às vezes alisada ou esculpida em degraus, outras ao natural mesmo, sempre um desafio para os pés. Talvez Euclides tenha sido conservador em calcular a inclinação do primeiro trecho em 20 graus. Parece mais, o que significa que o esforço já começa submetido a um alto nível de exigência, tendo-se pela frente uma rampa bruta, empinada, avançando direto para o topo. Acresce que os pés raramente se fixarão com naturalidade no solo. Às vezes é um pedregulho, outras uma ponta aguda que se insinua de surpresa, por mais atento que se esteja, os olhos postos no chão. Ainda bem que há a mureta para, de quando em quando, sentar e retomar o fôlego. E vai ser assim, um ufa!, ufa!, descansa e ufa!, prossegue, avança e marca passo, ao longo de três infindáveis quilômetros. Frei Apolônio provavelmente não sabia disso, mas o que fez é muito mais que um Calvário. O morro do Calvário a que se é apresentado em Jerusalém, hoje embutido dentro da Igreja do Santo Sepulcro, não tem mais do que cinco metros de altura. Calcula-se que, originalmente, antes que a construção da igreja determinasse o alteamento do solo a seu redor, poderia ter 12 ou 13 metros. Não passa portanto de um montículo, ao pé do qual o Calvário de frei Apolônio é um Everest.

O jornalista Euclides da Cunha, destacado pelo jornal *O Estado de S. Paulo* para cobrir a Guerra de Canudos, chegou a Monte Santo no dia 6 de setembro de 1897 e, no dia 8, empreendeu a subida do morro. Acompanharam-no outro jornalista, Alfredo Silva, correspondente de *A Notícia*, do Rio de Janeiro, e quatro militares. Alfredo Silva deu conta do "delicioso passeio", como o qualificou na correspondência que mandou para o jornal. Escreveu: "Dos nossos vestuários incontestavelmente destacava-se o do distinto colega que, chegado ainda anteontem, se apresentou de vistosas botas de verniz, calça branca, camisa de fina seda e chapéu de fina palha. Bons tempos o esperam neste canto da Bahia, em que um banho constitui o *x* do mais complicado dos problemas"[13]. Acrescente-se que Euclides levava uma máquina fotográfica, segundo a mesma notícia, e se tem a imagem completa não só do turista inadvertido, mas do aprendiz ainda despreparado do sertão.

Hoje não há quem suba o morro coberto de finas sedas. Nem sempre, porém, os sapatos são apropriados. Especialmente entre as senhoras, há quem vá calçando sapatinhos de sola fina, impróprios para evitar os escorregões e a aspereza das pedras. Algumas tiram o sapato e prosseguem descalças. Se é para sofrer, se é para pagar os pecados, que se sofra e se os pague por inteiro. Uns amparam os outros em certos trechos. A quantidade dos que se dão tréguas para descansar, nas muretas laterais, vai aumentando. A rampa torna-se menos empinada quando o caminho sofre inflexão para a esquerda, tomando a direção oposta do destino final. Frei Apolônio, percebe-se, não quis apenas que a subida fosse árdua. Quis também que fosse comprida, e inventou este desvio, em vez de fazê-lo avançar direto. "Cuidado, Jaílton", ouve-se dizer. "Me espera, Clérisson." Dá-se conta, então, de que se está na região que é uma das matrizes dos nomes em "ton" e "son" que tanto têm enriquecido o repertório brasileiro de nomes próprios – os Taílsons e os Clébersons, os Elivéltons e Claírtons, muitos deles destinados à glória nos campos de futebol. Grupos de jovens podem ir conversando animadamente. Há também famílias inteiras: pai, mãe e crianças. Este é por excelência um percurso de pagadores de promessa. Do alto deste morro, contemplam-nos dois séculos de multidões que subiram de joelhos ou a carregar pedras. Nesta madrugada, porém, apesar de ser Sexta-Feira Santa, não há quase sinal de devoção explícita. O máximo que se tem, no gênero, são pessoas que param defronte às capelinhas para acender velas.

As capelas, por fora, apresentam-se em estado razoável de conservação, mas estão todas fechadas. Não mais guardam as estampas ou imagens que ilustravam os Passos da Paixão, e pode-se adivinhar de por dentro não tenham o que oferecer senão desgaste e sujeira. Faz falta um Antônio Conselheiro, que nos seus 20 anos de peregrinação, antes de se fixar em Canudos, impusera-se o compromisso de restaurar ou reparar igrejas e muros de cemitérios sertões afora. O Conselheiro esteve mais de uma vez em Monte Santo. Numa delas, em 1892, liderou seus seguidores nos trabalhos de restauração das capelinhas e do caminho que sobe o morro. O correspondente anônimo que o jornal *Diário de Notícias*, do Rio de Janeiro, mantinha em Monte Santo publicou, em junho de 1893, nota a respeito: "Fui testemunha ocular de que quando [Antônio Conselheiro] esteve aqui o ano passado envidou meios de fazer-se alguns reparos nas capelas e na estrada do Monte daqui a fim de não continuar a decadência em que se achava a instituição da irmandade dos Santos Passos do Senhor do Calvário, pedindo e aplicando o resultado das esmolas que recebia para esse fim"[14].

O Conselheiro não só restaurou capelas em Monte Santo. Também praticou milagres, segundo a tradição. Um deles consta de *Os sertões*, e Euclides afirma tê-lo ouvido de pessoas que "se não haviam deixado fanatizar". Numa certa tarde, ele conduziu procissão de fiéis morro acima. Seguia à frente, "grave e sinistro", a cabeleira "agitada pela ventania forte", apoiado "ao bordão inseparável". Ao chegar lá em cima, cansado, ofegante, sentou-se nos degraus da igreja. Já caíra a noite, e pôs-se a contemplar o céu, "o olhar imerso nas estrelas". Enfim levantou-se e penetrou no templo, trôpego ainda de cansaço e prenhe de humildade, a cabeça pendida para o chão. Ao chegar ao altar-mor e encarar a imagem de Nossa Senhora lá abrigada, dá-se o prodígio: "Duas lágrimas sangrentas rolam, vagarosamente, no rosto imaculado da Virgem Santíssima"[15]. O folclorista baiano João da Silva Campos recolheu outra versão do evento, se é que se trata do mesmo evento. Ao chegar ao alto, e antes de penetrar na igreja, o Conselheiro, nesta versão, traçou no chão uma cruz com o bastão. Nesse instante, as paredes do templo começaram a suar e do teto caíram gotas, numa festa de água em plena estação seca. O Conselheiro então entrou na igreja, foi até o altar e rezou. Concluída a oração, pôs-se em retirada, caminhando de costas, como sempre fazia ao sair de uma igreja. Transposta a soleira da porta, fez de novo a cruz com o bastão, e o fenômeno cessou[16].

Depois da segunda dobra do percurso, quando se volve à direita e, agora sim, corrige-se a rota na reta direção da Igreja de Santa Cruz, passa-se a caminhar na linha do espigão da serra. A subida agora é suave, quase imperceptível em certos trechos. Tem-se uma encosta do morro à direita e a outra à esquerda, em certos trechos caindo abruptamente em abismo, e o paralelo que vem à mente não é mais Jerusalém, é outro, mais distante e disparatado – a Muralha da China. Aqui como lá, avança-se numa trilha estreita, de pedra, como que suspensa no vazio, e protegida por muretas de um lado e outro. Quando se consegue uma visão em perspectiva, e vê-se a longa linha que o caminho vai riscando na montanha, aí então é que a impressão se impõe com toda a força: é a própria Muralha da China. O tempo permanece nublado nesta manhãzinha e a visibilidade é ruim, mas com tempo aberto costuma-se ter, destas culminâncias da serra, amplas e belas vistas, a cidadezinha de Monte Santo aparecendo de um lado e de outro os campos a se perderem no horizonte. Aqui no alto, sem o anteparo de uma encosta de morro, também costumam ocorrer fortes ventanias. Não é de surpreender que, logo à primeira subida, frei Apolônio e seus acompanhantes tenham sofrido o castigo dos ventos, a ponto de reclamarem um milagre. Afinal, quando se está chegando ao fim, depara-se com novo plano escarpado. É a última rampa, a demandar a derradeira mobilização de esforços, para enfim atingir Santa Cruz, a cavaleiro do mais alto cocuruto da serra. A multidão agora é densa. O espaço é pequeno, não há mais caminho para a frente, e todos se aglomeram. Fica difícil progredir. A tradição recomenda que, ao chegar, ainda se dêem três voltas em torno da igreja, mas a tradição que nos perdoe: é impossível cumpri-la num aperto desses. Fica-se numa volta só, lenta e penosa, mas suficiente para vislumbrar a sala lateral onde se guardam os ex-votos. Não são mais bonitas peças de artesanato, como costumavam ser. São objetos fabricados em série, de plástico ou madeira – cabeças, pernas e braços amontoados como numa vala comum, lembrando os restos dos combatentes de alguma batalha perdida no fim do mundo.

A Igreja de Santa Cruz, pequena e muito simples, só tem forro no teto que cobre o altar. Na parte destinada aos fiéis, vislumbram-se, direto, o madeirame do telhado e as telhas. O chão é de cimento, e a decoração, de tocante humildade. Uma Virgem e uma Maria Madalena, no altar, ladeiam uma cruz encimada pela inscrição INRI. Embaixo, num caixão, repousa o Cristo morto. Na sanca que divide a igreja em duas, separando o altar da parte destinada ao público, uma data: 1786. A essa altura, os cabeças da procissão estão removendo o Cristo morto para levá-lo, sobre os ombros, até lá embaixo. As imagens das santas mulheres também estão sendo transferidas para andores, sobre os quais acompanharão o cortejo. E começa a descida, com uma difícil manobra com a qual se tenta avançar entre a multidão empacada. São 6h30 da manhã. A descida não requer o mesmo fôlego que a subida, mas não se pense que agora se desliza como num salão. As pernas precisam se manter rijas para agüentar o tranco do movimento para baixo, e os pés atentos para não tropeçar nem se ferir nas pedras. Aqui de trás divisam-se, na cabeça da procissão, as imagens das santas mulheres que vão balançando nos ombros de seus carregadores, em oscilações bruscas e arriscadas. A irregularidade do terreno não permite, nem para elas, uma descida tranqüila. Há entre os sertanejos a crença de que, quando se joga uma pedra descendo o morro e a pedra não rola encosta abaixo, é sinal de que a pessoa vai morrer naquele ano. A senhora Erendina, dona de restaurante em Euclides da Cunha, conta que foi o que aconteceu com seu pai: ele jogou a pedra, e a pedra não rolou. O pai ficou triste. "Não ligue", consolou-o Erendina. "Isso é crendice." Pois o pai acabou morrendo naquele ano mesmo. Quando se chega ao fim do caminho, enfrenta-se aquela rampa já nossa conhecida, a infame, a miserável, a mais inclinada de todas, e nem agora, no sentido da descida, não da subida, ela dá folga. Os cuidados redobram tanto para os carregadores dos andores como para o povo em geral. Carece firmar bem as pernas para não se deixar precipitar ladeira abaixo. Ufa! Pronto. Já se está de volta à cidade. A procissão é recebida com banda de música e cantoria. Vozes estridentes entoam tristes hinos religiosos, acompanhadas por metais sombrios. E assim vai-se dando a volta na praça, até chegar à porta da igreja matriz, onde são internadas as imagens. O Cristo morto ficará ali, em exposição, durante todo o dia.

É hora de relaxar, e o bar do Moura, ali na praça, começa a se encher de gente. O Moura, atrás do balcão, em grande azáfama, com a mulher e a filha, para atender às exigências deste que para seu estabelecimento é um dos dias mais movimentados do ano, é, além de comerciante, colecionador de pássaros, alguns dos quais exibe em gaiolas penduradas nas paredes. Um sabiá canta sem parar. É hora de quebrar o jejum, e os fregueses pedem café, sucos, sanduíche ou pão com manteiga. Mas não só. Muitos pedem vinho. Vinho, a esta hora da manhã! Fica-se sabendo que nos últimos anos contraiu-se o hábito, nestes sertões, de tomar vinho na Sexta-Feira Santa. A marca que o Moura oferece é Dom Bosco, "vinho tinto suave de mesa", fabricado em Jundiaí, São Paulo. Pelo menos, o vinho tem nome de santo.

***

Do outro lado da praça fica a casa paroquial. Bate-se na porta e quem atende é o padre José Vinci. Uma cruz, pendurada ao pescoço, corre-lhe por cima da camisa informal. Padre Vinci, nascido em São Paulo, é forte, voz vigorosa, e mostra-se jovial e amigável. Durante a procissão, tanta gente amontoada, não deu para notar sua presença: ele estava lá? Não, responde o padre Vinci, ou "padre José", como prefere se apresentar. Por quê? O padre não responde. Mais tarde, a mesma pergunta, feita a um jovem que conhece as idiossincrasias – e as relações de poder – da cidade, explicará: "O padre não vai porque aquilo é evento de coroneizinhos, de políticos". Quem lidera a procissão e carrega os andores são o prefeito, os vereadores e outros notáveis. Há alguns anos, a região foi convulsionada pelas iniciativas de padre Enoque, nome que ainda hoje desperta paixões, a favor e contra. Alinhado com as teses da teologia da libertação, padre Enoque buscava na evocação de Antônio Conselheiro e na resistência de Canudos inspiração para movimentos reivindicatórios ao molde do Movimento dos Trabalhadores Rurais Sem Terra. Ele criou, em Canudos, um misto de procissão e passeata que tinha lugar todo dia 5 de outubro, data da queda do arraial do Conselheiro. Padre Enoque foi afastado da Igreja. Ainda vive na região, em Euclides da Cunha, de onde lidera um certo Movimento Canudos, mas sem a força de antes. As tensões sociais foram aplacadas por estes lados, explica o padre Vinci, pela força combinada da distribuição de terras e dos programas de assistência do governo federal.

O padre Vinci está há apenas sete meses em Monte Santo. Veio de Moçambique, onde passou dez anos e contraiu 70 (repita-se: 70) malárias. Que problemas tem detectado na comunidade local? O primeiro que lhe aflora à mente é a situação da mulher. Elas apanham. São trocadas pelos maridos por mais novas. Os maridos também as proibem de estudar, de medo de serem superados. Uma vez, uma mulher confessou-lhe que só não abandonava o marido bêbado e bruto por causa da religião. O padre a desobrigou. Nada justificava continuar a sofrer uma situação de humilhação e castigos físicos, disse-lhe. Tem o padre notado algum tipo de culto a Antônio Conselheiro da parte da população local? Não. O culto é aos santos ou para invocações tradicionais de Jesus ou Maria: o Senhor dos Passos, Nossa Senhora das Dores. Missas "muito fortes", nas palavras de padre Vinci, são as realizadas por intenção da alma de um morto. Ao chegar para rezá-la, o padre é apresentado ao "dono da missa", qual seja: a pessoa, geralmente familiar do falecido, que a encomendou. Tenha-se em mente que, sendo a população de Monte Santo tão esparramada, o padre mais reza missas e ministra sacramentos nas capelas dos povoados ou das propriedades rurais do que na matriz. De resto, sertanejo gosta muito de benzeção. Não há missa à qual não compareçam trazendo imagens, estampas ou santinhos para benzer. Numa ocasião, padre Vinci chegou para rezar uma missa e deparou com a mesa toda tomada pelos variados objetos trazidos para tomar-lhe a bênção. Não havia espaço para pousar o breviário da missa. Até fotos do padre Marcelo Rossi já lhe trouxeram para benzer. O padre recusou-se a fazê-lo, sob o argumento de que não se benze imagem ou estampa de pessoa viva. Padre Vinci, sentado na poltrona logo à entrada da casa de alguns poucos cômodos que lhe serve de sede para atendimento dos paroquianos e de residência, abre os braços e conclui: "Se eu fosse carismático e quisesse explorar esse lado de cura, que campo não teria aqui!" O sertão mudou nestes últimos cem anos, mas ainda mantém viva uma fé carente de sinais do sobrenatural, vitórias do impossível, malabarismos espirituais... Ainda não aplacou sua sede de maravilhas. De certa forma ainda constitui uma sociedade que, para repetir a fórmula precisa de Euclides, "compreende melhor a vida pelo incompreendido dos milagres"[17].

III

Iniciava-se a viagem de Salvador a Canudos, no tempo da guerra, por via férrea, até a estação de Queimadas, na linha que ia até Juazeiro. Nessa estação, segundo Euclides da Cunha, dava-se o corte entre dois mundos, o do progresso e o do atraso, a dita civilização e o mundo inculto ("bárbaro", diria o autor de *Os sertões*) do interior do Nordeste (do "Norte", diziam todos então, inclusive o autor de *Os sertões*). Euclides descreveu assim a chegada a Queimadas:

> Salta-se do trem; transpõe-se poucas centenas de metros entre casas deprimidas; e topa-se para logo, à fímbria da praça – o sertão...

> Está-se no ponto de convergência de duas sociedades, de todo alheias uma à outra. O vaqueiro encourado emerge da caatinga, rompe entre a casaria desgraciosa, e estaca o *campeão* junto aos trilhos, em que passam, vertiginosamente, os patrícios do litoral, que o não conhecem[18].

De Queimadas tomava-se a direção norte até Monte Santo, em precários caminhos, num trajeto de aproximadamente 80 quilômetros, e de Monte Santo avançava-se até Canudos. Foi esse o trajeto cumprido pelas forças militares a partir da 2ª Expedição e também pelo próprio Euclides, acompanhando a comitiva do marechal Bittencourt. Hoje se vai de Salvador a Canudos sempre por estrada asfaltada, via Feira de Santana, Santa Bárbara, Serrinha, Tucano e Euclides da Cunha. A partir de Feira de Santana, roda-se na BR-116 – a mesma estrada que, começando na fronteira do Uruguai, corta o Brasil de sul a norte, inclusive no trecho São Paulo–Rio, quando é também conhecida por Via Dutra. Vale dizer que, pelo menos pelos critérios classificatórios do Departamento Nacional de Estradas de Rodagem, Canudos já não se encontra tão isolada assim. É cortada pela principal rodovia do país. O trecho entre Euclides da Cunha e Canudos não estava ainda asfaltado, em 1994, quando o então candidato a presidente Fernando Henrique Cardoso esteve na antiga cidade do Conselheiro, num de seus primeiros comícios de campanha. Arrancaram dele, ali, a promessa de asfaltá-lo. Ele a cumpriu.

O sertão já não se revela de forma tão abrupta como a descrita por Euclides. Vai surgindo aos poucos. Na verdade, em certos aspectos, para espanto do autor de *Os sertões*, se lhe coubesse revisitá-lo, ele é igualzinho ao resto do Brasil. Aqui também se assiste às novelas da Rede Globo. Acresce, neste fim de março de 2002, que o sertão nem árido está. Os campos apresentam-se verdinhos e os rios cheios. Em Tucano começa o chamado "Sertão do Conselheiro", o território que, entre os rios Itapicuru, ao sul, e São Francisco, ao norte, delimita a área por onde perambulou o líder místico em sua fase de peregrino. Em Massaeté, localidade situada no município de Tucano, deu-se o primeiro choque entre os seguidores do Conselheiro e os agentes da lei. Os leitores de *Os sertões* lembram-se de que, em Bom Conselho (atual Cícero Dantas), em 1893, Antônio Conselheiro liderou uma revolta contra a decretação de certos impostos municipais, mandando queimar as tábuas onde haviam sido afixados os editais de cobrança. Depois desse incidente, pôs-se na estrada enquanto, em Salvador, o governo estadual, alertado para o ocorrido, enviava uma força policial para reprimir os desordeiros. A tropa, composta de 30 policiais, alcançou os penitentes em Masseté – "lugar desabrigado e estéril", segundo Euclides – e, ao arremessar contra eles, foi valentemente combatida, desbaratada e posta em fuga. Foi uma prévia. Um ensaio, digamos, das expedições contra os conselheiristas que teriam lugar alguns anos depois. Hoje, da estrada mesmo, sem precisar entrar em Tucano, topa-se com o muro do "Arlindão", e tem-se ali mais uma comprovação de que os sertões não estão tão isolados – Tucano não escapou à moda ignóbil de batizar os estádios de futebol, mesmo acanhados, como este, com nomes em "ão". Depois de deixar Tucano, a meio caminho de Euclides da Cunha, uma surpresa: junto a um lago, à beira da estrada, surge um ninhal de garças, que se dependuram às dezenas nos galhos das árvores. Onde estamos? Será mesmo o sertão? Ou fomos dar num posto avançado do Pantanal?

Euclides da Cunha situa-se num entroncamento que leva a Monte Santo, 30 quilômetros além, virando à esquerda, ou a Canudos, 80 quilômetros adiante, na mesma rodovia BR-116. Não há dúvida de que, no tempo em que Euclides da Cunha era o lugarejo conhecido como Cumbe, era familiar a Antônio Conselheiro. Há dúvidas, porém, se a igreja do Cumbe deve ou não ser contada entre as pouco mais de duas dezenas de igrejas ou cemitérios do sertão que foram reformadas ou mesmo edificadas pelo santo homem. Um chefe da polícia da Bahia contemporâneo do Conselheiro, Durval Vieira de Aguiar, afirma, num livro em que reuniu memórias e outras experiências (*Descrições práticas da província da Bahia*), que o encontrou no Cumbe em 1882, quando ele ali edificava "uma excelente igreja". Segundo Vieira de Aguiar, Antônio Conselheiro já então desfrutava de grande prestígio e atraía grande número de fiéis a seus sermões. O mesmo autor descreve o peregrino como "um sujeito baixo, moreno, acaboclado, barbas e cabelos pretos e crescidos, vestido de camisolão azul". Morava numa casa sem mobília, onde vivia cercado de beatas e outros seguidores que o alimentavam e o atendiam em outras necessidades. Coube ao grande historiador de Canudos que foi José Calasans (1915-2001), o papa das pesquisas canudistas e conselheiristas que se seguiram a Euclides, trazer à tona, num de seus trabalhos, o depoimento de Vieira de Aguiar[19]. O mesmo Calasans, incansável colecionador de depoimentos de sobreviventes do período heróico de Canudos, colheu junto a Manuel Ciriaco, seguidor e auxiliar próximo de Antônio Conselheiro, a informação de que o construtor da igreja do Cumbe foi um outro conselheiro, de nome Francisco[20].

Abramos parênteses para nos dar conta de que Antônio Mendes Maciel, também chamado de Antônio dos Mares, Irmão Antônio, Santo Antônio ou Bom Jesus, não foi o único "conselheiro" a brotar nos sertões. "Conselheiro", o homem que faz sermões e dá conselhos, é, antes de uma alcunha aplicada ao patrono de Canudos, título que corresponde à hierarquia informal dos guias religiosos do Nordeste. Calasans costumava referir-se à conversa que teve com Honório Vilanova, outro sobrevivente da Guerra de Canudos. Vilanova contou-lhe que, quando conheceu Antônio Mendes Maciel, ainda no Ceará, ele não era conselheiro, mas beato. "E há diferença?, perguntou Calasans. Honório explicou que beato não prega. Beato limita-se a tirar rezas, pedir esmolas e prestar outros pequenos serviços religiosos. Quando amadurece a ponto de dar conselhos, algo que depende não só dele, mas do reconhecimento que os seguidores prestam a essa sua qualidade, é promovido a conselheiro[21]. O professor Cândido da Costa e Silva, da cadeira de História das Religiões da Universidade Federal da Bahia, autor de excelentes trabalhos sobre o catolicismo sertanejo (*Roteiro da vida e da morte, Os segadores e a messe*), explica que a figura do conselheiro, bem como a do beato, existia não para contestar a ordem eclesiástica oficial, mas para suplementá-la. A carência de padres, sertões afora, alimentava o surgimento de um clero informal[22].

Fechados os parênteses, prossigamos viagem. Graças ao privilégio de, num texto escrito, ser possível iniciar o roteiro por onde bem se entender, já estivemos em Monte Santo antes mesmo de contar como se chega lá. Sigamos agora para o epicentro da epopéia conselheirista e euclidiana – Canudos.

***

Epicentro? Não há mais epicentro. Visitar Canudos é visitar algo que não existe. O sítio do arraial do Conselheiro repousa no fundo das águas do açude de Cocorobó. Seu sono, ou talvez pesadelo, só tem hoje por testemunhas tilápias, carpas e tucunarés, únicos detentores do privilégio de passear pelo que foi um dia a praça das igrejas ou enfiar-se pelos espaços onde se apinhavam as casinhas de taipa. Expliquemo-nos. Canudos foi afogada em 1968, quando entrou em operação a barragem construída para represar as águas do rio Vaza-Barris. O que se vê no local, hoje, é um lago. A cidadezinha que herdou o nome de Canudos fica a dez quilômetros de distância: é o povoado que antigamente também tinha o nome de Cocorobó. Para lá foi transferida a população da Canudos original.

Canudos original? Não, vamos por partes. A Canudos original, do Conselheiro, acabou junto com a guerra, naquele trágico ano de 1897. A cidade chegara a 25 mil habitantes, segundo o Exército. O cálculo, que faria do arraial a segunda aglomeração urbana da Bahia na época, atrás apenas de Salvador, soa exagerado. Em todo caso, o povoado do Conselheiro, cujo tecido formava um "dédalo desesperador de becos estreitíssimos", segundo se lê em *Os sertões*, com "casebres feitos ao acaso, testadas volvidas para todos os pontos", era grande[23]. A "Tróia de taipa", "urbs monstruosa", "civitas sinistra do erro", que tanto horror causou ao engenheiro Euclides, formado no culto da clareza e da linha reta, ocupava extensa área à margem do Vaza-Barris e cercada pela morraria em volta. Quando caiu, em 5 de outubro, o arraial havia sido quase inteiramente dizimado. Das igrejas, a velha, já existente no povoado antes de o Conselheiro ali assentar-se, e a nova, por ele construída, uma defronte à outra, formando a única praça da localidade, restavam umas poucas paredes. Mesmo esses restos foram postos abaixo por cargas de dinamite uma vez tomado o arraial. As casas que ainda se mantinham foram incendiadas. Durante os dez anos que se seguiram, o local manteve-se em ruínas, abandonado. Canudos era sinônimo de atrocidades e sofrimento, cadáveres, podridão, mau cheiro, desgraceira sem fim. Evitava-se o local malfadado. Aos poucos, porém, alguns velhos moradores foram voltando, alguns novos foram ali se instalando, e surgiu uma nova Canudos. Na década de 1940, as lideranças locais começaram a reivindicar a construção de um açude na região. Estava dada a partida para a construção do reservatório do Cocorobó, aprovada pelo presidente Getúlio Vargas. Em 1968, com grande atraso em relação ao cronograma original, as comportas foram finalmente abertas e encheu-se uma bacia hidráulica de 4 510 hectares, com capacidade para 245 milhões de metros cúbicos de água, e extensão de 23 quilômetros. Duas Canudos, a do Conselheiro e a que a sucedeu, recolheram-se para o fundo das águas.

Quem vem de Euclides da Cunha depara-se, antes de chegar à terceira Canudos, ou seja, a cidade que recolheu os desalojados pela construção do açude e herdou esse nome, com um portal à beira da estrada em cujo alto se lê: "Parque Estadual de Canudos". Trata-se de empreendimento surgido de uma idéia de Renato Ferraz, um pesquisador tão apaixonado quanto bem informado das coisas do sertão baiano e especialista nos temas da guerra e de Antônio Conselheiro. O Parque Estadual de Canudos, extenso de 1.321 hectares, compreende alguns dos sítios históricos que, situados no alto, escaparam de ser afogados pelo lago. São lugares como os morros da Favela e do Mário, de onde a artilharia das forças oficiais abria fogo contra o arraial, 1,2 quilômetro abaixo, a Fazenda Velha, onde os conselheiristas montaram um posto avançado para fustigar o inimigo, e o Vale da Morte, local que, situado junto ao Hospital de Sangue montado pelo Exército, serviu de cemitério para os soldados abatidos.

Entra-se no parque e ali se é recepcionado pelo único funcionário do local, Antônio de Régis. O jovem Régis, que desempenha as funções de porteiro e guarda, é neto de João de Régis, um dos nonagenários da região que ainda têm histórias do período da guerra para contar. Detenhamo-nos um instante na história desse João de Régis. Seus pais, Reginaldo José de Matos e Joana Batista de Jesus, foram conselheiristas. A mãe era da região mesmo. O pai, de Pombal, uns 120 quilômetros ao sul. Um dia, o pai viu o Conselheiro passar por lá e "achou bonito" aquele jeito do santo homem, "aquela amizade, aquela vivência", conta João de Régis[24]. Uniu-se a ele. Reginaldo e Joana casaram-se no próprio arraial, numa cerimônia celebrada pelo padre Sabino, o vigário do Cumbe que, em visitas periódicas, ministrava os sacramentos ao povo de Canudos. Pouco antes do fim da guerra, quando o cerco ao arraial apertava e já escasseavam os gêneros alimentícios, Reginaldo saiu pela estrada de Uauá, para comprar farinha, e não pôde voltar: a retaguarda havia sido cortada pelas tropas governamentais. Ele então refugiou-se pelos arredores. Quando do assalto final, e as mulheres foram presas e levadas a Salvador, inclusive Joana, ele continuava refugiado em local desconhecido da mulher. Joana ficou algum tempo em Salvador, mas sempre insistindo em voltar. Quase todas as mulheres deportadas com ela tinham tido seus maridos mortos e não tinham motivos fortes para voltar a Canudos. Mas Joana estava certa de que seu marido estava vivo e queria juntar-se a ele. Enfim, recebeu uma autorização para voltar, na forma de um documento que João de Régis guarda, em sua humilde casinha, e costuma mostrar aos visitantes. É um salvo-conduto emitido pelo Comitê Patriótico, a organização beneficente dirigida pelo jornalista Lélis Piedade, em que se pede às "autoridades do centro do Estado" protegerem sua portadora "em qualquer emergência". Joana enfim reencontrou o marido. Hoje, mais de cem anos passados, na pessoa do neto de João de Régis, bisneto de Reginaldo e Joana, a memória da guerra continua a confundir-se com a história da família.

O parque de Canudos é administrado pela Universidade do Estado da Bahia. Uma placa fixada à entrada exibe o célebre parágrafo com que Euclides descreve o fim do arraial:

> Canudos não se rendeu. Exemplo único em toda a História, resistiu até ao esgotamento completo. Expugnado palmo a palmo, na precisão integral do termo, caiu no dia 5, ao entardecer, quando caíram os seus últimos defensores, que todos morreram. Eram quatro apenas: um velho, dous homens feitos e uma criança, na frente dos quais rugiam raivosamente cinco mil soldados[25].

Outras placas, parque adentro, indicam os lugares históricos. Discute-se, entre os especialistas, se o lugar indicado como o Alto do Mário seria realmente o Alto do Mário. Para alguns, seria o Alto da Favela. Para outros, Alto da Favela e Alto do Mário seriam denominações do mesmo local, embora Euclides os distinga. De qualquer forma, é deste lugar que se tem a vista mais abrangente, e o que domina a paisagem é o lago, lá embaixo, caudaloso e sereno. Vez ou outra ele é cortado por um barquinho de pescador, mais nada. Aqui é o reino do silêncio e, como em toda parte, no sertão, do sol. Era deste Alto da Favela que o coronel Olímpio da Silveira, chefe da Artilharia na 4ª. Expedição, assestava seus canhonaços contra o arraial, em especial contra as paredes da igreja nova, feita fortaleza. Ao cair a noite, depois de um dia inteiro de tiroteio, os soldados ouviam "um rumor indefinível" que subia pelas encostas. "Não era, porém, um surdo tropear de assalto", escreve Euclides. "Era pior. O inimigo, embaixo, no arraial invisível – rezava."[26]

Pesquisas arqueológicas são realizadas a intervalos no parque, sob a responsabilidade de uma equipe de São Paulo comandada pelos arqueólogos Paulo Eduardo Zanettini e Erika Robrahn-González. Ossadas, armas, balas, utensílios de uso diário: eis os achados. Desde a instituição do parque, pôs-se ordem numa situação em que a qualquer aventureiro era facultado levar de lembrança a bala ou o pedaço de osso que encontrasse. Em 1999, ano de seca brava, o lago chegou a secar inteiramente neste trecho. Então, como um cadáver que deixa a sepultura, Canudos, ou melhor, o que restava dela, ressurgiu, seca e visível. Foi o momento de trabalho mais proveitoso para os arqueólogos. Eles conseguiram desenterrar as fundações das duas igrejas e delimitar a área da praça onde elas se situavam, retangular e longa de cem metros, entre a fachada de uma igreja e a da outra. Na praça, em frente à igreja velha, ressurgiu o único pedaço da Canudos do Conselheiro que se manteve: o pedestal onde se fincava uma cruz. Essa peça, inclusive a cruz, continuou de pé depois da queda do arraial e pode ser vista numa das fotos feitas por Flávio de Barros ao final da guerra. Continuou no mesmo lugar, como testemunha solitária do tempo conselheirista, até que, quando da inundação da área, a cruz foi arrancada dali e guardada. Restou o pedestal, de alvenaria, à moda de um pequeno terraço, quadrado, ao qual se acedia subindo-se cinco degraus.

Se os arqueólogos conseguiram refazer o traçado das igrejas e da praça, recuperando das águas um conjunto que, pela disposição, bem como pelo mistério que o envolve, parecia uma ruína asteca, não conseguiram aquele que poderia ter sido seu maior trunfo: a descoberta do cadáver do Conselheiro. Morto de doença e desencanto no dia 22 de setembro, 13 dias antes da queda do arraial, Antônio Conselheiro foi enterrado na latada que, situada junto à Igreja Nova e protegida pelas paredes desta dos bombardeios inimigos, servia-lhe de local para as pregações. Os soldados, ao entrar finalmente em Canudos, exumaram o corpo e cortaram-lhe a cabeça, enviada para o Museu Nina Rodrigues, em Salvador. O resto do corpo foi devolvido à sepultura. Hoje, com o açude cheio, e tão cheio que, em dezembro de 2001, até sangrou, os restos das igrejas recolheram-se de volta ao profundo das águas, assim como o pedestal, o cadáver do Conselheiro e muitos outros cadáveres. O que se tem ao alcance da vista é a placidez imperturbável do lago.

IV

Se Monte Santo é uma praça, Canudos – a nova Canudos – é uma avenida. Uma avenida larga e comprida, ligando a caatinga à caatinga, mais algumas ruas transversais e umas poucas paralelas. A população é bem menor que a de Monte Santo ou a de Euclides da Cunha. Canudos tem só 13.761 habitantes, segundo apurou o Censo 2000. Destes, 7.012 vivem na área urbana e, 6.749 na área rural, dos quais 1.498 em "aglomerados rurais", como o IBGE chama os pequenos povoados distantes da sede do município. É uma população possivelmente menor que a da Canudos do Conselheiro, ainda que se considere um exagero os 25 mil habitantes atribuídos a esta. Acresce que a Canudos de outrora era local de peregrinação. À população residente somavam-se os sertanejos que vinham assistir aos sermões do Conselheiro ou pedir-lhe a bênção. Hoje, tirante os poucos interessados em conhecer o palco dos acontecimentos de cem anos atrás, não há razão para ir a Canudos. Trata-se de um vilarejo modorrento, de escasso comércio e ruas desertas. Só no ano passado ganhou uma agência, ou melhor, um posto, do Banco do Brasil. O som que mais se ouve é o dos sininhos das tropinhas de bodes que passeiam mesmo pela zona urbana – criar bode é o modo de subsistência de grande parte destas gentes. Em 1996, ainda segundo o IBGE, a população era maior: 17.256 habitantes.

Há em Canudos (prosseguimos na leitura do Censo 2000) 3.177 domicílios. Desses, os que auferem o triplo luxo de possuir banheiro, estar conectados à rede geral de abastecimento de água e contar com esgotamento sanitário são 113. Os domicílios que contam com serviço de coleta de lixo são 1.145. Os números melhores que os de Monte Santo, nestes dois itens, devem-se ao fato de em Canudos a população distribuir-se de maneira mais compacta, com mais da metade ocupando a área urbana. Canudos tinha, à época do Censo, 4.171 estudantes matriculados no ensino fundamental e 362 no ensino médio. Como em tantos outros municípios brasileiros, e em especial nos mais carentes, se o número de matrículas no ensino fundamental é satisfatório, deixa muito a desejar no ensino médio. Qual seja: se as crianças realmente estão indo à escola, não estão ficando lá o tempo que precisavam. Tal desproporção entre os matriculados em um e outro nível de ensino confirma-se nos respectivos totais de estabelecimentos: há 44 escolas de ensino fundamental, somando-se as escolas municipais e as estaduais – ou havia à época do Censo –, em comparação com apenas duas de ensino médio. A taxa de pessoas com 10 anos ou mais sem alfabetização era de 29,3%, menor que a de Monte Santo, mas ainda assim bem superior à média nacional e superior em cinco pontos percentuais à nordestina.

Esta nova Canudos fazia parte do município de Euclides da Cunha até 1985, quando ganhou autonomia. De lá para cá a política local tem se polarizado em torno de dois nomes, o ex-prefeito Manuel Adriano Filho, o Vavá, médico e dono de hospital em Euclides da Cunha, e o atual, o contador João Ribeiro Gama, o Zito. Os dois já foram aliados. Hoje são inimigos cheios de venenos um contra o outro na disputa dos 9.396 eleitores do município (dado de 2000). Vavá abriga-se na legenda do PFL, amplamente majoritária na Bahia de Antonio Carlos Magalhães, e Zito na do PSDB. Como é ser prefeito, na Bahia, sem estar abrigado nas asas do todo-poderoso ACM? É manhã de sábado, período em que Canudos está ainda mais adormecida do que normalmente, mas Zito se propôs a receber os visitantes na casa azul que serve de sede à Prefeitura. "É viver a pão e água", responde. Como o prefeito de Monte Santo, Zito elogia os programas do governo federal sem os quais o município não sobreviveria. “Na educação, o Fundef é tudo”, diz, referindo-se ao Fundo de Manutenção e Desenvolvimento do Ensino Fundamental, destinado ao custeio das escolas e ao pagamento dos salários dos professores. Canudos, assim como, acrescente-se, Monte Santo, está incluída no Projeto Alvorada, instituído pelo governo federal, dentro do programa Comunidade Solidária, para atendimento dos municípios com menor Índice de Desenvolvimento Humano (IDH), que integra diversas ações voltadas para os setores da educação, saúde e renda. O Programa de Erradicação do Trabalho Infantil, pelo qual as famílias recebem 25 reais por mês para afastar as crianças do trabalho, tem em Canudos 824 beneficiários.

Zito, que está em seu segundo mandato, nasceu na segunda Canudos, o povoado surgido das cinzas depois da destruição do arraial do Conselheiro. Seu pai tinha ali uma padaria. No primeiro mandato, ele construiu um hospital, instalado num prédio limpo e bem-cuidado. Se Canudos tem o hospital, no entanto, ainda não conseguiu produzir médicos fixados no próprio município: todos os seis que ali trabalham residem em Salvador ou Euclides da Cunha, de onde vêm e voltam ao sabor das escalas de serviço. De todo modo, a rede de assistência montada na sede do município tem resultado no adensamento da população, que se transfere crescentemente para a área urbana. Movimento típico nesse sentido, segundo conta o prefeito, começa com a construção de um rancho na cidade. Para lá se transferem a mulher e os filhos com o objetivo de usufruir da escola e dos serviços de saúde. Só o pai fica na roça. E se o pai consegue um modo de subsistência na cidade, acaba vindo ele também. Cerca de 50% da renda do município vem da produção do chamado “perímetro irrigado”. Trata-se das áreas que, aproveitando-se das águas do açude de Cocorobó, tornaram-se próprias para exploração agrícola. A produção é vendida para os “praianos”. “Praianos”, explica Zito, são os habitantes das regiões onde chove – as praias –, e assim se ilumina de novo sentido a profecia que Euclides atribuiu (falsamente, para alguns autores) ao Conselheiro, segundo a qual “o sertão vai virar praia e a praia virar sertão”. No caso dos canudenses, “praianos” são em geral os sergipanos.

Figura de tanto destaque quanto o prefeito, em Canudos, é a do presidente da Cooperativa dos Irrigantes do Vaza-Barris, entidade que reune os produtores do perímetro irrigado do açude de Cocorobó. O cargo é ocupado, já há oito anos, por Jaílton Alves da Silva, canudense que, filho de criadores de bode, teve a sorte de estudar em Juazeiro, onde fez o curso técnico de agricultura. A cooperativa foi criada, em 1974, pelo Departamento Nacional de Obras Contra a Seca, órgão federal que construiu e administra o açude. Distribuíram-se lotes aos interessados com a promessa de que, em 20 anos, ganhariam títulos de propriedade. A cooperativa se encarregaria de fornecer-lhes sementes e assistência técnica, bem como comercializar-lhes a produção. Até hoje os títulos de propriedade não foram emitidos. As partes ainda negociam como fazê-lo. Mas não há conflito, segundo Jaílton. Tudo se processa amigavelmente. Em 1991, a cooperativa, até então abrigada sob a tutela do DNOCS, ganhou autonomia. Os cooperados são hoje 172 – 172 detentores de lotes que, em média, possuem 4 hectares. A produção de banana representa 65% do total e a de coco, 15%, repartindo-se o restante em culturas de tomate, alface, pimentão, coentro ou feijão. Como já adiantara o prefeito Zito, atacadistas de Sergipe compram 80% da produção de banana. O coco é vendido para a Bahia ou para São Paulo. No total, cultivam-se 1.050 hectares de terra na área do perímetro irrigado. Os produtores têm uma renda média mensal, calcula o presidente da cooperativa, de 400 reais – e não são os únicos a extrair renda e emprego do perímetro irrigado. Eles contratam empregados. O próprio Jaílton, em seu lote, emprega quatro auxiliares. Sem contar os colonos, o perímetro irrigado oferece 1.500 empregos diretos e 2.500 indiretos. Os empregados são remunerados com uma diária de 8 reais. "Sem o perímetro irrigado, não existiria Canudos", diz Jaílton. "As pessoas associam Canudos a guerra, bala, sol quente e seca. Pois quando vêem o perímetro irrigado, situado numa bonita baixada, se espantam."

À visão otimista do presidente da cooperativa opõem-se as conclusões de um especialista, o pesquisador Luiz Paulo Almeida Neiva, do Centro de Estudos Euclides da Cunha da Universidade do Estado da Bahia – mesmo organismo que administra o parque de Canudos. Neiva compara os resultados concretos do perímetro irrigado com as expectativas criadas e as potencialidades de um empreendimento do porte do açude de Cocorobó. Quando inaugurado, Cocorobó era o segundo açude do Brasil, só perdendo para o de Orós, no Ceará. O investimento foi considerável. Poderia se constituir, e realmente pensou-se que se constituiria, numa arrancada para a redenção das populações locais. Neiva enumera, no entanto, uma série de fatores que impediram que isso acontecesse. Para começar, a obra foi mal dimensionada. Se era só para Canudos, ficou grande demais. Se era para toda a região, ficaram faltando estudos e projetos de articulação e integração social, econômica e ambiental dos vários municípios potencialmente beneficiados. Faltou inclusive a obra complementar comezinha que seria uma bem planejada rede de distribuição da água armazenada no açude. Mais cuidado no planejamento teria proporcionado aproveitamento muito melhor. O volume de água armazenado permitiria, por exemplo, a produção de 800 a 1.000 toneladas de peixe por ano, transformando em realidade a vocação para a piscicultura que Neiva identifica na região. Não se concederam os financiamentos nem se transferiu a tecnologia necessária para tanto. A pesca que se pratica no Cocorobó é de nível de subsistência. Nem mesmo a função primária de fornecimento de água, para as pessoas e os rebanhos, o açude cumpre a contento. Por falta de rede de distribuição, caminhões-pipa ainda são mobilizados para levar água às populações da zona rural. As águas do Vaza-Barris a jusante do açude, até a década de 1980, serviam 23 municípios, inclusive alguns bairros de Aracaju, onde deságua o rio. Por falta de adequada manutenção do açude, no entanto, em 1999 ele abastecia só o município de Canudos, e mesmo assim não o município inteiro. Chegou-se ao resultado perverso e irracional de, fora dos períodos de seca, haver uma abundante quantidade de água estocada e não se conseguir fazê-la chegar ao povo. Sobretudo, foi frustrada a esperança de nascimento de um vigoroso pólo agrícola, na área irrigada do açude. Calculava-se que o perímetro irrigado se estendesse por 5.000 hectares. Ficou-se numa área cinco vezes menor. Faltaram obras complementares, faltou tecnologia, faltou planejamento, faltou financiamento. Optou-se por plantar bananeiras e coqueiros, as mais rudimentares e menos rentáveis culturas. Não se pesquisaram que produtos se adaptariam melhor às condições da região. Canudos ficou longe, astronomicamente longe, conclui Neiva, do dinâmico pólo criado, a 200 quilômetros dali, na área de Juazeiro (BA)–Petrolina (PE). Nessa região, onde as águas do rio São Francisco foram aproveitadas para projetos de irrigação, produzem-se frutas que, além de nacionalmente reputadas, são exportadas. Em Canudos, segundo o estudo, o que se tem é um flagrante de políticas mal concebidas e ainda mais mal executadas que antes têm perpetuado que resolvido as aflições das populações do Nordeste[27].

***

O padre Lívio Picolin, morador de uma casinha amarela numa rua paralela à avenida central da cidade, é o pároco de Canudos. Tanto quanto a pele morena do prefeito Zito denuncia de saída um tipo brasileiro, a estampa do padre Lívio identifica-o como estrangeiro. Ele é comprido e vermelho. Padre Lívio é do Trento, lá onde a Itália começa a adquirir ares germânicos, junto às fronteiras da Áustria e da Suíça, mas já está há 21 anos no Brasil. Para Canudos só veio em agosto de 2001, mas conhece bem o sertão baiano, onde tem servido todos esses anos. E como vive o povo aqui? Padre Lívio é uma pessoa contida, econômica nas palavras. Responde com uma só: "Sobrevive". O padre é contido a ponto de conseguir manter-se impassível diante de uma situação insólita como a invasão da casa por um bêbado. Estamos em volta da mesa da cozinha, o lugar mais iluminado da casa, neste começo de tarde de sábado. O bêbado, aproveitando a porta da rua aberta, entrou e agora está parado, as pernas sacudindo em precário equilíbrio, encarando com os olhos inchados as pessoas reunidas em volta da mesa, como que acompanhando a conversa. Nada diz, nem lhe é perguntado. "Temos visita", é a única observação do padre. O bêbado cansa-se enfim, chega até a pia, enche um copo de água, toma-a e vai-se. Não foi nada. Talvez a erupção de um fantasma a mais, só isso, ou de um personagem de pesadelo a mais, nesta terra de tantos fantasmas e pesadelos.

Cinco outras igrejas estão representadas em Canudos: Batista, Assembléia de Deus, Congregação Cristã do Brasil, Testemunhas de Jeová e a inevitável Universal do Reino de Deus. Tal concorrência não estaria desfalcando o tradicional rebanho sertanejo da Igreja Católica? Padre Lívio responde que não. Sim, algumas dessas igrejas atuam de forma agressiva e tentadora. "Agora mesmo abriram um salão aqui em frente", diz, e é curioso como ele chama "salão", e não "templo" nem "igreja", a casa das Testemunhas de Jeová recentemente instalada na mesma rua onde mora. Padre Lívio também arrisca dizer que talvez as pessoas se sintam anônimas no seio da Igreja Católica e procurem um atendimento mais personalizado nas evangélicas. Mas não. Isso não representa uma ameaça significativa para as fileiras católicas. É residual a porcentagem da população que se deixa atrair por outras denominações. E quanto a Antônio Conselheiro: que memória a população guardaria dele? Padre Lívio, mesmo com a pouca experiência de apenas sete meses em Canudos, já percebeu que, entre os canudenses de hoje, o prestígio do Conselheiro está muito distante daquele que desfrutou entre os canudenses de outrora. Outro dia mesmo, na fila do Banco do Brasil, o padre ouviu, numa conversa entre duas pessoas, a opinião de que o Conselheiro seria uma espécie de ditador, habituado a dispor da vontade dos outros. "Ele obrigava as pessoas a fazer o que queria", diziam. Padre Lívio, nessa ocasião – aí já era demais –, saiu da habitual contenção. Interveio, para dizer que não era assim.

Cento e alguns anos depois, Antônio Conselheiro é uma obra aberta. Se já em sua época despertava diferentes reações e diferentes interpretações, hoje mais ainda. Entre humilde penitente e louco, santo e fanático raivoso, revolucionário e reacionário profeta do atraso, flamante cavaleiro da utopia e delirante sebastianista, manso consolador de almas e perigoso acirrador de conflitos, tem-se uma gama de Conselheiros para escolher a gosto. O artista plástico Tripoli Gaudenzi, autor de uma majestosa série de quadros e desenhos em que retratou a trajetória do Conselheiro e a Guerra de Canudos, conta que uma vez, ao receber a encomenda de um trabalho para ilustrar uma capa de revista, fez várias versões do personagem, sempre recusadas pelos editores. Enfim, deu-se conta do que desejavam. "Já sei", pensou – e deu ao Conselheiro um ar de louco. O trabalho foi aprovado com louvor. Era isso – o Conselheiro, para os editores da revista, como para muitas pessoas, precisava ser aloucado. Na Canudos de hoje, a imagem do Conselheiro é defendida – e cultuada – sobretudo pela Igreja Católica. O padre Enoque, citado mais atrás, elegeu-o como líder precoce e inadvertido dos sem-terra – o que, na verdade, entre outras coisas, ele não deixou de ser. Mesmo para padres e freiras sem a adesão extremada à teologia da libertação do padre Enoque, o Conselheiro é uma espécie de santo, e santo que se afina à perfeição a modernas tendências como a opção preferencial pelos pobres e a ênfase nas questões sociais. Entre os atuais canudenses, no entanto, é forte, talvez dominante, uma visão negativa do patrono dos canudenses de outrora. Ele seria o responsável último pela maldição oficial do arraial e sua destruição. Era contra o governo, pela desordem. O padre Lívio considera que Euclides da Cunha contribuiu para a má imagem do Conselheiro com os epítetos que, em sua inesgotável e inigualável retórica, reservou para o personagem: o "Messias de feira", "bufão arrebatado numa visão do Apocalipse", infeliz que acabou "indo para a História como poderia ter ido para o hospício".

Irmã Cirila, uma gaúcha já há nove anos cumprindo missão em Canudos, é um dos baluartes, talvez o maior baluarte, da defesa da memória do Conselheiro na cidade. Ela é a principal animadora de celebrações que ali se realizam em favor da memória do Conselheiro e do movimento conselheirista, a mais importante das quais é a romaria feita em outubro na data da queda do arraial. Irmã Cirila concorda que, entre a população, prevalece a memória negativa de Antônio Conselheiro. Existe até, conta ela, a teoria de que ele atraiu a multidão de seguidores a seu povoado como se atraem os ratos a uma ratoeira: para matá-los. É contra essa visão, remanescente, cem anos depois, daquela que os proprietários da região espalhavam a respeito do personagem, que irmã Cirila trabalha. O que se celebra nos eventos realizados na cidade, diz ela, recorrendo ao nome com que o Conselheiro rebatizou Canudos, "é a vida que houve no Belo Monte".

Canudos, a cidade mais prosaica das redondezas, com sua avenida de corte moderno, larga demais para as dimensões locais, ladeada de construções sem graça, a um desavisado da História não desperta nenhuma emoção. Aliás, mesmo aos avisados. Será preciso procurar bem para encontrar na cidade recordações do episódio histórico que lhe celebrizou o nome. Mas, procurando, encontra-se. Canudos abriga três memoriais dedicados ao evento histórico – um federal, um estadual e um eclesiástico. O primeiro, recente, constitui-se de uma escultura do Conselheiro, uma pequena capela, um mirante e alguns quiosques plantados num morro de onde se desfruta boa vista da região. O conjunto foi idealizado e implantado pelo Ministério da Cultura. O segundo, construído pelo governo baiano e também administrado pela Universidade do Estado da Bahia, abriga-se num prédio moderno – o único edifício marcante da cidade. Por dentro, em salas que se sucedem em torno de um pátio interno, o memorial abriga as peças encontradas nas escavações arqueológicas realizadas no palco da guerra, principalmente balas, pedaços de armas e ossadas, mas também restos de objetos de uso diário, assim como trabalhos da série *Canudos*, de Tripoli Gaudenzi, e uma biblioteca sobre o assunto. A maior das dependências, o Auditório José Calasans, é reservada para conferências e congressos. No lado de fora, pretende-se implantar um pequeno jardim botânico com as espécies descritas por Euclides da Cunha em *Os sertões*.

O terceiro memorial contém a peça mais preciosa entre todas as que restam do período conselheirista: a cruz de madeira que enfeitava a praça das igrejas. Aquela mesma que, como vimos, sobreviveu à guerra e foi posteriormente arrancada do pedestal para escapar ao alagamento do sítio original da cidade. Agora ela está aos cuidados da paróquia de Canudos. O pequeno edifício em que se encontra não é, mas parece uma capela – tanto pela linha arquitetônica quanto pelo fato de a cruz sobrepor-se à parede dos fundos, como num altar. Ao pé dela, uma placa metálica, peça com que seu artífice como que assinou o trabalho, confirma-lhe a autenticidade. Está escrito ali: "Edificado em 1893 por A.M.M.C." – iniciais que remetem a Antônio Mendes Maciel Conselheiro. Lembre-se de que 1893 foi o ano da fixação do Conselheiro e seus seguidores no arraial. O cruzeiro pode portanto ser tomado como marco inaugural da comunidade.

Os três memoriais têm vida independente. Não juntam esforços para celebrações ou eventos. Fazem como que uma concorrência. Neste memorial da igreja, chamado Memorial Popular – como se os outros fossem da elite –, a cruz é a principal, mas não a única peça remanescente da Canudos heróica. Junto às paredes laterais, de um lado e de outro, amontoam-se grandes traves de madeira, longas de entre 3 e 4 metros, já carcomidas, num sinal de antigüidade e de desgaste. Que é aquilo? Surpresa: são as madeiras que, encomendadas em Juazeiro para a edificação da igreja nova de Canudos, estão na equivocada e fútil origem da guerra. Como sabe o leitor de *Os sertões*, tudo começou quando a entrega das madeiras foi embargada pelo juiz de Juazeiro, antigo adversário de Antônio Conselheiro. Os conselheiristas ameaçaram subir até a cidade para trazer a encomenda à força. Com isso, espalhou-se em Juazeiro um princípio de pânico. Temia-se pela possível destruição provocada pela jagunçada. Solicitaram-se providências ao governo do estado, e em resposta foi enviada de Salvador uma pequena força, comandada pelo tenente Pires Ferreira. Como se sabe, tal força, que passou para a História como a 1ª Expedição a Canudos, foi dizimada em Uauá, 50 quilômetros antes de Canudos, mas nem por isso os conselheiristas recuperaram as desejadas madeiras.

Eis que, agora, mais de cem anos depois da destruição do arraial, constata-se que enfim as madeiras chegaram. Como foi isso acontecer? Esta história começa com a decisão do comerciante ao qual fora feita a encomenda, João Evangelista Pereira de Melo, de empregar as peças para outro fim, uma vez que fora impedido de entregá-las aos legítimos compradores. Usou-as para construir uma pousada. Ficou na memória da família que a pousada fora construída com as madeiras fatídicas. Muitos anos depois, a pousada foi demolida. Guardaram-se as madeiras. Que fazer com elas? A família pensou inicialmente em expô-las, em Juazeiro mesmo, como relíquias, mas depois teve melhor idéia – doá-las a Canudos. E foi assim que, em 1993, as madeiras finalmente tomaram o caminho que desde o início deveriam ter tomado e vieram aportar na cidade sucessora do arraial conselheirista. A irmã Cirila é a diligente zeladora deste memorial. Ela explica que, mesmo não sendo uma igreja, aqui se realizam missas e outros atos. A romaria que, em 5 de outubro de cada ano, lembra o desfecho da guerra ou começa ou acaba aqui. Eis-nos diante do paradoxo ao qual a mudança da Igreja Católica nos trouxe, cento e tantos anos depois da Guerra de Canudos. A procissão do Senhor Morto, Calvário acima, em Monte Santo, não tem o aval da Igreja. Já o culto, aqui em Canudos, do Conselheiro, que não é santo de altar e em vida não foi senão pregador leigo, tem.

V

Para voltar a Salvador, temos a opção de fazer caminho diferente. Será mais longo, mas proporcionará o contato com dois outros sítios marcantes da história do Conselheiro e da Guerra de Canudos. Tomamos, em Tucano, a estrada que demanda a Ribeira do Pombal. Agora, pela BR-110, seguimos rumo sul, até Olindina, onde mudaremos para a estrada estadual que demanda a Itapicuru e à divisa com Sergipe. Nosso objetivo é Itapicuru, a vila onde, em 1876, muito antes de assentar em Canudos, Antônio Conselheiro foi preso, por engano, confundido com uma pessoa acusada de matar a mulher e a própria mãe, e levado a Salvador. Itapicuru era também o quartel-general do maior articulador regional da luta contra o Conselheiro – o grande proprietário e influente líder político Cícero Dantas Martins, o barão de Jeremoabo. Clássico coronel do sertão, Jeremoabo foi chefe regional do Partido Conservador, no Império, e na República chegou a deputado federal. O Conselheiro ameaçava-o em duas frentes: na drenagem de mão-de-obra, pois atraía para suas fileiras, a princípio errantes, depois fixadas em Canudos, levas crescentes de trabalhadores das fazendas, e na intranqüilidade geral que espalhava pela região. Jeremoabo, como maior potentado regional e principal prejudicado, foi incansável em reclamar e articular providências contra o homem que, ainda que sem o querer nem o saber, puxava o povo daqueles sertões em sentido contrário à lógica do coronelismo e do clientelismo.

O nome do barão não é citado senão numa nota de pé de página em *Os sertões*.[28] Uma das falhas do livro de Euclides é ter passado ao largo da política baiana e dos interesses dos grandes proprietários regionais. Para quem tem olhos de ver, no entanto, o poder de Jeremoabo ainda se estampa na casa onde residia, na Fazenda Camuciatá, a alguns poucos quilômetros do centro urbano de Itapicuru. Chega-se até uma porteira e de lá se divisa o casarão amarelo, quadrado, mais amplo e imponente do que qualquer outra casa de fazenda da região. A mansão tem dois andares e, de frente, cinco janelas em cima e quatro embaixo. Ainda é de propriedade da família, mas ninguém mora lá. Fica aos cuidados do administrador, José Batista dos Santos, vulgo Zé Castigo. Uma vez dada a autorização da família, Zé Castigo abre a porteira e leva até a casa. Sobre a porta, lê-se o ano de sua inauguração, depois de quatro anos de construção: 1894. Qual seja: deu-se em plena agitação conselheirista. A casa tem histórias que se estendem até muito depois. Em 1934, foi atacada pelo bando de Lampião. O administrador foi morto e, com ele, 16 bois. Anibal Dantas, neto do barão, estava na casa e até hoje, aos 89 anos, lamenta-se de não ter reagido. Ele estava no andar superior, em posição vantajosa. Poderia não só ter defendido a propriedade como entrado na História como o matador do maior cangaceiro do Nordeste.

Entra-se na casa e depara-se com quadro lúgubre. Ela está caindo aos pedaços. Há um buraco no telhado. Nestes últimos anos, serviu de abrigo aos morcegos e até a um enxame de abelhas africanas. Alguns retratos sobram nas paredes, do barão e de seus descendentes, na sala de entrada. Alguns móveis ainda se vêem aqui e ali, nos outros cômodos do andar térreo. Tudo muito abandonado, quase tudo em ruínas. O pé-direito é alto de uns 5 metros. No andar superior, a melhor peça da casa é a sala que, à maneira dos castelos reais, ficava vizinha aos aposentos íntimos do proprietário. É onde o barão recebia. Mas a melhor atração surge quando se desce de novo e vai-se conhecer um cômodo que, à diferença dos demais, é mantido trancado. Zé Castigo destranca a porta – e então se descortina, em seu aspecto original, o escritório de Jeremoabo. Os móveis estão ali tal e qual. Também há livros, papéis e objetos espalhados sobre a escrivaninha ou sobre a estante ao lado. Os muitos objetos dispostos sobre a escrivaninha constituem, em si, um pequeno museu. Numa caixa, apinhados às dezenas, vêem-se anéis de papel daqueles que rodeiam os charutos, estampando-lhes as marcas. Era uma das manias do barão: guardar os anéis dos charutos que fumava. Também há um soco-inglês sobre a mesa, além de canetas, calendários, cadernos. E uma pilha de papéis... Que papéis serão estes? Títulos de eleitor! Uma pilha de títulos de eleitor, em branco, dá a medida dos poderes do barão como maestro regional da orquestração eleitoral. Na estante ao lado, alinham-se livros de direito, alguns em francês, e outra pilha de papéis... Em que consistirão estes, agora? São algumas dezenas de cópias do relatório de frei Evangelista do Monte Marciano sobre a situação de Canudos. Este frade italiano, como sabe o leitor de *Os sertões*, foi enviado em 1895 a Canudos, chefiando missão que incluía dois outros religiosos, para inspecionar o arraial e, se possível, desarticulá-lo, chamando o Conselheiro à obediência e instando seus seguidores a voltar aos lugares de origem. A missão desenvolveu-se em clima tenso e terminou em fracasso. O relatório, impresso num fascículo de oito páginas – este que se tem à vista, no escritório do barão de Jeremoabo –, conclui com as seguintes palavras:

> O desagravo da religião, o bem social e a dignidade do poder civil pedem uma providência que restabeleça no povoado dos Canudos o prestígio da lei, as garantias do culto católico e os nossos foros de povo civilizado. Aquela situação deplorável de fanatismo e de anarquia deve cessar, para honra do povo brasileiro, para o qual é triste e humilhante que, ainda mais na mais inculta nesga da terra pátria, o sentimento religioso desça a tais aberrações e o partidarismo político desvaire em tão estulta e baixa reação.

O relatório de frei Evangelista, sabem os pesquisadores modernos, não foi escrito pelo religioso italiano, e sim por monsenhor Basílio Pereira, filho de ilustre família baiana, irmão do então vice-presidente da República, Manuel Vitorino Pereira. A presença do maço de cópias no gabinete do barão atesta o quanto lhe interessou esse documento, e quanto lhe interessou divulgá-lo o mais possível.

Mesmo os livros, papéis e objetos presentes no escritório encontram-se em precário estado, alguns em estado desesperador. O salvamento faz-se urgente. Um bisneto de Jeremoabo, Álvaro Dantas, tem se batido pela preservação tanto da casa quanto do acervo do bisavô. Ele já obteve a concordância dos demais herdeiros para a transformação da casa num museu. Falta-lhe o apoio, estatal ou empresarial, para o projeto. Enquanto isso, Álvaro Dantas, ele próprio um estudioso das tradições sertanejas, vai contribuindo de outras formas para a preservação da memória da região. Fiel depositário da correspondência do barão, ele selecionou 70 cartas a ele enviadas, no período conselheirista, para figurarem no livro *Cartas para o barão* (organização de Consuelo Novais Sampaio. São Paulo: Edusp/Imprensa Oficial do Estado de São Paulo, 1999).

De Itapicuru, voltando a Olindina e retomando o rumo sul, depois de rodar pouco mais de 40 quilômetros chegamos ao lugar que já foi chamado Bom Jesus, mesmo nome pelo qual o Conselheiro era reverenciado pelos seguidores, e hoje é o município de Crisópolis. Se em Itapicuru o objeto da visita foi uma relíquia do inimigo do Conselheiro, aqui em Crisópolis é uma relíquia do próprio Conselheiro. Ele é considerado, na verdade, o fundador do arraial de Bom Jesus, embrião da atual Crisópolis. No local, segundo ensina o sempre imprescindível José Calasans, existiam duas fazendas, uma chamada Dendê de Cima e outra Dendê de Baixo, batizadas ambas com o nome de dendê por causa da grande quantidade dessa planta existente na área[29]. Na Dendê de Cima fixara-se uma cruz no local em que se dizia ter ocorrido o assassinato de um homem por sua mulher. Perto dessa cruz, o Conselheiro e seu séquito, num ano indeterminado da fase de peregrinação pelos sertões, decidiram assentar acampamento. Claro que a primeira providência foi edificar uma igreja, e então consta que o peregrino praticou um milagre, segundo se lê no seguinte parágrafo de *Os sertões*:

> Fundou o arraial do Bom Jesus; e contam as gentes assombradas que em certa ocasião, quando se construía a belíssima igreja que lá está, esforçando-se debalde dez operários por erguerem pesado baldrame, o predestinado trepou sobre o madeiro e ordenou, em seguida, que dous ho-

mens apenas o levantem; e o que não haviam conseguido tantos, realizaram os dous, rapidamente, sem esforço algum...[30]

O espaço em torno da igreja foi desmatado e por ali se edificaram casinhas, bem como um barracão para abrigar romeiros. Cavou-se um poço para o abastecimento de água, e eis que estava estabelecido o arraial, que o próprio Conselheiro houve por bem chamar Bom Jesus. Numa das casas alojou-se ele próprio. Era uma casa, conta uma testemunha citada por Calasans, suja e sem móveis. Não havia nem cadeira. À frente da igreja, como faria depois em Canudos, Antônio Conselheiro mandou edificar um cruzeiro. Pois a igreja, "com ligeiras modificações", segundo observa Calasans, ainda continua lá, em perfeito estado de conservação, assim como o cruzeiro em frente. Euclides, como se viu, qualificou-a de "belíssima". A "imaginação sertaneja", informa Calasans, considera-a "a mais bela dos sertões da Bahia"[31].

A igreja de Crisópolis, pequena e harmoniosa, tem estampadas na fachada as iniciais BJ, de Bom Jesus, e uma data, 1892, ano não de sua conclusão, que teria ocorrido antes, mas de sua sagração pelo vigário de Itapicuru. Por dentro a igreja, pintada de azul, tem um altar central e dois laterais, menores, decorados com talhas da lavra de Manoel Faustino. Este Faustino, mestre-de-obras e entalhador de altares, era o artista do grupo. "Bem poderíamos avançar: o Miguel Angelo do Conselheiro", escreveu Calasans. Faustino, na verdade, foi o autor não só dos altares, mas do desenho da igreja de Crisópolis como um todo. Consta que, ao juntar-se à comunidade do Conselheiro, ele teve dificuldades em enquadrar-se à proibição da cachaça. No início, encontrou jeito de desobedecer. Depois não conseguiu mais e, segundo o depoimento de um sobrevivente de Canudos, Honório Vilanova, ficou "magro e triste". Consolou-se mergulhando no trabalho[32]. Ele é autor também do cruzeiro fincado no meio da praça. Dentro da igreja, pendurado bem alto na parede, fixou um medalhão com o célebre dístico do Conselheiro: "Só Deus é grande".

A praça onde hoje se assenta a igreja de Crisópolis é ampla e de linhas regulares. Tem canteiros e bancos. É uma aprazível praça interiorana, dessas que dão lógica e harmonia ao tecido urbano e centralizam a vida na cidade. Está escrito numa placa que sua atual conformação é recente. Data de janeiro de 1995, quando foi inaugurada pela prefeita Maria do Socorro Narciso Coelho. O nome da praça é... consegue o leitor adivinhar? Sim: praça Antônio Conselheiro. E assim chegamos à aceitação oficial, na forma de um nome de logradouro público, do santo taumaturgo dos sertanejos que em vida tanto alvoroço causou nos meios oficiais. Se em Monte Santo, conforme nos informou o padre José Vinci, não há culto ao Conselheiro e se em Canudos, conforme o padre Lívio Picolin e a irmã Cirila, o nome do Conselheiro causa antes aversão do que adesão, aqui ele é tranqüilamente aceito como o fundador da cidade e o edificador da igreja. Crisópolis, situada já no limite sul do sertão do Conselheiro, é bom lugar para encerrarmos estas notas de viagem.

***

José Calasans (sempre ele) costumava dizer que três pessoas foram modificadas pelo sertão: Antônio Conselheiro, Euclides da Cunha e Luís Carlos Prestes[33]. Euclides, que em sua primeira manifestação sobre o arraial conselheirista escreveu no jornal *O Estado de S. Paulo* artigos em que denunciava "a nossa Vendéia", acabou por denunciar o lado contrário, no livro que chamou de "vingador". No próprio curso de *Os sertões*, ele que, em páginas ainda da primeira metade do livro, acusa de "insânia imensa" o movimento sertanejo em torno da figura do taumaturgo, lá para o fim, diante das atrocidades praticadas contra a multidão de desamparados, fará a insânia mudar de lado: "Repugnava aquele triunfo", escreveu. "Envergonhava"[34].

Poderia, hoje em dia, o sertão exercer o mesmo efeito transformador sobre o visitante? A verdade é que muita água rolou nos cem anos que se sucederam à publicação de *Os sertões*, com perdão pela imagem, imprópria para uma região reputada mais pela falta de água do que pela abundância. Para citar apenas alguns poucos fatores, e os mais notórios, que estreitaram a relação entre o sertão e o restante dos brasileiros, houve o ciclo de romances nordestinos dos anos 1930, o cinema novo, Portinari, *Morte e vida severina*, "Carcará", Josué de Castro, Celso Furtado, as criações do DNOCS e da Sudene... Os brasileiros não desconhecem o sertão como Euclides afirma que desconheciam. Por seu lado, o próprio sertão avançou sobre as cidades. A miséria e o desamparo que se costuma identificar com ele estão presentes, de forma vívida, nas favelas e nos bairros de periferia – mais vívidos até do que se pode testemunhar no próprio sertão. Para citar um exemplo, um só, a favela que se vê na junção do rio Tamanduateí com o rio Tietê, em São Paulo, a mais rica cidade do país, com alguns barracos balançando em precário equilíbrio sobre o Tamanduateí, enquanto outros quase avançam sobre a pista que corre paralela ao Tietê, a chamada Marginal do Tietê, oferece espetáculo dantesco como não se vê em Canudos ou Monte Santo. "O sertão está dentro de nós", escreveu aquele que, depois de Euclides, foi o seguinte enorme catalisador do mistério, da grandeza e da emoção sertaneja, Guimarães Rosa. Ele não causa mais a estranheza que Euclides afirma lhe ter causado, a si e ao restante do país. Não se precisa mais viajar para conhecê-lo. Os efeitos de seu magnetismo e de sua tragédia, de sua loucura e de seu encantamento, amplamente conhecidos via literatura, artes plásticas, música, cinema ou televisão, hoje estão embutidos na condição de brasileiro.

Roberto Pompeu de Toledo é editor especial da revista Veja, *de São Paulo.*

BIBLIOGRAFIA

CALASANS, José. *Cartografia de Canudos*. Salvador: Secretaria da Cultura e Turismo do Estado da Bahia, 1997.

CALASANS, José. *O estado-maior de Antônio Conselheiro*. São Paulo: Edições GRD, 2000.

CARVALHO, Wilton Pinto de. *Os meteoritos e a história do Bendegó*. Salvador: Edição do Autor, 1995.

CUNHA, Euclides da. *Os sertões*. Edição crítica de Walnice Nogueira Galvão. São Paulo: Brasiliense, 1985.

GALVÃO, Walnice Nogueira. *No calor da hora*. São Paulo: Ática, 1994.

LEVINE, Robert M. *O sertão prometido*. São Paulo: Edusp, 1995.

REVISTA CANUDOS. Salvador: Centro de Estudos Euclides da Cunha da Universidade do Estado da Bahia, v. 4, n. 1 e 2, dezembro de 2000.

SENA, Davis Ribeiro de. *Canudos: campanha militar (4ª Expedição)*. Brasília: Ministério do Exército, 1997.

NOTAS

1 José Calasans, *Cartografia de Canudos*, p. 73.
2 *Id., ibid.*
3 *Id.*, p. 74.
4 Euclides da Cunha, *Os sertões*, p. 289.
5 *Id.*, p. 386.
6 *Id.*, p. 426.
7 *Id.*, pp. 476-7.
8 Davis Ribeiro de Sena, *Canudos – campanha militar (4ª Expedição)*, p. 57.
9 Wilton Pinto de Carvalho, *Os meteoritos e a história do Bendegó*, p. 17.
10 *Id.*, p. 23.
11 *Id.*, pp. 38-48.
12 Euclides da Cunha, p. 203.
13 Walnice Nogueira Galvão, *No calor da hora*, pp. 423-4.
14 Calasans, *op. cit.*, p. 75.
15 Euclides da Cunha, p. 227.
16 Calasans, *op. cit.*, p. 76.
17 Euclides da Cunha, p. 216.
18 *Id.*, p. 496.
19 Calasans, *op.cit.*, p. 15.
20 *Id.*, p. 64.
21 Entrevista ao autor, em junho de 1997.
22 Entrevista ao autor.
23 Euclides da Cunha, p. 233.
24 Entrevista ao autor, em junho de 1997.
25 Euclides da Cunha, p. 571.
26 *Id.*, p. 362.
27 Luiz Paulo Almeida Neiva, "A (in)sustentabilidade do desenvolvimento local: o caso de Canudos", resumo de dissertação de mestrado publicado na Revista Canudos, v. 4, n.1 e 2, dezembro de 2000.
28 Euclides da Cunha, p. 232.
29 Calasans, *op.cit.*, p. 66.
30 Euclides da Cunha, p. 227.
31 Calasans, *op.cit.*, p. 66.
32 José Calasans, *O estado-maior de Antônio Conselheiro*, p. 26.
33 Entrevista com o autor.
34 Euclides da Cunha, p. 566.

A OBRA

Quatro expedições a Canudos

O Encontro com *Os Sertões*, por Celso Furtado, João Ubaldo Ribeiro, Leopoldo Bernucci e José Celso Martinez Corrêa

Adi Leite/Folha Imagem

O economista Celso Monteiro Furtado nasceu em Pombal (PB) no ano de 1920. Formado em Direito pela Universidade do Brasil, atual Universidade Federal do Rio de Janeiro, doutorou-se em Economia pela Universidade de Paris em 1948. No ano seguinte, passou a integrar a Comissão Econômica para a América Latina (Cepal), órgão da ONU, no qual desenvolveu trabalhos junto com o Banco Nacional de Desenvolvimento Econômico (BNDE). No governo JK, montou e dirigiu a Superintendência do Desenvolvimento do Nordeste (Sudene). Com a chegada de João Goulart à Presidência da República, assumiu o Ministério do Planejamento. O golpe de 1964 cassaria seus direitos políticos e o obrigaria a viver fora do país até 1979, ano de aprovação da lei de anistia. Nesse período, lecionou em Yale, Columbia e America University (EUA) e na Sorbonne (França). Entre 1986 e 1988, Furtado foi ministro da Cultura. Desde 1997 ocupa a cadeira número 11 da Academia Brasileira de Letras. Publicou, entre outros livros, Formação econômica do Brasil *(Rio de Janeiro: Fundo de Cultura, 1959),* Teoria e política do desenvolvimento econômico *(São Paulo: Editora Nacional, 1967),* O mito do desenvolvimento econômico *(Rio de Janeiro: Paz e Terra, 1974),* Não à recessão e ao desemprego *(Rio de Janeiro: Paz e Terra, 1983),* Celso Furtado – obra autobiográfica *(São Paulo: Paz e Terra, 1997, 3 v.) e* O capitalismo global *(São Paulo/Rio de Janeiro: Paz e Terra/ABL, 1998).*

"Não tenho a pretensão de abrir novas pistas de reflexão sobre *Os sertões*, mas permita-me o leitor relembrar alguns pontos da obra instigante de Euclides da Cunha que me parecem menos trabalhados pelos especialistas nesse autor.

Inicialmente, gostaria de dar um testemunho pessoal: sou originário da região do Brasil em que a Guerra de Canudos repercutiu mais profundamente, e em que o episódio, concluído em 1897, ainda estava nos corações e mentes durante os anos da minha infância. Havia muitos movimentos religiosos no Nordeste. Em menino, no alto sertão da Paraíba, presenciei grandes romarias de sertanejos que se deslocavam para Juazeiro, terra do padre Cícero. Este, um rebelde em conflito com as autoridades civis e religiosas, desencadeou entre a população sertaneja uma onda de fanatismo similar à que suscitara Antônio Conselheiro. Meu imaginário infantil esteve povoado de histórias de milagres. Um primo meu que praticou um crime de morte, para evitar ser preso, refugiou-se no cangaço. Ele nos visitava ocasionalmente e me contava histórias fantásticas de milagres praticados pelo padre Cícero.

No sertão, onde eu vivia, predominavam os estigmas da precariedade e da violência. Os cangaceiros podiam chegar a qualquer momento. Conheci alguns, e tinha muito medo deles. Quando invadiram Pombal, cidade onde nasci, meu pai me levou para um lugar escondido, onde nós dois ficamos. Todos saíam correndo. 'Os cangaceiros!', avisavam, e aí chegava aquela cavalgada. Uns bancavam os moços bem-comportados. Outros eram uns brutamontes. Essa violência dos cangaceiros – tantas vezes vi gente morta nas ruas – e a violência da natureza me marcaram. Naquele mundo, o único certo era a insegurança, e a ele se contrapunham as idéias de progresso e civilização que me seriam incutidas desde a escola primária.

Outro parente, meu tio-avô paterno, participara da Guerra de Canudos. Do lado do governo, como recruta: não era beato. Falava-me das prodigiosas peripécias que vivera durante essa campanha militar. Ele estava lá no fim da guerra, creio que por volta de setembro de 1897, por ocasião da última expedição, a quarta. Com muito orgulho, contava-me que alguém devia ser escalado para subir na torre da igreja e tocar o sino que havia lá em cima, como uma demonstração de que os militares tinham ocupado um dos pontos de defesa do inimigo e, portanto, estavam ganhando a guerra contra o Conselheiro. Quem subisse na torre poderia levar um tiro, é claro. Foi ele o escalado. Subiu, dobrou o sino e desceu todo vaidoso. Depois a torre foi derrubada e os jagunços levaram uma vaia. Era ele um jovenzinho, na época devia ter uns 16, 17 anos, quase uma criança. Suas histórias também me contagiavam: ter um tio-avô que participara da Guerra de Canudos e sobrevivera!

Faço essas observações de cunho pessoal para que se tenha em conta a resistência, corrente ainda em minha geração, a aceitar a visão positivista implícita na mensagem de Euclides a respeito da formação do homem brasileiro.

Os sertões deu a Euclides uma notoriedade que logo se espalhou por todo o Brasil. Muito cedo, ainda na Paraíba, tive curiosidade de ler esse livro. Um amigo de meu pai, Veiga Jr., ao saber do meu desejo advertiu-me: 'Ah, tenha muito cuidado com essa obra. Porque para ler Euclides você precisa saber do que ele está falando, do contrário não entende nada, ou entende tudo errado'. E, diante de meu espanto, concluiu: 'Vou lhe emprestar um livro que você lerá antes de mergulhar em *Os sertões*'. Tratava-se de uma obra escrita por um militar que tinha feito a campanha do cerco a Canudos. Não me recordo de seu nome, mas era um livro que descrevia o factual. O Veiga ficou satisfeito: 'Agora que você já sabe o que aconteceu de verdade, pode ler *Os sertões*, porque ali todo o resto é fantasia'. E assim li, aos 17 anos, um livro preparatório, digamos, ao de Euclides.

O que guardo dessa primeira leitura de *Os sertões* é como, por meio de um entendimento tácito entre a Igreja, os latifundiários de todo bordo, o Exército e os partidários da República recém-proclamada, estabeleceu-se o consenso de destruir por completo o movimento de Canudos, liquidar sua memória. Era como se ali tivesse crescido um câncer: havia que extirpar tudo, pela raiz.

'Canudos não se rendeu. Teve que ser destruída', afirma, enfático, o autor de *Os sertões*. Isso nos leva a fazer uma interrogação que sintetiza o grito de angústia contido na mensagem dirigida por Euclides à posteridade: de que modo evitar que nossa miopia ideológica nos conduza à repetição de crimes como os que denunciou esse pensador de rara lucidez e coragem?

Euclides é um dos autores mais lidos e mais citados entre nós. Ora, a grave denúncia que fez teve pouca ressonância e foi de escassa influência em nosso acontecer histórico. Cabe, portanto, indagar: como explicar que sua obra, hoje referência obrigatória, tenha essa permanência que é comprovada por estudos de autoridades na matéria e inspirou grandes ficcionistas, como o peruano Vargas Llosa e o húngaro Sándor Márai?

A verdade é que, por seu estilo, Euclides há muito se afigura anacrônico. E seu cientificismo positivista foi totalmente superado, na área dos estudos sociais, pelos avanços da antropologia. Qual seria, portanto, a razão do enorme interesse suscitado por sua obra, se tanto do ponto de vista da forma como do conteúdo ela nos parece datada e superada?

A chave para entender esse paradoxo possivelmente reside em que, diante do drama – do 'crime', em suas palavras – que constituiu o massacre de Canudos, Euclides, abandonando a opinião universalmente adotada na época, percebeu com lucidez a gravidade das contradições inerentes à nossa formação histórica, as quais se manifestam nas profundas desigualdades sociais que tanto demoramos a reconhecer e que persistem até hoje. Se sondagens de opinião indicam que ele continua a ser o autor mais influente no Brasil em todo o século XX, é sem dúvida por ter Euclides penetrado no cerne do processo de formação da nossa sociedade.

Somente assim logramos explicar que esse pensador haja exercido um papel fundador na cultura brasileira, comparável ao de Cervantes na cultura espanhola ou ao de Goethe na cultura alemã. Trata-se de uma influência difícil de circunscrever, que assume formas por vezes contraditórias.

O deslumbramento suscitado pela leitura de *Os sertões* deveu-se, inicialmente, ao impacto produzido por seu suposto embasamento científico. A formação cultural de Euclides era a que, na época, se absorvia nas escolas de engenharia. Era o tempo em que se imaginava que o conhecimento científico tendia inexoravelmente à unificação epistemológica, sendo o seu núcleo duro às matemáticas. É interessante observar a leitura que fez Euclides da obra do sociólogo polonês Ludwig Gumplowicz, *A luta das raças*, escrita em alemão e difundida graças a uma tradução francesa a que ele teve acesso. Euclides repudiava a visão historicista, em benefício de um suposto conteúdo naturalista. Na sua opinião, essa obra, à qual atribui grande importância, foge ao historicismo convencional então dominante no pensamento germânico. Daí haver ele imaginado ter contraído uma importante dívida intelectual com Ludwig Gumplowicz. Diga-se de passagem que as interpretações da realidade social prevalecentes na época também constituíram uma justificação para as teses racistas que pretenderam legitimar a expansão imperialista européia.

Ocorre que, já no primeiro quartel do século XX, a ciência antropológica em que se fundou o pensamento de Euclides conheceu profunda transformação. O suposto rigor de um cientificismo positivista caía em desuso ao embate dos avanços, nos Estados Unidos e também no Brasil, de uma antropologia social que deixava a descoberto o conteúdo ideológico subjacente às doutrinas racistas então preponderantes e que, na época de Euclides, passavam por ciência. Mas a importância de sua obra está exatamente em que ele, fundando-se em puras intuições, conseguiu superar essa doutrina racista aceita universalmente. A verdade é que os antropólogos brasileiros seus contemporâneos, mesmo os mais lúcidos como Nina Rodrigues, não alcançaram dar esse passo, e muitos ainda acreditavam em 'raça degenerada', um notável entulho intelectual.

Uma vez reconhecidas as limitações da obra de Euclides no plano da antropologia, permanecia de pé o belo monumento literário. Com efeito, nenhuma obra literária mereceu entre nós mais atenção dos especialistas do que *Os sertões*. E que cabe reter do amplo trabalho de pesquisa realizado em torno dela? Um competente especialista, o professor Alfredo Bosi, assinala a predominância de uns poucos processos retóricos, como a *intensificação* e a *antinomia*. A mediação literária faz-se para figurar a ideologia da implacabilidade dos fatos, que permearia todo o acontecer histórico.

Sem lugar a dúvida, o gongorismo verbal predominava na época, quando seus pontífices máximos entre nós eram mestres como Rui Barbosa e Coelho Neto. Ainda assim, a semântica da percepção exagerada e o proselitismo implícito já haviam sido objeto de uma crítica sutil de Machado de Assis, cuja influência literária prevaleceu em nossa cultura no século XX. Em 1902, ano da publicação de *Os sertões*, Machado de Assis era o presidente da Academia Brasileira de Letras. Tratava-se de uma personalidade singular, e muito provavelmente não teria achado das mais sedutoras aquelas descrições de jagunços e do povo nordestino. O povo de Machado era o urbano. Euclides descobria o sertanejo, o jagunço, personagens até então inexistentes na literatura brasileira.

Numa visão abrangente do processo histórico de nosso país no fim do século XIX, defrontamo-nos com uma realidade marcadamente contraditória e ambígua. A criação do estado nacional fora precoce mas permanecera incompleta, sendo ineficaz sua atuação, ou quase inexistente sua presença em amplas áreas do vasto território. A obra de estadista de Rio Branco, contemporâneo de Euclides, demonstrou a importância da consolidação da instituição estatal para a fixação definitiva das fronteiras nacionais. O engenheiro Euclides da Cunha foi um colaborador entusiasta do barão, particularmente no trabalho de delimitação do futuro território do Acre.

O centralismo do poder imperial tivera como conseqüência o confinamento da atividade política, relegada quase sempre a confrontos do mandonismo local. A consciência de pertencer a uma nação penetrava lentamente, dado que o exercício da cidadania era limitado pela escravidão e por suas seqüelas, como o analfabetismo, que perduravam. O decantado *progresso*, apanágio do século XIX, era totalmente caudatário da importação de artigos de consumo e de modismos que se incorporavam aos hábitos de uma elite.

Nesse quadro, o povo parecia inexistir até muito avançada a nossa história. Quando dom Pedro proclama: 'Diga ao povo que fico', é o caso de indagar: que povo? O tecido social do Brasil ainda era muito esgarçado. Os escravos, por definição, estavam excluídos de tudo, e muitas vezes sequer se entendiam mutuamente, por falarem dialetos diferentes e serem isolados uns dos outros. É curioso notar que o povo como agente histórico só se manifestou tão tardiamente. Paulistas, gaúchos, nordestinos custaram a ter consciência de pertencerem a um mesmo povo, o que implica em certa solidariedade entre seus membros.

Na época de Canudos, conviviam no mundo sertanejo o atraso e a miséria. A decadência do açúcar no Nordeste foi muito longa. Sedimentou processos lentos, e, por outro lado, criou, na região sertaneja, um povo 'próprio', se é possível dizer assim, originado da desagregação de populações anteriormente existentes: os que já viviam no interior; os chamados 'moradores', que iam trabalhar nas fazendas, mas não mais tutelados como os da região litorânea; os caboclos 'praieiros', subalternos e submissos ao todo-poderoso senhor de engenho; descendentes de índios e negros; elementos das classes dominantes, que foram decaindo e criando uma cultura própria; uma minoria de artesãos, não-escravos, mas sem liberdade para nada; mestiços de variadas origens. Em comum, o fato de nunca terem encontrado espaço para crescer, para se consolidar como estrutura social, para exercer algum papel na formação política do país.

É aí, nesse sertão, nesse bolsão de pobreza e fanatismo em torno do Conselheiro, que Euclides da Cunha, involuntariamente talvez, perplexo seguramente, assustado, descobre a existência de um povo brasileiro. O grito que proclama – 'Canudos não se rendeu' – é a tradução dessa descoberta. Trata-se de uma mudança extraordinária. Ali em Canudos, Euclides da Cunha transforma um povo de tabaréus, um 'bagaço humano' considerado sem serventia e iniciativa, mas com raízes populares profundas, em heróis.

Aí esteve a grande intuição de Euclides. Ao livrar-se de uma bagagem de conhecimentos supostamente científicos, percebeu a existência de um povo em formação, autenticamente brasileiro, o qual ele imaginou ser fruto do cruzamento trissecular de raças diversas. Esse caldeamento ter-se-ia processado na região interiorana, conseqüência do isolamento a que foram relegadas suas populações.

É de indagar por que, um século depois, tal isolamento ainda persiste em tantas regiões do país. E por que a ascensão de nosso povo ainda atemoriza tanto as elites. Basta pensar em como é recente o direito de voto dos analfabetos. Ainda me recordo de ter conhecido europeus que me perguntavam, há 50 anos, o que era o Brasil? Tinha índios? Negros? Muitos brancos? Em certos aspectos, ainda não fomos reconhecidos como uma nação.

Assim, graças a seu gênio intuitivo, Euclides liberou-se da ciência inquinada de falsas doutrinas, predominante em sua época, para alcançar uma percepção global da realidade social com que deparava e do processo de gestação de nossa cultura. O apelo desabrido à imaginação corrigiu nele o suposto rigorismo científico de que se orgulhava. Referindo-se ao *sertanejo,* cujo vigor comprovara na epopéia de Canudos, afirma peremptório: 'A sua evolução psíquica, por mais demorada que esteja destinada a ser, tem, agora, a garantia de um tipo fisicamente constituído e forte. Aquela raça cruzada surge autônoma e, de alguma forma, original'. Claro está que não se trata de evolução psíquica, e sim de simples conformação cultural.

Estava dado o passo definitivo para captar a originalidade do processo de formaçao da nossa cultura. Euclides já não recua, pois encara como positivo o abandono a que o mundo litorâneo, que para ele seria *inautêntico*, condena o mundo sertanejo, matriz de nossa cultura. Sua intuição permanece vigilante e aponta na direção certa quando afirma: 'Invertemos, sob este aspecto, a ordem natural dos fatos. A nossa evolução biológica reclama a garantia da nossa evolução social'. É no plano dos valores sociais que se dá o embate decisivo.

Portanto, se 100 anos depois a obra de Euclides permanece tão atual, é por seu caráter pioneiro no reconhecimento da formação de um povo neste país. Ela nos ajuda – nos obriga – a admitir que o Brasil é um mundo em construção. Assim, os problemas que hoje nos angustiam – a fome, o analfabetismo, o latifundismo – são substrato da realidade por ele descrita. O que nos leva a reconhecer que ele captou, *avant la lettre*, a resistência às mudanças em nosso país.

Há mais de meio século venho dedicando minha produção intelectual aos problemas do subdesenvolvimento, sobremodo ao do Brasil. Em nosso país há uma imensa população amorfa, de raízes culturais múltiplas, sendo caldeada e ascendendo progressivamente à cidadania. O Brasil, ainda há um século, parecia para muitos uma constelação de populações disparatadas. Euclides da Cunha aí descobriu um povo. Formou-se o país. E o mitológico sertanejo a que ele se refere é a prefiguração do cidadão consciente que hoje se afirma no exercício de seus direitos.**”**

NOTA DA REDAÇÃO: Este depoimento é uma ampliação do texto “O que devemos a Euclides da Cunha” – que integra o livro *Em busca de novo modelo: reflexões sobre a crise contemporânea* (São Paulo: Paz e Terra, 2002) –, realizada a partir de entrevista concedida pelo autor, em sua residência, no Rio de Janeiro, em 17 de julho de 2002, a Antonio Fernando De Franceschi, diretor editorial dos CADERNOS.

Edu Simões/Acervo IMS

Baiano de Itaparica, onde nasceu em 1941, o escritor João Ubaldo Ribeiro formou-se em Direito pela Universidade Federal da Bahia em 1962 e obteve o título de mestre em Administração Pública e Ciência Política em 1965 na Universidade da Califórnia do Sul (EUA). Foi professor de Ciência Política na UFBA durante seis anos. Antes disso, trabalhara como jornalista, profissão a qual retornaria depois da carreira acadêmica. Sua estréia em livro ocorreu em 1959, com a narrativa "Lugar e circunstância", na antologia Panorama do conto bahiano, *publicada pela Imprensa Oficial do Estado. O primeiro romance,* Setembro não tem sentido, *saiu em 1968 (Rio de Janeiro: José Álvaro Editor). A consagração viria com* Sargento Getúlio *(Rio de Janeiro: Civilização Brasileira, 1971) e, sobretudo,* Viva o povo brasileiro *(Rio de Janeiro: Nova Fronteira, 1984). Em 1993 foi eleito para a Academia Brasileira de Letras. Em março de 1999, o ficcionista seria tema do sétimo número dos* CADERNOS.

"Minha apresentação a *Os sertões* se deu de forma que acredito inusitada para a maioria de seus leitores, porque foi mais ou menos por acaso, quando eu ainda tinha meus 11 a 12 anos. As escolas usavam seletas (ou crestomatias, palavra que nunca mais vi usada), antologias que estampavam trechos de obras literárias consideradas exemplares, ou muito importantes para a formação da juventude. Eram sempre escritas sobre figuras misteriosas, biografadas de maneira tão reverente ou rebuscada que com freqüência nos pareciam cifradas em códigos arcanos e inatingíveis, que não compreendíamos facilmente; antes, quando muito, com dificuldades não raro insuperáveis. Hoje sei que não era por culpa nossa, mas dos muitos antologistas entre os que sacrificavam a inteligibilidade de sua escrita com o fito de impressionar seus contemporâneos, e não de instruir as crianças a que supostamente se endereçavam.

Isso representava, para quase todos nós, estudantes, uma distância muitas vezes intransponível, entre a 'realidade' e suas 'escolas literárias' e os varões quase semideuses que eram seus principais representantes. Para um grande número dos que foram ao colégio na minha geração – o que suspeito até hoje acontecer com os jovens - redundava numa verdadeira fobia aos autores consagrados, injustiça que o mundo acadêmico só não consegue realizar de todo porque os clássicos não são clássicos a troco de nada. São clássicos porque fincaram definitivamente suas raízes, pelo menos da perspectiva histórica que hoje dificilmente mudará, em suas vigas fundamentais. Daí resistirem a sentimentos que volta e meia nos parecem até de ódio contra esses clássicos, com que professores mal preparados os apresentam, infundindo repulsa ou terror entre os alunos.

Nas seletas, era comum encontrarmos, embora geralmente os professores os deixassem de lado, para terem tempo de cumprir o programa do Colégio Pedro II, padrão nacional e respeitado com grande zelo, e livrar-nos de 'velharias', dois trechos descrevendo um mesmo acontecimento: o estouro da boiada. Um de Euclides da Cunha, outro de Rui Barbosa. Li ambos, mas até hoje não lembro nada do escrito por Rui Barbosa, mas não esqueço o estado quase febril em que li a descrição de Euclides da Cunha: 'De súbito, porém, ondula um frêmito sulcando, num estremeção repentino, aqueles centenares de dorsos luzidios. Há uma parada instantânea. Entrebatem-se, enredam-se, traçam-se e alceiam-se fisgando vividamente o espaço, e inclinam-se, e embaralham-se milhares de chifres; e a boiada arranca'. Não vou, é claro, transcrever aqui o resto, porque, do contrário, transcreveria o livro inteiro.

Mas foi daí que, na imensa biblioteca de meu pai, levado não sei por que lembrança ou faro, achei um livro encadernado em cinzento pálido, em ortografia ainda antiga, com o nome daquele escritor mágico no frontispício. E lá, não sei lembrar como, avassalou-me um universo fabuloso de lugares, gente, bichos e vegetais que eu jamais suspeitara existir ou haver existido, achei um panorama imenso de que até hoje não me desvencilho, nem quero – o universo maravilhoso que, agora tenho consciência plena, a linguagem de Euclides da Cunha forjou, monumento para o qual dificilmente encontramos equivalentes em outras literaturas, tudo disposto diante dos olhos de um menino maravilhado. Não havia televisão e os famosos truques de cinema, efeitos especiais, eram muito pobres em relação aos de hoje, muito tinha que ser deixado, a meu ver beneficamente, a cargo da imaginação. Recordo minudências que, não sei por quê, ainda hoje brilham na minha memória, como as pedras de sal de Santa Luzia, na época usadas pelo 'antes de tudo um forte' para prever o tempo com a precisão que Euclides admira, relutante apenas na aparência. Recordo realmente ter ficado com febre diante daquela saga formidável, que tantas vezes não conseguia entender direito, mas não importava. Era, como disse, um universo imaginário e paradoxalmente exposto como verdade, transferido em palavras para a mente de uma criança e tão ou mais fascinante do que as ilustrações de Gustave Doré, nos meus dois volumes da tradução do *Dom Quixote*, feita pelo visconde de Castilho.

Hoje, barafundo tudo. Mal consigo pinçar um pouco do que li de *Os sertões* naquela época, porque me acometeram o filtro dos críticos e exegetas, dos idólatras e dos desafetos e tudo mais que nos turba a visão primeira de nossas maravilhas particulares. Pego o livro agora, em edição nem remotamente parecida com a de meus tempos de menino. Confirmo como, para mim, a parte cujo título é 'A terra', longe de ser tediosa, como dizem tantos que no meu ver não chegaram a ler o livro e não dedicaram mais que um dia a essa empresa, é uma irreproduzível viagem aérea sobre a nossa terra e nossos irmãos e ancestrais, uma descrição assombrosa do que até hoje é verdade e nunca deixará de ser. E leio 'O homem' e leio 'A luta', leio todo o livro na minha recordação tão prenhe, que meu coração se enche de lembranças e arquétipos que jamais me abandonarão.

Sim, sei que Euclides professava a antropologia preconceituosa e eurocêntrica da sua época, mas, vejo, com certa acidez, que até hoje se faz a mesma coisa, sob guisas espertas e a aprovação de quem seria de esperar-se desaprovação. E isto não vem ao caso, em última análise. O que vem ao caso é a transfiguração obrada pela visão genial daquele que começou como um correspondente de uma guerra contra os fanáticos, tão odiados no resto do país, num homem que nos legou talvez a obra que mais elevou a nossa língua ao status que merece e que é a todo tempo vítima de agressões desfigurantes, às quais, sei que apenas voluntariosamente, mas com força, sempre reagirei.

Pediram-me somente um depoimento sobre meu primeiro encontro com *Os sertões*. Resisti a bancar o erudito que nunca fui, resisti ao muito sobre o que a respeito dele li depois, contei apenas como foi a primeira vez. Ficarei contente se alguma criança brasileira, pelo menos uma que seja, chegue lá por via emocional semelhante à minha. ”

Marsha Miller/Office of Public Affairs da University of Texas-Austin

Leopoldo M. Bernucci, paulista de Jundiaí, nasceu em 1952 e criou-se em Jarinu (SP). Formado em Letras pela Universidade de São Paulo, obteve o mestrado e o doutorado na Universidade de Michigan, Ann Arbor (EUA). Naquele país, foi professor de Literatura Latino-americana nas universidades Yale, por seis anos, e do Colorado, em Boulder, durante dez, acumulando funções de diretor do Departamento de Línguas Espanhola e Portuguesa e de Literaturas Hispânica e Luso-Brasileira. Atualmente na Universidade do Texas, em Austin, exerce idêntico cargo acadêmico e administrativo. Publicou Historia de un malentendido *(New York: Peter Lang, 1989), estudo sobre o romance* A guerra do fim do mundo, *de Mario Vargas Llosa;* A imitação dos sentidos *(São Paulo: Edusp, 1995), ensaios sobre Euclides da Cunha, seus precursores, contemporâneos e prógonos; edição comentada de* Os sertões *(São Paulo: Ateliê/Arquivo do Estado/Imprensa Oficial do Estado, 2002). No momento, está finalizando a edição crítica de* Os sertões *para a Coleção Arquivos (Unesco) e preparando, com a colaboração do professor Francisco Foot Hardman, da Universidade Estadual de Campinas, a edição da* Poesia completa *de Euclides.*

"Aproximar-se da obra de Euclides da Cunha é um problema muito sério. Ela desafia o leitor, provocando-o; exerce sobre ele a sua implacável sedução que termina por escravizá-lo e ainda o subjuga sob os caprichos das idéias do autor, que nem sempre coincidem com as do leitor. Ler Euclides não é somente ler um autor 'difícil', classificação que tem marcado toda a sua grande obra, quase sem exceção; é sobretudo um exercício de convívio com idéias instigantes e muitas vezes polêmicas e o habituar-se a um estilo de escritura que mareia os sentidos, mas que fisga a atenção.

Assim ocorre também com os especialistas que nos dedicamos a estudar o autor de *Os sertões* e que, também inseridos na categoria de leitores, passamos pela mesma situação, talvez com um agravante ainda: sofremos mais que a média dos assim chamados leitores comuns. Porque ser euclidianista (e o adjetivo vale para qualquer um de nós que dedique boa porção de sua vida a analisar a invejável produção jornalística e ensaística de Euclides) significa estar – entre outras coisas – sempre diante das incontáveis buscas bibliográficas e da exaustiva organização e transcrição dos manuscritos. É assim que vejo a minha própria experiência de estudante e estudioso do autor, condição que tem requerido de mim mais humildade do que paciência. E para continuar sendo euclidianistas, teremos, forçosamente, de admitir, mesmo conhecendo a obra do autor como a conhecemos, que sempre restará muito a aprender. Por exemplo, a própria vida de Euclides, tantas vezes comentada, glorificada e mistificada, resultando num grande número de livros e esboços biográficos, continua ainda a reclamar ajustes de toda ordem. Na sua biografia, datas, nomes de pessoas e lugares, versões divergentes de episódios da vida do escritor colocam para o pesquisador questões complexas. Que direção tomar e que solução adotar diante de resultados tão díspares com respeito às informações biográficas? Por paradoxal que possa parecer, para um escritor cuja bibliografia numericamente já ultrapassou de longe a de Machado de Assis, haveria muitas áreas da produção de Euclides ainda a serem reexaminadas. Basta mencionar o estudo de sua poesia, relegada a segundo plano no campo das pesquisas e que tem sido muito mal editada. Felizmente, esta lacuna será em breve preenchida, graças ao esforço do professor Francisco Foot Hardman, da Universidade Estadual de Campinas, e meu, que estamos atualmente trabalhando na edição da *Poesia completa* de Euclides. Este é um dos casos em que se impõe a necessidade de se levantarem questões ainda não abordadas e de se reverem áreas já trilhadas, nas quais faltou o devido rigor da pesquisa, seja no estabelecimento de textos, seja nos critérios adotados para a apresentação do material ao público leitor.

Já fará uns bons 20 anos que eu retomei a minha leitura de *Os sertões* com olhos de pesquisador. Fi-lo a propósito de outra leitura crítica que se entroncaria com aquela: *A guerra do fim do mundo*, de Mario Vargas Llosa. Depois de mais de uma década de haver lido *Os sertões*, esse romance do escritor peruano me colocaria de volta no universo literário de Euclides e situaria, uma vez mais, *Os sertões* no mapa da geografia editorial e dos estudos do autor. A partir de 1981, o meu contato com a obra de Euclides só foi crescendo. Descobri, depois de estudar *A guerra do fim do mundo*, que havia penetrado num mundo fascinante e enigmático. Não era apenas a presença de Euclides que eu ali notara, mas de tantos outros autores, inclusive anônimos, que se enfeixavam no romance. Todavia, não foi preciso grande esforço para perceber, a despeito da inconspícua influência da obra de Euclides no plano geral do livro, que o escritor brasileiro estava ali inteiramente presente, em grau muito maior do que, em princípio, eu havia pensado. Acredito que nem mesmo todo o esforço de Vargas Llosa para minimizar o influxo conseguiu camuflar a angústia da influência, da qual nos fala Harold Bloom.

Relendo, naqueles anos, a obra completa de Euclides e dialogando com colegas e especialistas como Oswaldo Galotti, Walnice Nogueira Galvão e José Calasans comecei a sentir a urgência de cobrir certas áreas da produção euclidiana que por alguma razão não tinham sido tocadas. A primeira delas foi a dos fragmentos manuscritos de *Os sertões*, da Biblioteca Nacional do Rio de Janeiro, a peça mais completa, em 38 páginas, não obstante o seu reduzidíssimo tamanho em comparação com a totalidade dos originais que se perderam. Para mim, a importância de se estudarem esses papéis reside na possibilidade de poder conhecer melhor os métodos composicionais de Euclides. Ele que, sendo tão cerebral e científico em alguns momentos de *Os sertões*, haveria de ser também imaginativo e artístico em outros.

Mas existe outra particularidade de seu método de escrever, que ficou marcada nos manuscritos: a relação do autor com suas fontes, principalmente os jornais. Estudando mais atentamente esse aspecto, percebi que a dívida de Euclides com os jornais de sua época era enorme e que ele, ao incorporar perfeitamente informações extraídas dos periódicos, fazendo-o com tanta freqüência e precisão, deixava poucas pistas a serem seguidas pelo leitor. Os manuscritos, neste caso, lançavam luz, portanto, à compreensão de uma poética que mal se estudara, revelando ainda outras curiosidades estilísticas. Igualmente, um estudo mais recente realizado para uma edição comentada de *Os sertões* me permitiu voltar à vida e aos aspectos textuais do livro. O que urgia fazer, na minha opinião, era um estudo das diferentes linguagens dessa obra, já que ela forma um compósito de diferentes áreas de conhecimento que requerem diferentes expressões ou modos de dizer – a saber, a presença dos discursos da geologia, botânica, Bíblia, antropologia etc. Com esse estudo, a minha intenção foi aprofundar um aspecto da obra de Euclides que alguns intuíam, mas que não havia sido devidamente desenvolvido.

Observando novamente a obra em prosa frente à vida do autor, principalmente nos últimos 15 anos de sua existência, surpreendeu-me ver em Euclides que sua técnica artística, sendo tão forte, obnubilava as possibilidades de se descobrirem interferências pessoais na sua obra. Vale dizer, as agruras do seu cotidiano tão atormentado não deixavam rastros na sua escritura, como no caso da relação que tinha com suas fontes. Tal descoberta me levou a constatar o quanto esse escritor era profissional, no sentido de poder separar sua vida pessoal de seu ofício de homem de letras. Conseqüentemente, tal controle das matérias narradas mostra-nos ainda a maturidade do escritor, em pleno comando da sua arte, como o artista que cria seu mundo próprio, seus personagens e seus narradores.

Essa lição de prática discursiva foi valiosa para adentrar-me, três anos mais tarde, em outro terreno que eu ainda não havia cartografado: o das poesias de Euclides. Curiosamente, a sua produção poética, precoce de todas as maneiras, vem justamente contradizer o preceito do distanciamento do autor com relação a sua obra. Ele, que aos 17 anos começa a escrever poesia, deixará traços muito pessoais em seus versos. Nestes, ora é o jovem republicano rebelde atacando o imperador Pedro II ou o moço inflamado pelos ideais da Revolução Francesa, ora é o adolescente que se debate na metafísica do ser atormentado pelas misérias da vida. Além disso, uma parcela considerável de sua poesia deixa ainda entrever a preocupação de Euclides com a linguagem, ou seja, alguns de seus poemas são também formas metalingüísticas de abordar a sua filosofia de composição poética.

O desafio com respeito a este último projeto poético não é menor que os demais ligados à obra em prosa do autor. Os chamados poemas dispersos ainda estão vindo à tona, na fase atual da pesquisa, e as surpresas são muitas. Uma delas se relaciona às diferentes versões encontradas de um mesmo poema. O dado em si já estaria indicando um traço de composição muito destacado em Euclides: o do ourives da palavra ou do lapidador do verbo. Poucos escritores brasileiros em tempo de vida tão reduzido e, diga-se de passagem, dividido entre 'as armas e as letras', com uma produção intelectual extraordinária para os 43 anos de sua existência, puderam dar-se ao luxo de retocar duas, três, quatro vezes os seus textos do modo como o faz Euclides. É que a genialidade se mede menos pelo impulso criativo do que pela capacidade de reescrever, polir e de limar as arestas da linguagem em busca da *palavra justa*. ”

Edu Simões/Acervo IMS

O diretor de teatro, ator e dramaturgo José Celso Martinez Corrêa nasceu na cidade de Araraquara (SP) em 1937. Foi um dos fundadores do Teatro Oficina, criado em 1958, quando ele ainda era estudante da Faculdade de Direito do Largo de São Francisco. Naquele mesmo ano estrearia como autor teatral com Vento forte para papagaio subir. *Em 1961, dirigiria* A vida impressa em dólar, *de Clifford Odets, na abertura do Oficina. Ao longo dos anos 60, seria responsável por espetáculos tecnicamente revolucionários e de grande impacto como* Os pequenos burgueses, *de Máximo Górki,* O rei da vela, *de Oswald de Andrade,* Roda-viva, *de Chico Buarque, e* Galileu Galilei, *de Bertolt Brecht. Em 2001, sua peça* Cacilda! *— pela qual recebeu o Prêmio Shell de Teatro de 1998 nas categorias "Melhor Autor" e "Melhor Direção" e o prêmio de "Melhor Espetáculo", segundo a Associação Paulista de Críticos de Arte (APCA) — foi gravada em vídeo, dentro do projeto de documentação do repertório do Teatro Oficina. Para comemorar, em 2002, o centenário de lançamento de* Os sertões, *José Celso adaptou o livro de Euclides da Cunha para o palco, num trabalho dividido com Tommy Pietra e Flavio Rocha.*

"Começo esta noite – depois de três meses de perna quebrada, lendo muito, escrevendo nada – a computação dos encontros de minha vida com o território desmedido das letras de *Os sertões*.

Mumbica claudicante, na minha perna o estrepe agudo de um pino atrasa meu reapreendizado de andar e de escrever. Cambaio, estou no passo tardo, mas tenho que correr, pois se prepara, ainda que muito lentamente, uma sublevação geral: o fato prodigioso do alevantamento de *Os sertões* virado Teat(r)o, Corpo de Carne Humana, Animal, Vegetal, Mineral, Sideral, Aquática: Phogo.

É uma alegria e um transtorno a hora desta taça, oferecida por Euclides da Cunha há 100 anos, vertida acho que há mais de 40 na terra do Oficina, ser tomada em comemoração como vinho vingador do crime, força-tarefa possível do teatro, em vez do sangue renovado dos massacres que estão acontecendo no seu centenário de festa com o desgosto de um presente trágico pressentido.

Primeiro toque

Para mim foi paixão à primeira vista, seguida logo do primeiro toque, como sempre acontece.

Meus irmãos e irmãs, tínhamos vergonha de levar os colegas para almoçar em casa porque a sala de jantar era ao lado da privada. Mas o que era isto diante do nosso orgulho de podermos mostrar a biblioteca que nosso pai tinha na sua Escola de Comércio Duque de Caxias?

Um dia meu pai trouxe, caído do céu,

Um aerólito para nossa casa, um Bendengó!

Uma pedra azul xistosas folhada
do tamanho de paralelepípedo.
Um ser vivo quase quadrado!
Abre-te, Sésamo!
Destampei a capa – primeira camada,
veio um cheiro de atração:
na primeira folha quase vazia,
letras tatuadas num telão: dava de cara com o nome da bola do planeta em que eu pisava,
'A terra'
em tipos da impressão de relevos lustrosos com palavras inscritas numa língua desconhecida,
mas que eu podia ler sexualmente,
tocando com os dedos,
viajando na superfície do fundo da Terra
onde tinha ido uma só vez, com Júlio Verne.
Topei com outro telão-letreiro grande:
'O homem', continuei deu 'A luta'.
Tentei outros encontros sexuais com *Os sertões*
Mas não conseguia a penetração.
Então comecei a dizer para mim mesmo e para meus colegas, como todo mundo até hoje diz:
Já li, assim, na escola, *Os sertões*.

Decidi entrar para a Escola de Minas e Metalurgia de Ouro Preto, para ser geólogo, entender o livro, os segredos dos baixos da terra e fazer jorrar petróleos do Brasil.

Massacre

Eu só estudava o que as peças que montava pediam.

Com o primeiro ataque da primeira expedição do Comando de Caça aos Comunistas à montagem de *Roda-viva*, veio a percepção: a revolução cultural em que nascíamos exigia invocar dentro de nós os jagunços em insurreição, para nos defendermos dos atos institucionais da República.

'A guerra das caatingas' no capítulo III de 'A luta' era o livro do conflito do teatro italiano operístico do exército com a viseria das bambolinas, rotundas, cortinas, quarta parede na cabeça dos soldados e de seus diretores generais com suas máquinas pesadas fazendo terra rasa de tudo, versus o teatro de tocaias, dos jagunços; ocupação do espaço de 360 graus, superfície, trincheiras, cercos móveis, rodas-vivas driblando o adversário e conduzindo-o para os terrenos das surpresas. Era um tratado de teat(r)o, de coreografias de estádio em que a multidão também joga.

A cena do estrebuchar dos vencidos era uma pauta já escrita, perfeita para um coreógrafo, simplesmente seguir as ações.

Começamos a aprender a lutar caratê, capoeira, ensaiar estratégias e táticas de corpos atuando em todos os espaços, além do palco, em guerrilha teatral, social-futebolística que hoje é o básico do teatro de estádio que estamos reaprendendo, para montar o livro. Agora não como luta de defesa militar, porque 'este livro não é de defesa; é, infelizmente, de ataque' ao espetáculo da sociedade neocolonial brasileira com a entrada em cena do público ansioso por jogar.

Das assembléias-conselhos da classe teatral de 68, pólo de força catalisadora da cultura do phoder popular revolucionário que surgia, nasceu a necessidade de uma guarda armada para defender os teatros ameaçados. A guarda rondava alerta os teatros ameaçados do Bexiga.

A segunda expedição, então, da 3ª Divisão do Exército do Rio Grande do Sul massacrou *Roda-viva* num ataque militar aos atores e músicos que faziam a peça, em Porto Alegre.

No fim de 68, quando veio o AI-5, foi institucionalizado o massacre cultural.

'A luta' agora tinha a ver com a necessidade da minha vida e o não-massacre, o avanço, o ataque de nosso trabalho.

Nos sertões das cidades

Glauber me ligou a Lina Bardi, que veio fazer *Na selva das cidades* e queria muito fazer *Os sertões*. Tinha trabalhado na Bahia antes do golpe militar de 64. Me contava que o povo baiano começou a acender velas na estátua do Conselheiro Bom Jesus, que Mario Cravo esculpira como um homem-mandacaru plantado no chão e erguendo os braços-espadas para os céus. Os militares golpistas mandaram recolher a imagem para dentro da Escola de Medicina, temendo uma ressurreição do culto ao Conselheiro. Lina tinha trabalhado nas filmagens de *Deus e o Diabo na Terra do Sol* em Monte Santo, estava apaixonada como Euclides pelo que lá descobrira e expusera na deslumbrante exposição: *A mão do povo brasileiro*. Pra fazer a arquitetura cênica da peça do jovem Brecht, comentava que a selva das cidades não era a selva, mas os sertões, que estavam nas ruas loucas improvisadas das favelas de barro e em baixo do cimento civilizado: 'O sertão é aqui, é só arrancar o cimento da Jaceguay 520'. Começamos a arrancar as tábuas do chão do palco ringue de boxe para encontrar a praia dos sertões do Oficina de hoje. No jornal-programa trash distribuído ao público, em forma dos então na moda 'fascículos culturais', dentro de um plástico-censura cheio dos escombros dos entulhos do Minhocão em construção, e um perfume verde diamante da Rastro lá perdido, anunciava-se 'Oficina anos 70 – *Os sertões*'.

O editor do jornal, Luiz Fernando Guimarães, hoje em São Carlos, onde Euclides finalizou o livro, trabalha com os euclidianos da cidade a encenação de uma suma de toda a obra euclidiana: 'Verás que um filho teu não foge a luta'.

Fim do foquismo

Uma equação se armava para as escolhas da nossa geração: luta armada ou loucura.

Os sertões me inspiravam as duas e o mais importante que eu ainda na pressão da repressão ignorava: a paz antropofágica.

Cheguei a sonhar o absurdo de levantar produção para filmagem de *Os sertões*, que fosse ao mesmo tempo um núcleo de guerrilha no interior da Bahia.

(Nesta próxima lua cheia de julho vamos para Canudos para estudar a locação da encenação e gravação lá, do DVD da montagem comemorativa do centenário, possivelmente patrocinados inclusive pela Secretaria da Cultura do Estado da Bahia.)

Isso acabou acontecendo de outra maneira quando Oficina participou de *Prata Palomares*, de André Farias e Ítala Nandi, filmado na ilha de Floriano, em que Lina Bardi fez a direção de arte. O esmagamento das revoluções latino-americanas com a separação esquizofrênica entre os conselheiristas pacifistas desbundados e os que queriam continuar a luta armada, foi o começo do fim do primeiro Oficina vivido na ilha de Inhatu-Mirim povoada pelas mandrágoras nascidas do fuzilamento de mais de 150 cabeças.

Peregrinações

No teatro nós tínhamos que aprender a negacear como os sertanejos pra continuarmos, ao mesmo tempo que nos defendíamos, avançando no que tínhamos descoberto: o teat(r)o Tabu, de estádio popular, orgyástico, brazileiro de *Roda-viva*, mas tinha que ser em viagem, movimento. O Living Theatre fixou-se em Ouro Preto e dançou.

Criamos um Trabalho Novo: 'Te-ato',
Concebido, fecundado e parido, clandestinamente,
tendo por pai Conselheiro e Euclides mãe,
em nomadismo durante um ano.
Na fachada, Brecht, Oswald, e Górki,
nossos sucessos exibidos nas capitais do Brasil
garantiam nosso trabalho nas terras altas do sertão.
Fomos viajando e criando assim te-atos: ações teatrais de surpresa:

Primeiro, Universidade de Brasília, depois Goiânia, Salvador, até que em Pernambuco, absolutamente inspirados em Antônio Conselheiro 'praticando em frases breves e raros monossílabos' penetramos no campo, até o agreste já quase sertão, em silêncio.

O grupo se reunia numas pedras, queimava baseados vigorosos de pencas de manga-rosa, e se deixava possuir em silêncio pelo silêncio do 'vasto oceano cretáceo do mar extinto' da região povoada de lagartos e cactos.

Um 'positivo', entrava no povoado só, tentava se informar sobre os pontos de maior necessidade do lugar, voltava, fazia um mapa do vilarejo e nós inventávamos um te-ato para tocar no ponto da necessidade e construir o cemitério, a capela ou o açude que fosse mais significativo para transbordá-lo. Entrávamos em silêncio 'como sombras', abordoados a um único 'clássico bastão em que se apóia o passo tardo dos peregrinos'.

Revezávamo-nos e multiplicávamos os sentidos do poder de um só bastão, em muitas mãos.

Aplicávamos as sacações de Brecht sobre os vários usos do canudo, em *Os Horácios de Curiáceos* – peça de estratégia de guerras de guerrilhas com adversários mais poderosos em armamentos clássicos.

Acoplamos esta peça ao livro de Euclides como uma cartilha teatral inseparável. Em Mandassaia queríamos fazer uma ponte, mas acabamos entupindo o rio que ilhava o povoado. Cantamos com todo arraial levando pedras, mantras toscos, improvisados, que ressoavam polifônicos e belos nas repetições:

'Uma ponte de pedra.
Uma ponte entre nós e vocês.
Essa ponte, essa ponte vai mudar o Brasil inteiro
e seu nome, e seu nome, é Antônio Conselheiro'.

Parte do próprio grupo achava, com razão, absurdo, insano, até mesmo feio, ridículo. Mas era concreta, mensurável a comunicação no silêncio das ações entre nós e os sertanejos. Mistério de contactos em grau direto entre os campos magnéticos em que o trabalho gravitava, recebendo e refluindo de onde havia partido partindo de nossa consciência delirante.

No deserto de 1970, fazíamos sem saber, os primeiros ensaios das primeiras peregrinações de Antônio Conselheiro.

Versões e lendas

Nelson Rodrigues um obsessivo de *Os sertões* fez duas crônicas esculhambativas hilárias. Ficou sabendo porque exibíamos um filme no Rio e em São Paulo que foi apreendido pela Polícia Federal. Até hoje não nos devolveu, se é que não queimou. A PF seguiu-nos e depois divulgou um relatório publicado na grande imprensa nos acusando de conspiradores internacionais, aplicando técnicas de hipnotismo e lavagem cerebral, treinados na China maoísta. Tem sua lógica. *Os sertões* foi traduzido para o chinês e, ao contrário do que o Exército brasileiro cogitava, pode ter ele sim, o livro, enriquecido os treinos dos estrategistas guerrilheiros chineses.

Auto-da-fé

Lina Bardi, arquiteta artista, cientista artista, como da Vinci, como Euclides veio trabalhar conosco no *Gracias, Senõr*, resultado das peregrinações em silêncio pelo nordeste: 'Lição de voltar a querer', no estado de morte social que abriu os 70, em que buscávamos a re-volução teatral.

Os sertanejos tinham na nossa a viagem pelo Brasil, tatuado nosso corpo e nossa alma.

Numa parte: *Divina comédia*, em que assumíamos o que é do meio arrancando e impondo a mensagem pela tortura e pelo marketing lavagem cerebral do 'Brasil ame-o ou deixe-o', onde foram lobotomizados e massacrados milhões de cérebros, uma personagem atirava-se das galerias superiores até o chão do Teatro Gil Vicente, com um exemplar de *Os sertões*, picava com uma seringa cabeça, fazia passagem táctil pela Terra-Homem-Luta, no mistério condensado no livro, ainda não inteiramente revivenciado e fazia um auto-da-fé: queimava o livro.

Anticlinal extraordinária

Vinha a parte da 'Morte' que estava no ar naquele 1971. No dia seguinte retomávamos mortos e sonhávamos junto com o público embarcando em viagem de União, Separação a Ressurreição dos Corpos. Batíamos a terra e, dos subterrâneos do teatro, Antônio Conselheiro ressuscitava. Acordávamos dos sonhos da morte e começávamos a aprender um novo alfabeto com novos gestos de uma ação desconhecida. Hoje incorporando o livro de Euclides no Te-at(r)o, retomo esta vereda principalmente no seu silêncio grávido de força-tarefa de paz e com a sobre-humana tarefa de incorporar a sublevação de nossas estratificações étnicas mais profundas no papel que já nessa época ensaiei de Antonio Aparecido Velho.

Hégira

No exílio em Portugal, o Oficina Samba foi encontrar os sertanejo do além-Tejo, sem o enfado do fado.

O aparecimento da revolução portuguesa, despertara-lhe 'o desencadear das energias adormecidas e eles estavam transfigurados, empertigados, na confluência de todas as suas energias' que recuperaram as nossas, combalidas pela prisão e pela tortura, daqueles dias.

Trabalhamos a descolonização do corpo com a devoração da etnologia da época de Euclides operada pelo psiquiatra das Antilhas Franz Fanon, o descolonizador mental do racismo em multicuturalismo dos povos 'assimilados' pela catequização imperialista e libertados por seus desejos potencializados inxorcizando forças bárbaras de suas culturas, transmutadas diante do inimigo instalado na própria cabeça e corpo.

No norte de Moçambique, encontramos sertanejos das Zonas Libertadas pelas Frente de Libertação de Moçambique recém-saídos da guerra de tocaias que lhes deu vitória na guerra com a metrópole, organizando-se em conselhos, em estado de alerta, ligação teatral, no estado de mutação que Euclides revive a todo instante quando os incidentes transformam em titãs acobreados os sertanejos das imagens melancólicas a que os condenamos, como povos eternamente dominados e desanimados.

Maracanãs da Grécia brazileyra

Euclides das galerias da Serra do Mar
olhando para o coração oeste do nosso continente,
viu o Brasil, amplíssimo amphiteatro
dentro de outros amphiteatros desencadeados
num país-oficina afeiçoada a vida em vales
chapadas, platôs de teatros de estád(i)os e um especial, tendo 'em roda uma elipse de montanhas', em forma de pétalas de uma rosácea: o cenário pronto para um emocionante drama de nossa história.

Conseguimos vender uma versão de *25*, filme que Celso Lucas e eu fizemos da grande festa da independência de Moçambique para a TV francesa. Fomos para Grécia descansar depois de muitos anos da agitação dos dias da explosão dos anos 60, as faíscas que ainda incendiavam os 70. Começamos a ler de novo, 'A terra' na ilha de Kitira, tendo como suporte as lavas do vulcão que quase inumaram a fértil morada da deusa Afrodite. Mas muitas manchas verdes resistiram e lutaram com os terrenos esterilizadores. Era ilha, era deserto e era vale fértil. Era a terra viva em permanente movimento de intuspecção.

Na Cunha do grego Euclides tapuia-celta dito em voz alta, apoiado nos chãos palimpsestados como céus daquela Ilha do Amor, vimos o Planalto Central do Brasil, descambando, sobranceando, inumando-se, exumando-se, despencando-se naquela ciranda de serras coroando floralmente o formidável amphiteat(r)o do ponto Tabu da Terra Ignota, do coração do mundo ão, de Afeganistão, Turcomenistão etc.

Da ilha de Afrodite para Canudos no Teatro de Epidauro onde o canto-língua de Euclides em voz alta soava música sim-sim, mil vezes SIM-phônica de Ésquilo, Sófocles, Eurípedes, retinia sua acústica da Cidade Encantada do Cambaio, do Coliseu Monstruoso do Cocorobó, do alto das Favela dos Públicos e Coros das Tragédias Gregas, nos fluxos da língua grega-negra-índia-shakespearianas, artaudiana, pra lá de português, Euclides dityrambando numa regressão evolutiva na Rocha Viva do Teatro de Dionisos, para o Teatro de Estádio.

Veio o desejo idéia fixa de chegar na 'abertura no Brasil', para fazer a tragycomediorgia *Os sertões*.

Corre nos sertões um toque de chamada

Reassumi inteiramente o Teatro Oficina inspirado de novo

em Canudos. Nossa expulsão pelos ditadores militares e retorno com a democracia era o segundo nascimento de um lugar em que assumíamos nossa história de não-rendidos, não-massacrados, e esta situação no espaço e no tempo era o suporte para uma experiência estética teatral forte, em que a nova história a ser feita se potencializava com o eterno retorno aos sertões.

Zuria, a cozinheira da Cantina Cabaret do Oficina, mandou colocar uma barra de ferro suspensa numa viga e com um marrão batia na bigorna chamando para a sua reza–antropofágica do meio-dia: a comida da sua comida.

Vinham os sertanejos dos sertões de São Paulo.

Antonio Feliciano da Paixão, o Surubim,

Picasso pop pintando, com o pinto talvez casto,

sexuando na transa cósmica os bichos, os homens, as plantas, e os bonecos de Vitalino, criando cirandas, cantando Conselheiros.

Chegaram a cangaceira Sandy Celeste e Edgard Ferreira, parceiro de Jackson do Pandeiro, o casal eterno da terra canora e do amante poeta cantor.

Fundaram o *Forró do avanço,* uma espécie de ForRave de sertanejos urbanos da semi-seca do deserto semifértil de São Paulo.

E vinham Bacantes:

Veronica Tamaoki Baca NipoBaianaIndígena de Circo.

Catherine Anette Hirch

'uma beleza olímpica, na moldura de um perfil judaico, perturbados embora os traços impecáveis

pela angulosidade dos ossos

apontando duramente no rosto emagrecido e claro, aclarado de olhos grandes e verdes cheios de tristeza soberana e profunda.'

Do Brasil todo, jovens chegaram para o 'Coro do Ensaio Geral do Carnaval do Povo'.

E veio Harpô, o revolucionário francês acusado de estar em Canudos conspirando no papel do revolucionário escocês ruivo de Vargas Llosa.

An(a)elena da Cunha, reportando, juntando tudo arquivando tudo, grafando a história de Canudos em construção.

E veio Noilton Nunes condenado à vida euclidiana.

Vindo da vitória de um concurso infantil sobre *Os sertões* e do filme da Anistia *Leucemia*, era o Euclides eletrôniko, trazendo o projeto 'Sem fronteiras': atravessar Canudos, ir para o Acre demarcar as fronteiras do Brasil com o Peru. As expedições que partiriam de Lima, de Munique, do Rio, do Oficina Canudos, encontrando-se viajando no itinerário de Euclides em busca do *Paraíso perdido* até o Pacífico.

Gravando o *reality film on the road* em

TVTudo de Walter Blackberry e Tadeu Jungle.

As mídias todas orgiando-se vivendo a tragédia da Piedade, a paixão de Ana, de Dilermando, de Dinorá, de Euclides Filho, de Euclides da Cunha, dos seringueiros e dos conselheiristas.

A primeiras claquete de *Sem fronteiras* no fim do *O rei da vela* anunciava hoje a 'saga dourada de Euclides' em que Noilton, antes de tudo um forte, guerreia para virar filme, este ano de Euclides que coincide com um ano de seca.

O incidente I

As madeiras de Juazeiro vendidas para a construção da igreja nova e não entregues Silvio Santos querendo comprar o Oficina para fazer um shopping.

Lina Bardi já estava projetando nossa Igreja Nova que era uma rua de terra aberta no coração de São Paulo dando para um Amphiteatro de Estádio:

o estacionamento do Baú da Felicidade.

À campanha sertaneja do Oficina

vieram músicos, muitos da velha, da nova guarda,

atores, gentes de todas as cores,

e tombaram o recinto de Canudos Citerrão Oficina.

Pelas mãos do geógrafo da Terra Aziz Ab'Saber

e os dedos do pianista João Carlos Martins.

Caderneta de campo

Gravamos na TV Cultura, virada Terreiro Elektrônico,

Uma caderneta eletrônica, base da montagem em sentido amplo que vislumbrávamos do livro como direção geral dos múltiplos trabalhos do Oficina Uzyna Uzona.

O vídeo teve o prêmio de "Melhor Vídeo" no I Festival do Vídeo de São Paulo.

Cadernetas de cenas de muitas peças que faríamos e entre elas a maravilhosa tragédia de *Ana Clitemnestra* de Carlos Enrique Escobar. Este centenário é o tempo desta *Caderneta* ser dada ao público.

Cem anos de República

A abertura de tão lenta gradual, restrita, apodreceu.

Vieram secas e primaveras,

Até que em 1989, Marcelo Drunmmond, Tom Zé, Denise Assunção, Oscar Ramos, Flavio Lofego, começamos a fazer uma Oficina Uziyna Uzona para montar o livro, nas Oficinas Oswald de Andrade, enxertando a história dos presidentes do Brasil, como neste ano elas também aconteciam pela primeira vez, depois da ditadura. Plantamos pela primeira vez sementes do sonho de flores e frutos de teatro que cultivamos nas secas que deram *Ham-let*, *Bacantes*, *Mistérios gozozos*, *Cacilda!!!!* nas Primaveras dos 90.

Montamos 'A terra' e 'O homem'.

Quando decidimos ir das Oficinas Oswald de Andrade para o terreno da 'Luta', para o Ponto Tabu, para o Oficina em eterna obra não-concluída, para montarmos 'A luta', perdeu-se o encanto do Conselheiro e os que faziam a Oficina não quiseram continuar. Receberam Canudos de formatura com longos e smokings das mãos do senador Eduardo Suplicy e a seca voltou, Marcelo Drummond e eu terminamos a primeira adaptação de todo o livro até 'A luta', numa noite de ayahuasca bebida fora dos ritos convencionais mas entre os cipós das línguas de Euclides.

Mutação de apoteose

Caíram as primeiras bátegas de chuva,

E no ponto tabu da seca e do ócio revivesceu na Primavera a flora tropical dos segundo nascimento do Oficina em Uzyna Uzona.

Aconteceu. A Igreja Nova do Teatro Oficina ficou pronta, todas as peças brotadas nos jardins da seca de Canudos deram flor. Menos especificamente *Os sertões*.

Incidente II

Foi aprovada pela Prefeitura e pelo Condephaat a construção do shopping.

Oficina estava cercado 'pelo paulista empresário das grandes hecatombes'. O Bexiga constrangido a virar Bela Vista, Las Vegas hoteleiro, Orlando brasileiro. Canudos ameaçado de inumação por esterilizadoras camadas de uma expedição aniquiladora.

Era preciso muito fôlego para resistir e crescer diante do fato, de um exército de executivos munidos com as novas rainhas do mundo: a artilharia do capital tele-financeiro.

Imediatamente o transporte para atravessar essa situação desigual chamou o livro de Euclides pra ser nosso oriente.

Planta social

Dia 16 de agosto de 2001, 39 anos do Teatro Oficina, o ator Auri Porto deu de presente pro teatro a idéia de comemorar lendo a 'A terra' coralmente. E lemos, em umas cinco horas a sem dúvida mais deliciosa parte do livro.

Em plena época do eguismo, carreirismo, proliferador de monólogos nos palcos desertos debandados para os comerciais e novelas, o livro rizoma retornou.

Em dois meses 200 pessoas leram em coral com percussão ditirâmbica, todo o livro tabu, raramente atravessado, percorrido, lido.

Uma leitura explícita com todas as oficinas de dramaturgia, direção, de direção de arte, atuação, vídeo, voz alta, respirando nas vírgulas, no contraponto dos ponto-e-vírgulas, nos afirmativos pontos finais, ou nos tchecovianos, cósmicos, teatro todo silêncio dos três pontinhos.

Deixando vir os ritmos, fluxos contrastantes como longos oxímoros, além do binário, do ternário, talvez mais no quaternário, caminhando para o eterno retorno sempre na batida única-todas, dos chocalhos xamânicos de um tempo o tempo-todo-de-todos-os-tempos daquele instante.

O texto sonoridade explodiu luminoso, metricomântrico na sintonia sim-phônicas de vozes encontrando-se aos desencontros nos vôos virados viagens subterrâneas, terreanas, humanas e além de humanas, plantas desconhecidas sociais, raízes solidárias e antenas dos canudos de pito, mamando nos úberes do sol, dos céus , das furnas, árvores enterradas, raízes aos céus, das línguas de Euclides, em voz alta, forte ou cool-fresca, coral, dialogada, conversada com o corpo sem órgãos, droga pegando, criando a independência contagiante de uma peste.

Como se extingue o deserto

No dia 23 de dezembro de 2000 às 2h30, dia do retorno no Oficina a Luís Antonio Martinez Corrêa, o ensaio corrido aberto de 'A terra' para o público na Praça Cercada, Pérola Biynghton. Bússola, rosa-dos-ventos de todos os quadrantes, no meio, no Planalto Central do Brasil.

Descemos pros litorais do sul, nas ruas da ágora de Adoniran Barbosa, povoadas de matutos paulistanos do nordeste, malocas sem saudades.

Rumamos para o norte,
contornando a muralha do Minhocão,
entrando com a multidão para o retângulo do ignoto
Teatro Oficina,
rolando nas águas sem começo meio fim do Vaza-Barris,
no instante dos Andes alevantarem-se,

cartografando-se em pólvora queimada, o continente nascente d'América do Sul, no instante que cai do céu o trambolho, o aerólito Bendengó do meio do céus, buscando o metal do centro da Terra, no território desterritorializado de todas as cartografias.

No Ponto Tabu, Canudos-Oficina.

Entrar, passar correndo, contornar, fugir, da natureza-morta das plantas invernais das secas.

Ou entrar e agenciar a natureza-viva da mutação do sertões em vale fértil, paraíso, com revivescência da flora, da natureza viva, retorno dos pássaros migrantes, de todos os bichos e o campeador cantando a canção predileta da hora: o amor de Maiakóvski-Caetano-Luís Antonio, quando surge o agente geológico notável soltando fogo pelas narinas: homem, este incrível fazedor e extintor de desertos, escarificando a terra com pontaços de aluviões punhais, os mesmos que apunhalaram Lulu Luís, o Espírito da Terra.

Ressuscitavam a carne com as ondas tombantes do Vaza-Barris rolando incarnadas no corpo do homem Marco Piantã ator poeta, sangrando vinho de sangue na terra sulcada até os muros do beco sem saída para o vasto pomar sem dono do estádio do Baú da Felicidade.

As inconformadas com o martírio da Terra mãos tintas de branco inscrevendo marcas digitais como pontos de perfuração da paredes do provisório beco do Baú da Felicidade para desimpedir a irrigação das águas do Oficina para os canais e terras do Bexiga.

Vieram os sem-terra, veio o movimento arte contra a barbárie, vieram os jovens arquitetos em reunião de fogo de conselho, tornamo-nos plantas sociais, rizoma, raízes, copulando suas raízes diversas, em elásticas tramas formando solos nunca existidos cantando a letra de Euclides em rede melódica de Zé Miguel Wisnik, Celso Sim, e Celso Zé nascida nos ensaios no século passado na República Collor.

A mina de Monte Santo

2001, segundo dia do ano, de Salvador fomos – a todo instante tento falar na primeira pessoa mas é impossível, tudo acontece enredado sempre num corpo tr(amas), sem autoria de vários contagiados por estarem juntos para Canudos, lemos juntos no portal da entrada do parque muito bem-cuidado pela Universidade da Bahia, em coro as últimas palavras do livro inscritas num mural e pela primeira vez descobrimos o ponto escrito euclidiano, o de sua perspectiva maior:

'A vertigem'

Zé Miguel Wisnik subiu o Monte Santo com o livro, na cabeça, nadamos em Cocorobó mergulhando nos arcos da catedral engolida pelas águas.

Acionamos os desejos a produzirem uma máquina dos desejos para recomeçar a festa dos canudos de pito no centenário do livro lá, no Morro da Favela, no amphiteatro de pedras explodidas por bromélias rubras.

A força social militar do Estado, seus generais promoveram quatro expedições para levar a morte a Canudos com boas intenções tais como a de preservar a república, cem anos depois com os sopros poderosos de Euclides, vamos baixar todas forças e até as mesmas que antes massacraram, para criar no lugar a ressurreição do sonho de Canudos, uma *catarsis* do episódio mais recalcado da história do Brasil, que condensa na incorporação ritual das páginas em que ficou tatuado o segredo de uma desvuduzação do 'mal social gravíssimo' que se repete em ciclos diários no Brasil e por todos lugares do mundo onde dona Desigualdade fez morada e moral.

Jurema-preta

Um centenário cultivado dia a dia com o calendário da obra, por muitos apaixonados que foram contagiados por esta erva e mantiveram vivo o mistério de um trambolho que é Totem, mas não foi comido, pois ainda é Tabu, como a Jurema-preta, predileta dos cablocos para suas viagens alucinógenas que teve perdida sua fórmula dos índios cariris que fabricavam este 'haxixe capitoso' – que faz a cabeça virar rizoma.

Parece que viajantes americanos-dinamarqueses, a partir de um ponto qualquer de Goiás, reencontraram a receita da poção que os canudenses bebiam. Um marinheiro americano ano passado me deu notícias vagas. Quem souber da Jurema, avisa.

Estruge a orquestra estridente de bigornas

O corpo de ferreiros do Oficina, direção de arte
ensaiou aberto 'A terra' dia 30 de março de 2000
Epifanias, esculturas cênicas,
Vinci Laura, Tortillo Cristiane, De Lyra Pedro.

Era um teatro inédito de artistas plásticos contra regras simplesmente agindo com suas máquinas inventadas que protagonizavam como manequins vivos de suas mãos matrizes. No palco-chão, enorme chapa ardente de ferro avermelhando-se. *'Incendiado em acendalhas da sílica fraturada.'*

Ipueira de fogo. O metal foi depositado, derretido em líquido fervente e vertido numa forma de peixeira-facão esculpida na pista, no meio da terra, temperada no esguicho do jardim com água fresca.

O aniversário era o meu.

Os coros me estraçalharam, me despiram e me vestiram com o monstruoso hábito de brim americano de índigo, me modelaram à sua imagem, seu títere: Conselheiro. Veio um corpo de mãos, me passou a peixeira pesada demais e logo minhas mãos a deixaram canalizar-se para palmas que nasciam, palma a palma até atingir o Paredão de todos os limites. O facão forjado pesava demais para um só Conselheiro as mãos do público conselheiro, miraram serenamente o ferrão para atravessar a mesma o beco sem saída perfuraram para a irrigação dos fluxos Vaza-Oficina, para o Estádio do Baú da Felicidade, o oazys rizoma de canudos uzona, que cresce cresce, na luta pra brotar como cactus florindo selvagens em deiscência no muro Israel Palestina para a fecundação mútua da cidade deserto e do deserto teatro.

A fonte d'água do Monte Santo jorrou e umedeceu toda pista.

Foi um ano vale-fértil. Choveu no Oficina. Foram gravados, interneteados, irradiados, os DVDs com o público dos quatro espetáculos mais complexos do Oficina enquanto os estudos do livro viraram uma epifania nos 40 anos do teatro.

Luta nos sertões paulistas de Rio Preto

O ator Marcelo Dionisos Ham-let Walmor Boca de Ouro Drummond encontrava e realizava a direção teatral de estádio das três primeiras expedições contra Canudos.

O diretor é o que encontra na máquina dos desejos daquele instante a direção tramada pelos desejos coletivos, letras, vozes, música, instante.

Estava dado o início à 'Luta' para o Festival Internacional de São José do Rio Preto, em forma de teatro de muitos estádios, labirintos e ruelas, praças à meia-noite, terminado numa piscina seca cheia dos suores dos corpos em fuga desnudada da 3ª Expedição, soldados escorrendo aguados, humanos, até as Mandrágoras Bacantes Sertanejas renderem-se para vencer na Cidadela Mundéu e decapitarem tesoura de suas coxas os soldados de Moreira César almoçando nas suas cacimbas plenas de reservas vitais, e com a madeira que não lhes foi entregue em Juazeiro, empalar o coronel Tamarindo, estranho fruto, pendurado numa árvore de Favelas.

A matadeira

11 de Setembro.

Eu tinha que falar no Banco do Brasil sobre minha encenação de *Esperando Godot* duas hora depois de ter visto com o mundo todo na TV o novo programa de terror anunciado para o mundo. *Os sertões* já tinham aparecido na árvore de Beckett seca como a de Sobradinho, reverdecendo no segundo ato num 'verde pálido ao róseo vivo dos rebentos novos'.

La Biblia tenia razón. O horror da hora me fez lembrar este livro, que preconceituosamente não gosto, mas não pude deixar de interpretar os acontecimentos fornecidos fartamente pela mídia e pela rua do Ouvidor, através da nova bíblia que Euclides parece ter reescrito para seu centenário que retornou em explosão das Torres da Babel e no *Traga Morto ou Vivo:*

'A guerra na sua maneira atual é uma organização técnica superior. Mas inquinam-na todos os estigmas do banditismo original. Sobranceira ao rigorismo da estratégia, e aos preceitos da tática, à segurança dos aparelhos sinistros, a toda altitude de uma arte sombria, que põe dentro da frieza de uma fórmula matemática o arrebentamento de um shrapnel e subordina a parábolas invioláveis o curso violento das balas, permanecem intactas – todas as brutalidades do homem primitivo. E estas são o ainda a Vis a Tergo (força que atuando por trás, impele, empurra para frente) dos combates.'

O sertão não virou mar mas o mundo virou *Os sertões.*

Uma variante trágica, a seca

'Se a tecnização não for possível no aparelhamento de uma siderurgia imediata, refaça-se o milagre da resistência de Os sertões *que Euclides apontou como penhor e flecha da independência viril do nosso povo. Já que é pela liberdade que se luta, que nossa independência se forme solar e decisiva, regada pelo sangue útil do petróleo, sem o que teremos de usar o chuço do Conselheiro, o cassetete dos xavantes e o mosquestão que tenazmente derrotou as Holandas da nossa história.'* Oswald de Andrade.

Sai o jornalista e saxofonista Alexandre Machado da Petrobras.

Continuamos o trabalho assim mesmo e, no dia de São José, choveu, mas depois da meia-noite, dia 20, quebrei minha perna, literalmente. Sinal de seca no Sertão.

Vamos encenar na seca, na guerra.

Pude reler o livro como se fosse a primeira vez, enquanto o grupo de atores resistentes das Oficinas, dirigidos por Marcelo Drummond, reliam atuando em 'Encontros com *Os sertões*' na periferia de São Paulo.

O livro de Euclides sempre foi e é um canalizador das energias do Oficina.

Mas acho que só li o livro mesmo este ano.

Combalido, na cama como o general Savaget.

Tommy Pietra e Flavio Rocha riscando, desenhando tudo na cabana de meu quarto. Começamos pela 4ª Expedição, que era a mais obscura para nós, pela complexidade de suas muitas ações de passadas futebolísticas, de estratégias militares várias que correspondiam a vários teatros e estilos, como se cada expedição devesse ser montada por um diretor de teatro de estilo, com uma companhia de teatro de táticas e estratégias diferentes. Eu senti que até esta leitura grafada em desenhos de várias camadas, palimpsestos exaltantes e ultrajantes, em nove blocos de Flint-Chart, com o léxico Lexotan que salva as horas de desespero de ignorância lingüística feito até onde ele, Manif Zacharias, pôde, como ele diz, e pôde muito, com a edição com que Leopoldo Bernucci presenteou o centenário, plena de referências, interpretações de tempo, situação nos meridianos do planeta, nomes citados, com os versículos introduzidos pela doce conselherista euclidiana Walnice Galvão, a história e os mapas de Marco Antonio Villa, traduções americana, holandesa, argentina, francesa, euclidianos do mundo, com destaque especial para o por todos amado Berthold Zilly, quem mais revelou a teatralidade, a encenação da história; esta leitura de quase três meses, para preparar a dramaturgia, me fez entender que eu tinha até então tentado usar o livro como um transporte ou metáfora para ações práticas, panacéias para qualquer pretexto do que precisássemos na guerra imensa que se trava pela cultura no Brasil.

Mas agora descobri o óbvio:

o livro que é mais que um livro,

mas que ele não dá para ser 'usado',

pode até tentar ser comido, mas nunca usado,

por ser um livro que traz em si os canais, entradas e saídas, empatações. Mesmo com o apolinismo das divisões em capítulos, dos três corpos terra-homem-luta, os fluxos respiratórios como os de Artaud invadem o livro, seu subtexto poético rítmico é toda a sua verdade viva.

Em cada leitura Euclides escreve melhor.

Como as grandes peças de teatro,

a mina fica guardado quieta, como os tubérculos na seca,

à espera das conjunções em que ele sintoniza

com o mundo e se comunica num estar vivo

que faz com que me atreva a dizer que pode ser inteiramente encenado, filmado, numa peça que aconteça em pelo menos, durante um mês, ou um filme da mesma duração. Apesar da enorme tentação quero tentar fazer tudo em uma só jornada. *Os sertões* não pode ser 'usado', não no sentido moral, mas no que ele em estivando em si é: uma fonte de poder de luz e sombra iluminada, dos momentos de hemeralopia mundial que paradoxalmente coincidiram com seu centenário, virando mais corpo vivo que obra de arte.

Dentro desta revista

Me encontro em pleno gozo dentro desta revista com os euclidianos da hora, agricultores preparando a vida de planta social *Os sertões* irrigando o semi-árido Brasil-Mundo 2002. Li muito quase todos e pude ter o privilégio de ouvi-vê-los numa epifania na Faculdade de Jornalismo Cásper Libero, onde o apaixonado jornalista do Teatro do Mundo, Mario Vitor Santos, organizou um encontro em torno de *Os sertões* em que aconteceu milagrosamente um encontro mesmo. Primeira nova beleza reexposta de um antigo movimento vital sem começo nem fim da força do 'homem', agente geológico também desfazedor de desertos. Um viveiro claro de transpessoas, pensamentos desejos, contradições dinamizadoras maduras, da conversa interminável de Euclides com o corpo sem órgãos.

Fui para ouvir uma palestra fiquei para todas.

Tive o prazer de ouvir uma geração que, através do estudo apaixonado do livro, está conectada, está com o segredo de uma pauta de renovação do saber no Brasil, no mundo em guerra terrorista contra o terrorismo das bombas financeiras hecatômbicas, do colonialismos submisso à grande Totalização Hegeliana Global. Senti neles o depósito de energias guardadas nas reservas das raízes que em contacto com a situação do mundo podem dar tanto quanto os jogadores da copa, e o que os políticos e partidos não estão dando: a discussão apaixonada e íntima da devoração da civilização do mal-estar, o parto tão em vão falado que deste 'projeto para o Brasil'.

As ciências do século atrasado, as artes, as secas, as vitórias, os massacres mercenários, a nossa condenação à civilização do mal-estar, em *Os sertões* estão em estado de espatifação, escombros de sublevações onde seus mais dedicados leitores cultivam, caçam, derivam, escrevem, continuam.

Pois agora existe não um Maudsley, mas o poeta de Xangô para as loucuras e os crimes das nacionalidades: Euclides da Cunha, ele mesmo, levantado esta anticlinal extraordinária, feita de letras, sinais e vazios, fluxos-phal(a)os-grotas, levantes e tombos, nos canais do não dito, ainda que escrito no escrito, na busca do mundo do verbo situado numa cartografia de mapas como que Faulkner fez de sua Yoknapatawpha.

Cartografia cênica

O leitor-ator entra maníaco na investigação dos lugares, programando o cérebro a transitar pelo corpo inteiro com o mapa da mina: o de Siqueira de Meneses, por exemplo, planta baixa de um espaço cênico e mental, mais real e vivo do que o próprio geográfico, que o ator precisa inventar mais forte do que o da sua cidade até confundir-se com o dela, penetrando-a letra a letra, sílaba a sílaba até as palavras acionada pelos verbos enxurrarem sobre as impressões fotográficas de Flávio de Barros, torcendo com o corpo horas pro Exército, eternidades pros sertanejos, pras chuvas, pras secas, nos tumultos geológicos, virações, atravessando todo o corpo do livro como informação intensa explícita no não-explicitado, vibrando no paradoxo e na contradição poética exata e poderosa.

Cabeça cortada

Euclides tinha cabeça feita ocidental de um europeu erudito e etnocêntrico do século atrasado, mas quando dobrou a esquina da caatinga e topou com o primeiro sertanejo, como conta no *Diário de uma expedição*, seu aparelho mental explodiu. Ele amaldiçoou sua cabeça positivista idealista, que falhava diante dos fatos concretos, clima, raça, estratégia, natureza. A sua cabeça do século do holocausto imperialista desmontada, decapitada e ele decidiu virar copista do que encontrava. Sampleou todo o conhecimento do seu tempo em forma de teatro das ciências positivas, militares, psicológicas, médicas, raciais, se desabando, ultrapassando, transbordando a aparência da visão iluminista tirânica do apogeu do colonialismo. Viveu e deixou subscrito o que Freud, Nietzsche, Artaud também deixaram para o corpo contraditório, corpo oxímoro, sem órgãos de uma terra viva:

seu próprio corpo, terra arável das raízes de Canudos
'comunidade homogênea e uniforme,
massa inconsciente e bruta,
crescendo sem envolver,
sem órgãos

justaposição de levas sucessivas
a maneira de um polipeiro humano.'

Personagens da economia geral da vida

O frêmito pela sensação física emotiva do movimento de intuspecção da terra, indiferente aos elementos que lhe tumultuam a face, fez o poeta 'tolhido pelas emoções da guerra? no pior aspecto da natureza preludiando um estio ardente', magnetizado pela força trans-humana e pela anticlinal extraordinária Antônio Conselheiro sublevando-se, batendo de encontro a sua civilização, impulsionado por uma potência superior, alucinar-se lúcido como historiador, que se quis bárbaro entre os bárbaros, antigo entre os antigos, planta entre as plantas, soldado entre os soldados, jagunço entre os jagunços, movimento milenar de pedras em todas as pedras, em todas as águas.

Para o teatro é um privilégio do ator estar nas personagens minerais, vegetais, humanas, nos *'corpos sem órgãos'*, dos organismos vivos da terra, com ou *sine calcis linimento* e viver as emoções da vida de todas as espécies que estão no íntimo da vida humana. Trazer a linha evolutivacionista da regressão progressiva de tragédia além da grega: tragiccomedioorgya no eterno retorno de Canudos.

O que os positivistas ainda não leram

Euclides, faz-se nas várias leituras, um grande poeta dramaturgo da vida em todo o seu comunismo, como Eisenstein ou Einstein.

O leitor que atende ao chamado dionisíaco, ao seu 'ió!' e mergulha no seio amplíssimo da terra, tem acesso a uma filosofia ecológica afirmativa da vida do planeta, ainda nem sonhado em 2002:

a descoberta de que a região do tabu do coração do Brasil,

– prepara-se para a vida, 'o líquen ainda ataca a pedra'

– de que o Teato de Canudos NÃO SE R-E-N-D-E-U

– e que as mulheres traziam

'filhos escanchados

filhos nos quadris desnalgados,

filhos esparapintados às costas,

filhos suspensos aos peitos murchos,

filhos arrastados pelos braços';

– de que a Favela, o arraial estendeu-se como o plano das favelas do Recife diante da murada de arranha-céus de Boa Viagem que Paulo Caldas no *Rap do Pequeno Príncipe contra as almas sebosas* mostrou, em São Paulo, tomariam o filme todo – de que povo que Euclides, no portal da literatura brasileira ao lado de Machado de Assis como constatou Oswald fez a anunciação, está aí,

– no orgulho de estado de alerta e de incidente dos sem-terra no meio das multidões massacradas em êxodo pelo mundo, captadas pelo olho de Sebastião Salgado,

– no crime organizado e desorganizado,

brotando do desencanto de todo o planeta

da mesma civilização 'liberal' do mal-estar.

Novas traduções

O livro que precisa ser traduzido para o árabe, para o iídiche, pois ele se passa também nos sertões da Palestina Iduméia, em Nedged, Asfaltite, Israel, e é uma evocação das muitas guerras de todos estes cenários:

'Como se terra se ataviasse em idênticos dramas'.

Os crimes das nacionalidades

É difícil reconhecer na escrita do nosso início de século

de guerra terrorista e financeira,

um poder semelhante ao deste livro

que faz entender o que acontece no mundo hoje,

mais por sua poética do que pelo que se vive e se vê na mídia.

Este livro faz sair do drama, da novela, do país, do indivíduo, colocando o leitor no social aberto para o cósmico da natureza dos passos além da passividade vegetativa dela mesma, para a encenação e a fabricação contínua da história no eterno retorno da evolução regressiva e progressiva, para a ressurreição dos sonhos carnais dos mortos.

A grande luta que se trava entre os mares, oceanos e as terras; entre a presença dos poderes do equipamento bélico de matar assepticamente, dos financeiros que dispensam a presença concreta de parte da espécie nos acontecimentos, e ainda mata, promovendo holocaustos diários e noturnos pra limitar os excessos populacionais da espécie e a luta do poder da presença do ato vivo cultural do rito cultural do teatro como ação de empowerment, poder da espécie humana.

Tratado do teatro do coração do estádio

No quase quadrado do seu formato, na leitura que a encenação, a incorporação do livro me pede para fazer, leio um tratado de teatro maikovskiano de estádio, tão semelhante as estratégias várias, e táticas militares e futebolísticas. O ator numa máquina de guerra e máquina de desejo de céu no chão, e em baixo do chão, no movimento ctônico dos transes secretos da terra, tem o jogo para reencarnar os jogos além do futebol da copa.

Sinto desde a metáfora de um teatro de estádio a favor que o bairro do Bexiga não desapareça no Cocorobó de um Bela Vista Center e vire um Bexigão, aos transporte da luta do mundo todo para a biodiversidade comer internacionalmente a globalização biodegradável em seu molde único.

Encontro as palavras para todos estes transportes nesta eloqüência nelsonrodriguea-oswald-plinio-maranarquiana, em estado de retórica teatral bruta inédita. Quando este texto for publicado nesta revista na data do centenário, desejo estar no Oficina com *Os sertões*. Os poderes do Brasil, na esquerda, centro ou direita, desconhecem ainda o poder da cultura e do seu rito tribal universal: o culto da liberdade e dos valores em mutação do teatro. Estão sob o domínio de uma colonização cultural ainda positivista, neurótica em que o religioso ainda é o Ibope, que desliga tudo no financeiro, no deus no alto das altas e baixas do dollar, em que o trabalho humano é o de pastores e visto rebanhos de escravos. Este livro é pra ser comemorado orgulhosamente como o Penta, nos seus 100 anos de existência precisa de uma luta à altura da de Canudos para virar teat(r)o. O que há a combater continua a ser o martírio da terra, o deserto cultural, depois de seu assassinato previsto por Glauber e encenado na lobotomia dos cérebros em *Gracias señor*. Na luta para a montagem de *Os sertões* estes dias diante do computador me colocam diante do desafio de ensaiarmos nós do Oficina, *'nos raros intervalos de folga de uma carreira fatigante'*, e lutar para que não tenha uma publicação encenação, *'remorada, em virtude de causas, que tempos por escusado apontar'*. Quem esquadrinha o quadrado de *Os sertões* ponto a ponto, entra um e sai outro, com a formação de uma universidade. Queremos o milagre de uma teatralização que traga o mínimo desta experiência. Os construtores da encenação do Oficina aprontam-se há mais de dois anos. Agora há num treinamento de capoeira dirigido pelo mestre Pedro, que soma aos atores com 36 crianças de rua, saltando saltos mortais, jovens do Vai-Vai. Seu trabalho que recebeu o nome de 'Bexigão', nome da nossa proposta a Silvio Santos de montar juntos no local da contenda, uma experiência de educação social, cultural e tecnológica, de TV digital a ser trabalhada em composição com o SBT e os jovens excluídos do bairro. A proposta foi considerada um insulto, mas eles, os perféricos do próprio Bexiga tomaram o projeto pra si.

Músicos de todos os forRaves serão chamados para parceria com Euclides. Carlinhos Rennó, Tom Zé, Zé Miguel Wisnik, Celso Sim, Surubim, Péricles Cavalcanti já começaram, outros virão. Esta montagem é sonhada como um milagre social e cósmico, temos menos de cinco meses, sem o dinheiro de produção que possibilite uma potencialização de tempo, mas o prazer da luta inspira este desafio.

Neste exército excito-me. Não sei que tamanho vai ter, pois agora é preciso ir direto no traçar da dramaturgia da encenação, nas condições concretas de economia de guerra de hoje, aniversário da Revolução Francesa e do canhoneiro de 1897 que acordaram os '*matutos broncos, saltando das redes e dos catres, porque havia pouco mais de cem anos, um grupo de sonhadores falara nos direitos dos homens, e se batera pela utopia maravilhosa da fraternidade humana*'.

Não sei se vai dar tempo de voltar muito ao computador, as condições indicam uma dramaturgia, criada nos ensaios; ao vivo e na seca mesmo. Por enquanto não veio o que precisávamos, então vamos mais uma vez misturar essa epopéia com a nossa e ir até onde pudermos dentro deste retângulo do Oficina, mais uma vez buscando o desentricheiramento, abrindo buracos, estivando, estadiando, no estádio de Teat(r)o.

Abramos este livro

Walnice Galvão me perguntou outro dia: 'Mas estou ouvindo você falar em encenar *Os sertões* há 30 anos, isso vai sair?'

Tem saído até agora numa forma de existência que tem sido o oriente mais amplo, como os céus de Canudos, para todos os saltos e passagens de risco do grupo, interpretando a história do mundo no Teatro Oficina e deixando sinais evidentes de sua presença. Acho que todas as peças do Oficina moram neste arraial do centro de Sampa. A história dos 40 anos quis confundir-se com a do livro de Euclides como a vida de um outro Cosmos que era Canudos .

O Oficina vive todo o fluxo poético do livro como material, positivo, científico, poético que fica. Nosso desejo é conseguirmos nesta montagem, em muitas apresentações, chegar até o que está dito no não dito e viver o livro como a grande obra de arte que é fonte de conhecimento de saber, de ignorância, de perplexidade e sobretudo de beleza, que pode dar confiança, oriente nestes tempos de guerra e crise pra todos os saltos necessário para mais vida que podemos todos dar.

O ator-jogador, Haroldo Costa Ferrari, num ensaio com público presente ao transmutar-se de Beatinho em Cafu futebolista de teatro de estádio, levantando o livro como a taça para a cerimônia canudense do Beija por todos presentes clamou:

'Euclides da Cunha, eu te amo!'

Nestes cem anos de aniversário não encontro melhor fecho para a abertura da história que faremos.

São Pã, 14 juillet 2002

Liberdade. Fraternidade. Igualdade. Devoração. ”

Euclydes da Cunha

"Que autor é esse/ De uns versos tão mal feitos e tão tristes?!", indaga Euclides da Cunha no final de "Página vazia", a caligrafia bem-cuidada preenchendo esmeradamente o branco de uma folha com flores sobrevoadas por fulgurante borboleta – asas, pétalas, tudo resultando de um desenho de moça, F. (de Francisca) Praguer. A página agora cheia, título desmentido, fazia parte de um álbum da jovem, que ganhou o poema do então engenheiro e jornalista – de volta da "região assustadora" (leia-se Canudos, claro) de onde vinha, "revendo inda na mente/ Muitas cenas do drama comovente/ Da Guerra desapiedada e aterradora" – no dia seguinte de seu retorno à capital baiana, conforme ele datou abaixo da assinatura: 14 de outubro de 1897.

Como poeta, o autor dos tais versos "tão mal feitos e tão tristes" continua quase desconhecido.

Ressalte-se que a poesia em questão já foi difundida. Rara, porém, é a divulgação fac-similar, como a que aqui se faz, da página do álbum da doutora Francisca Praguer Fróes – uma das primeiras médicas formadas no país –, localizado por Francisco Foot Hardman, professor da Universidade Estadual de Campinas, que ao lado de Leopoldo Bernucci, da Universidade do Texas (EUA), prepara para 2003 um volume que reunirá toda a produção poética de Euclides. Nele aparecerão cerca de cem poemas além dos 37 que figuram na chamada *Obra completa* (1966).

Resumamos: perto de dois terços dos versos euclidianos jamais conheceram o estado de livro.

A maior parte das poesias de Euclides da Cunha integra o algo hugoano, castro-alvense caderno *Ondas*, composto de textos escritos na adolescência. São dele os dois inéditos editados que abrem esta seção, com notas de Foot Hardman – "No túmulo de um inglês" (1883) e "Cenas da escravidão I" (1884) –, e a poesia édita "Álgebra lírica", também de 1884, que apareceria depois, num caderno de "Notas", de 1885, ao lado de problemas matemáticos, sob o título "Amor algébrico" e apresentamos algumas mudanças de palavras e pontuação. O outro manuscrito, cuja cópia foi cedida pelo professor da Unicamp, é o poema édito "D. Quixote" (1890).

Obnubilados por sua prosa avassaladora, os versos de Euclides ocuparamlhe, no entanto, mais da metade da vida.

Seria um equívoco, no conjunto da obra euclidiana, considerar *vazia* a página poética.

No tumulo de um inglez...

És bem feliz mylord!... na tua tumba fria
Um somno gozas, bom — no seio da soedade —
Feliz!... não tens o Sol de tu Albion sombria
Mas tens o olhar de Deus — o Sol da eternidade!...

És bem feliz — mylord a triste ventania
Soluça nos cyprestes os cantos da saudade.
Quem sabe se te traz — em vozes de agonia —
Os risos e as canções de tua mocidade!...

Estás livre do spleen... invejo-te deveras...
Do tumulo a sombra espanca as pallidas chimeras
— Em teu berço de pedra embala-te a soidão...

És bem feliz mylord — assim antes eu fora!...
Tu tens a calma eterna e a solidão sonora
E tu não tens — feliz — não tens — teu coração...

Rio — 2 de Novembro 1883.

Este tumulo está no cemiterio de Catumby —
Tornou-se-me saliente pela isolação em
se acha — quasi em pleno matto — completamente separado dos outros.
Antes de ler a inscripção na lousa — onde este
soneto fiz — advinhei ser de um inglez...

No túmulo de um inglês

És bem feliz *mylord*!... na tua tumba fria
Um sono gozas, bom – no seio da soedade
Feliz!... não tens o Sol de tu'Albion sombria
Mas tens o olhar de Deus – o Sol da eternidade!...

És bem feliz *mylord* a triste ventania
Soluça nos ciprestes os cantos da saudade...
Quem sabe se te traz – em vozes de agonia –
Os risos e as canções de tua mocidade!...

Estás livre do *spleen*... invejo-te deveras...
Do túm'lo a sombra espanca as pálidas quimeras.
– Em teu berço de pedra embala-te a soidão...

És bem feliz *mylord* – assim antes eu fora!...
Tu tens a calma eterna, a solidão sonora
E tu não tens – feliz – não tens – teu coração...

Rio – 2 de Novembro 1883.

Este túmulo está no cemitério de Catumbi – tornou-se-me saliente pela isolação em [que] se acha – quase em pleno mato – completamente separado dos outros. Antes de ler a inscrição na lousa – onde este soneto fiz – adivinhei ser de um inglês...

Poema inédito e manuscrito do caderno de adolescência *Ondas*, escrito aos 17 anos. Euclides acrescentou-lhe a uma nota explicativa no fim da página.

120 128

Scenas da Escravidão

I

Acabára o castigo... aspero, cavo -
Cheio de angustia um grito lancinante
Estala atroz na bocca hirta, arquejante
Na bocca negra, esquálida do escravo...

O seu algoz... oh!.. não - intimo travo
O seu olhar espelha - rubro, irisante...
E' um escravo tambem, bronzeo, possante
Arfa-lhe em dor o peito largo e bravo!..

Cumprira as ordens do Senhor... tremente
Fita o infeliz - calcado ao chão, dolente,
Velado o olhar num dolorido brilho...

Fita-o... depois, num impeto sublime
Ergue-o; no peito callido o comprime,
Cinge-o a chorar - Meu filho!.. pobre filho!..

Euclydes 1884

Cenas da escravidão

I

Acabara o castigo... áspero, cavo –
Cheio de angústia um grito lancinante
Estala atroz na boca hirta, arquejante
Na boca negra, esquálida do escravo...

O seu algoz... oh! não – íntimo travo
O seu olhar espelha – rubro, iriante...
É um escravo também, brônzeo, possante
Arfa-lhe em dor o peito largo e bravo!...

Cumprira as ordens do *Senhor*... tremente
Fita o infeliz – calcado ao chão, dolente,
Velado o olhar num dolorido brilho...

Fita-o... depois, num ímpeto sublime
Ergue-o; no peito cálido o comprime,
Cinge-o a chorar – Meu filho!... pobre filho!...

Euclides
1884

Primeira das três partes de "Cenas da escravidão", manuscrita e inédita, autógrafa e datada, pertencente ao caderno de adolescência *Ondas*, escrita quando Euclides tinha provavelmente 18 anos. No final do caderno, o autor acrescentou a seguinte nota explicativa, também manuscrita e igualmente inédita: "Há pensamentos que não [ilegível] o [bico] de uma pena... Ao traçar esses versos ebulia-me no cérebro um poema formidável – onde fremiam os soluços de cem raças – onde palpitava sangrento o clarão dos sóis do deserto, onde enfim – desenrolava-se a agonia sombria e dolorosa d'essa tétrica hecatombe [ilegível] a escravidão... E no entanto nada fiz... e nada fiz porque um sentimento enervador quebrava-me as forças da inteligência e custa dizê-lo – este sentimento [ilegível] e é – a vergonha!... Pobre Pátria!.. Tu, tão grande e nobre [ilegível] só tu – só tu vives dos [miseráveis] – só tu mendigas aos mendigos – [só] tu roubas aos desgraçados – o que [ilegível], tens de mais sublime – a liberdade – [ilegível] que têm de mais triste – a lágrima [ilegível] tu não és culpada de que a tua alma – o povo – guie-se pela alma de um homem...".

— Algebra lyrica.

Acabo de estudar... da sciencia fria e vã
O gelo, o gelo atroz me gela ainda a mente
Acabo de arrancar a fronte minha ardente
Das paginas crueis de um livro de Bertrand.

Bem triste e bem cruel decerto foi o ente
Que esse Sahara atroz sem auras, sem manhã
— A algebra — creou — a mente, a alma mais sã
N'elle vacilla e cae — sem um sonho virente...

Acabo de estudar — e pallido, cansado
De uma dez equações os veus hei arrancado.
— Estou cheio de spleen, cheio de tedio e giz..

E' tempo, é tempo pois de — tremulo, amoroso —
Ir — d'ella descançar no seio fervoroso
E achar de seu olhar — o rutilante X!..

Euclydes da Cunha 1884

Álgebra lírica

Acabo de estudar... da ciência fria e vã
O gelo, o gelo atroz me gela ainda a mente
Acabo de arrancar a fronte minha ardente
Das páginas cruéis de um livro de Bertrand...

Bem triste e bem cruel decerto foi o ente
Que esse Saara atroz sem auras, sem manhã
– A álgebra – criou a mente, a alma mais sã
Nele vacila e cai – sem um sonho virente...

Acabo de estudar e pálido, cansado
De uma dez equações os véus hei arrancado.
– Estou cheio de spleen, cheio de tédio e giz...

É tempo, é tempo pois de – trêmulo, amoroso –
Ir – dela descansar no seio fervoroso
E achar de seu olhar – o rutilante x!...

Euclides
1884

Amôr Algebrico

Acabo de estudar — da sciencia fria e vã
O gelo, o gelo atroz — me gela ainda a mente
Acabo de arrancar a fronte minha ardente
Das paginas crueis de um livro de Bertrand.

—

Bem triste e bem cruel decerto foi o ente
Que este Sahara atroz — sem auras, sem manhã
A Algebra creou — a mente a alma mais sã
N'ella vacilla e cae sem um sonho virente...

Acabo de estudar e pallido, cançado
D'umas dez equações os veus hei arrancado...
Estou cheio de spleen, cheio de tedio e giz

E' tempo, ~~pois~~ é tempo pois de tremulo ancioso
Ir — d'ella descançar no seio venturoso
E achar do seu olhar o luminoso X !..

Euclydes

Amor algébrico

Acabo de estudar – da ciência fria e vã
O gelo, o gelo atroz – me gela ainda a mente
Acabo de arrancar a fronte minha ardente
Das páginas cruéis de um livro de Bertrand.

Bem triste e bem cruel decerto foi o ente
Que esse Saara atroz – sem auras, sem manhã
A álgebra criou – a mente a alma mais sã
Nele vacila e cai sem um sonho virente...

Acabo de estudar e pálido, cansado
Dumas dez equações os véus hei arrancado...
Estou cheio de *spleen*, cheio de tédio e *giz*

É tempo, é tempo pois de trêmulo ansioso
Ir – dela descansar no seio venturoso
E achar de seu olhar o luminoso X!...

Euclides

D. Quixote.

Assim á aldeia volta o da triste figura
Ao tardo caminhar do Rocinante lento;
No arcabouço dobrado um grande desalento,
No entristecido olhar uns laivos de loucura.

Sonhos, a gloria, o amor, a alcantilada altura,
Do ideal e da fé, tudo isto num momento,
A rolar, a rolar, num desmoronamento,
Entre risos boçaes, do bacharel e o cura.

Mas, certo, ó D. Quixote, ainda foi clemente,
Comtigo a sorte ao por no teu cerebro ôco,
O brilho da illusão do espirito doente;

Porque ha cousa peior: é o ir-se a pouco e pouco
Perdendo qual perdeste um ideal ardente
E ardentes illusões e não se ficar louco.

Euclydes da Cunha

D. Quixote

Assim à aldeia volta o da triste figura
Ao tardo caminhar do Rocinante lento;
No arcabouço dobrado um grande desalento,
No entristecido olhar uns laivos de loucura.

Sonhos, a glória, o amor, a alcantilada altura,
Do ideal e da fé, tudo isto num momento,
A rolar, a rolar, num desmoronamento,
Entre risos boçais do bacharel e o cura.

Mas certo, ó D. Quixote, ainda foi clemente,
Contigo a sorte ao pôr neste teu cérebro oco,
O brilho da ilusão do espírito doente;

Porque há cousa pior: é o ir-se a pouco e pouco
Perdendo qual perdeste um ideal ardente
E ardentes ilusões e não se ficar louco.

Euclides da Cunha

Pagina vasia

Quem voltá da região assustadora
De onde eu venho, revendo inda na mente
Muitas scenas do drama commovente
Da Guerra despiedada e aterradora,

Certo não pode ter uma sonora
Estrophe, ou canto ou dythirambo ardente,
Que possa figurar dignamente
Em vosso Album gentil, minha Senhora.

E quando, com fidalga gentileza,
Cedestes-me esta pagina, a nobreza
Da vossa alma illudio-vos, não previstes

Que quem mais tarde nesta folha lesse
Perguntaria: "Que auctor é esse
De uns versos tão mal feitos e tão tristes ?!"

Euclydes da Cunha
Bahia - 14 outubro de 97

Página vazia

Quem volta da região assustadora
De onde eu venho, revendo inda na mente
Muitas cenas do drama comovente
Da Guerra despiedada e aterradora,

Certo não pode ter uma sonora
Estrofe, ou canto ou ditirambo ardente,
Que possa figurar dignamente
Em vosso Álbum gentil, minha Senhora.

E quando, com fidalga gentileza,
Cedestes-me esta página, a nobreza
Da vossa alma iludiu-vos, não previstes

Que quem mais tarde nesta folha lesse
Perguntaria: "Que autor é esse
De uns versos tão mal feitos e tão tristes"?!

Bahia – 14 Outubro de 97

Anseios de amplidão

Walnice Nogueira Galvão

...ton vol, que rien ne lasse,
De ce monde sans bornes à chaque instant déplace
L'horizon idéal.

Victor Hugo, "Mazeppa", *Orientales**

A viagem, as viagens

Heureux qui, comme Ulysse, a fait un beau voyage.

Joachim du Bellay, *Ulysse***

O tema da viagem – primevo e mítico – é um dos mais antigos da humanidade. Para nós, a viagem equivale à *Odisséia*, que se finca nos alicerces da civilização ocidental. Quase ao mesmo tempo, no que nos diz respeito, a outra fonte é a *Bíblia*, que logo no início fala do Êxodo. Como se vê, vem de longe. E tendemos a esquecer que pelo menos um milênio antes já se encontra num dos primeiros documentos propriamente literários, a epopéia babilônica de *Gilgamesh*. Figurava naquela que deve ser igualmente a primeira biblioteca da História, em Nínive (*c.* 2000 a. C., mas o texto é anterior), cujo acervo de ladrilhos com inscrições cu-

* "...teu vôo, que nada esfalfa,/ Deste mundo sem limites a cada instante desloca/ O horizonte ideal." (Victor Hugo, "Mazeppa", *Orientais)*

** "Feliz aquele que, como Ulisses, fez uma grande viagem." (Joachim du Bellay, *Ulisses*)

neiformes foi empreitada do imperador assírio Assurbanípal. Na epopéia, o herói, rei de Uruk, que subjuga monstros e desafia deuses, deixa sua cidade natal para entregar-se a uma peregrinação em busca da imortalidade[1]. O mais popular dentre os heróis da alta Antigüidade, imprimiria seu sinete nas artes plásticas e nas letras – na *Odisséia* inclusive[2] – de várias civilizações daquelas partes do planeta. Entre os gregos, o *nostos* (regresso), conhecido por fragmentos, cada um cantando um diferente retorno da Guerra de Tróia, equivaleria a um gênero literário.

A viagem iniciática, isto é, aquela em que o herói deixa o lar e a família em que se criou para sair à cata de aventuras que lhe definam a personalidade adulta, está por trás desses relatos. É o que vemos como que refletido em espelho na jornada de Telêmaco, filho de Ulisses, na parte inicial da epopéia grega. Rito de passagem entre minoridade e maturidade, eis o sentido da viagem. Daí a tornar-se uma metáfora do percurso da vida humana, desde o nascimento até a morte, foi um passo e tornou-se presente em todas as culturas.

E se encontraria igualmente no conto maravilhoso, estudado por Propp[3]. Ao constatar que a primeira das funções no encadeamento da narrativa é invariavelmente o *afastamento*, Propp mostra como se esboroa a "situação inicial", estática, deflagrando a dinâmica do relato: sem afastamento, ou seja, sem viagem, não há épica.

Com o passar do tempo, surgiria mesmo uma "literatura de viagens" que chegou a tornar-se um gênero[4], com precursores ilustres no grego Heródoto e no veneziano Marco Polo. Conheceria seu apogeu no Renascimento, à época das navegações e dos descobrimentos. Já é para nós um sentido perdido nas trevas do passado, mas essas expedições podiam adquirir um significado místico, como se constata nos escritos de Colombo. O navegador acreditava, como tantos em seu tempo, que o Jardim do Éden se situava nas terras da América – e isso num sentido concreto, e não metafórico, como mostrou Sérgio Buarque de Holanda em *Visão do paraíso*[5]. No Novo Mundo, os seres humanos viviam nus como Adão e Eva, enquanto a pedra de toque se encontrava na temperança do clima, o qual, a exemplo das paragens bíblicas, como reza o Gênesis, não era sujeito nem ao frio nem ao calor.

Antes do Renascimento, a canção de gesta medieval e a novela de cavalaria haviam realçado a *andança* como a demanda ativa tanto da aventura nobilitadora[6] quanto do heroísmo individual, pela qual o cavaleiro se provava digno de sua investidura.

O romantismo, que almejaria o vôo escapista pelo tempo e pelo espaço, vai reatualizar o tema. Para os românticos, a viagem está implícita no repúdio à sociedade industrial e na busca de refúgio no seio materno da natureza. A vertente da evasão no tempo talvez seja mais notória devido ao elemento passadista do romantismo, quando a nostalgia da Idade Média forneceu heróis e assuntos, de que Walter Scott é expoente. Nas Américas, tal nostalgia culminaria na entronização do índio, vendo-se neste o cavaleiro andante dos países que foram colonizados em fase pós-medieval. De qualquer modo, os românticos são propensos ao exotismo, e até ao orientalismo[7].

A vertente espacial aparece timidamente no começo, sob a forma da *promenade* em Rousseau, criando o estado de espírito propício à *rêverie*, palavra cara aos românticos. Não foram alheios a esse surgimento as narrativas dos exploradores e os inícios da arqueologia, com retumbantes achados, no século XVIII. Nem é preciso lembrar o porte, pejado de significados, da viagem na poesia (e na vida) de poetas como Byron – que foi à Grécia para lutar ao lado dos gregos contra o invasor turco, e lá morreu –, autor de uma longa epopéia em versos intitulada *Childe Harold,* do nome de seu *alter ego,* cujas perambulações divertidíssimas o levam a pontos remotos.

Entre os pré-românticos, as vagabundagens letradas de Goethe, que as praticou e sobre elas escreveu, seriam imitadas. Como em seu caso, as peregrinações dos românticos aos lugares santos de sua devoção por muito tempo tiveram a Itália por ímã. Ela ainda seria a meta de eleição tanto para Proust quanto para Freud, mais tarde. Victor Hugo, que habitara a Itália e a Espanha na infância, passou o resto da vida insatisfeito com o sedentarismo. Aguardavam-no 20 anos de exílio ali mesmo na Europa; mas sonhava: "Quando vos verei, Espanha, Veneza, Roma, Sicília, Egito?" Chateaubriand, Lamartine, Gerard de Nerval e Flaubert efetuaram expedições ao Oriente, que visavam à Terra Santa, com passagem obrigatória pelo Egito. Até escritores americanos, como Melville e Mark Twain, ou portugueses, como Eça de Queiroz, em cuja obra várias vezes reponta, se arriscaram a esse périplo. Os abastados da época vitoriana exerciam o *grand tour* enquanto praxe de fim de juventude, antes de casar e assentar, o que era de rigor, como mostram os romances de Henry James.

Além de exaltar os deslocamentos no espaço, mais tarde Rimbaud acabaria se perdendo na África, abandonando o mundo civilizado e a poesia. Baudelaire, apesar de dedicar ao tema alguns poemas macabros como "Un voyage en Cythère" ou luciferinos como "Le voyage", metamorfoseia-o em *flânerie,* mais empenhado em ser o andarilho de um novo perímetro, tão fascinante quanto os forasteiros: o da metrópole apinhada de gente[8]. De qualquer modo, a "viagem ao país do sonho", mesmo metaforicamente formulada[9], tinha para os românticos toda a seriedade de um risco de vida.

Exemplar é Jules Verne, que não deu a volta ao mundo em 80 dias, não foi ao centro da Terra, não percorreu 20 mil léguas submarinas nem sobrevoou o Saara singrando os ares durante cinco semanas num balão, mas escreveu sobre tudo isso e até mais. A posteridade lhe continua fiel, mesmo que o oprimindo na camisa-de-força da categoria "infanto-juvenil".

As imensidões do Novo Mundo originariam uma literatura das mais comprometidas com o tema, como a americana, na qual a sofreguidão pelos confins até hoje se manifesta. Basta pensarmos no maior mito que edificou, o da *fronteira,* e na longa vida que teria, dando origem a um gênero, o *western* ou faroeste, que se estenderia também ao cinema. E a aventura enquanto evasão comandaria uma vasta produção *on the road,* que vai dos *beatniks* aos *hippies* e aos *road movies.* Não foi à toa que deram às experiências com drogas o rótulo de "viagens", ecoando os paraísos artificiais de Baudelaire. Clássicos dessas letras são as histórias indianistas de James Fenimore Cooper e o incomparável *Moby Dick,* de Melville, no qual as rotas perigosas sulcam os oceanos. Há críticos que chegam a detectar na jornada escapista o tema central e recorrente de toda a história dessa literatura, com a peculiaridade de ser sempre um par masculino que foge aos constrangimentos da vida em sociedade: como Tom Sawyer e Huckleberry Finn nos livros epônimos, ou Ishmael e Queequeq em *Moby Dick*, ou Natty Bumpo e Chingachgook nos de Fenimore Cooper[10]. Nesses pares, um é alvo e civilizado, enquanto o outro é moreno e primitivo. Assim, além do alcance psicológico que a crítica lhe atribui, o par poderia ainda representar situações de encontro não conflituoso de culturas, em que ambas as partes muito têm a aprender e a ganhar. Um estudioso como Northrop Frye, quando o herói palmilha os caminhos em demanda de algo, prefere ver nisso, em sua terminologia crítica pessoal[11], a estória romanesca que encarna um mito de verão, de que o mito irônico de inverno vai ser a contrapartida.

Outras letras das vastidões das Américas, as nossas, também manifestam desde o início interesse pelos interiores do país. Quando comparadas, então, com algumas da mesma língua, como as portuguesas, é que se pode verificar como até adotam rumos opostos. Enquanto os lusos abundam em explorações oceânicas – basta pensar em Camões e três séculos de copiosa produção até chegar a Fernando Pessoa – , o mar nunca despertou dedicação maior dos escritores brasileiros. Ao contrário, nossa literatura sempre se voltou para a hinterlândia, desde o início com os cronistas e depois com os viajantes, e mais tarde transitando do sertanismo ao regionalismo.

Entre nós, Antonio Candido, em "Oswald viajante"[12], propôs o tema da viagem na vida e na obra desse autor enquanto realização explosiva de uma libertação – para além das amarras das convenções burguesas e da repressão dos instintos –, resultando na utopia da *viagem permanente.* O lugar da emancipação estaria, então, a bordo de um navio em trânsito, que jamais arriba ao porto. E Flora Süssekind dedicaria um livro inteiro a identificar os nexos entre a constituição de um narrador no nascimento da ficção brasileira e os "relatos de viagem" anteriores ou coevos[13].

O sentido da viagem, para Euclides da Cunha, embora não negue totalmente todas essas implicações, românticas ou não, assume contornos próprios. O tema, para ele, como veremos, tem o cunho de outro mito, o da busca da autenticidade na aventura viril. É antes indo rumo ao inóspito que o caráter é temperado, como o aço, através de provações quase sobre-humanas.

É nesse sentido, como adiante veremos, que podemos aproximá-lo de Joseph Conrad e de Lawrence da Arábia.

A sereia do sertão

Pour l'enfant, amoureux de cartes et de estampes,
L'univers est égal à son vaste appétit.

Baudelaire, *Le voyage**

Desde os primeiros escritos, constituídos por poemas que uma nota da mão de Euclides adulto atribui aos 14 anos[14], o sertão está presente. Pode ser como mera rima para alexandrinos terminados na mais fácil das rimas da língua, aquela em *ão,* o que ocorre no poema "Eu quero", no qual se expressa um voluntarismo juvenil, de 1883:

Eu quero, eu quero ouvir o esbravejar das águas
E a minh'alma, cansada ao peso atroz das mágoas,
Das asp'ras cachoeiras que irrompem do sertão...
Silente adormecer no colo da soi'dão...

O que se reitera no poema "A cruz da estrada", de 1884, só que desta vez em decassílabos e no plural, em versos que reaparecerão com pequenas modificações em "Fazendo versos", de 1888:

Se vagares um dia nos sertões,
Como hei vagado – pálido, dolente,
Em procura de Deus – da fé ardente
Em meio das soidões...

* "Para a criança, enamorada de mapas e estampas,/ O universo é igual a seu vasto apetite." (Baudelaire, *A viagem*)

A convenção romântico-simbolista, sobrepujando a parnasiana e com um toque de decadentismo, que ressoa nesses poemas, reaparece no trecho final deste último; mas ambos revelam o mesmo tema da evasão rumo ao interior:

> ...Hás-de encontrá-la
> Se acaso um dia nos sertões vagares...

Em "O último canto" (sem data), a voz lírica se declara:

> Filho lá dos sertões nas múrmuras florestas,
> Nesses berços de luz, de aromas, de giestas –
> Onde a poesia dorme ao canto das cachoeiras,
> Eu me embrenhava só...

Outro poema, "As catas", datado de "Campanha, 1895", começa por uma declaração de princípios nesse sentido:

> Que outros adorem vastas capitais
> Aonde, deslumbrantes,
> Da Indústria e da Ciência as triunfais
> Vozes se erguem em mágico concerto;
> Eu, não: eu prefiro antes
> As catas desoladoras do deserto,
> Cheias de sombra, de silêncio e paz...
> Eu sei que a alma moderna – alta e feliz,
> E grande e iluminada,
> Não pode sofrear estes febris
> Assomos curiosos que a endoidecem
> De ir ver, emocionada,
> Os milagres da Indústria em Gand ou Essen,
> E a apoteose do século – em Paris!

Não invejo, porém, os que se vão
Buscando, mar em fora,
De outras terras a esplêndida visão...
Fazem-me mal as multidões ruidosas
E eu procuro, nesta hora,
Cidades que se ocultam majestosas
Na tristeza solene do sertão.

Essas miragens urbanas, abandonadas e desertas, configurando anfiteatros e outras obras afeiçoadas pela mão do homem – uma "arquitetura titânica", segundo um viandante do deserto[15] –, são as catas advindas da fase da mineração do ouro:

E ao ritmo de esplêndidas canções
Levantou-lhes os muros triunfantes
Heróica e sonhadora,
A coorte febril dos Bandeirantes,
Nas marchas triunfais pelos sertões.

Por essa época, Euclides pedia a Reinaldo Porchat bibliografia sobre os bandeirantes, sem declarar o motivo da solicitação: "Não terás por aí qualquer folheto, qualquer velho alfarrábio, que trate da época colonial, de 1640 até 1715; qualquer coisa sobre a antiga São Vicente, princípios de São Paulo, excursões dos *bandeirantes* etc.? Tenho grande necessidade de qualquer escrito sobre isto; mais tarde saberás porque. Mandando-os farás extraordinário favor ao teu menor amigo e maior cacete"[16]. E ainda em 1897, durante a Guerra de Canudos, quando em Salvador, oferece amostras desses lavores a Pethion de Villar, conforme bilhete num cartão de visitas: "Ontem à noite procurei recordar alguns trechos dos 'Holandeses'e dos 'Bandeirantes'. Aí vão truncados, mal recordados. É uma lembrança vaga e nada mais"[17].

Várias vezes Euclides já expressara, escrevendo a amigos e familiares, uma velha fantasia sua, recorrente, que virá à tona em vários passos de sua biografia:

a de internar-se pelo país adentro. A fantasia assumiria diferentes formas de realização, como tornar-se engenheiro de obras públicas no interior de São Paulo e no litoral, repórter na Guerra de Canudos e, mais tarde, explorador na missão ao Alto Purus, todas elas posições que Euclides despendeu esforços para conquistar. Na imaginação, tal como se manifesta na epistolografia, é explícito o desejo de evasão rumo *aos sertões* – como era praxe dizer e escrever à época, assim no plural –, o que vinha de longe, radicando na educação absorvida na Escola Militar no período da agitação republicano-abolicionista e expressando-se como dever patriótico de explorar a imensidão do país[18]. Pode-se erigir em modelo um ideal de bandeirante, ou de desbravador, ou de aventureiro, norteando uma vocação. Entretanto, essa tradição já vinha de antes, e foi diagnosticada por Antonio Candido como traço constitutivo da elite letrada brasileira[19] . Neste período de nossa história, dominado pela galomania da *belle époque,* tal traço compõe o perfil de vários intelectuais desviantes, que voltam as costas para as galas dos salões e das modas da capital então em acelerado processo de modernização. Euclides não era o único e, dentre os vários desse tipo que sua geração na escola produziu, talvez o fruto mais característico seja seu colega Cândido Mariano da Silva Rondon, instalando as linhas de telégrafo que através do sertão cingiram o país de sul a norte, além de ser pioneiro na proteção aos índios e criador do indigenismo.

Em todo caso, quando se cotejam esses reiterados anseios de *ir para dentro* com as parcas vezes em que se referiu ao impulso de ir para fora do país, pode-se perceber o peso que a primeira hipótese teve nas objetivações de seu percurso de vida. A mais antiga dessas referências, e no caso a ambas as possibilidades extremas (anunciando os oxímoros que serão a figura retórica predileta do futuro escritor), surge numa carta a seu grande amigo da fase anterior a *Os sertões,* livro que ainda levaria dez anos para vir a lume. O amigo e principal correspondente dessa fase, bem como segundo maior correspondente dentre todos, só perdendo para Francisco de Escobar, é Reinaldo Porchat. A referência é explícita, consciente e, ao que parece, bastante racional também, sendo a menos enigmática dentre todas as que fornece:

> ...não dou para a vida sedentária, tenho alguma coisa de árabe – já vivo a idealizar uma vida mais movimentada, numa comissão qualquer arriscada, aí por estes sertões desertos e vastos de nossa terra, distraindo-me na convivência simples e feliz dos bugres. Se o meu velho for, agora como intenta, à Europa, irei com ele; eu sinto necessidade de abandonar por algum tempo o meio civilizado da nossa terra: assim ou aspiro os sertões desertos ou as grandes capitais estrangeiras – hei-de seguir para um destes destinos daqui a alguns meses[20].

Ou, fazendo a balança pender para o lado da Europa, o que é raríssimo, e nem se referindo ao outro pólo:

> Felizmente – o meu pai pretende seguir comigo em março para a Europa e lá, graças à minha índole exagerada de fetichista, doido pelos modernos prodígios de civilização, talvez eu me esqueça um pouco do triste rebaixamento em que caiu esta nossa pátria – entregue inteiramente às insânias dos caudilhos eleitorais e ao maquiavelismo grosseiro de uma política que é toda ela uma conspiração contra o futuro de uma nacionalidade...[21]

Nesse mesmo diapasão voltaria à carga pouco depois: "...tenho, em perspectiva, no futuro uma viagem à Europa com o meu pai..."[22]

Mas a almejada viagem à Europa nunca ocorreu e se desvaneceria mesmo no plano da fantasia, só reaparecendo bem depois da publicação de *Os sertões,* quando as ambições de Euclides mudaram um pouco de direção; em todo caso, jamais se concretizaria. Euclides forma entre aqueles escritores brasileiros, como Machado de Assis, Mário de Andrade e Carlos Drummond de Andrade (do qual consta ter feito uma única visita a Buenos Aires, assim mesmo para ver a filha), para só citar três dentre os de maior vulto, que nunca deixaram o país, mesmo levando em conta que Mário, em sua viagem à Amazônia, relatada em *O turista aprendiz,* afinal atravessou duas fronteiras, assim como Euclides outra, naquela região, quando da comissão de reconhecimento do Alto Purus. As razões que fornece em carta a

José Veríssimo – "...anelo de revelar os prodígios da nossa terra" –, cujo empenho junto ao barão do Rio Branco solicita para conseguir-lhe a nomeação, lembram as da criança de Baudelaire, maravilhada antes as paragens aventurosas e os topônimos forasteiros: "Para mim esse seguir para Mato Grosso, ou para o Acre, ou para o Alto Juruá, ou para as ribas extremas do Maú, é um meio admirável de ampliar a vida, o de torná-la útil e talvez brilhantíssima. Sei que farei muito"[23].

Inclusive numa única carta dirigida à sogra, em que extravasa rancores contra intrigas domésticas que lhe teriam sido armadas pelo cunhado Adroaldo Solon Ribeiro, a quem apoda de "beleguim", entre os motivos que invoca, acrescentando-os a seu pedido de que o deixem em paz, está expresso o anseio de escapar para o interior:

> Depois da triste desilusão que sofri, só tenho uma ambição: afastarme, perder-me na obscuridade a mais profunda e fazer todo o possível para que os que tanto me magoam esqueçam-me, como eu os esqueço. Quando se terminar a agitação da nossa terra eu realizarei ainda melhor este objetivo, procurando um recanto qualquer dos nossos sertões. É uma coisa deliberada, visto como convenci-me afinal que a dignidade e toda a sensibilidade, mesmo dos que vivem constantemente ocupados da própria honra, são, na nossa sociedade, coisas perigosas, que levam ao martírio[24].

Afora isso, são freqüentes as menções ao nomadismo a que sua profissão obriga, referindo-se a seu lar mais de uma vez como "tenda árabe", a si mesmo como "peregrino" e a sua vida como "peregrinação", ao seu ofício como a uma "engenharia errante" ou "andante", entregando-se a observações como esta, reveladoras de seu futuro: "Se o mau estado de saúde continuar tomarei outra vez o velho cajado de peregrino e procurarei outras terras. É destino. Às vezes, chego a acreditar que tenho a vida mais incômoda ainda que a de Ashverus – porque afinal aquele pobre diabo não tinha mulher e filhos"[25].

O tema da viagem enquanto evasão, tão importante na obra de um *globe-trotter* do naipe de Oswald de Andrade (ou, a propósito, na de Sousândrade), conforme vimos em análise de Antonio Candido[26], encontra em Euclides uma variante mais concorde com a tópica tradicional do *fugere urbem*[27], a qual deve ser desligada da continuação do verso de Virgílio – *et vivere in aurea mediocritate** –, porque esta parte nada tem a ver com seus ideais. Estes, ao contrário, como na supracitada carta a Veríssimo, aspiram a uma vida, além de útil, "brilhantíssima", consistindo num desejo permanentemente manifestado em vários tipos de escrito, bem como na atuação pessoal. Os sertões vêm a ser para ele um misto de Pasárgada espartana e Ilhas Afortunadas, lugar da plenitude, da realização pessoal e do exercício das virtudes viris, removido da urbana Sodoma. Esta se encarnava na única cidade digna desse nome no Brasil de então, em que mesmo São Paulo mal atingia os 200 mil habitantes, e que era a capital, Rio de Janeiro, onde os desmandos dos novos donos do poder eram ostensivos.

A utopia coincide, historicamente, com o vasto movimento de corrupção desenfreada que se seguiu à proclamação da República, quando, como já assinalou Caio Prado Jr.[28], ganhar dinheiro de qualquer jeito tornou-se objetivo geral e sem camuflagem. De observações sobre esse processo a epistolografia de Euclides está cheia. Em certo momento, até cômico, o escritor perversamente faz votos de que a restauração monárquica ganhe a parada, só para voltar aos bons tempos em que os republicanos eram poucos, mas para valer:

> A História tem também seus absurdos; talvez tenhamos que lhe fornecer mais um. Confesso-vos que a coisa será interessante e – por que não levar ao extremo a confissão? – asseguro-vos que intensa curiosidade dá-me alguma vontade de que o absurdo se realize. Tenho saudades daquela minoria altiva anterior ao 15 de novembro... há tanto republicano hoje... Para mim Restauração teria o valor de fazer ressurgir a legião sagrada mais enérgica e mais orientada, capaz de vencer com mais dignidade e com mais brilho. Com certeza, porém, esta linguagem não está agradando ao meu digno amigo e torno a outro assunto[29].

* "e viver numa mediocridade dourada".

Está quase deixando o Exército, reformando-se em 1896 enquanto passa a exercer a engenharia nas obras públicas do Estado de São Paulo, o que significava morar em cidades pequenas – São José do Rio Pardo, Lorena e depois Guarujá – e viajar incessantemente, de trem e a cavalo, ausentando-se dos confortos do lar e expondo-se às intempéries por longos períodos. Um ano antes, voltara a bater na mesma tecla, declarando-se "quase engenheiro – graças às peregrinações pelo sertão e a um trabalho intensivo de três meses"[30]. Não era infenso à prática da lucidez autocrítica, pois na mesma carta faz o comentário geral sobre esses impulsos: "Sou incorrigível, meu caro João Luís: não sei quando acabarei de iniciar e destruir carreiras" – o que faria sem cessar, até a morte.

Namoros com a política

I have it in me so much nearer home
To scare myself with my own desert places.

Robert Frost, *Desert places**

Dentre as carreiras malogradas estão a política e o magistério, ambas alvo de tentativas de sedentarização do nômade contumaz. Não foi, embora o quisesse, deputado constituinte estadual paulista, o que parece tê-lo magoado profundamente, como mostra uma carta de 1900 a seu particular amigo Reinaldo Porchat, que ele sim foi para a chapa da Comissão Central. Estimulado pelos republicanos paulistas e especialmente pela confraria do jornal *O Estado de S.Paulo*, teve seu nome adiantado, mas preterido, para uma indicação a candidato. O autor da sugestão foi Júlio Mesquita, porém o projeto não foi avante. Ao cumprimentar o amigo incluído na chapa, Euclides não esconde seu desengano:

* "Eu tenho isto em mim tão entranhado/ Para assustar-me com meus próprios lugares desertos." (Robert Frost, *Lugares desertos*)

> Sinto singular consolo no próprio travor do desapontamento que me estonteou. E relendo a carta que me noticia o desabamento de uma meia dúzia de aspirações sinto amargas delícias de um penitente sofredor e tenaz [...] Adeus. Não vá acreditar que há desalentos nestas palavras. Não sei porque, mas sinto-me hoje maior – não sendo coisa alguma – e é com amor nunca sentido que me volto para minha engenharia rude e obscura, à qual me abraçarei definitivamente, entregando-me doravante, de todo, às suas fórmulas áridas, positivas, inflexíveis[31].

As palavras ressumam suscetibilidades arranhadas e, embora seja arriscado tomar como base meras lacunas que poderão vir a ser supridas ao se acharem outros materiais, o fato é que a correspondência regular com Porchat cessa a partir dessa data, para só ser retomada anos depois. E assim mesmo apenas num cartão para anunciar a partida para o Alto Purus, quatro anos depois quase dia a dia, com data de 10 de dezembro de 1904. É difícil avaliar se houve ou não algum extravio nesse período, pois o missivista se desculpa por não ter escrito "nos últimos tempos", sem precisar os limites do lapso decorrido. E é engraçado notar que as poucas linhas de despedida terminam pedindo que o destinatário escreva para o novo endereço em Manaus, mas na realidade não fornecendo endereço algum afora o altissonante título de "Chefe da Comissão de Reconhecimento do Alto Purus/Manaus"[32]. Posteriores a essa, só se conhecem mais três cartas ao amigo.

A importância da carta de 1900 é que ela vem corroborar uma outra cuidando desse assunto, várias vezes posta em dúvida. Trata-se da única dirigida a Júlio Mesquita, ela mesma de inconfundível autoria, estampada por Coelho Neto no *Livro de prata* e dada como encontrada em rascunho. Nela Euclides agradece ao destinatário a indicação[33]. Lá está, bem claro, "um lugar no próximo Congresso Constituinte do Estado". Outra confirmação ocorre anos depois, quando Euclides escreve ao pai sem esconder como esse fracasso o marcou, ao comentar que Júlio Mesquita lembrara publicamente o episódio em efeméride no Rio de Janeiro:

Chegou o Mesquita, que volta para São Paulo num quase triunfo. Fui receber o velho amigo a quem verdadeiramente estimo. Assisti ao banquete no Pascoal, onde houve um incidente que lhe devo comunicar: num brinde final, o Mesquita declarou, e todos o ouviram, que o que mais lamentava (recordando-se dos tempos de sua influência política) era não me ter feito deputado por São Paulo./ É talvez a minha candidatura... no futuro./ Mas não penso nisto; não rebaixo com sentimentos interesseiros as minhas velhas amizades[34].

Esse foi o primeiro episódio. O segundo, que o próprio Euclides chamou de "nosso romance eleitoral" em carta a Escobar[35], foi estudado por Olímpio de Souza Andrade em trabalho que retomou a expressão em seu título e constitui capítulo, publicado em *O Estado de S.Paulo,* de seu livro ainda inédito, "Euclides depois de *Os sertões*"[36]. Neste caso, foi seu grande amigo e correspondente maior Francisco Escobar, tarimbado político, quem tentou fazê-lo deputado federal por Camanducaia (também chamada Jaguari), Minas Gerais, onde ele próprio vivia à época. Depois de muitas e demoradas gestões, com Euclides sempre prometendo que iria até lá para se apresentar a seus eleitores, mas nunca chegando de fato a fazê-lo, e após uma longa e entusiástica missiva devaneando sobre sua futura atuação legislativa[37], uma última carta sobre o assunto mostra um Euclides decidido à renúncia. Após um encontro entre ambos em São Paulo no fim de abril (documentado por um cartão enviado a Escobar aprazando dia e local, datado de 23 de abril de 1908[38]), apresenta como razões as seguintes:

...abandonar de vez qualquer idéia de minha candidatura revolucionária. Ser deputado nesta terra é hoje uma profissão qualquer – para a qual decididamente não me preparei. Os homens repelem, com razão, o intruso. Além disto, absolutamente não desejo que te sacrifiques numa atitude rebelde – sobretudo considerando que será – fatalmente – um sacrifício inútil./ Sinto-me bem na minha posição – e seria para mim deplorável que os nossos grotescos *pais da pátria* imaginassem que eu invejo a deles[39].

A explicação habitual para a alusão ao "intruso" é a de que teriam sido levantadas objeções ao fato de Euclides não ser mineiro nem sequer residir naquele Estado.

Entre ambos os episódios, e mostrando reiterado empenho em aproveitar os talentos do amigo para a política, situa-se uma proposta de Escobar – que, naquele momento, estava em alta na vida pública? – a Euclides para que seja ministro da Viação (não estava nada longe de sua vida profissional), de que temos conhecimento pela resposta bem-humorada que Euclides lhe dá:

> Pilhérico sonho, o teu... Ministro! Ministro da Viação este teu pobre amigo! Só mesmo em sonhos.../ Mas queres saber de uma coisa? Prefiro ser realmente ministro nos breves minutos de um sonho, ocupando a imaginação de um amigo, do que o ser, de fato, nesta terra onde não há mais altas e baixas posições... Minado tudo[40].

Namoros com o magistério

...Ceux qu'un rêve conduit
Deviennent rêve eux mêmes...

Victor Hugo, *Une autre voix III – Dieu**

Quanto ao magistério, Euclides frustrara-se sucessivamente ao tentar atuar na Escola Militar do Rio Grande do Sul, na Politécnica paulista e no ginásio de Campanha. O que conseguiria afinal no Colégio Pedro II (ou Ginásio Nacional) semanas antes de morrer, após mal contado concurso em que Farias Brito tiraria o primeiro lugar, mas Euclides, graças ao empenho de amigos poderosos, seria nomeado[41]. Ao episódio nosso autor se referiu como "o mais atra-

* "Aqueles que um sonho conduz/ Tornam-se sonho eles mesmos..." (Victor Hugo, *Uma outra voz III - Deus*)

palhado, confuso, inconseqüente dos concursos". Acrescentando a zombaria: "Não fosse ele um concurso de Lógica!..."[42]

Numa das primeiras cartas que restaram de sua correspondência, dirigida a um amigo no Rio Grande do Sul, Euclides conta estar cuidando de conseguir um cargo na Escola Militar daquele Estado: "Fico igualmente inteirado acerca do que me dizes sobre o lugar na Escola – e espero nesse sentido respostas tuas, já que o Odilon te afirmou não haver dúvida sobre a minha entrada – espero que isto se dê em breve"[43]. O assunto volta à baila no ano seguinte:

> Sobretudo de esperanças estou eu cheio a arrebentar: tenho, em perspectiva, no futuro uma viagem à Europa com o meu pai e um concurso para lente substituto de Sociologia na Escola do Sul. São estas as duas empresas que tenho agora em frente e queiram os deuses que elas não tenham o destino comum das minhas aspirações, que não se anulem ou extingam[44].

Enquanto isso, dava aulas na Escola Militar da Praia Vermelha, no Rio, em 1892, conforme relata em várias passagens: "Volto da Escola; as minhas aulas são nas segundas, quartas e sextas e dei hoje a minha primeira lição, acerca da qual nada te direi, como parte que sou altamente suspeita"[45]. Ou então: "Passo agora uma existência soberanamente monótona, uma vida marcada a relógio, mecânica e automática, como de uma máquina, oscilando indefinidamente, sem variantes, de casa para a Escola e da Escola para casa..."[46] – mas já prevendo que não agüentará tal rotina por muito tempo. E ainda: "Continuo na missão inglória, na triste e monótona e profundamente insípida missão de pedagogo; já agora levarei essa cruz até o fim do ano: entretanto afirmam que dou às vezes boas lições"[47]. Nesse período, assinala que encerrara o ano letivo: "Não respondi de pronto a tua última carta porque somente ontem terminei definitivamente a minha tarefa deste ano, com o último exame de Astronomia, ciência que, à última hora, tive que examinar na Escola"[48].

Suas pretensões à Politécnica paulista[49], devidamente precedidas de dois artigos de igual título ("Instituto Politécnico"[50]), publicados em *O Estado de*

S.Paulo de 24 de maio e 1º de junho de 1892, em que profere críticas da maior gravidade aos estatutos de criação dessa escola, surgem na epistolografia primeiro como alusão a uma futura candidatura. Ao que parece, é a isso que se refere quando escreve: "...a tua carta encontrou-me rodeado de livros, encontrou-me estudando para um concurso, encontrou-me meditando sobre a melhor maneira de desenvolver uma tese..."[51] Melhor se explicara anteriormente:

> Soube aqui [no Rio] que se acha em plena organização a Escola de Engenharia daí [de São Paulo]. Imediatamente lembrei-me de uma aspiração antiga: abandonar uma farda demasiadamente pesada para os meus ombros e passar a vida numa função mais tranqüila, mais fecunda e mais nobilitadora. Oferece-se-me este emprego agora. Lembrei-me que forçosamente haverá nessa Escola a cadeira de Astronomia, ciência à qual me tenho aplicado muitíssimo ultimamente, freqüentando assiduamente o Observatório Astronômico. À vista disto procurei logo conversar com o Mesquita, Álvaro de Carvalho e outros paulistas que aqui estão e foram todos acordes em que eu devia preferir um lugar de lente aí a persistir numa carreira incompatível com o meu gênio[52].

Todavia, como se verifica pela leitura daqueles dois artigos, um dos alvos do ataque de Euclides aos estatutos seria justamente a ausência de uma cadeira de Astronomia, contra o que ele protesta com veemência. De qualquer modo, os trâmites não resultaram, como refere em outra ocasião:

> ...caiu, como uma pedrada, uma decepção: o meu lugar na Escola de Engenharia daí, parece que foi ocupado por outro mais apto; apesar do interesse decidido de amigos influentes como o Mesquita e outros. Apareceu entre os concorrentes cópia tal de aptidões provadas, que eu tive de ficar na penumbra./ Dou os meus sinceros parabéns a São Paulo./ Felizmente não me fecharam a porta, restam algumas cadeiras que se devem preencher por concurso e se não entrei agora, como cavalheiro, levado de-

licadamente pela mão de um amigo, hei-de lá entrar amanhã, só – sem apresentações – e sentar-me numa cadeira... sem que ninguém a ofereça[53].

A decepção ainda renderia bastante: "Não foste então nomeado para a 2ª promotoria daí... E tiveste o magnífico orgulho de não te queixares; admiravelmente. Como não me poupo a esforços para seguir os bons exemplos, sigo mais uma vez um dos teus – nada te responderei acerca de tal coisa"[54]. Mas não resiste e logo depois volta à carga:

> Sobre o que dissestе acerca da Escola de Engenharia daí, estou de completo acordo; felizmente deixaste transparecer a convicção na minha perfeita indiferença ante uma aspiração abortada. Mediste bem a altitude dos concorrentes felizes – entre os quais um, um só, bruxuleia tenuíssima luz. Não falemos porém desta questão mexida e sem interesse[55].

Anos depois toca outra vez no assunto, dizendo estar às voltas com o estudo da Mineralogia e mostrando que o propósito persiste:

> Comecei, com todo o afinco, a estudar para um próximo concurso (ao qual ainda não renunciei); no fim quase de um mês, porém, começou a dar-se o seguinte: o cidadão A, cheio de íntima convicção, baseado em anteriores exemplos, fatos passados com outros, afirmava-me que isto de concurso em S. Paulo não valia nada, sendo invariavelmente nomeada *persona grata* do governo, citando-se mesmo o fato recente da anulação de um concurso pelo fato de ter má colocação cidadão favorecido pelo apoio oficial. Logo após o cidadão B, confidencialmente, fazia alusão à minha seita positivista (eu, positivista!) e à birra especial de algumas influências pelos que a professam. / O cidadão C lembrava-me artigos meus, de 92, no *Estado,* em que combati energicamente a maneira pela qual foi organizada a Escola etc. Um outro comunicava-me a existência de terrível adversário, um dos primeiros geólogos do Brasil, discípulo e braço direito de Gorceix etc, etc.[56].

Mas dias depois já tinha mudado de idéia: "Para dar notícias nossas – devo começar dizendo que sou obrigado, talvez, a encetar nova vida de peregrinação. Tinha estabelecido definitivamente um objetivo – permanecer aqui e concorrer breve a uma cadeira na Escola de Engenharia"[57], aduzindo para tanto razões de ordem pessoal, como a saúde da esposa, incompatível com o clima de São Paulo. Entretanto, se atentarmos para as datas das cartas e dos artigos, inferiremos que Euclides gastou 12 anos tentando conseguir um lugar no corpo docente daquela casa. Com efeito, é em 1904 que a congregação da escola se reúne – após ter optado pela nomeação em detrimento do concurso – para votar os nomes dos candidados, e em todos os sufrágios Euclides não obteve mais que *um* voto[58]. A partir daí, desistiria da candidatura.

Também sondaria a possibilidade de voltar a Campanha, em Minas Gerais, para dar aulas num ginásio a ser fundado:

> Será grande felicidade para mim se por acaso fosse avante a criação do Ginásio daí [de Campanha]; eu seguiria então para o meio dos meus bons amigos e descansado, num clima sem ciladas, poderia talvez encetar a felicidade de uma existência perfeitamente tranqüila e dedicada ao estudo. Quer isto dizer que se por acaso estabelecer-se aí aquela instituição de ensino e se o senhor e os amigos daí julgarem que eu possa servir nela para alguma coisa, em qualquer lugar e posição que seja, estarei pronto a seguir para aí. Estou convencido de que, no atual momento histórico (e não sei por quanto tempo se prolongará ele) nos centros agitados, é impossível a eficácia de qualquer esforço consciente, e os que não se adaptam à desordem ambiente permanecem incompreendidos, seguindo difícil e esterilmente a linha reta que em má hora traçaram[59].

Fazendo menção à punição implícita em sua transferência formal do Rio para aquela remota cidadezinha – após as duas cartas abertas que escreveu à *Ga-*

zeta de Notícias protestando contra os intentos, aliás depois concretizados, de execução sem julgamento dos presos da Revolta da Armada, em 1894, em plena ditadura Floriano Peixoto –, observaria a outro amigo:

> Este dia 28 de abril tem ainda para mim a qualidade de recordar a minha chegada nesta formosa Campanha, aonde fui parar bruscamente, deixando o seio impuro de uma velha capital em desordem pela sociedade mais nobre do sertão. O meu digno amigo, certo, recordar-se-á que as circunstâncias tornaram-no o primeiro amparo de quem aí foi parar com a lúgubre tristeza de sentir-se exilado dentro da sua própria terra...[60]

Nessa fase de definição profissional, enquanto pondera diferentes soluções e hesita entre elas, passa um período tentando ser roceiro, mas também não se adaptaria, como se pode acompanhar no epistolário de maio a agosto de 1895 oriundo de Belém do Descalvado, onde ficava a fazendola do pai. Cogita igualmente em praticar a engenharia na Bahia, escrevendo ao sogro que lá se encontra: "Às vezes penso em ir para aí, como engenheiro civil, numa comissão mais ou menos estável, que me faculte reformar-me sem medo. Talvez o senhor pudesse conseguir isto com alguma influência política daí"[61].

Bem mais tarde, já famoso, mesmo após a publicação de *Os sertões* não desdenharia da quimera desbravadora ao começar a preparar sua candidatura à missão de reconhecimento do Alto Purus: "Alimento há dias o sonho de um passeio ao Acre. Mas não vejo como realizá-lo. Nestas terras, para tudo faz-se mister o pedido e o empenho, duas coisas que me repugnam. Elimino por isto a aspiração – é que talvez pudesse prestar alguns serviços"[62]. Mas bem antes disso ingressaria de corpo presente no perímetro de seus devaneios tendo por ímã a Guerra de Canudos, para onde seguiria como enviado especial de *O Estado de S.Paulo* em 1897 e como adido ao estado-maior do ministro da Guerra. Apesar de já estar reformado do Exército à altura, obteria este posto mediante pedido pessoal de Júlio Mesquita ao presidente da República, Prudente de Morais[63].

A viagem e o espaço, temas correlados

Je suis le piéton de la grande route par les bois nains

Rimbaud, *Enfance**

Dois temas correlatos dominam a obra de três escritores da virada do século XX: o espaço sem limites, seja ele oceano, deserto ou sertão; e a movimentação por esse espaço. Os escritores são Joseph Conrad, T.E. Lawrence e Euclides da Cunha, embora os perímetros de sua predileção sejam diversos. Bardos da amplidão, Conrad estará para sempre associado ao mar, Lawrence ao deserto e Euclides ao sertão. A associação talvez não seja injusta nem descabida, quando se considera que os três falavam da experiência mais pujante de suas vidas, que foi a experiência de certo recorte geográfico. As circunstâncias poderiam ter operado de outra maneira e esse recorte ser somente uma edificação do imaginário, como foi para tantos que apenas o fantasiaram, e tal é o caso de Jules Verne. O que sem dúvida foi igualmente para eles, ou não teria rendido as obras literárias que ora lemos.

Mas constituem os capítulos mais marcantes da biografia de cada um, mesmo que as modalidades da escrita sejam divergentes. O único francamente autobiográfico é Lawrence, que escreve em primeira pessoa: sem disfarces, é ele o protagonista de seu livro. Para Euclides, tal é a idealização a que submete seu papel na História, e tal sua preocupação com a objetividade científica, que sua participação nos eventos narrados pouco aparece. Em contrapartida, agiganta-se o papel visionário que *não* teve nos acontecimentos, mas que reivindica no momento de escrever um "livro vingador" que faça justiça, mesmo que a *posteriori*, aos canudenses imolados no altar da modernização, em nome de falsas concepções. E Conrad está escrevendo ficção, ou seja, contos e romances coalhados de personagens. No entanto, todos os três trabalharam materiais ambiciosos.

* "Eu sou o pedestre da estrada principal pelos bosques anões" (Rimbaud, *Infância)*.

O tema da viagem é inseparável da tópica do espaço, pois os itinerários se perfazem enquanto deslocamento através da terra, dos ares, do mar. É de Thesiger, andejo das vastidões áridas da África, onde perambulou por 25 anos, a observação de que a travessia cria o eixo de um horizonte circular que se desloca sem cessar[64].

São muitos os escritores dublês de exploradores que se lançam ao desconhecido, esporeados por algum demônio recôndito. Já se observou, e não poucas vezes, que a aventura exterior se desdobra na aventura interior. Bachelard, ao estudar em vários livros a "imaginação dos quatro elementos" – terra, água, ar e fogo –, chamou a atenção para a vontade de dominação ao dizer, ecoando Thesiger, que "o nômade se desloca, mas está sempre no *centro* do deserto. [...] Dando volta ao horizonte, o sonhador toma posse de toda a terra. *Domina* o universo [...] Assim, uma espécie de onirismo panorâmico responde à contemplação da paisagem, cuja profundidade e extensão parecem chamar os sonhos do ilimitado"[65].

Ao ver-se a braços com a imensidão, alguns escritores se especializaram. Afora o oceano, o deserto e o sertão, os descampados de gelo da calota polar tornaram-se feudo de Jack London, outro coevo, autor de *O apelo da selva* (*Call of the wild*, 1903) e de *Caninos brancos (White fang*, 1906). Tampouco escaparia ao fascínio do "salso elemento", como rezam as traduções homéricas, escrevendo *O lobo do mar* (*The sea wolf*, 1904), título alusivo ao protagonista, o capitão Wolf Larsen. Suas façanhas de aventureiro, ou de certo tipo de aventureiro-escritor, como mais tarde seria Hemingway, teriam voga num período em que ainda pesava a noção, herdada do romantismo, de um destino à parte para o artista: um tanto de eleito pelo destino em cuja fronte resplandecia uma estrela, um tanto de maldito, de boêmio, de antiburguês.

No caso de Conrad, a existência aventurosa precedeu a de escritor. São etapas que se sucedem, com uma fratura absoluta: mas uma é matéria da outra. O mesmo se passa com T.E. Lawrence, outro estilista, celebrado pelo inglês culto – o *King's english* – que maneja com maestria digna de um fruto talentoso de Oxford e Cambridge. Os três escritores dão sinais de uma relação especial com o imperialismo finissecular, que condiciona suas vidas e suas obras. A percepção agônica e antitriunfalista que expressam é que dá a garra acerba ao que escreveram. Todos os três são arautos dilacerados do colonialismo e de seu corolário, o genocídio, que, além de testemunhar, deploraram.

A busca de valores autênticos em outras sociedades e culturas, já que o Ocidente estaria exaurido e nada mais ofereceria, parte de impulso semelhante ao que originou a verdadeira epítome desse filão que é *The waste land,* de T.S. Eliot, de 1922. Subseqüente ao desengano causado pela recaída na barbárie que foi a Primeira Guerra Mundial, o poema acusa a civilização ocidental de falta de vitalidade e de valores espirituais. À míngua de algo que lhe dê sustento contra o materialismo ou abrigo ante a degradação de um mundo desencantado, a civilização soçobra. Em contraste com a grandiloqüência da visão, imagens de futilidade enfatizam a abjeção da vida moderna (*She smooths her hair with automatic hand/ And puts a record on the gramophone*).* Tudo é vão, tudo é estéril. Em paralelo, o rei do qual depende a ordem cósmica, ora impotente, perdeu a capacidade de fecundar e não mais comanda a ressurreição anual da primavera (*April is the cruellest month**),* de modo que as searas não medram, a flora não frutifica, os rebanhos não se reproduzem, as mulheres não engravidam. Simboliza o processo a seca, desencadeada pela estiagem.

Há traços em comum entre os três prosadores aqui estudados. Primeiro, a demanda de arenas propícias ao heroísmo, às provações do corpo e da alma. Segundo, a percepção da sociedade desse espaço como melhor que a outra, da qual provêm. E, terceiro, a idealização do coletivo.

Faz-se presente o sentimento da camaradagem viril ante tarefas hercúleas, no enfrentamento de forças externas e internas. As externas são representadas pelos fenômenos naturais e pelo inimigo humano. As internas, mais que forças, são fraquezas, sob a forma de fome, frio, medo, músculos insuficientes, exaustão. Na imensidão, apenas uma fração de segundo, um átimo, separa a vida da morte. Ou, pior ainda, da desonra, como bem sabe o leitor de Conrad.

* "Ela a mão deita aos cabelos em automático gesto/ E põe um disco na vitrola" (T. S. Eliot, "A terra desolada")

** "Abril é o mais cruel dos meses"

Tais escritores se sentem bem no androceu constituído pela coletividade com que aí deparam. A apropriação do espaço, em princípio hostil ou refratário e demasiadamente "natureza", exige *homens* – mesmo tendo de permeio o homoerotismo, como se dá com Lawrence. Nos três verifica-se a oposição entre duas sociedades, aparecendo a marítima para Conrad, a dos beduínos para Lawrence, a sertaneja para Euclides, como o lugar de todas as virtudes, em contraste com a urbana, onde a deterioração predomina. Para Euclides a cidade é Sodoma, sede do vício e da degradação, da valorização do dinheiro, da corrupção, da troca mercantil generalizada. Ninguém ignora que "o sertanejo é antes de tudo um forte", preservado que foi pelo isolamento – dádiva de um meio inclemente – do "raquitismo exaustivo dos mestiços neurastênicos do litoral".

T.E. Lawrence e o imaginário do deserto

Tu franchis avec lui déserts, cimes chenues
Des vieux monts, et les mers, et, par delà les nues,
De sombres régions;
Et mille impurs esprits que ta course réveille,
Autour du voyageur, insolente merveille,
Pressent leurs légions.

Victor Hugo, "Mazeppa", *Orientales**

O imaginário do deserto não escapa às associações bíblicas[66]. Povo do deserto, egresso do deserto, circundado pelo deserto, aquele que escreveu a *Bíblia* deixou no texto a cicatriz da origem. A começar pelo território calcinado que foi obrigado a percorrer, no Êxodo, ao evadir-se do exílio no Egito – a casa da servidão – para ganhar a liberdade e a terra prometida. Jeová, que mora no deserto, na solidão, longe de todo agrupamento, guia a jornada dos filhos de Is-

* "Tu ultrapassas com ele desertos, cimos cobertos de neve/ Velhos montes, e os mares, e, para além das nuvens,/ Sombrias regiões;/ E mil impuros espíritos, que tua cavalgada desperta,/ Em torno do viajante, insolente maravilha,/ Concentram suas legiões." (Victor Hugo, "Mazeppa", *Orientais)*

rael rumo a Canaã, revestindo a forma de uma coluna de nuvens durante o dia e de uma coluna de fogo durante a noite. Na desolação do Sinai, ao fim do trajeto, Jeová entrega a Moisés os dez mandamentos e ordena que as tábuas da lei em que estão gravados sejam preservadas dentro da arca da Aliança, e esta dentro do tabernáculo, até que repouse no futuro templo, em Jerusalém. Tudo isso é narrado minuciosamente, com as especificações e medidas, no Livro do Êxodo. No entanto, a idolatria ao bezerro de ouro vai magoar Jeová e acarretar o castigo. Como diz o salmista: "Quantas vezes o provocaram no deserto, e o ofenderam na solidão!" (*Salmos*, 78, 40). O povo eleito vagueará perto de 40 anos pelos descampados, em penitência, antes de merecer a terra prometida.

O deserto é, portanto, o lugar onde se sela o pacto com a divindade. É no deserto que Deus fala e o homem pode ouvir sua voz. Por isso atraía profetas nos tempos do Velho Testamento e anacoretas no cristianismo primitivo, seres vocacionados para um recolhimento propício ao silêncio, caixa de ressonância para a voz de Deus.

Em diferentes instâncias, tanto no Velho quanto no Novo Testamento, profetas como Elias, Isaías, João Batista, ou então o próprio Jesus Cristo, demandaram o deserto. Mais tarde Maomé proviria igualmente dali, revelando a palavra divina a outro povo do *Livro*, o Islã. É usual que as religiões comecem por um "afastamento", nos termos de Propp[67], a exemplo da expulsão do Jardim do Éden, ou então por uma viagem iniciática. O Islã também: o ano zero da era muçulmana é até hoje referido à Hégira (fuga, êxodo, emigração) em 622 a. C., quando Maomé escapou de Meca para Medina com seus sequazes; assim como Jesus Cristo nasceu no roteiro da fuga para o Egito, para precaver-se da matança dos inocentes ordenada por Herodes. E fora naqueles recantos, no isolamento em que vivia, nutrindo-se de mel e gafanhotos, que João Batista ouvira a revelação de que seria o anunciador do Messias.

Por isso, Deus costumava falar ao povo eleito utilizando metáforas extraídas do deserto e de suas práticas de pastoreio[68], urdindo parábolas, de que Jesus Cristo também se serve, chamando seus filhos de ovelhas e dispondo-se a acolhê-los em seu redil. É o procedimento poético de Davi nos *Salmos*, inclusive no mais difundido deles, o Salmo 23, ao cantar: "O Senhor é meu pastor; nada me faltará. Deitar-me faz em verdes pastos. Guia-me mansamente a águas tranqüilas. [...] A tua vara e o teu cajado me consolam".

Isaías, um dos quatro profetas maiores, refugiado no deserto – onde tantos foram parar, salvando-se da perseguição movida pelos reis e por outros poderosos cuja iniqüidade denunciavam –, veicula a voz de Jeová, vaticinando que, com a vinda do Messias, "o deserto e os lugares secos se alegrarão; e o ermo exultará e florescerá como a rosa" (*Isaías,* 35, 1). E transmite a promessa do mesmo Deus que tirara água da rocha para desalterar o povo eleito, no Êxodo, de que "águas arrebentarão no deserto e ribeiros no ermo" (*Isaías,* 35, 6). Prediz que a "terra horrível" (*Isaías,* 21, 1), o "ermo solitário cheio de uivos" (Deuteronômio 32:10) onde Jeová foi buscar seus filhos – "esse povo que formei para mim, para que me desse louvor" (*Isaías,* 43, 21) –, desabrochará quando o Messias vier.

A aridez acolhia banidos, como no episódio de Hagar e Ismael, quando este filho de Abraão com escrava foi enviado para o exílio (*Gênesis,* 21), sob a proteção de Jeová, que lhe prometeu frutificar sua semente em 12 príncipes e uma grande nação, contanto que não disputasse a legitimidade da linhagem direta de Isaac. Tal território, portanto, também serviu, mais de uma vez, como santuário para os desvalidos, à semelhança de um Deus iracundo às voltas com a impiedade de seus filhos, ao procurar ali abrigo de onde invectivar os homens. A esta função aludem os versos de Victor Hugo do poema "Última verba", dos *Châtiments*:

Quand le désert, où Dieu contre l'homme proteste,
Bannirait les bannis, chasserait les chassés... *

Mas as mesmas paragens também são morada do Grande Adversário. Jesus Cristo para ali foi levado pelo Espírito, vivendo entre as feras e sendo servido por anjos, para ser posto à prova pelo Diabo, após 40 dias e 40 noites de jejum. Satanás tenta-o três vezes. Na primeira, capcioso, pede-lhe um milagre, o

* "Ainda que o deserto, onde Deus contra o homem protesta,/ Banisse os banidos, expulsasse os expulsos..."

de transformar pedras em pães para saciar sua fome. A resposta de Cristo reboará pelos séculos afora: "Nem só de pão vive o homem, mas de toda palavra que sai da boca de Deus" (*Lucas* 4, 4). Na segunda, ordena-lhe atirar-se do alto do templo, que os anjos o apararão e atalharão sua queda, se for mesmo o filho de Deus. Na terceira, oferece-lhe o mundo inteiro em troca de apostasia. É o que conta Mateus, o evangelista, citando-o: "Tudo isto te darei, se prostrado me adorares" (*Mateus,* 4, 9). Repudiado, o Diabo perde a parada para Jesus Cristo. De modo similar, outras fontes, não bíblicas, como Marco Polo e Ibn Battuta[69], dão tais lugares como habitados por demônios, que ali estão para extraviar os transeuntes mediante visagens e falsas aparências, precipitando-os no desastre.

Com tantas implicações, não é de admirar que um erudito orientalista como T.E. Lawrence tenha cedido ao fascínio dessas plagas. E ele próprio, ao se metamorfosear em Lawrence da Arábia, cativou, e continua cativando, as imaginações. Com formação de historiador em Oxford e Cambridge, entregou-se inicialmente a pesquisas arqueológicas no Oriente Médio. Apesar da vocação para *scholar* – mais tarde traduziria a *Odisséia* –, seria apanhado pela Primeira Guerra Mundial e, engajando-se no serviço secreto, viu-se encarregado de fomentar a rebelião árabe contra o império otomano, já que a Turquia era no momento aliada da Alemanha e adversária da Inglaterra.

Vestido de beduíno e adotando táticas de guerrilha – o verbete *guerrilla warfare,* da *Enciclopédia Britânica,* ostentou sua assinatura por muitas edições, pelo menos até a de 1958, aqui citada –, liderou os árabes em sua marcha vitoriosa, dinamitando trens e ferrovias para impedir a movimentação das tropas e o abastecimento turco, através do deserto até a Síria, cuja capital ocuparam, triunfantes em toda a linha. Mas a desunião entre tantas nações, etnias, tribos e estirpes prevaleceria, cuidadosamente fomentada pelas potências agora ocupantes, os novos senhores ingleses e franceses que substituíram os turcos, subjugando os árabes.

Lawrence – cujo nome foi decomposto e ressemantizado para *El Orens, o destruidor de trens* – não revelara a seus camaradas beduínos a condição de agente secreto. Convicto de que a Inglaterra traíra os árabes, não lhes dando a independência ao fim da guerra, terminaria desgostoso de seu próprio papel de espião. E isso apesar de seu sucesso e sua popularidade, pois aparecera nos jornais do mundo inteiro vestido em esvoaçantes albornozes, alvos e bordados a ouro, com uma adaga cravejada de pedrarias à cinta e comandando uma metralhadora – ícone que o cinema perpetuaria. Abandonaria tudo e voltaria ao país natal, adotando um nome falso e vivendo na obscuridade até a morte. Suas memórias constituem uma obra extraordinária, de uma qualidade literária invejável, cujo renome decorre não só das aventuras que narram mas também da opulência da linguagem que utilizam. Até hoje as biografias se multiplicam, tentando iluminar um pouco o perfil enigmático de um homem de tantas facetas.

Conforme relata em *The seven pillars of wisdom*[70], suas reminiscências desse período, tomou-se de amores pela vida no deserto e pelos homens que ali viviam. Também ele opinaria que duras condições de vida forjam pessoas melhores: "Sua força era a força de homens geograficamente além da tentação: a pobreza da Arábia fê-los simples, frugais, estóicos. Se forçados à vida civilizada, teriam sucumbido como qualquer raça selvagem a suas doenças, à mesquinharia, ao luxo, à crueldade, ao comércio desonesto, ao artifício; e, como selvagens, delas teriam padecido exageradamente por falta de inoculação"[71]. O que mostra pelo avesso seu vaticínio sobre o que aguarda a civilização. O livro é reputado igualmente por suas descrições do deserto e da vida que ali se leva, sem esquecer suas notáveis personagens árabes.

O marinheiro Conrad

Au seul souci de voyager
Outre une Inde splendide et trouble.

Mallarmé, *Hommages et tombeaux**

A trajetória de Conrad é rara[72]. Esse polonês que adotou a língua inglesa, depois de uma primeira fase em que foi profissional da Marinha Mercante

* "À única preocupação de viajar/ À parte uma Índia esplêndida e turva." (Mallarmé, *Homenagens e túmulos)*

da Inglaterra, atracou em terra firme e dedicou-se a escrever. Toda a sua obra teria por matéria as vivências do marinheiro, boa parte das quais nos confins da civilização, principalmente na Malásia, mas um pouco também na África.

Conservador por convicção e britânico por naturalização, quando a Inglaterra comandava o mundo e se vangloriava de constituir um império sobre o qual o sol nunca se punha, tal estatuto não o impediu de ser um arguto observador das situações de encontro de culturas e, especialmente, dos males que daí advêm. *O coração das trevas (The heart of darkness)* é o mais terrível de seus livros, até hoje insuperável na transfiguração dos horrores do imperialismo. Apesar de situar-se na África, levaria Francis Ford Coppola a adaptá-lo em *Apocalypse now* (1979), um filme sobre os americanos no Vietnã e as atrocidades que cometeram, ao lançar sobre um povo inerme o maior poderio bélico do planeta. Publicado em 1899 em folhetins, sairia em livro em 1902, juntamente com duas outras histórias.

Ao exotismo presente em Conrad, moda da época, deve-se creditar boa parte de seu sucesso entre os coevos; depois de passada a moda tem sido possível apreciar seu alcance, que ultrapassa esses limites. E não se confunde tampouco com o exotismo mais frívolo de seus contemporâneos, por exemplo de seu confrade francês Pierre Loti, que se travestia de beduíno para receber em seu pavilhão "à turca", em Rochefort.

Saída das mãos de um escritor refinado, a prosa de Conrad teve um papel incontornável no desenvolvimento do discurso indireto livre e do fluxo da consciência. Foi crucial o afeiçoamento do narrador Marlow, que conta os entrechos com certo viés, assim como a montagem de uma proliferação de pontos de vista, alguns até englobando o de Marlow. Desenrola-se uma técnica sofisticada, e cada vez mais sofisticada, do foco narrativo, que se relativiza e perde o eixo ao traçar um arco na língua inglesa que passa por Henry James, Conrad, James Joyce e Virginia Woolf até desembocar em Faulkner. Henry James praticava algo similar nesses tempos e teorizava em seus prefácios – tão interessantes que foram várias vezes publicados separadamente – a respeito da personagem "refletor", criação sua[73]. Com esse recurso, em vez de narrar a fábula diretamente, obtinha espessura através do ponto de vista de uma personagem secundária, que observava os protagonistas e os acontecimentos a partir de uma posição periférica, enquanto absorvia opiniões alheias.

Na obra de Conrad, *O coração das trevas* tem-se destacado, até mudando de lugar na estima da crítica, vindo a ser considerada a mais importante de todas as suas ficções. Uma edição barata e popular como a da Penguin, tirada nos anos 1990 e vendida a 1 dólar, transcreve a opinião da 15ª edição da *Enciclopédia Britânica,* que reza ser esta, dentre as estórias de Conrad, "a mais famosa, a mais fina e a mais enigmática". E isso apesar de pertencer aos primeiros cinco anos da produção do escritor; mesmo nesses anos, nem de longe chegando ao requinte do foco narrativo múltiplo e caleidoscópico que já se verificara, por exemplo, em *Lord Jim*[74].

Mas é uma das estórias "de Marlow" – apesar de não ter foco único, porque o narrador reporta visões de Kurtz veiculadas por outras pessoas e até por um discípulo seu, que muito o admira – que permite adensar as contradições ou inconsistências com que personagens e eventos são delineados. Trata-se de uma investigação pessoal de Marlow a propósito de uma experiência que, tarimbado homem do mar, teve na África. É ele mesmo, e não por interposta pessoa como em outras narrativas de Conrad, quem sofre as agruras de ser marinheiro naquele rincão, enquanto procura desvendar o que e quem é alguém chamado Kurtz, a quem acaba encontrando rapidamente, embora já esteja há mais tempo intrigado pelo homem.

Uma das razões da subida de cotação de *O coração das trevas* – afora sua insuperável qualidade literária – é que não se equipara a uma fantasmagoria conjuradora dos poderes infernais à maneira de Edgar Allan Poe. Nem uma só vez Conrad fornece o nome do grande rio em forma de serpente com o corpo arqueado, cujo curso Marlow remonta. Nem o da capital européia – a que confere o epíteto bíblico de "sepulcro caiado" – que comanda aquela região. Nem o nome da região. Porém o tempo não desmentiria que aludia ao Rio Congo, a Bruxelas e ao Congo Belga, um caso ímpar de cupidez capitalista aliada a genocídio dentre os do imperialismo do final do século XIX, quando as potências européias, na Conferência de Berlim (1883-5), partilharam entre si, no mapa, a África.

Hoje em dia, todos conhecem a história, fartamente documentada[75]. O rei Leopoldo II da Bélgica perpetrou a proeza de reservar, não para seu país, mas para si próprio, como propriedade privada, uma vasta área na África, a qual passou para a História como a maior colônia que já houve pertencente a um único dono. Como é que fez para conseguir, numa monarquia constitucional e não absoluta, algo que se pensaria impossível? Criando uma campanha de publicidade e relações públicas sem precedentes. Para começar, a colônia foi batizada como Estado Livre do Congo. A cortina de fumaça foi a filantropia. Leopoldo instituiu uma associação (que aparece em Conrad sob o rótulo transparente de Sociedade Internacional em Prol da Supressão dos Costumes Selvagens) que apregoava o objetivo de converter os africanos para trazê-los à cristandade e protegê-los dos traficantes de escravos. Só que, como observou um empregado da companhia de navegação que fazia ligação com o Congo no porto de Antuérpia, os navios arribavam abarrotados de marfim e borracha, zarpando com soldados, armas e munições. Ou seja, não havia comércio, porque não havia troca mercantil: trocava-se matéria-prima valiosa por instrumentos de repressão.

Alardeando metas hipocritamente altruísticas, Leopoldo fundou, com o apoio de governos e de exploradores, a Associação Internacional Africana. Contratou como testa-de-ferro um dos homens mais populares à época, o explorador Stanley, que atravessara a África a pé à procura do missionário David Livingstone, com cobertura jornalística diária. O pretexto era levar assistência hospitalar e religiosa aos nativos, bem como recolher dados científicos, para isso instalando uma rede de entrepostos fortificados ao longo do Rio Congo. Passava por ser uma missão desinteressada e servir apenas à causa do progresso. Stanley capitaneou uma guerra sem quartel para submeter os 500 chefes tribais de um território de 1 milhão de milhas quadradas, obrigando-os a aceitar o monopólio de Leopoldo. Começou então a extração de marfim e borracha mediante trabalho escravo e condições tão duras que levaram ao extermínio de 5 milhões a 8 milhões de africanos. Trata-se de uma abominação, que constitui um dos mais vergonhosos capítulos da História. Só no Congo e naquele período, houve um morticínio equivalente ao Holocausto na Segunda Guerra.

A passagem de Conrad pela colônia foi breve e inglória. À cata de emprego como oficial da Marinha, achou um posto num dos pequenos barcos a vapor que singravam o rio Congo, em 1890. Apesar de ter assinado um contrato de três anos, ficaria apenas seis meses. Antes de *O coração das trevas* escreveria um conto longo sobre a mesma matéria, em 1896 – "A guarda avançada do progresso" ("*An outpost of progress*") –, irônico até no título, no qual dois pequenos funcionários brancos da companhia exploradora, em lento processo de deterioração, acabam se entrematando, culminando num assassínio e num suicídio, a propósito de uma disputa irrisória pela provisão doméstica de açúcar.

Afora essas duas prosas de ficção, comentaria a experiência nos diários e na correspondência; e não era algo que lhe desse prazer recordar. A propósito da primeira das duas, assim se manifestou: "É uma história do Congo... Toda a amargura dessa temporada, toda a minha estupefação e minha incompreensão quanto ao significado de tudo aquilo que via reviveram em mim enquanto escrevia"[76].

Em *O coração das trevas,* tudo se desenrola a partir da tentativa de apreender a figura de Kurtz, que vai sendo revelado bem conradianamente por sucessivas aproximações ou camadas, muitas vezes contraditórias. Pintor, musicista, rara inteligência, orador incomparável, embrião de político extremista (de direita, naturalmente): e, não menos crucial, campeão na exação do marfim dos moradores escravizados, adorado por uma guarda pretoriana de africanos, que ataca e tenta matar aqueles que o vieram evacuar por motivo de doença. Virou deus, montado em seu tesouro de marfim: e, corrompendo a si mesmo pela ganância e pelo exercício do poder incontrastado, perdeu a carência humana. Sem que o texto nos esclareça diretamente quais foram seus métodos, tornou-se um monstro que mora numa casa à cuja frente há cabeças de negros espetadas em postes. É capaz de escrever um relatório pio sobre a vanguarda da civilização, para fins da companhia a que serve, em que divaga sobre o nível de seres sobrenaturais, de divindades mesmo, que o estágio avançado em que se encontram os brancos lhes confere ante os negros. E acrescenta à mão o comentário: "Exterminar todos os brutos!" Em seu enigma, no mistério que o cerca, tornou-se o símbolo moderno da crueldade ilimitada, protagonista inesquecível, eternamente lembrado por suas palavras no delírio em que agoniza: "O horror! O horror!"

O fato é que ainda hoje leitores, críticos e biógrafos se interrogam sobre a gênese de tão tremenda obra, que sem dúvida é a mais profunda que já se escreveu sobre imperialismo e colonialismo. Mesmo levando em conta a considerável safra que daria no futuro à língua inglesa a literatura da África do Sul, diretamente empenhada na denúncia do *apartheid*, Nadine Gordimer à frente, mas também Alan Patton, Coetzee e tantos outros.

O sertão de Euclides

...car l'immensité est une sorte de éternité.

Jules Verne, *Cinq semaines en ballon**

A viagem a Canudos foi para Euclides uma descida aos infernos, ao seio da esterilidade, gerando um epos no modo irônico da inversão de imagens apocalípticas. O império do Belo Monte, que deveria ser um paraíso para seus habitantes, transformara-se, irrisão cabal, numa *wasteland* governada não pelo Rio da Vida, à margem do qual viceja a Árvore da Vida, mas por um rio seco e uma vegetação de garranchos, com o bode substituindo o Cordeiro. A imagem da Árvore da Vida seria obliterada pela Árvore da Morte, da qual pendiam os despojos do coronel Tamarindo como Absalão em fuga suspenso vivo pelos cabelos e traspassado por dardos até morrer (II Samuel, 15 a 17).

Euclides se apropria dessa imensidão. Não foi infenso à analogia possível entre dois espaços ilimitados, ou seja, àquilo que há de comum, abstratamente, entre ambos, apesar de pertencerem a elementos distintos – à terra e à água, ou ao seco e ao úmido. Em conseqüência, usaria várias vezes o oceano para a elaboração de metáforas.

* "...pois a imensidão é um tipo de eternidade." (Jules Verne, *Cinco semanas em balão*)

As metáforas náuticas vêm de outros tempos, e Homero, com propósito, já as empregou em abundância. Os gregos da época clássica aplicavam-nas à condução dos negócios do estado, e a alcunha dada a Mao Tsé-tung de "Grande Timoneiro" ainda releva essas associações. Curtius mostra como a latinidade as utilizou para falar do poeta e de seus versos[77], quando este solta as amarras de seu estro para velejar na composição, finda a qual colherá as velas e fechará o livro.

No caso de todos os que escreveram sobre o deserto, a equiparação com o mar é a linha de menor resistência para a construção de analogias. Enquanto espaço homogêneo[78], percebido em sua generalidade, o deserto tem sido imemorialmente comparado ao oceano[79]. Nem escapou a Homero, que, operando ao contrário e invertendo a direção, cunhou a fórmula: "o mar estéril". Enquanto espaços heterogêneos, decomposto o deserto em seus elementos constitutivos, a areia é equiparada à água e suas ondulações à arrebentação. Tudo o que se move, seres humanos ou animais, lembra barcos; enquanto tudo o que interrompe a homogeneidade sem se mover – tendas, rochas, tufos de vegetação seca – lembra ilhas, arquipélagos, recifes que afloram à superfície. O deserto é um oceano fulvo ou então um mar encapelado. Assemelha-se o deslizar dos passos a ecos de ressaca; o calor a uma torrente de lava; o ar noturno e gelado ao frescor das águas; as dunas a vagas ígneas; os oásis a portos; o sibilo da areia ao marulho e suas oscilações a rodamoinhos líquidos; o viandante a um piloto sem bússola; o balouço da montaria ao tombo ou jogo do navio; as miragens, quase sempre aquáticas, a fosforescências e ardentias. No deserto, como no sertão, vêem-se enseadas ou golfos, sentem-se borrifos e salpicos não de água, mas de areia. Se não há vento, há calmaria, sucedendo-se às borrascas, que também podem ser secas; e nestas a tenda *fazia areia* como uma embarcação faz água.

Induzido por essas analogias, Euclides prestou atenção em uma profecia encontrada em Canudos. Ao verificar como a profecia operava essa reversibilidade dos espaços, transcreveu-a em seu livro, dando-lhe outro alcance: "O sertão vai virar praia e a praia vai virar sertão". Os sobretons apocalípticos da frase adequavam-se, ademais, ao princípio geral de inversão que ali se apoderara de tudo, travestindo em inferno o paraíso terreal do Belo Monte. Transitando do mineral para o zoomórfico, assemelharia as manobras do exército, mais de uma vez, aos cambaleios de uma massa líquida e à oscilação das marés.

Os meandros da história

...Il était le point mathématique,
le centre de une circonference infinie, c'est à dire, rien!

Jules Verne, *Cinq semaines en ballon**

Por aquilo que podemos chamar de uma coincidência da História, os três escritores foram participantes e, até certo ponto, membros ativos do imperialismo finissecular, que vigorou até a Primeira Grande Guerra, pela qual é responsável.

Os casos de Lawrence e de Conrad ressaltam com clareza devido a serem ambos ingleses, um por nascimento e o outro por adoção, operando fora de seu país, em quadrantes remotos e cheios de exotismo, que tão bem souberam captar em seus livros. No entanto, nos três escritores impressiona a acuidade com que apanharam as rupturas resultantes do contato de civilizações e do advento do "terror da História", nos termos de Mircea Eliade.

O caso de Euclides mostra-se um pouco divergente por pertencer ao Brasil. Mais que de um imperialismo muito mediado, ele foi testemunha do colonialismo, se for permitido abusar dessa noção, estendendo-a a episódios da modernização capitalista ocorridos dentro de um mesmo país, não só no nosso, mas por toda a parte na América Latina desde a Independência. Nesses casos, os desígnios do poder central, implementados pelas Forças Armadas, são impostos à plebe rural da hinterlândia remota, que nem sequer concebe as razões da catástrofe que sobre ela se precipita e que acaba resultando em seu extermínio[80]. Afora sua participação na Guerra de Canudos, em que uma tal modernização levou de roldão

* "...Ele era o ponto matemático, o centro de uma circunferência infinita, ou seja, nada!" (Jules Verne, *Cinco semanas em balão)*

o povo do Conselheiro, o imperialismo de que Euclides foi agente foi mais o imperialismo das idéias. É impossível ler *Os sertões* sem inteirar-se – a cavaleiro de um século – de que os autores estudados por Euclides formam, no seu conjunto, a ponta de lança do imperialismo, repertoriando as riquezas nativas para explorálas em benefício das metrópoles. São mapeamentos que ninguém disfarça de recursos minerais, animais, vegetais e humanos, das vias de acesso a eles, das maneiras de preservá-los e enviá-los para a Europa ou de explorá-los localmente; e assim por diante. Pode ser que Euclides não tivesse o recuo necessário para perceber do que se tratava: antes dava graças por ter acesso a uma taxonomia comentada de seu país. Mas em carta a Veríssimo[81], ao falar das razões pelas quais desejava integrar a Comissão de Reconhecimento do Alto Purus, faz a seguinte observação: "...se as nações estrangeiras mandam cientistas ao Brasil, que absurdo haverá no encarregar-se de idêntico objetivo um brasileiro?" O que mostra que não andava inteiramente distraído desses movimentos da ciência internacional.

Walnice Nogueira Galvão é professora titular de Teoria Literária e Literatura Comparada da Universidade de São Paulo. Foi responsável pela edição crítica de Os sertões *(São Paulo: Brasiliense, 1985,* 2 ed., *São Paulo: Ática, 1998) e de* Los sertones (*Caracas: Biblioteca Ayacucho, 1980*). *Assina a organização da quarta edição revista e ampliada de* História e interpretação de *Os sertões de Olímpio de Souza Andrade (Rio de Janeiro: Academia Brasileira de Letras, 2002*); *da* Correspondência de Euclides da Cunha, *com Oswaldo Galotti (São Paulo: Edusp, 1997); do* Diário de uma expedição *(São Paulo: Companhia das Letras, 2000); e do* Breviário de Antonio Conselheiro, *com Fernando da Rocha Peres (Salvador: CEB/Edufba, 2002). A respeito de Euclides da Cunha e da Guerra de Canudos escreveu* No calor da hora *(São Paulo: Ática, 1994),* O Império do Belo Monte *(São Paulo: Editora Fundação Perseu Abramo, 2001) e* Euclidiana – ensaios reunidos *(São Paulo:Companhia das Letras, 2002). É autora ainda de obras sobre Guimarães Rosa, crítica literária e cultural.*

NOTAS

1 *L'épopée de Gilgames – le grand homme qui ne voulait pas mourir*. Traduit de l'akkadien e présenté par Jean Bottéro. Paris: Gallimard, 1992.
2 Gabriel Germain, *Génèse de l'Odyssée*. Paris: PUF, 1954. Albert B. Lord, *The singer of tales*. 2ª ed., Cambridge: Harvard, 2001.
3 V. I. Propp, *Morfologia do conto maravilhoso*. Trad. Jasna Paravich Sarhan. Rio de Janeiro: Forense Universitária, 1984.
4 João Rocha Pinto, *A viagem – memória e espaço*. Lisboa: Sá da Costa, 1989.
5 Sérgio Buarque de Holanda, *Visão do paraíso*. 2ª ed., São Paulo: Civilização Brasileira/ USP, 1969.
6 E. Auerbach, *Mimesis*. Trad. George Bernard Sperber. 4ª ed., São Paulo: Perspectiva, 2001. Cap. VI, "A saída do cavaleiro cortês".
7 Edward W. Said, *Orientalismo*. Trad. Tomás Rosa Bueno. São Paulo: Companhia das Letras, 2001.
8 Walter Banjamin, "Charles Baudelaire, um lírico no auge do capitalismo". In: *Obras escolhidas III*. Trad. José Carlos Martins Barbosa e Hemerson Alves Baptista. São Paulo: Brasiliense, 1989.
9 A expressão é de Albert Béguin, *L'âme romantique et le rêve – essai sur le romantisme allemand et la poésie française*. Paris: José Corti, 1991, p. 525.
10 Leslie ª Fiedler, *Life and death in the american novel*. Illinois: Darkey Archive, 1997.
11 Northrop Frye, *Anatomia da crítica*. Trad. Péricles Eugênio da Silva Ramos. São Paulo: Cultrix, 1973.
12 Antonio Candido, "Oswald viajante". In: *Vários escritos*. São Paulo: Duas Cidades, 1970.
13 Flora Süssekind, *O Brasil não é longe daqui – o narrador, a viagem*. São Paulo: Companhia das Letras, 1990.
14 "Poesia", em *Obra completa*, Afrânio Coutinho (Org.). Rio de Janeiro: Aguilar, 1966, Vol. I, pp. 629-658. Seleção feita por Manuel Bandeira de poemas do manuscrito autógrafo "Ondas", edição integral por Leopoldo M. Bernucci e Francisco Foot Hardman intitulada *Poesia completa* (a sair).
15 *Histoires de déserts*. Alain Laurent (Org.). Paris: Sortilèges, 1998, p. 46.
16 A Porchat – Belém do Descalvado, 15 de maio de 1895. In: Walnice Nogueira Galvão e Oswaldo Galotti, *Correspondência de Euclides da Cunha*, São Paulo: Edusp, 1997, p. 76.
17 A Pethion de Villar – Salvador, 1897. *Id., ibid.*, p. 109.
18 Ver "Euclides, elite modernizadora e enquadramento", introdução a Walnice Nogueira Galvão (Org.), *Euclides da Cunha*, São Paulo: Ática, 1984.
19 Antonio Candido, *Formação da literatura brasileira*, São Paulo: Martins, 1959.
20 A Porchat – Rio, 26 de agosto de 1892. In: *Correspondência... , op. cit.*, p. 37.
21 A Porchat – Rio, 25 de novembro de 1893. *Id.,ibid.*, p. 52.
22 A Porchat – Rio, 29 de dezembro de 1893. *Id.,ibid.*, p. 58.
23 A José Veríssimo – Guarujá, 24 de junho de 1904. *Id., ibid.*, pp. 207-8.
24 A D. Túlia – Rio, 7 de janeiro de 1894. *Id., ibid.*, p. 61.
25 A João Luís Alves – São Paulo, 9 de novembro de 1985. *Id., ibid.*, p. 89.
26 Antonio Candido, "Oswald viajante", In: *Vários escritos, op. cit.*
27 E. R. Curtius, *Literatura européia e Idade Média latina*. Trad. Teodoro Cabral e Paulo Rónai. 2ª ed., São Paulo: Edusp, 1996. Cap. X "A paisagem ideal".
28 Caio Prado Jr., *História econômica do Brasil*. São Paulo: Brasiliense, 1945, pp. 161-3.
29 Ao dr. Brandão – São Paulo, 6 de novembro de 1895. In: *Correspondência..., op. cit.*, p. 88.
30 A João Luís Alves – São Paulo, 8 de dezembro de 1895. *Id., ibid.*, p. 90.
31 A Porchat – S. José do Rio Pardo, 2 de dezembro de 1900. *Id., ibid.*, p. 121.
32 A Porchat – Rio, 10 de dezembro de 1904. *Id., ibid.*, p. 242.
33 A Júlio Mesquita – Sem local, 1900. *Id., ibid.*, p 120.
34 Ao pai – Rio, 22 de outubro de 1906. *Id., ibid.*, p. 315.
35 A Escobar – 27 de maio de 1908. *Id., ibid.*, p. 363.
36 Olímpio de Souza Andrade, "O 'romance eleitoral' de Euclides da Cunha", In: *O Estado de S.Paulo*, "Suplemento Cultura", 10 de janeiro de 1982, pp. 4-7.
37 A Escobar – Rio, 10 de abril de 1908. In: *Correspondência..., op. cit.*, p. 358.
38 A Escobar – Rio, 23 de abril de 1908. *Id., ibid.*, p. 361.
39 A Escobar – Rio, 27 de maio de 1908. *Id., ibid.*, p. 363.
40 A Escobar – Lorena, 19 de outubro de 1902. *Id., ibid.*, p. 141.
41 A Oliveira Lima – Rio, 5 de maio, 18 e 28 de junho, 25 de julho de 1909. *Id., ibid.*, pp. 405, 408, 410 e 415. A Coelho Neto – Rio, 25 de maio de 1909. *Id., ibid.*, p.407. A João Luís Alves – Rio, 10 de junho de 1909. *Id., ibid.*, p. 407. A Gastão da Cunha – Rio, 8 de agosto de 1909. *Id., ibid.*, p. 420. A Otaviano. – Rio, 8 de agosto de 1909. *Id., ibid.*, p. 423.
42 A Oliveira Lima – Rio, 25 de julho de 1909. *Id., ibid.*, p.415
43 A Pedro de Alcântara – São Paulo, 20 de junho de 1892. *Id., ibid.*, p. 32.
44 A Porchat – Rio, 29 de dezembro de 1893. *Id., ibid.*, p.58.
45 A Porchat – Rio, 4 de agosto de 1892. *Id., ibid.*, p. 33.
46 A Porchat – Rio, 26 de agosto de 1892. *Id., ibid.*, p. 38.
47 A Porchat – Rio, 3 de setembro de 1892. *Id., ibid.*, p. 40.
48 A Porchat – Rio, 29 de dezembro de 1893. *Id., ibid.*, p. 58.
49 José Carlos Barreto de Santana, "Euclides da Cunha e a Escola Politécnica de São Paulo", *Revista do Instituto de Estudos Avançados*, São

Paulo, n. 26, vol. 10, jan.-abr. 1996, pp. 311-27. *Id.*, "Ciência e arte – Euclides da Cunha e as ciências naturais". São Paulo/Feira de Santana: Hucitec/Uefs, 2001.

50 "Instituto Politécnico", em *Obra completa, op. cit.*, vol. I, pp. 387-393.
51 A Porchat – Rio, 21 de abril de 1893. In: *Correspondência..., op. cit.*, p. 46.
52 A Porchat – Rio, 7 de junho de 1892. *Id., ibid.*, p.31.
53 A Porchat – 22 de novembro de 1893. *Id., ibid.*, p. 51.
54 A Porchat – Rio, 25 de novembro de 1893. *Id., ibid.*, p. 52..
55 A Porchat – 2 de dezembro de 1893. *Id., ibid.*, p. 54.
56 A João Luís Alves – São Paulo, 23 de abril de 1896. *Id., ibid.*, p. 92
57 Ao Dr. Brandão – São Paulo, 28 de abril de 1896. *Id., ibid.*, p. 95.
58 José Carlos Barreto de Santana, *op. cit.*
59 Ao Dr. Brandão – São Paulo, 28 de abril de 1896. In: *Correspondência..., op. cit.*, p. 96.
60 A o Dr. Brandão – São Paulo, 28 de abril de 1896. *Id., ibid.*, p. 95.
61 Ao general Solon – São Paulo, 10 de janeiro de 1895. *Id., ibid.*, p. 67.
62 A Luís Cruls – Lorena, 20 de fevereiro de 1903. *Id., ibid.*, p. 149.
63 Arquivos presidenciais. 1 – Prudente de Morais. Rio de Janeiro: Instituto Histórico e Geográfico Brasileiro, 1990, p. 71. Marco Antonio Villa, *Canudos – o povo da terra.* 3 ed., São Paulo: Ática, 1999, pp. 248-9.
64 Wilfred Thesiger, *Le désert des déserts, op. cit.*
65 Gaston Bachelard, *A Terra e os devaneios da vontade.* Trad. Paulo Neves da Silva. São Paulo: Martins Fontes, 1991, pp. 300-1.
66 Jean-Robert Henry, "Le désert nécessaire". In: *Désert – nomades, guerriers, chercheurs d'absolu.* Paris: Autrement, Hors série no. 5, nov. 1983.
67 V.I. Propp, *op. cit.*
68 Northrop Frye, *The great code.* Toronto: Penguin Books, 1990. *Id., Words with power.* Toronto: Penguin Books, 1992.
69 *Histoires de déserts, op. cit.*
70 T.E. Lawrence, *The seven pillars of wisdom.* London: Penguin, 2000.
71 *Id., ibid.*, p. 227.
72 John Batchelor, *Joseph Conrad: a critical biography.* Oxford: Blackwell, 1994.
73 Wayne C. Booth, *A retórica da ficção.* Trad. Maria Teresa H. Guerreiro. Lisboa: Arcádia, 1980.
74 Antonio Candido, "Catástrofe e sobrevivência" In: *Tese e antítese.* São Paulo: Companhia Editora Nacional, 1964.
75 Adam Hochschild, *O fantasma do rei Leopoldo.* Trad. Beth Vieira. São Paulo: Companhia das Letras, 1999.
76 Carta a Fisher Unwin (22.7.1896). *Apud* John Batchelor, *op. cit.*
77 E. R. Curtius, *op. cit.* Cap. VII, "Metaforismo".
78 Gaston Bachelard, *A poética do espaço.* Trad. Antonio de Pádua Danesi. São Paulo: Martins Fontes, 1998.
79 *Histoires de déserts, op. cit.*
80 Ángel Rama, *La crítica de la cultura en America Latina.* Caracas: Biblioteca Ayacucho, 1985, p. 350.
81 A José Veríssimo. 24 de junho de 1904. In: *Correspondência..., op. cit.*, p. 208.

O peregrino entre os pastores

Cândido da Costa e Silva

Antônio Vicente Mendes Maciel selou sua identidade religiosa, já tudo caminhava a passos largos para o dia da ira, ao pôr na escrita o que sempre entendeu de si; do sentido das atividades que lhe desenharam a imagem aceita e rejeitada. Nos dois conhecidos manuscritos que os tinha à mão nos momentos derradeiros, está posto:

> Apontamentos dos Preceitos
> da Divina Lei de Nosso Senhor
> Jesus Christo, para a salvação dos homens.
> Pelo **Peregrino** Antônio Vicente Mendes Maciel.
> No povoado do Belo Monte, Província da
> Bahia em 24 de Maio de 1895.

Justamente quando era suspensa a missão do anátema e o missionário "alli mesmo sacudia o pó das sandálias e retirava-me anunciando-lhes que se a tempo não abrissem os olhos à luz da verdade sentiriam um dia o peso esmagador da Justiça Divina"[1].

No outro, apenas começava o ano desventurado do Armagedon (*Apocalipse*, 16,16):

> A presente obra mandou subscrever
> **o peregrino** Antônio Vicente Mendes Maciel
> no povoado de Belo Monte, província da Bahia
> em 12 de janeiro de 1897.

Andou de déu em déu tangido por humilhações e insucessos, purgando-se na transmutação do perfil que apresentará ao transpor os chãos de Sergipe e da Bahia em 1874. Não carregasse consigo um voto a cumprir, um projeto definido, seria talvez um vagamundo, andarilho ao deus-dará, disposto a nada se prender desta terra, como Benedito José Labre que Leão XIII em 1883, incluía no rol dos santos, para exemplo e estímulo dos cristãos católicos. Era este o mais velho, nasceu em 1748, dos 15 filhos que pusera no mundo um comerciante de Amettes (atual Arras), França. Buscou a vida austera de trapista, mas o confinamento da cela o adoeceu e os monges despediram-no por excêntrico. Encontrou no peregrinar o seu estilo de vida. A pé, envolto em manto esfarrapado, calçados rotos, mochila às costas, dois ou três livros para alimento do espírito, passou a visitar os santuários de que tinha notícia. Dormia ao relento, sobre a terra nua, pois o seu Mestre não tinha onde reclinar a cabeça (*Mateus*, 8, 20). Pouco falava, salvo para agradecer a esmola dada e que logo repassava aos outros. Certa feita, foi espancado pelo doador que viu desdém no gesto. Queria a distância do ser desprezado. Não lhe dessem comida, e ele catava frutas sentidas, talos de couve lançados ao lixo. Acabou por ficar em Roma, dormindo nas ruínas do Coliseu. Doente, aceitou ser albergado entre outros pobres da cidade. "O mendigo de Roma" morreu aos 35 anos, em conseqüência de um resfriado contraído na Quaresma de 1783[2]. A extravagância desse viver não criou obstáculos para que merecesse a honra dos altares. Nem a vida andeja, nem as vestes surradas e sujas, nem o paladar embotado, nem o nada fazer, coisa alguma o pôs em rota com os pastores. Também o Peregrino deixou a sua terra. Separou-se do quotidiano dali, e se lançou, cumprindo um rito de passagem, em um percurso a um só tempo espacial e espiritual. Sob a ótica cristã, o paradigma fundador da peregrinação é a via-crúcis purificadora, penitente. Identificar-se com Jesus Cristo pelos valores expressos em sua vida, no entendimento dominante de cada época. O Peregrino reproduz a imitação de Cristo, saindo do seu dia-a-dia, deixando e expiando "os pecados" cometidos lá. Nesse rito iniciático pessoal e espontâneo, a essência é a opção em peregrinar[3].

Na decisão da partida em 1873, o voto já estava formulado: "Tinha uma promessa a cumprir: erguer 25 igrejas [...] mas não as construiria [...] em terras do Ceará". Há de repetir mais tarde aos que o escutavam embevecidos e aos que o intimavam a depor: "Minha ocupação é apanhar pedras pelas estradas para edificar igrejas"[4]. E num circuito amplo, feito e refeito em inúmeras visitas, as foi levantando. Certamente podia aplicar a si a palavra do salmista: "O zelo da tua casa me consumiu" (*Salmos*, 69, 9). Um peregrino votado a assinalar o espaço com as sagradas casas de oração, seguro como o aprendiz claudeliano: "Para que serve a estrada se não houver na ponta uma igreja?". E na esteira das casas santas –

Deus te salve, casa santa
dos anjos arrodeada,
onde o cálice se levanta,
mais a hóstia consagrada[5]

– os santos cruzeiros, os campos santos. Estes últimos, para dar pleno cumprimento à sétima das obras corporais de misericórdia: "Enterrar os mortos". Fazê-los descansar em terra benta, subtraída por muros e cercas à invasão promíscua dos brutos; reunindo-os da dispersão das covas rasas a esmo, pois era o expediente da maioria, à espera da convocação do Juízo. Para esse mutirão árduo, importava convocar em nome daquele cuja soberania alcançava a todos: "Só Deus é grande".

Ao encetar os "processos de peregrinação" pelos "territórios institucionais", vão se evidenciar as mútuas interferências. Assim foi ao aparecer em 1874. O Peregrino penitente instigava pelo mistério de suas origens, pela figura assomada do camisolão azul, barba e cabelos intonsos, coberta pelo pó das estradas, concitando à pobreza radical na exterioridade das vestes e no íntimo rigor do jejum. Impressões e deduções vão esboçando o perfil. Seu caminho longo, estirado para mais de 20 anos, assinala três momentos que fazem evolver tanto o seu desempenho quanto a iniciativa dos pastores para afastá-lo do cenário.

Aplicou-se logo em cumprir o voto, começando a restaurar a Capela de Nossa Senhora Rainha dos Anjos, na freguesia do Itapicuru de Cima. E logo também começa a troca de informações entre os párocos ou vigários e o arcebispado, fruto da inquietude que suas andanças geravam na pacatez reinante. Em meados de 1875, estava vacante a Sé, o vigário capitular Carlos Luiz d'Amour escreve (12 de julho) em resposta ao padre João José Barbosa, vigário de Nossa Senhora da Conceição do Aporá, que o consultara (28 de junho) como proceder:

> Antônio Vicente, que acha-se nesta Freguesia e que propõe-se a concluir as obras do Cemitério que ahi fora começado pelos Revd.os Padres Lazaristas, uma vez que lhe permite sollicitar esmolas entre os seus parochianos [...]. Nenhuma dúvida tenho em conceder a dita licença para um fim tão necessário, permitindo igualmente que o referido Antônio Vicente reze o terço como deseja. Quanto porém a exortar o povo por meio de prédicas é o que não lhe posso permitir. Para isso é V. Revdma. o competente, em virtude do seu ofício paroquial.

Ao não permitir as exortações do Peregrino, ainda não se invoca diretamente sua incompetência, mas lembra-se ao pároco o que é dever seu. Retorna o mesmo consulente em fins de agosto (dia 30) para apontar o "vil procedimento de Antônio Vicente", que, ciente da determinação, lhe dissera "que só continuaria com as obras se lhe fosse permitido suas prédicas". Rumou então para as vizinhanças e na "Capela de Santo Antonio do Timbó, numa casa do público, erigiu um altar onde começou a pregar". Também no distrito de Cipó, já é informação policial,

> um homem que dizem ser de cor branca, com 40 anos de idade mais ou menos, brasileiro [...] ignorando-se sua procedência porque não se presta a explicações, sem nenhuma instrucção [...] trazendo consigo a Imagem do Crucificado e de Nossa Senhora e mais dois caudatários, que lhes dão o nome de apóstolos, ambos de 45 anos mais ou menos, de cor cobre, com

duas mulheres que lhes chamou beatas. Abriu missão, pregando numa cadeira que lhe serve de púlpito. *Estava prestes o fim do mundo*. Colocou as imagens sobre a mesa recolhendo as esmolas dos fiéis ao beijá-las[6].

A correspondência cresce no primeiro semestre de 1876, já então envolvendo autoridades policiais que ora respondem informando, ora denunciam como fez o delegado de Abrantes (março) com o vigário local, cônego Emílio de Sant'Anna Pinto, negro filho de escravos, que teria autorizado "Antônio Conselheiro a praticar abusos na freguesia".

Em março representam ao vigário capitular os vigários de Senhor Deus Menino de Araçás e de Nossa Senhora do Livramento do Barracão, pois o Peregrino "continua acompanhado de alguns homens e mulheres [...] a percorrer o centro da Província praticando os mesmos fatos sabidos por V. Exª". O último deles volta à carga em maio 20,

> para que tome providências enérgicas e quanto antes, de acordo com o dr. chefe de polícia, a fim de ser retirado desta freguesia um homem que se inculca penitente e que acompanhado de três mulheres e um ou mais adeptos, [...] sem que em lugar algum declare o seu fim [...] inquietando as consciências [...] com prédicas supersticiosas [...] pelas povoações e estradas e faltando aos respeitos dividos aos seus respectivos párochos[7].

O olhar destes parece ainda distinguir entre o grupo reduzido que o acompanha e o público numeroso que acorre à pregação e atos pios. Mas, desde já, os pontos básicos do confronto estão postos. Julgavam-se desrespeitados por quem se recusava em deixar as exortações habituais, pois não tinha autoridade, nem doutrina segura para pregar. Mesmo contida aos vales dos rios Vaza-Barris e Itapicuru, a geografia sertaneja do Peregrino era extensa e reveladora do seu vigor, da agilidade com que se deslocava. Com o retorno à freguesia de Nossa Senhora de Nazaré do Itapicuru de Cima, retomam-se as orações coletivas do terço à boca da noite e do ofício de Nossa Senhora ao romper do dia, prática coextensiva onde estivesse. Mas, sem entrar em detalhes, o vigário de Nossa Senhora do Livramento do Barracão, em carta (20 de maio de 1876) ao vigário capitular, alude àqueles fatos da freguesia do Itapicuru no ano de 1874, dos quais V. Exª Revmª teve conhecimento e que não se reproduzam". Então, a cantoria dos rezadores desagradou a população da Vila, escreve José Calasans[8], ou, o que parece mais certo, algumas lideranças locais.

Desentendimentos com o delegado de polícia, apoio ostensivo do vigário cônego Antonio Agrippino da Silva Borges, de política contrária, e por fim malogro na tentativa de prendê-lo, pois atravessara a fronteira sergipana com a sua gente. A volta reacendeu a animosidade e o propósito em detê-lo. Deu-se a prisão em 6 de junho de 1876 na mesma vila do Itapicuru. Não ofereceu resistência. Recolhido à cadeia com quatro auxiliares, entre eles um escravo fujão e um larápio, aguardou a viagem. Cento e vinte quilômetros a pé, torturado no caminho pela escolta, chegou exausto a Alagoinhas para tomar o trem com destino a Salvador. Aqui, inquirido dos maltratos, respondeu "que mais do que ele havia sofrido o Cristo"[9]. Já estava decidido o seu destino. Seria recambiado ao Ceará e, na expectativa das autoridades, para que não mais retornasse, mesmo porque corriam rumores de crimes hediondos cometidos quando de lá viera. A 7 de julho navegou para Fortaleza e a 15 seguinte o chefe de polícia do Ceará o apresentava ao juiz de Quixeramobim, terra em que nasceu. Todos ali o conheciam como pessoa de bem e que, abatido com o passo errado da mulher, resolveu sair sem destino. Nada que o incriminasse. Julho não findara e estava em liberdade. Retornou a Itapicuru ainda em 1876, de onde, se imaginava, estivesse banido para sempre. Reentra quando a seca dos dois martelos (1877)[10] se prenunciava. Por certo, o rigor com que se abateu dobrou o ânimo dos que o tinham por odioso indesejado. No cenário de morte, a figura revigorada do Peregrino inocente fortaleceu a confiança dos que sempre lhe deram crédito e viam cumprir-se a volta predita por ele. Cresceu em prestígio e, no íntimo, a certeza de uma missão a cumprir. Obstinava-se por ela e via em todos os esforços por contê-lo, os laços do Inimigo ao qual devia resistir com todas as forças.

Qualquer que venha a ser o seu enquadramento clínico segundo a patologia então vigente ou as razões de ordem pública ajuntadas para impugnar o influxo de sua presença sobre a população, o ponto recorrente em suas relações com a hierarquia católica residia no problema da atribuição, da competência na Igreja. Do lugar histórico do leigo no seio da comunidade crente. Desde os primeiros movimentos ficou patente o permitido e o interdito ao Peregrino. Do cristão em geral se pedia dupla posição: de joelhos diante do altar e sentado diante do púlpito. Yves Congar, destacado teólogo católico do século que findou e de extrema lucidez na contextualização histórica da produção teológica, escreveu, em 1953, uma obra destinada a analisar *Os leigos na Igreja*. No capítulo sexto, traça breve histórico da pregação de leigos e que ajuda a situar a questão. Precederam à disciplina fixada na modernidade tridentina três etapas. Nas origens apostólicas, os carismas de palavra e evangelização eram exercidos tanto por ministros instituídos e consagrados quanto por leigos fiéis. O segundo momento acontece com a organização da vida eclesial e o estabelecimento da tradição canônica que equivale ao controle mais rigoroso dos dons carismáticos pelas ordens hierárquicas. Ainda assim, leigos não só propunham Jesus Cristo a não crentes, mas pregavam na assembléia dos fiéis. Por fim, a etapa do forte movimento espiritual que acompanhou a reforma gregoriana (Gregório VII, 1073-85) e prosseguiu alimentado igualmente por aspirações de camadas em ascensão, desejosas de autonomia e iniciativa, particularmente as correntes apostólicas dos séculos XII e XIII. Na fermentação evangélica do último terço do século XII, a pregação leiga ressurge entre os "humilhados" do norte da Itália, mas em especial sobre a liderança de Pedro Valdés. Eram pregadores ascetas, penitentes, empolgando os "símplices". Declaravam ouvir mais o Evangelho do que a bispos e padres. Eram "os pobres de Cristo". Em um domingo de 1173, um comerciante de Lyon, Pedro Valdés, aproximou-se da aglomeração que escutava um trovador recitar o romance de Santo Aleixo. Comoveu-se e lhe pediu que repetisse em sua casa o que acabava de ouvir. Convicto de que o caminho mais curto para Deus era dar aos pobres o que possuía, chamou a mulher para que da sua fortuna retirasse o necessário ao seu sustento e dotou as duas filhas para se fazerem monjas. O restante repartiu com os indigentes da grande fome que grassava e se pôs a mendigar pelo amor de Deus. Aos clérigos de Lyon pediu-lhes traduzissem os Evangelhos e outras passagens bíblicas para a língua vulgar. Convocava todos à pública penitência e confissão dos pecados, ameaçando os apegados às riquezas. Logo, logo muitos homens e mulheres o seguiam no estilo de vida e na pregação. Despossuídos de bens, vestidos em pobreza, rústicas sandálias, sem provisões, tudo em comum. Louvados em tudo, exceto na pregação que faziam. O arcebispo os advertiu quanto a isso. Quando do III Concílio de Latrão (1179), Pedro Valdés vai a Roma e alcança do papa Alexandre III a aprovação da regra de vida, contanto que só pregassem sendo solicitados por bispos e presbíteros. Finalmente, o movimento é condenado por herético em 1184. Estavam seguros de que "todos os discípulos de Cristo receberam a missão de anunciar o Evangelho mesmo os leigos e as mulheres". A decisão de pregar leva à ruptura, diz Paul Christophe[11]. Inspirava desconfiança e dúvida à hierarquia pelo que representava de crítica à situação e pelo risco de fugir ao controle. Permanecia, contudo, uma margem de aceitação desse desempenho leigo, ao distinguir o papa Inocêncio III (1201), no caso dos "humilhados", entre pregar as verdades da fé e os meios de salvação, competência exclusiva dos pastores, e a exortação, *verbum exhortationis*, apelo à conversão e à penitência, com o objetivo de inculcar bons costumes e obras de piedade; estimular as virtudes e combater os vícios; apelar para as penas e glória futuras. A Francisco de Assis e seus companheiros leigos que exortavam nos primórdios de 1207-9, o papa autorizou tal prática.

O crescendo de contestações à hierarquia, a ampliação dos temas tratados e da competência extensiva aos leigos para tal ministério vieram desaguar na reforma luterana. Cada cristão, diz Lutero, é ungido e tem o discernimento da palavra de Deus. Pode julgar qualquer doutor, bispo ou papa fazendo ato de ensino. E assim, comenta Congar, ele (Lutero) transpõe o exercício da unção interior graças à qual os fiéis têm o sentido da verdadeira doutrina, para o plano da própria estrutura da vida doutrinal da Igreja[12]. A reação formulada no Concílio de Trento (1545-63) imporá normas mais estritas que estarão vigentes entre nós. Logo na primeira etapa (1545-7), o problema da pregação esteve sob exame e por fim, na 24ª sessão (11 de novembro de 1563) os padres conciliares determinaram que "o ofício de pregar é o principal dos bispos. Expliquem as divinas escrituras e preguem a palavra de Deus. Nas outras igrejas este ofício seja desempenhado pelos párocos. Nenhum secular nem regular se atreva a pregar, mesmo nas igrejas da sua Ordem, sem consentimento"[13]. É evidente que o texto trata do presbítero ou padre diocesano e do religioso ou frade regular.

As Constituições Primeiras do Arcebispado da Bahia – Sínodo de 1707 – reproduzem as determinações tridentinas, ajuntando que, sem especial licença por escrito do arcebispo, "nenhum padre ouse pregar, sob pena de excomunhão maior, de suspensão das ordens e prisão" (números 513-517). Um ofício paradoxalmente tão controlado e tão pouco atrativo àqueles que investidos do poder, por fastio, negligência ou despreparo, não o exerciam.

O Peregrino também atraía pelo desapego de si, por nada querer nem receber em proveito próprio. Sua capacidade de falar e ser ouvido estava envolta na credibilidade que sua pessoa inspirava e na sintonia do auditório com a mensagem tradicional levada ao pé da letra. Porém o exame, mesmo superficial, do repertório que alimentava a sua prédica revela de imediato que não ultrapassava o nível da exortação. A nada mais se atrevia no campo da doutrina, nem mesmo contestava aos que lhe punham obstáculos, com argumentos teológicos reclamados para os leigos de outras longitudes.

O arcebispado de São Salvador da Bahia registrou no século que antecedeu ao Peregrino duas figuras bem próximas dele e que encontraram soluções opostas por parte de seus titulares.

Francisco Mendonça Mar passou-se do reino à Bahia, com pouco mais de 20 anos. Ourives e pintor, o provedor-mor da Fazenda Real "o chamou e lhe mandou com muita pressa fosse logo pintar uma casa nova que se fez em Palácio, onde lhe ordenaram metesse bem gente a trabalhar e fizesse tudo a sua conta, porque tudo lhe havia de pagar". Por várias vezes "pediu que o socorresse com algum dinheiro a conta do seu trabalho. A resposta ouvida sempre era de que o seu pagamento viria dos dízimos da Fazenda e que por então não podia ser, porquanto andavam embaraçadas as contas do contratador". Sugeriu-lhe o meirinho Gaspar Soares que aceitasse alguma forma indireta de pagamento, pois ainda lhe restava concluir a pintura do teto "e já tinha as tintas para tal fim". Concordou. Assinou um papel que não lhe foi lido, com a garantia do provedor que lhe seria descontado no pagamento final. Morre o governador e o que fora dito passou a desdito. Que não o contratara e nem pagaria o serviço. Mandou fosse recolhido à enxovia na cidade, "onde foi bem destruído e molestado, fazendo isto com o poder tão absoluto que lhe mandou de o açoitar rigorosamente". Para obter o que lhe era devido, recorreu ao rei em 1691, mas só quatro anos depois uma carta régia solicitava informações. Já Francisco havia deixado Salvador. Nesse meio tempo andou desgostoso, perambulando na cidade, "dado a todos os divertimentos da vida solta e licenciosa", segundo Jaboatão (1750). Com a ferida da injustiça e as humilhações da prisão e tortura, o vento do desengano o empurrou para os sertões mais remotos. Alforriou os dois escravos, vendeu o que ainda lhe restava, "trocou" uma imagem do Cristo Crucificado e outra de Nossa Senhora, distribuiu a sobra com os pobres e pediu luz para que seus passos fossem dirigidos à sua maior honra e glória. Vestiu-se em túnica parda e grosseira, atada à cintura por uma corda branca feita de linha, bordão, barba crescida, e embrenhou-se nos matos sem saber o rumo que havia de seguir. Após percorrer 200 léguas, encontrou "ou lhe mostrou o céu aquela Lapa, gruta e calvário da inspiração", às margens do rio São Francisco. Enfurnou-se na solidão, retraído na vida rude de trabalhos e mortificações. Logo correu a notícia de que havia ali "um homem extraordinário que fazia vida de santo". Reunia os fiéis para a oração e os exortava à penitência. Tratava enfermos, albergava viandantes e navegantes que ali pousavam. Era o "monge"; mas não faltou quem lhe imputasse crime pregresso que agora expiava.

Os ouvidos do arcebispo dom Sebastião Monteiro da Vide (1702-22) escutaram o que corria. "Mandou visitadores que acharam ser tudo o que se havia referido uma inteira verdade." Chamou-o a Salvador. Mandou ministrar-lhe algum estudo e o ordenou presbítero, já quarentão. Voltou Francisco da Soledade, assim passou a se chamar, para servir por capelão da mesma Capela do Bom Jesus da Lapa que ele próprio estabelecera para fomento da vida religiosa ali[14]. A par da visão do arcebispo, ainda era convergente o entendimento da prática cristã e sua tradição não começara a ser "depurada" pelas luzes da ilustração católica.

Não encontrou o mesmo acolhimento "hum preto leigo que andava pregando em Assú da Torre". O arcebispo, dom frei Manuel de Santa Inês, em carta a Francisco Xavier de Mendonça Furtado, secretário de Estado, dizia que o conde de Azambuja

> governando esta Capitania me certificou [...] e que mandando-o prender o não podera conseguir por se ter retirado occultamente daquelle lugar. Estando eu na fé que o tal preto teria dezertado desta Capitania, me veyo a noticia que andava pregando pela Comarca de Cergipe de El Rey, e pronunciava proposições errôneas, seguindo grandes concursos de homens, e mulheres, e por mais deligencias que fis para o prender todas se frustrarão, e quando eu menos imaginava me veio a Caza, pedindo-me Licença para ensinar aos seus pretinhos, protegido de varias attestações de Parochos que abonavão a sua vida e a efficacia da sua doutrina. Por evitar os gravíssimos danos espirituaes, e temporaes daquella gente, o mandei prender na Cadea pública desta Cidade, e ordenei ao meu Vizitador daquelle destricto enquirisse da vida, e doutrina do dito preto; e lendo a Devaça que há pouco me chegou julguei que o conhecimento das propozições proferidas pelo dito pregador pertencia ao Tribunal do Santo Officio para o qual remetto nesta occazião o traslado autentico de tal Devaça, advertindo-o que ficava prezo o dito preto na Cadea publica desta Cidade, e que disto dava para a Sua Magestade V. Exª se digne de o por na presença do dito Senhor, e me determinará o que hei de obrar neste particular, no cazo que o Santo Officio não lhe ache culpas provadas para no dito Tribunal ser punido [...] Bahia, 22 de dezembro de 1768[15].

Subserviente ao poder, o arcebispo armou um laço à boa fé do predicante que veio a ele, ingênuo e desarmado, trazendo o apoio dos párocos que lhe parecia o mais seguro.

> Um negro (forro) atraindo grande público à sua fala capaz de gerar inquietações. Mas tudo leva a crer que da leitura da devassa não se confirmou ao arcebispo a notícia de 'proposições errôneas', já pelo discernimento do seu saber ecleciástico, já ao admitir a possibilidade do Santo Ofício inocentá-lo. De qualquer modo submete a exame a ortodoxia da pregação, mas fica de lado a habilitação do leigo para cumprir tal ministério. Certamente, inúmeras vezes as estradas do arcebispado foram palmilhadas por leigos pregadores não despercebidos à vigilância da hierarquia.

O Peregrino podia ser um retardatário na linhagem desses pregadores populares, mas não será o último. Sua autocompreensão cresceu na medida em que se sentiu aceito tanto quanto rejeitado, mas sem se distanciar da ortodoxia católica tradicional. "Tímido, acanhado nos fins da década de 70, parecia um dominador de multidão nos anos 80", testemunharam os que lhe acompanharam os passos. "Quando tranqüilo, parecia a imagem do Senhor dos Passos das procissões da Semana Santa"[16].

Dez anos adiante, desdobra-se uma etapa mais agressiva e conflituosa entre o Peregrino e os pastores, cujo ponto de inflexão será o insucesso em interná-lo como alienado em nosocômio da corte no Rio de Janeiro. Momento coincidente com os últimos meses da campanha abolicionista, quando o primaz deliberadamente se omitiu, pois achava que uma palavra de apoio à causa poderia precipitar sublevações.

Estava a arquidiocese com novo arcebispo, que pessoalmente só estará em Salvador em agosto de 1882. Para Fortaleza retorna em fevereiro de 1884, por alegadas razões de saúde e só em dezembro de 1885 estará de novo em sua sede.

Da correspondência trocada entre a cúpula eclesiástica e os párocos ou vigários dos territórios mais freqüentados pelo Peregrino brotam elementos importantes na compreensão do convívio e de como progredirá até a fixação em Canudos.

Absorvido pela causa que chamou a si, mas fiel ao ser católico, é conveniente que se distinga o que lhe é atribuído pelo fervor dos seguidores e pela execração de um ou dois padres e, bem outro, o que ele mesmo se impôs e até o fim conservou.

Pela virulência nos ataques, pela insistência em cobrar medidas do arcebispado, destaca-se o padre Julio Fiorentini. Trata-se de um emigrante dos perdidos estados pontifícios (1870), sendo Faenza sua diocesse de origem. Fez da delação dos párocos, junto aos quais andou eventualmente coadjuvando, uma arma obssessiva, tecendo intrigas na surdina, vendo-se perseguido por toda parte. O dia-a-dia do clero o horrorizava. Não é estranho que, sem complacência, cerrasse combate ao Peregrino.

Em 21 de outubro de 1881, escreve "uma grande epístola ao meo venerando superior", e o motivo "é um certo falso profeta que por antonomásia faz-se chamar o conselheiro, o qual com a mais refinada hipocrysia soube tão bem impor-se aos ignorantes, de forma de fanatilizal-os e fazer-lhes crer as mais absurdas doctrinas". Logo informa que

> nos seus princípios não foi tão malvado quanto o é hoje, ostentando uma certa penitência, uma vida muito austera, uma devoção extraordinária, chegou a se fazer estimar de tal forma que agora mesmo, que esta inoculando o mortífero veneno da heresia, o imponhe de tal forma, que não há quem possa desuadir os pobres incautos de que estão em erro e não podem mais seguir as suas falsas pisadas totalmente contrarias as leis do Evangelho e da verdade.

Segundo Fiorentini, ele deve dizer que "não é outra coisa senão um emissário protestante ou um refinado massão". Com suas obras está erguendo "um templo ao Demônio". Fez-se chamar "o nosso Bom Jesus do Bomfim".

Um homem que

> por motivos justos ou injustos, isso não me compete, matou a própria mulher e tentou a vida da própria mãe, saio de sua terra talvez com vontade de servir a Deus e de purgar os seus crimes por meio de uma vida penitente e austera e assim praticou pelo espaço de dois ou três anos.

No instante em que admite reta intenção no Peregrino, resvala para insinuar hipocrisia, orgulho.

> Vestiu-se de uma batina azul, não cortou mais o cabello, nem as unhas, nunca mais tomou banho [...] chamou os companheiros e com um oratório ambulante ia de casa em casa visando alguma oração muito mal visada, pois elle é muito ignorante, mostrou o desejo de fazer alguma obra pia [...] seus pequenos cemitérios e uma capella de 20 palmos é a maior. Foi indo assim, por algum tempo, estudou algum libro, e pregou melhor. A política chamou a si diversos parochos para a Assembléia Provincial; elle Antonio Consº chamou a ordem as freguesias sem parochos, ahi insinou sem medo de ser reprovado, porque o rebanho estava sem pastor.

Em que pese a manifesta má vontade, a informação é rica em detalhes. Para ele, o lobo ficou no meio do rebanho. Os mais exaltados chamavam-no até de Espírito Santo, "os outros mais benignos para a religião de Deos o chamavam e o chamam nosso Santo Antônio". Alguns parocos o convidavam às suas freguesias e

> chegaram ao ponto de recebe-lo com foguetes e repiques de sino, pondo-o até do lado do Evangelho, onde somente os senhores Bispos tem direito de se sentar, e de fallar ao povo. Vestio-se de tal orgulho que nada o contem e o fanatismo chega a tal ponto que alguém doente tem tomado como remédio as orinas do homem e até o próprio escremento.

Na seqüência da longa carta, passa a narrar a entrada do Peregrino na matriz de Inhambupe em que ele estava servindo. Foi na véspera da Natividade de Nossa Senhora (7 de setembro), por volta das 15 horas. Entrou na igreja e no mesmo altar principal "pôs o seu oratório entre duas velas. Disse-lhe quando cheguei que não tinha direito de pregar pois não era sacerdote [...] que se assim continuasse estava excomungado". Respondeu que continuaria e não se importava de excomunhão. No dia da festa, o Peregrino foi à missa e Fiorentini fez ver ao povo que era ele "um apóstolo de Satanás [...] fulminei-o em nome da Igreja de excomunhão". Ainda assim, com obstinada paciência, "fez com os que o acompanhavam uma viagem de pedra para os trabalhos da igreja; eu disse ao povo que não queria aquellas pedras dadas pelas mãos de um maldito". Deixou a vila e o missivista pergunta: "Continuará autorizados pelos parochos? V. Exª que diz? [...] haverá por ventura uma igreja material ou um cemitério qualquer que possa pagar uma alma banida? [...] Na espera de uma resposta, enérgica absoluta cabal"[17].

Com variantes voltadas para acusar os párocos coniventes com o Peregrino, suas cartas reiteram os mesmos insultos. Os argumentos usados mais adiante pelo arcebispo são transcritos delas. Em seu conjunto, porém, as cartas enviadas pelos párocos não possuem o mesmo diapasão. Retomam alguns traços da personalidade, apontam conflitos de competência, recriminam a conivência de outros colegas, mas não apontam nenhum desvio de doutrina. São elas fonte insubstituível para compreender esse movimento pendular de aproximação e afastamento entre o Peregrino e os pastores de que Canudos será logo mais o desfecho cruel do cerco estratégico e conveniente.

Mantêm-se repisadas e insistentes as recriminações. Começava o ano de 1832 e o padre Vicente Ferreira dos Passos, vigário de Nossa Senhora da Conceição de Nova Soure (Natuba), dirige-se ao monsenhor Manoel dos Santos Pereira, que respondia pelo arcebispado em nome de dom Luiz Antônio dos Santos, que estava por chegar. Era 2 de janeiro, e assinalava a indiferença e ignorância religiosas do seu rebanho, situação agravada pelo "scisma de não poucos adeptos de um Conselheiro, virtuoso dizem, mas ignorante e arvorado em pregador”. Lastimava-se do pouco que arrecadara em dinheiro para o Jubileu, mas estava com a consciência tranqüila, ainda que “triste pelo estado desta freguesia pequena e atrasadíssima”. Em 20 de janeiro, para igual destinatário, o vigário de Sant’Ana da Serrinha, padre Leopoldo Antonio da Guia, escreve que, poucas léguas distante de sua matriz,

> um tal Antônio a quem o povo apellida de Conselheiro [...] que se diz penitente, com quanto tenha alguma utilidade para levantar paredes de capellas e de cemitérios, tudo desfaz com os tais conselhos que falto de toda sciencia prega ao povo; assim diz elle, que todo aquelle que comer carne, ovos, leite na Quaresma, sem mais outra distincção, está no inferno isto com um povo ignorante e arrastado a novidades é mais fácil a se deixar arrastar por certos embusteiros, avaliará V.Exª que damnos causa e que luta resulta para o Confessionário”.

Esta última indicação remete ao trabalho de convencimento daqueles que iriam se confessar, em face da perplexidade criada entre o rigor do apelo e as dispensas costumeiramente concedidas pelos arcebispos ante a dificuldade de alimentos. A mitigação do jejum estava apoiada nas Constituições Primeiras do Arcebispado da Bahia (cf. números 396/97 e 411) e em disposições ditadas pelas circunstâncias, como para a Quaresma de 1871 (Pastoral de dom Manoel Joaquim da Silveira: APEB: Pres. Prov.- Religião / Arcebispado 1862/71, maço 5 204). Nesse e em muitos outros casos referidos pelos pastores havia um descompasso entre o saber deles e o saber dos fiéis alimentados na oralidade ancestral. O padre Leopoldo considerava que a sobrevivência dessa “superstição” se devia aos colegas que “consentirão ao mesmo Antônio pregar dentro da própria matriz” e, quando se derem conta “do papel ridículo” que representam e quiserem reagir, será tarde, pois “o povo os viu a principio conceder tudo a Antônio”. Afirmava:

> São do meo parecer os Vigários de Monte Santo, Coité, Soure, Feira de Sant’Ana, mas busco saber qual a opinião que tem V. Exª a res-

> peito de este homem, a consideração com que deve ser tratado, finalmente o que V. Exª mais acertar fazer a respeito de elle, para que depois não mereça ser censurado. A palavra ou ordenações de V. Exª será a espada que cortará de uma vez o fio de tão grave perturbação[18].

Findava 1882 e já em Salvador o padre Julio Fiorentini queixava-se, em carta, de que a recompensa da sua luta contra o Peregrino foi o afastamento de Inhambupe. E por cúmulo, aquele que por ele foi expulso, retornou triunfante: "Quem me expellio foi expellido, ergo a minha doutrina é a verdadeira". Acredita que não lhe é mais possível voltar à paróquia, pois "entre os meus crimes tenho o enorme de ser estrangeiro". Na conclusão da carta, revela-se calculista ao pedir uma solução para que os paroquianos não creiam "que fui expellido por V. Exª Revmª [Manoel dos Santos Pereira] do Inhambupe, por ter pregado contra Antônio Consº"[19]. Havia trabalhado a divisão da comunidade, ou melhor, criou sua facção. Nesse ambiente assume o novo vigário. Convém lembrar que, no regime de padroado, só os naturais da terra podiam ser párocos inamovíveis ou vigários colados. Do recém-chegado é que se tem um olhar sem prevenções: são raros esses testemunhos, não porque outros deixassem de acolher o Peregrino, mas o faziam evidentemente sem proclamações escritas.

> Chegou a esta Freguesia [4 de junho de 1883] o devoto Antônio, vulgarmente conhecido por Antônio Conselheiro, e procurando-me pedio permissão para que nesta Parochia eu consentisse que elle rezasse todas as noites o seo terço e explicasse aos fieis a lei de Deus, dando-me como garantia do seo procedimento o acolhimento que tem tido em quasi todas as Freguesias dos meos collegas do centro, que não podia deixar de anuir e muito principalmente, quando tinha desse devoto as milhores informações, até do meo collega Agrippino esse cuja Freguesia elle esteve, e que todos os seos trabalhos é servir a cauza da Religião, deixando obras pelos lugares por onde tem andado. Sendo as noites 1ª e 2ª do corrente, de muita chuva consenti que fosse por elle rezado o terço e desse

os seos conselhos no corpo da Igreja Matriz, mas logo que o tempo suspendeo passou-lhe a cumprir a sua devoção fora da Igreja a cujos atos tem concorrido crescido numero de devotos. Posso garantir que tenho procurado ouvi-lo para conhecer a doutrina por elle anunciada, nada encontrei de offensivo a Religião, antes pelo contrário as suas explicações não são mais do que a verdadeira lei de Deos, sua vida não é mais do que uma verdadeira penitencia[20].

Sabedor de que pessoas "mal-intencionadas" censuram o seu procedimento, queria antecipar-se a qualquer denúncia, para que seu gesto merecesse aprovação da autoridade eclesiástica. "Muitos parochianos" que em verdade eram nove e no ano seguinte (16 de abril de 1884), sem a capa do anonimato, de novo representarão contra o novo vigário, padre Antonio Porfírio Ramos, dirigiram-se ao monsenhor Santos Pereira, insuflados pelo padre Fiorentini. Noticiam a entrada, o acolhimento dispensado e entram a desqualificar de maneira desabida a um e outro, "ignorantes e imbecis". O vigário, acusavam, lida com mesinhas e feitiços, evoca almas do outro mundo, tendo sempre ao lado a "sua barregã". Cobrou explicações Santos Pereira e antecipou censuras ao seu procedimento. "Eu ignorava os precedentes do tal Antônio, tanto assim que em boa fé comuniquei a V. Exª Revmª", desculpa-se.

Na progressão do Peregrino entre os pastores, há um dado que fortalece o entendimento de que ele vai aprofundando a desconfiança sobre o que lhe transmitiam alguns párocos. Quando foi intimado pelo padre Vicente Ferreira dos Passos, de Nossa Senhora da Conceição de Nova Soure, munido das determinações emanadas da Cúria, mostrou-se "duvidoso da authenticidade da Circular, quando quase todos os parochos vizinhos o tem chamado instantemente para suas freguesias"[21]. Imaginava, por certo, uma armadilha para apanhá-lo.

Até mesmo a disputa política local encontrou um momento de atraí-lo. Passava pela matriz de São João Batista de Jeremoabo e as pendências envolvendo o padre Olyntho César Paim e os "políticos liberais" resvalaram para um confronto de poder. O padre revela que já o conhecia desde o tempo da prisão em

1876, quando trabalhava no arcebispado. Agora, desafiava a sua autoridade e com o apoio dessas lideranças "teve assegurada a realização dos atos religiosos, como se fosse sacerdote"[22].

A correspondência escasseia em 1885, mas cresce e abre o ano seguinte com informações de peso pela autoridade de quem as enviava. A carta de 17 de janeiro de 1886 era do cônego João Baptista de Carvalho Daltro, vigário de Nossa Senhora da Piedade do Lagarto e um dos vigários-gerais da arquidiocese para áreas interioranas. Com a responsabilidade de supervisionar os outros párocos e a vida religiosa da população, informava que estivera com eles para conversar sobre as proibições da cúria e chegou mesmo a falar ao "Conselheiro de sua desobediência a V. Exª e quando esperava ficar elle persuadido, dispersar o povo e se corrigir, eis que me invade a freguesia". Para ele, esse grupo "de mais de cem pessoas de ambos os sexos é uma secca por onde passão". Reforça a afirmação de todos: "Diz o Conselheiro que alguns vigários o consentem pregar a pretexto de cooperar para algumas obras nas respectivas freguesias". Ele, porém, não o permitiu e foi com algumas pessoas expulsá-lo de seus limites. "Segue com destino à freguesia do Itapicuru onde tem encontrado maior apoio."[23] A indicação desse acolhimento era geral. O cônego Agrippino, pároco, orador sacro, deputado provincial, homem lido, biblioteca vasta, abolicionista, a despeito de outra qualquer razão de política local ou de mão-de-obra para trabalhos na paróquia, não é possível obscurecer sua ascendência sobre o Peregrino e a atitude em seu favor da primeira à última hora.

Essa acolhida o fortalecia na certeza de cumprir um voto penitente e as incompreensões sofridas decorriam dele. Revigorava-se, no íntimo, ao buscar refúgio onde lhe parecia encontrar, pois, no circuito das chamadas freguesias do centro, ia o espaço a cada dia se estreitando. A contragosto ou não, ninguém contestava a construção de igrejas e cemitérios a que se devotou de corpo e alma. Mas das propostas para eliminar "o estorvo" de suas andanças e atribuições "descabidas", apenas uma, partida de um oficial de polícia, contemplava uma saída sensata a que infelizmente os pastores não deram atenção alguma. A lógica que os regia não poderia prever tal coisa. O capitão José Geraldo de Aragão, que comandava o destacamento em Inhambupe, em ofício ao comandante do Corpo de Polícia em Salvador, com data de 8 de novembro de 1886, atribuía as preocupações de alteração da ordem pública à falta de

> uma autorização da respectiva auctoridade eclesiástica, e fiscalização do poder civil. Conviria ou que se fizesse dispersar o grande grupo que o acompanha, ou que submettido ao poder clerical o empregasse na espécie de vida que elle para si escolher, ao contrario será a anarchia e a confusão[24].

Vislumbrava uma saída: em lugar da submissão incondicional, como exigiam os pastores, fosse ouvido o Peregrino e, cooptado por eles, pudesse desenvolver atividades definidas. Não foi o que fez no passado, à sabedoria de dom Sebastião Monteiro da Vide com o "monge" da Lapa do Bom Jesus? Mas o arcebispo de 1887 preferiu requerer ao presidente da província,

> providenciar da forma que melhor entender, pois faz um grande mal à Religião e ao Estado, distrahindo o povo de suas occupações e arrastando-o após si, procurando convencer de que é o Espírito Santo, insurgindo-se contra as autoridades constituídas, as quaes não obedece e manda desobedecer.

Atribuir-se o Espírito Santo foi coisa que lhe passou o padre Julio Fiorentini.

Apontado por este como enviado de Satanás, não lhe cabia outra defesa a não ser declarar-se guiado pelo Santo Espírito que, em boa teologia católica, "é enviado a uma multidão incontável e age no interior de uma imensa diversidade de pessoas"[25]. O Peregrino, na lógica da sua fé, jamais afirmaria aquele despropósito. Mas o carisma do Espírito foi sempre um impulso de liberdade e autonomia, quase sempre visto como um risco pelos pastores.

O presidente da província pressionado por dom Luiz (15 de junho de 1887) escreveu ao barão de Mamoré, ministro de estado do Império, "diagnosticando" que o Peregrino "está, há algum tempo, sob o domínio da monomania religiosa", e depois "de terem sido esgotados pelo Revmº Sr. Arcebispo os meios da prédica contra as idéias subversivas daquelle individuo", pedia "a sua admissão no Hospício de Alienados". Os meios esgotados pelo primaz foram todos no sentido de desqualificá-lo, contestando-o, de maneira impiedosa, através de circulares, apelos de alguns vigários e até missionários capuchinhos.

Por todo esse tempo a hierarquia se pautou pelo tom impositivo, prepotente e injurioso, sem oferecer nenhum espaço para que ele se explicasse, mas condenando-o com argumentos que ele não tinha condições de entender.

Da corte vem a resposta de que não "havia vaga disponível" e melhor seria interná-lo em Salvador.[26] Ora, o Rio de Janeiro era o lugar desejável, pois a distância do desterro resolveria a segregação da loucura irreversível. Cerrou-se em frustração a segunda tentativa. Arrefeceu-se a possibilidade do seu afastamento definitivo, mas em nenhum instante descurou-se em isolá-lo da população católica, mediante a ação coibitiva dos párocos. Em janeiro de 1888, o primaz insistia junto aos mesmos enviando-lhes circular. Alertava sobre o giro constante,

> do indivíduo Antônio Conselheiro que apresentou-se à porta de algumas matrizes na Província de Sergipe, com o séquito do costume, exigindo que fossem essas abertas para que fizesse a prédica que denomina de conselhos. De nenhum modo deve ser aceito tal indivíduo nas igrejas deste arcebispado [Bahia e Sergipe] acompanhado de seos sequazes, nem mesmo só quando mostrar intenção de fazer explicação de doutrina, dirigir cânticos etc. E constando que alguns párocos o têm encarregado de concerto de igrejas, construção de Cemitérios etc nenhum trabalho deverá ser aceito, pela razão de desviar de suas occupações os pobres homens do campo com as praticas supersticiosas de que usa, levando-os errantes pelas estradas, o que obriga-os por falta de meios a utilizarem-se do que encontram nas propriedades que atravessam, tornando-se assim ociosos e prejudiciais à sociedade.

Em sua avaliação, requerer deles esses serviços, era animá-los "nessa vida de escândalos com detrimento para elles mesmos e para os que trabalham"[27].

O cerceamento ao Peregrino era evidente. Apertava-se o cerco, estivesse só ou acompanhado. Já ressoavam aos ouvidos do primaz os problemas decorrentes do contingente flutuante.

Tentava-se deter através do procedimento uniforme dos párocos o "cisma" apontado por Fiorentini e outros, como fruto da diversidade de tratamento que lhe dispensavam. Em razão disso, os que o acompanhavam recorriam aos que o acolhiam para ministrar-lhes os sacramentos a si e aos familiares. Era a um desses, o padre José de Araújo Pereira Cavalcanti, vigário de Aporá, que o Peregrino se confessava. "Esta gente está convencida que o Padre José é o único padre mandado por Deos para sostentar os direitos do Conselheiro". Ao seu lado, o vigário de Itapicuru. São eles que ao não publicarem as circulares, levam os seus seguidores a afirmarem que são falsas aquelas lidas pelos demais, escrevia Fiorentini ao cônego Juliano José de Miranda em maio de 1887[28].

Mas qual a natureza da fala do Peregrino? Onde heresias e superstições? De doutrina herética só o padre Fiorentini o acusava. Era "um apóstolo de Satanás", mas admitia que sua pregação foi melhorando com o tempo e alguma leitura (carta de 21 de outubro de 81). Na citada representação de uns paroquianos de Inhambupe contra o apoio do vigário, afirmavam que o Peregrino "pregou as doutrinas do Evangelho mistificadas com pedaços da *Missão abreviada* e com outras doutrinas supersticiosas"[29]. "Dizendo-se ser inspirado, prega o Evangelho", destacava o vigário de Jeremoabo em carta também citada (8 de maio de 1884). No rol das superstições estavam as práticas arcaicas (por exemplo: o jejum radical) que os pastores consideravam expressões superadas, sem credibilidade aos seus olhos. Não padece dúvida de que tinha caráter exortatório a sua fala. O apelo à penitência, o proceder de um seguidor de Jesus Cristo, o internalizar os novíssimos: "Morte certa, hora incerta; juízo rigoroso; inferno ou céu para sempre".

Imagina-se como fonte principal das suas prédicas o que sobreviveu nos dois manuscritos que estavam próximos ao seu corpo. A menos que sejam novas cópias de textos anteriores, são eles dos meses derradeiros em Canudos. Seguramente o Peregrino os fez seus, via-se neles, os assimilou, mas a autoria não lhe deve ser imputada sem exame criterioso, ainda por fazer. Nem mesmo o expediente de manuscrevê-los autoriza essa atribuição. Copiar impressos não era incomum até meados do século que acabara de findar, quando menos nesta Bahia. Passavam-se em papel almaço margeado, e caligrafia esmerada, *Espumas flutuantes*, de Castro Alves, ou *A viuvinha*, de José de Alencar, e logo, em armação artesanal e caseira, eram encadernados. Bem poderia dispor de outros manuscritos que se perderam. Quanto aos de 1895, afora os textos bíblicos *stricto sensu* e já cotejados com a tradução vernácula do padre Antonio Pereira de Figueiredo, devem provir de alguma História Sagrada, condensados de episódios prefigurativos ou exemplares dos dois testamentos, a respeito do futuro desempenho de Jesus Cristo ou indicativos do comportamento cristão a seguir. As reflexões mandamentais e marianas do manuscrito de 1897 evidenciam ainda mais claramente a transcrição, pela estrutura seccionada em pontos a meditar, numerados *a latere*, coisa corrente na literatura do gênero; na lógica argumentativa, no referencial bíblico e patrístico. Até o texto sobre a República espelha a posição da hierarquia no primeiro momento. Quem diretamente compulsou os manuscritos do sermonário capuchinho na Bahia de então pôde, a par de depoimentos dos missionários mais antigos, conferir suas matrizes traduzidas do italiano e que, uma vez memorizados, partiam a pregar.[30] Oradores sacros de boa memória e fama proferiram sermões de Vieira ou de Monte Alverne para auditórios desinformados ou desatentos. Sob esse aspecto, o Peregrino não estava só. No entanto, pouco se avança na análise da *Missão abreviada*. Publicada no Porto, em 1859, pelo padre Manoel José Gonçalves Couto, alcançou 15 edições até findar o século, com milhares de exemplares circulando pelo Brasil. No próprio título o autor assinala o objetivo: "Despertar os descuidados, converter os peccadores e sustentar o fructo das Missões". Útil, acrescenta, para os párocos, os capelães, qualquer sacerdote que deseja salvar almas e "para qualquer pessoa que faz Oração Pública e Instrucção ao Povo". Nenhum vade-mécum mais apropriado às exortações do Peregrino. O padre Couto, em nota de "Advertência da maior importância", vai além:

> Em qualquer povoação deve haver um Missionário (deixem-me assim dizer); este deve ser um Sacerdote de bom exemplo, e na falta de elle qualquer homem ou mulher que saiba ler bem, e de uma vida exemplar; e então com um de estes livros deve fazer a Oração ao povo; [...] signal com o sino; em quanto o povo não acaba de chegar, vão-se fazendo as visitas ao Santíssimo Sacramento e a Nossa Senhora; em seguida a novena das almas; depois de isto a Oração como está no livro, cada dia uma meditação; estas concluídas, uma instrucção em logar de meditação; e depois das instrucções, as vidas dos Santos [...] Para este fim devem ter uma imagem de N. Senhora[31].

Aqui estava com variantes, o roteiro dos atos religiosos do Peregrino. Sua teologia sedimentava-se nessa obra e o conjunto das orações completava-se no devocionário *Horas marianas*, composto ainda no século XVIII por frei Francisco de Jesus Maria Sarmento, retocado na tradução e alguns acréscimos por seu confrade José Ignácio Roquette, a partir de 1849. Exortações e preces brotaram dessas fontes aprovadas pela hierarquia e de larga difusão em Portugal e no Brasil.

Já se disse ser o Peregrino um pregador retardatário. Mas desqualificá-lo como singular é desconhecer a mística católica tradicional, predominante no mundo do campo, menos suscetível aos influxos da cidade no que representava de crítica à mesma tradição e de quebra de certa unanimidade religiosa. As "fogueiras das vaidades" que ele acendeu já em 1874[32] e ainda cominadas na circular do monsenhor Santos Pereira, vigário capitular em 1893 (15 de maio); ou os rigores do jejum atacados por alguns párocos, como superstição, estão apoiados, por exemplo, na instrução 51 (p. 344) e na 27, à página 101 do Aditamento da *Missão abreviada*.

Ao analisar os pregadores de grandes auditórios no declínio do medievo, Daniel Rops acentua que

> o estilo desta eloqüência é propositadamente brutal, quase trivial, sempre patético e muito apto para despertar a sensibilidade, mostrando

às ovelhas a podridão do túmulo, a angústia do Juízo e o Inferno que as espia. Às vezes, num grande movimento de exaltação coletiva, ao apelo do orador sagrado, os ouvintes fazem uma fogueira, atiram para lá objetos de luxo, sinais sensíveis dos seus pecados e destroem-nos com o fogo purificador. É esta "fogueira das vaidades" que Savonarola acenderá ainda em Florença, no fim do século XV.

Até a guarda que o protegia ainda antes de fixar-se em Canudos não era estranha a esses ancestrais. São Vicente Ferrer (1350-1419) "percorre os campos montado sobre um asno, com uma enorme escolta, a *bella brigata*, e protegido, quando fala, por mantenedores da ordem, armados de chuços e cacetes"[33].

Abria-se ao Peregrino o derradeiro dos momentos. Nem o criminoso que nunca o foi, nem o louco que conviria ter sido, mas o incitador da desobediência civil à nova ordem política. Sua resolução em se fixar não parece escolha, mas estratégica imposição das circunstâncias. Era a sua hégira. Envelhecido, fraco no corpo pelo rigor ascético que se impôs, voltava a Canudos para ficar. Seus pés não eram mais céleres para as longas peregrinações; seu espaço social também se retraía e motivos convincentes lhe sobravam na certeza de que os dias eram adversos. O tempo brumoso, as ocorrências pressagiando um fim. Após o sopro libertador dos cativos, o vento contrário da "apostasia pública", do repúdio à fé tradicional, se instalava com a República. Assim pensavam também os pastores no primeiro instante. "Não há autoridade que não venha de Deus", estava na *Carta aos romanos* (13, 1). Mas como se apresentar por autoridade e poder quem a Deus rejeitava? Como aceitar o Estado que se declarava separado da religião?

> A república há de cair por terra para confusão daquele que concebeu tão horrorosa idéia. Convençam-se, republicanos, não hão de triunfar porque a sua causa é filha da incredulidade, que a cada movimento, a cada passo, está sujeita a sofrer o castigo de tão horroroso procedimento [...] É erro de aquele que diz que a família real não há de governar mais o Brasil[34].

Por mais distante e vaga, a percepção do poder central para o Peregrino personificava-se na figura sagrada do imperador. O primaz, dom Romualdo Antônio de Seixas, antes mesmo de oficiar a sagração de Pedro II (18 de julho de 1841), lembrava aos diocesanos por ocasião da Sabinada (1837) que

> o temor de Deos, que he o principio da sabedoria; e a veneração do Throno augusto do legitimo Imperante, são na lingoagem do Príncipe dos Apóstolos os dois caracteres do verdadeiro discípulo do Evangelho, e como os dois eixos em que gira, e se move a machina social – *Deum timete, Regem honorificate*. [*Primeira carta de Pedro,* 2, 17] [...] "O respeito ao Throno forma huma como segunda Religião"...

E para a atos de ação de graças pelo aniversário naquele ano em 2 de dezembro, do jovem monarca, convida os fiéis: "Suplicar-lhe (a Deus) que faça o throno Brasileiro firme, e eterno, como o sol".[35] O caráter sagrado que conferia perenidade, inspirava-se no próprio rito.

> Com óleo dos Catecúmenos o Bispo o sagra com o sinal da cruz na articulação da mão direita, do braço direito e entre as espáduas [...]. Deus que fizeste ungir para reis [...] Davi e Saul pelo profeta Samuel, confere, pedimos, a nossas mãos a força de tua bênção, e a este teu servo Pedro a quem, embora indignos, ungimos hoje pela Santa Cruz para Rei, concede eficácia e virtude desta efusão.

> Na sequência, o celebrante e demais bispos levam o Imperador "de coroa na cabeça e o cetro na mão ao throno: 'Ocupa o lugar que Deus te confiou, pela autoridade de Deus Onipotente, e pela presente investidura nossa [...]'.[36]

A República que não gerou o descompasso entre o Peregrino e os Pastores veio aprofundá-lo e oferecer a estes um pretexto forte e conveniente para uma composição com o novo regime. O lance último da resistência de quem não podia entender o incompreensível e a oportunidade final para entregá-lo ao "braço secular", em favor da ordem e da paz, pois a justiça social não estava em pauta e a expressão "questão social" que se tornava corrente para o mundo urbano do ocidente europeu industrializado era entre nós retórica de alguns avançados, sem que nela estivessem compreendidos os problemas da população rural.

A hierarquia católica, bispos e padres, no Brasil, também enxergava na República um divórcio inaceitável. E a nova ordem política não era isenta com a Igreja. Estava em jogo uma questão de princípio, e outra, pragmática, o que a sabedoria do Peregrino não alcançava.

Premida pela circunstância de sobreviver em uma nova relação com o Estado, a Igreja Católica, mediante sua liderança romana, procurou reorientar-se. O papa Leão XIII, em diversos documentos, vinha oferecendo elementos substanciais; mas o caso da França ensejou a elaboração de um texto-chave. Datada de 16 de fevereiro de 1892, sua encíclica *Au milieu des sollicitudes* procura estabelecer para a hierarquia e os católicos franceses a legitimidade do regime republicano. O essencial não reside na estrutura interna das formas políticas, mas na sua orientação para o bem comum. Deve-se distinguir regime político e legislação. Esta depende muito mais da posição ideológica dos legisladores do que da forma de governo. O poder provém sempre de Deus e a aceitação dos governos de fato, é uma obrigação. Deve-se respeitar o regime constituído, mas combater a legislação injusta que não pode ser aceita. A separação entre a Igreja e o Estado é uma teoria absurda e perniciosa em seus resultados.[37]

Na esteira do caso francês, o papa em texto curto de resposta ao agradecimento dos bispos do Brasil, pela criação de novas dioceses e de outra província eclesiástica com sede no Rio de Janeiro, encoraja a eleição de deputados comprometidos com os interesses da Igreja e insiste para "todos prestarem a devida deferência ao supremo poder que governa a República". Trazia a data de 2 de julho de 1894.[38]

Distância maior que a de Roma ao Brasil era a do Brasil republicano ao Brasil de Canudos. Entre o longo peregrinar e a curta duração do pouso canudense a intensidade será a exata medida do tempo. Tudo ali se recapitula de forma radical e dramática. Canudos foi se agigantando. Aos moradores do arraial ajuntaram-se os que seguiram com o Peregrino em sua última estação. Depois, entre 1893 e 1896, "as levas de sertanejos, procedentes de vários municípios, que se transportaram para o Belo Monte. Finalmente, iniciada a guerra, homens e mulheres que quiseram ir para o lado do Conselheiro no intuito de defendê-lo e com ele sofrer as terríveis agruras daqueles momentos difíceis," escreve o mestre José Calasans.[39] Na medida em que crescia a expectativa da repressão, o local que poderia abrigar seguidores permanentes e outros tantos ocasionais vai se transformando em cidadela. É nesse cenário que, num último ato público, defrontam-se o Peregrino e os pastores, ali representados pelos religiosos capuchinhos frei João Evangelista do Monte Marciano e frei Caetano de São Leo, enviados pelo arcebispo a pedido do governo estadual. O que a princípio se poderia imaginar como uma missão exortatória ao desarmamento dos espíritos, uma proposta pacificadora envolvida em gestos de boa vontade para com aquela gente, foi um ultimato à rendição incondicional. Não foi com o propósito de escutar suas queixas, mas para que fosse ouvida a palavra de advertência do castigo iminente. Os missionários estavam possuídos de uma indisposição preconceituosa e insuperável, sedimentada com os anos. Não foram ali pela salvação daquela gente "irrecuperável", mas para que o medo provocasse a dispersão. Aliás, o recurso à missão para dissipar conflitos foi usado nesse século e mereceu análise.[40]

Largamente conhecido dos estudiosos, é o relatório que da malograda missão apresentou o missionário principal. Mas o que muito pouco se conhece é a sua carta aberta de 6 de maio de 1897, enviada aos redatores da *Cidade do Salvador*[41], com o propósito de rebater críticas à sua atuação em Canudos, assinada pelo jornalista católico e monárquico Carlos de Laet. Uma voz que argumentou em nome da religião. Contestava pela leitura do citado relatório que ali existissem heresia e seita e enxergava por demasiado severa a apreciação que fez de suas práticas religiosas como superstição e idolatria. Faltou-lhe senso de oportunidade, dizia, para tratar a questão do regime republicano. "Deveria adiar o assunto, para quando dissipada a suspeita de que sob o hábito monástico se movesse um propagandista político." Contestou com veemência, o que veio a explicitar mais ainda o seu relatório. Prendiam-se à sua missão "graves interesses da Egreja e do Estado. Não se tratava de converter os sequazes de Antônio Conselheiro, que em assumptos de religião não sotopõe o seu juízo individual às decisões da auctoridade ecclesiastica". Reafirmou os conceitos emitidos quanto ao cisma, heresia e idolatria e chamou, em seu apoio, "Lehmkuhl, notabilíssimo theologo moderno". Trabalhava com uma teologia de conceitos intemporais, sem contextualização histórica. Argüía numa lógica que ignorava o dia-a-dia dos destinatários. Foi duro: "As hordas de Canudos não são um ajuntamento de Christãos, cujo sentido religioso reclama ensino e direção", como pensava Laet. Não lhe afligia "remorso de ter suspendido a missão no sétimo dia". Convém lembrar que no relatório ele entendeu esse gesto "mais feliz do que as minhas palavras acabasse de operar a dispersão daquellas multidões". (Relatório, p. 7) É claro:

> Queriam a missão, mas não consentiram nunca que eu tratasse devidamente do principal objeto a que ali fora enviado [...]. Esses revoltosos, em favor de quem o illustre doutor se inclinou compadecido, atendendo que só por amor do Estado é que a Egreja se pronuncia contra elles, são 'revoltosos chronicos' e as provas estão nos documentos do Arquivo Arquiepiscopal. Uma rebellião ostensiva contra as leis e os poderes ecclesiaticos e civil, prolongada por cerca de vinte annos sob as mais estranhas e curiosas phases [...]. Nem há de causar surpreza a nova de um fim desastroso.

Maior clareza não há. Porém resta o endosso que, em nota prévia à publicação do relatório, oferece o semanário oficioso da arquidiocese:

> É de esperar que o Governo do Estado dê algumas providências para fazer desapparecer de este Estado a suprema vergonha de estar um fanático levantando barreiras à acção da lei e se constituindo em potencia independente de toda jerarchia social [...]. Enfim, a autoridade eccle-

siastica já cumpriu o seu dever, procurando remediar o mal no que dependia de si. Resta gora que o Governo civil cumpra o seu, fazendo desapparecer, pelos meios que lhe faculta a lei, este opprobrio social, verdadeira mancha negra no sol de nossa civilização.[42]

Restava apenas consumar-se a tragédia.

Aberta a missão, o Peregrino, que "não se arroga nenhuma função sacerdotal", deixando de lado suas exortações e conselhos, "colocava-se ao lado do altar, e ouvia attento e impassível" os missionários. Estes que "galgando a estrada, ao olhar pela última vez o povoado" disseram-lhe e à sua gente: "Desconheceste os emissários da verdade e da paz, repelliste a visita da salvação, mas ahi vêm tempos em que forças irresistíveis te sitiarão, braço poderoso te derrubará, e arrazando as tuas trincheiras, desarmando os teos esbirros, dissolverá a seita impostora e maligna que te reduzio a seo jugo, odioso e aviltante" (Relatório, pp. 5-7).

A derradeira imagem que Canudos reteve dos pastores foi a que lhes deixaram os missionários. Não são mais os mesmos; mudaram; negam o que tradicionalmente ensinaram. Em nome de um governo sem Deus, vieram exortar a dispersão, a retirada; desfazer uma comunhão amalgamada no chão abrasado que a pobreza levantou. Intransigentes e duros para com eles, os missionários são coniventes com os inimigos de Deus, aliançados com os republicanos.

O excepcional em Canudos estava enraizado no quotidiano do sertão por inteiro. Era como se ali tudo fosse recapitulado e manifesto em sua expressividade mais forte. Mas, seja qual for a abordagem, o elemento religioso é recorrente. Desde os que, no passado mais distante, arrolavam aqueles sertanejanos como amotinados enlouquecidos pelo "fanatismo religioso" até os que na atualidade os exergaram como camponeses articulados em um claro projeto de revolução igualitária no campo. Quer se desconheça a dimensão socioeconômica e política do conflito, quer se dilua o fator religioso como impulso ou inibição para a luta, em qualquer caso parece óbvio que nenhuma religião opera no vácuo, mas é uma realidade geográfica, histórica e socialmente situada num contexto humano específico. O Peregrino fiel ao discurso religioso podia ler na versão bíblica que o acompanhava: "Mas Jesus, chamando a seus discípulos, disse: Tenho compaixão de estas gentes, porque há já três dias que perseveram comigo, e não têm que comer; e não quero despedil-os em jejum, para que não desfalleçam no caminho" (*Mateus,* 15, 32). Finalmente implantava-se a "perenal missão"[43]. Todos em coro podiam cantar:

> É hora que a morte é certa, mas ninguém deserta se for p'ra lutar; no peito, coração aberto, esperança perto sem querer chegar. Coragem mansa eu tive até partir; p'ra não morrer de morte igual fugi [...] E andei [...] errando pela vida afora sempre indo embora, dei volta no mundo, vim morrer aqui. Quanta cruz no meu caminho, faca de sol, poeira, espinho; Bom Jesus olhe por mim, na solidão cansado eu vim[44].

O Armagedon estava ali. O campo em que se travará a última e a maior batalha do mundo, na qual as forças do bem e do mal pelejarão o combate derradeiro, prelúdio do estabelecimento do reino de Deus.

Em cumprimento do voto, peregrinou por caminhos sem fim, levantando igrejas e cercando cemitérios, até que sucumbiu ante a última inacabada e seu corpo encontrou sepultura no imenso campo juncado de cadáveres que a insensatez humana fez tombar com a anuência dos pastores.

Cândido da Costa e Silva é doutor em História Social pela Universidade de São Paulo. Professor-adjunto aposentado do Departamento de História da Universidade Federal da Bahia e professor visitante na Universidade Estadual de Feira de Santana, publicou Roteiro da vida e da morte: um estudo do catolicismo no sertão da Bahia *(São Paulo: Ática, 1982),* Os segadores e a messe: o clero oitocentista na Bahia *(Salvador: Secretaria da Cultura e Turismo/Editora da Universidade Federal da Bahia, 2000).*

NOTAS

1 Frei João Evangelista do Monte Marciano. "Relatório apresentado pelo frei ao Arcebispado da Bahia sobre Antônio Conselheiro e seu séquito no Arraial de Canudos – 1895". Salvador: Centro de Estudos Baianos/Universidade Federal da Bahia, 1987, p. 6.
2 Alban Butler. *Vida dos santos*. Ed. revista e ampliada por Herbert Thurston e Donald Attvater. Petrópolis: Vozes, 1984, v. 4.
3 Pedro Agostinho. *Imagem e peregrinação na cultura cristã; um esboço introdutório*. Salvador: UFBa, 1986.
4 José Calasans. *Cartografia de Canudos*. Salvador: SCT/Conselho Estadual de Cultura/EGBA, 1997, pp. 61 e 39; Nertan Macedo. *Antonio Conselheiro; a morte em vida do beato de Canudos*. Rio de Janeiro: Gráfica Record Editora, 1969, p. 160.
5 Paul Claudel. *O anúncio feito a Maria*. Tradução de dom Marcos Barbosa, OSB. Rio de Janeiro: Agir, 1954, p. 106.
6 ACMS (Arquivo da Cúria Metropolitana de Salvador). Correspondência do arcebispado 1874/77; Correspondência das repartições públicas 1874/80 v. 16.
7 *Idem*. Correspondência do arcebispado 1874.
8 José Calasans. *op. cit.*, pp. 33-5.
9 *Idem*, p 39.
10 Designação pelo qual a seca se tornou conhecida no Nordeste, uma alusão aos dois setes do ano em que ocorreu.
11 Paul Christophes. *L'Eglise dans l'histoire des hommes*. Limoges: Droguet & Ardant, 1982, v.1, p. 419; Ricardo Garcia Villoslada. *Historia de la Iglesia Católica*. Madrid: BAC, 1953, t. 2, pp. 795-8.
12 Yves Congar,. *Os leigos na Igreja: escalões para uma teologia do laicato*. São Paulo: Herder, 1966, pp.392-444.
13 Padre José de Castro. *Portugal no Concílio de Trento*. Lisboa: União Gráfica, 1946, v.5, pp. 264-5.
14 Frei. Agostinho de Santa Maria. "Santuário Mariano". Separata da *Revista do Instituto Geográfico e Histórico da Bahia*. Salvador: Imprensa Oficial, 1949, pp. 168-72; frei Antônio de Santa Maria Jaboatão. *Novo orbe seráfico brasílico*. Rio de Janeiro: IHGB, 1861, parte II, pp. 546-7.
15 Arquivo Histórico Ultramarino. Lisboa. Cx. 46, n. 7963 (C. A).
16 José Calasans. *Op. cit.*, p. 104.
17 ACMS. "Officios diversos", 1881.
18 *Idem*, 1882.
19 *Idem*, 1882.
20 *Idem*, 1883.
21 *Idem*, 1884.
22 *Idem*, 1884.
23 *Idem*, 1886.
24 ACMS. Gabinete Arquiepiscopal. "Correspondência da presidência da Bahia", 1881-6, v. 35.
25 José Comblin. *O tempo da ação: ensaio sobre o Espírito e a História*. Petrópolis: Vozes, 1982, p. 29.
26 Núcleo Sertão. Centro de Estudos Baianos da UFBa. Canudos. Pasta L-M.
27 ACMS. Correspondência arcebispado, 1887-9, v. 38.
28 ACMS. Officios diversos, 1887.
29 *Idem*, 1883.
30 Cândido da Costa e Silva. *Roteiro da vida e da morte: um estudo do catolicismo no sertão da Bahia*. São Paulo: Ática, 1982.
31 Padre Manoel José Gonçalves Couto. *Missão abreviada*. Porto: Sebastião José Pereira Editor, 1878, p. 7.
32 José Calasans. *Op. cit.*, pp. 33-5.
33 Daniel Rops. *A Igreja do Renascimento e da Reforma. Historia da Igreja de Cristo*. Porto: Tavares Martins, 1962, v.4/1, pp. 137-8.
34 Ataliba Nogueira. *Antônio Conselheiro e Canudos*. São Paulo: Companhia Editora Nacional, 1974, pp. 179-80.
35 Dom Romualdo A. de Seixas. *Colleção das Obras*. Recife: Typ. de Santos & Cia., 1839, t. 1, pp. 271-2 e 174.
36 Monsenhor Guilherme Schubert. *A coroação de dom Pedro I*. Rio de Janeiro: Ministério da Justiça/Arquivo Nacional, 1973, pp. 28, 53, 54 e 56.
37 José Luis Garcia Gutierrez e Alberto Martin Artajo (org.). *Doctrina Pontificia: documentos políticos*. Madrid: BAC, 1957, v. 2, pp. 295-311.
38 *Leituras Religiosas*. Bahia, Anno VI, n. 19, 9.9.1894.
39 José Calasans. *Op. cit.*, p. 53.
40 Frei Hugo Fragoso. "O apaziguamento do povo rebelado mediante as missões populares. Nordeste/Império". In: *A Igreja e o controle social nos sertões nordestinos*. São Paulo: Paulinas, 1988.
41 Núcleo Sertão. *Op. cit.*, doc 32.
42 *Leituras Religiosas*. Bahia, Anno VI, n. 2, 7.7.1895, p. 14.
43 José Calasans. *Op. cit.*, p. 23.
44 Carlos Coqueijo e Alcivando Luz. "Ave Maria dos retirantes". Rio de Janeiro: Copacabana, Lado A, Faixa 1, compacto duplo, 1969.

Os militares e a política na República: o episódio de Canudos

Mario Jorge da Fonseca Hermes

Introdução

É difícil analisar acontecimentos pretéritos. A tendência é a de um julgamento imperfeito, pois que realizado com o envolvimento da inteligência pelo contexto atual. Daí a dificuldade da tentativa de situar-se acorde com o passado. Porém é tentativa válida e, por isso, deve ser buscada.

No importante evento histórico em que se constituiu a Guerra de Canudos, prontamente ignorada pela historiografia oficial, passados cem anos, um pouco mais, as condições econômicas, psicossociais e principalmente das paixões políticas, que tanto embotam o raciocínio e inibem os homens ponderados, pouco ou nada têm a ver com os dias de hoje.

Não fosse a publicação de *Os sertões*, obra-monumento de nossa literatura, que apresentou à nação o fato da existência de dois Brasis, é possível que os estudiosos do tema ficassem sem incentivo para o excelente trabalho de pesquisa que há algumas décadas vêm realizando. Esses garimpadores buscam explicações, onde ocorrem sadias discordâncias, para aquela terrível guerra que deveria ter acontecido.

NOTA DA REDAÇÃO: Publicado originalmente, com pequenas alterações, na *Revista Marítima Brasileira* (Rio de Janeiro, v. 121, n.1-3, jan.-mar. 2002), do Serviço de Documentação da Marinha, editada desde 1851, como 38ª parte da série "Os militares e a política no Império e na República", iniciada em março de 1990 e que deve prosseguir.

Quanto a esse aspecto, o da guerra burra e inconseqüente, existe entre eles a unanimidade.

Daí a validade desses investigadores na busca da verdade histórica – se é que ela existe. Até porque deve-se entender o passado, estudá-lo, para no presente estar-se preparado para, no mínimo, deixar de cometer as mesmas asneiras e elaborem-se, alicerçando em conhecimento mais sólido, tentativas para uma sociedade que se imaginem úteis para o futuro. Às vezes penso que os acontecimentos conduzem os homens e não são por eles conduzidos. Este pensamento, caso reflita mesmo parcialmente a realidade, creio não haver sido o caso de Canudos.

***

A guerra de Canudos não pode ser analisada sem considerar-se, como tão bem o fez Euclides da Cunha, o sertão e o sertanejo como pano de fundo.

No decorrer dos capítulos anteriores, embora não tratada especificamente, a terra, creio, deu para ser compreendida e poderia ser resumida na expressão "sertão adusto".

Quanto ao homem, será dito um pouco mais, para só depois examinar-se criticamente a guerra em suas causas e conseqüências.

Canudos, para a qual muito colaboraram os atos de politiquice dos politiqueiros na capital federal, na capital da Bahia e nos seus municípios, de toda a imprensa, onde mesmo os jornais ditos sérios transmitiram o sensacionalismo e a inverdade, e da hierarquia da Igreja Católica na Bahia, foi, por tudo isso, uma guerra absurda. Culminou com o total envolvimento do Exército, numa guerra que não era sua e para a qual estava despreparado.

Para essa gente nada importava que brasileiros, sertanejos e militares, sacrificassem suas vidas na busca de ilusões, sem nenhum propósito válido.

O Conselheiro foi utilizado pelos chefes políticos baianos em oposição e "o Exército entrou de gaiato na guerra"[1], no dizer do historiador José Calasans da Silva, "a maior autoridade atual, no Brasil, do episódio Canudos"[2].

Se a ilustre historiadora americana Barbara W. Tuckman houvesse tomado conhecimento de Canudos, certamente teria por subtítulo de sua importante obra *A marcha da insensatez: de Tróia ao Vietnã, passando por Canudos.*

A conquista do sertão

Os bandeirantes oriundos de São Paulo foram os primeiros brancos a alcançar aquele interior inóspito da terra brasileira, posteriormente conhecido como "os sertões". E o caminho, iniciado no Tietê, foi o São Francisco, "o grande caminho da civilização brasileira". Permitiu que os paulistas que a montante o desciam e baianos e pernambucanos que a jusante o subiam, duas civilizações que se desconheciam, tenham sido apresentados uma a outra.

Os paulistas chegaram ao Vaza-Barris, ao Cumbe, a Uauá e tantos outros aldeamentos que, nas suas caminhadas rumo ao norte em busca da riqueza, povoaram com os que não quiseram continuar a jornada. Defrontaram-se desde então com a paisagem adusta, aterradora, desértica daquelas terras e com o tapuia indomável.

"Já no término do século XVII, com a penetração dos sertões, os aldeamentos se sucediam com sua populações miscigênicas esquecidas"[3]. A essa altura, a pecuária, o boi, contribuía para a fixação do homem naquelas paragens.

A miscigenação foi a solução natural entre homens brancos que se embrenhavam no Brasil e índios dóceis que os acompanhavam ou o tapuia guerreiro que teriam de submeter no combate. A índia era a mulher à disposição. A procriação foi decorrência de um ato natural e não de qualquer propósito preconcebido de povoar o interior, embora, ao fim, esse fosse o objetivo alcançado. O mameluco ou curiboca[4], com forte predominância do aborígine, foi o produto desse cruzamento no interior do Leste e do Nordeste brasileiro.

No litoral, onde prosperou a cultura intensiva da cana-de-açúcar, o acasalamento ocorreu com o escravo, o negro africano; "afeito à humildade extrema, sem as rebeldias do índio, o negro teve, de pronto, sobre os ombros toda a pressão da vida colonial. Era a besta de carga adstrita a trabalhos sem folga"[5].

Aos negros deve muito a nação brasileira, sustentáculos que foram da economia na Colônia e no Império.

Nasciam os mulatos.

A bem da verdade, essa mesclagem ocorrera na metrópole, antes de frutificar em terras do Brasil.

Poucos negros até a abolição adentraram no interior. A fuga da escravidão significava grandes riscos. Mas nem por isso o cruzamento com o índio deixou de ocorrer, com o aparecimento do cafuz.

O processo de miscigenação nos sertões, principalmente na Bahia, foi contínuo, com a mistura de todas as subetnias, chegando ao sertanejo, ao pardo quase um produto final, porém com a preponderância do índio, em particular do feroz tapuia.

Assim se expressou Euclides da Cunha, no final do século XIX, ao deparar com as gentes do sertão da Bahia:

> Acreditamos que isto sucede porque o escopo destas investigações [dos antropólogos de então] se tem reduzido à pesquisa de um tipo étnico único, quando há, certo, muitos.
>
> Não temos unidade de raça.
>
> Não a teremos, talvez, nunca.
>
> Predestinamo-nos à formação de uma raça histórica em futuro remoto, *se o permitir dilatado tempo de vida nacional autônoma* [grifos do articulista]. [...]. A nossa evolução biológica reclama a garantia da evolução social.
>
> Estamos condenados à civilização.
>
> *Ou progredimos, ou desaparecemos* [grifos do articulista].
>
> A afirmativa é segura[6].

***

Perdidas nas páginas de *Os sertões* essas duas frases por mim grifadas. Frases de sobeja importância. Previsão de Euclides da Cunha, advertência? Nos dias atuais, deveriam constituir-se na maior preocupação nacional. E não seria apenas a Amazônia. Se não existir tal preocupação transformada em vigorosa vontade dos brasileiros, talvez seja fundada a indagação: por quanto tempo teremos somente um Brasil, *o nosso Brasil*? Temos a obrigação de pensar um século à frente. E o tempo, em relação às mudanças que ocorrem no planeta, fruto do desenvolvimento quase exponencial da ciência e da tecnologia, já pode ser medido em segundos.

Um dos maiores fatores de integração nacional são as Forças Armadas, pelo simbolismo que contêm e pela presença de brasileiros de todas as origens, étnicas e geográficas, designados para os mais diversos e distantes rincões de nossa pátria. Mormente o Exército, por ser a força de terra.

Não obstante, a política que nos rege – imposta e aceita pelos que nos governam, obedientes a interesses alienígenas, com o suporte da mídia – trabalha no sentido de emascular o sustento maior para a união nacional, tornando o Brasil mais fraco e desacreditado, não somente pelos de fora, mas por seus próprios filhos.

***

Euclides chamou de nova raça, inteligente, forte e corajosa. Não a classificou de sub-raça. Porém, acrescento, deserdada, abandonada pelo poder público e principalmente pelos políticos profissionais, que sempre tiveram por objetivo conservá-la ignorante, para melhor dela se utilizar. Não é dessa maneira que se constrói uma grande nação.

***

O interior baiano e nordestino, nele incluída a região dos sertões, via sua população crescer completamente isolada do litoral. Este, sustentado pela cana-de-açúcar e seus engenhos, pelo algodão e pelo fumo e, sobretudo, pelo braço escravo. No litoral estava a civilização, a cultura, a riqueza, pelo menos dentro da realidade das coisas. Encontrava-se, mais do que tudo, o poder político, de uma política retrógrada por oligárquica.

Política e economia

A Bahia do litoral, até pouco antes da abolição da escravatura, apresentava uma economia sólida e próspera e uma elite de formação bacharelesca que politicamente influía no governo do Império. "Os chefes de gabinete do Império eram baianos: Cotegipe, Farias, Ângelo Muniz da Silva Ferraz, Saraiva e o conselheiro Dantas"[7].

O interior constituía-se na antítese do litoral. A agricultura mantinha a subsistência. A sociedade permanecera estagnada, estratificada e, por derivação, conservadora ao extremo: o tempo passava, mas o modo de encarar a vida conservava-se sempre o mesmo, até porque a paisagem agressiva permanecia imutável, encolerizando o homem do sertão. Contudo, a esperança dos vales férteis e irrigados não abandonava o pensamento do sertanejo, levando-o ao misticismo. O sonho permanecia mesmo nos estios causticantes e inóspitos que se prolongavam. Porém, contra o flagelo da seca, quando ela ciclicamente chegava, não havia como lutar; a retirada de homens e mulheres, trapos humanos, era a opção. Desgastavam-se na luta inglória até a última força e o último resquício da esperança. Mas se a chuva caísse, retornariam a seu sertão.

No século XIX, década de 70, houve sete secas; na de 80, cinco. De 1893 a 1895, na República, houve outra.

Mas, se nas terras inóspitas do interior era difícil a fixação do homem pela agricultura, ela ocorreu na pata do boi com o início do ciclo do gado. A expansão foi imediata; o crescimento do rebanho, na falta de pastos favoráveis, era suprido por terras sem fim, por ele, o boi, conquistadas. Essas terras, todavia, não pertenciam, em sua maioria, aos que nela trabalhavam. Delas foram os primeiros proprietários aqueles, poderosos politicamente, moradores do litoral, beneficiados pelo regime de sesmarias e transmitidas por herança a seus descendentes. Sociedade patriarcal, não muito diferente da época das capitanias hereditárias, com as famílias organizadas pelo antigo direito romano-canônico, oriundo da península ibérica.

A autoridade do senhor da terra, do chefe de família, era incontestável. Uma aristocracia rural em região desagraciada pela natureza. Talvez por isso procedia muitas vezes como déspota, "a governar com mão de ferro suas terras, espécie de feudo, um minúsculo Estado"[8]. Esse processo de posse da terra em muito concorreu para "o insulamento e a conservação do autóctone [...] as grandes concessões de sesmarias", algumas vezes entregues a uma única família, foram as "definidoras da feição mais durável do nosso feudalismo tacanho"[9], no dizer de Euclides da Cunha.

"O fato de as propriedades não terem limites precisos (serras, baixadas, riachos etc.) facilitava a grilagem"[10]. Quanto mais terra e mais gado, mais poder político e econômico. Esse poderoso, residente na grande maioria na capital, gerenciava à distância suas propriedades, graças à fidelidade[11] do vaqueiro que as cuidava, e "não os fiscaliza. Sabe-lhes, quando muito, os nomes"[12]. Deles recebia o dinheiro. Políticos e latifundiários na capital e seus prepostos nos municípios do interior – em conluio com o juiz de direito, o delegado de polícia e os curas (no Império funcionários públicos, pois do estado recebiam a côngrua, e, desse modo, representantes do poder institucionalizado) – regulamentavam as relações entre os contendores.

Assim, por fazer as leis em proveito próprio, subjugavam legalmente os pequenos proprietários, que, por não ter como cumprir a legislação, posturas e demais artifícios que lhes eram impostos, acabavam por desfazer-se de suas propriedades, em benefício do latifundiário.

Todavia, à medida que as terras aumentavam e os rebanhos cresciam, muitos donos passaram a morar em suas fazendas ou a dedicar maior tempo a sua administração. Porém, esses "donos do poder" eram poucos. Latifundiários, herdeiros diretos dos sesmeiros ancestrais.

O vínculo do dono da propriedade com a terra constitui-se em atavismo milenar. Por ela ele luta, por ela ele morre. Não se contenta com o que possui. Aumentar seus domínios é necessidade igual ao sangue que corre em suas veias.

No sertão da Bahia, à época da Guerra de Canudos, era político de grande influência Cícero Dantas Martins, o maior latifundiário do estado. "Ao falecer, em 1903, o barão de Jeremoabo legou aos seus herdeiros nada menos que 61 fazendas, duas das quais localizavam-se no vizinho estado de Sergipe"[13].

Jeremoabo disputou com o conselheiro do Império, Luiz Viana, a liderança maior do estado da Bahia. Controlava o 3º Distrito Eleitoral, em cujas terras encontrava-se Canudos, posteriormente Belo Monte. Conhecia pessoalmente o Conselheiro. Influenciou, em razão da disputa política com Luiz Viana, mais por culpa deste, para que não fosse encontrada uma solução que evitasse o derramamento de sangue brasileiro em Canudos.

O sertanejo, a Igreja Católica e o Conselheiro

O que dizer do sertanejo mantido por séculos completamente isolado e desconhecido do litoral? Possuía forte constituição física, que lhe permitia conviver com a natureza adversa. Em seu sangue, predominava o do índio, em grande parte do tapuia, guerreiro indomável.

O isolamento secular determinava a manutenção de uma cultura transmitida oralmente de pai para filho, em que prevaleciam as crendices dos ancestrais, ampliadas com o passar do tempo. O sertanejo necessitava da religião. Quando a seca se denunciava, e ainda havia esperança, "a princípio este reza, olhos postos na altura. O seu primeiro amparo é a fé religiosa"[14]. Mesmo quando sucumbe à seca, não perde a fé. Aguarda o equinócio da primavera, o 19 de março, dia de São José. Se não chove, sabe que o céu claro permanecerá e só restará fugir da seca, porque ela será inevitável.

É um crédulo por natureza. A religião que recebeu é, como ele, produto das crenças de três raças. A Igreja Católica chegou ao Brasil quando "todos os terrores da Idade Média tinham cristalizado no catolicismo peninsular"[15]. Foi na época de dom João III, quando fez-se intenso o povoamento do Brasil. Aqui sincretiza com o fetichismo do índio e do africano. Mas é importante insistir: o sertanejo sempre necessitou da religião ou de uma crença.

Apesar de tudo, a religião pregada pelos sacerdotes católicos romanos – muitos deles estrangeiros, falando um português, arrevesado que os sertanejos tinham dificuldade de entender – constituía-se na única fonte que poderia acrescentar algo de novo no estado de espírito e na cultura daquela gente.

Poderia, mas com freqüência não acontecia.

Registra Euclides da Cunha:

> Salvo raríssimas exceções, o missionário moderno é um agente prejudicialíssimo no agravar todos os desequilíbrios do estado emocional dos tabaréus. Sem a altitude dos que o antecederam, a sua ação é negativa: destroi, apaga e perverte o que incutiram de bom naqueles espíritos ingênuos os ensinamentos dos primeiros evangelizadores, dos quais não tem o talento e não tem a arte surpreendente de transfiguração das almas. Segue vulgarmente processo inverso do
>
> Daqueles: não aconselha e consola, aterra e amaldiçoa; não ora, esbraveja. É brutal e traiçoeiro. [...] Sobe ao púlpito das igrejas do sertão e não alevanta a imagem arrebatadora dos céus; descreve o inferno truculento e flamívomo, numa algaravia de frases rebarbativas a que completam gestos de maluco e esgares de truão.
>
> [...]
>
> Não traça ante os matutos simples a feição honesta e superior da vida – não a conhece; mas brama em todos os tons contra o pecado; esboça grosseiros quadros de torturas. [...]
>
> E alucina o sertanejo crédulo; alucina-o, deprime-o, perverte-o"[16].

O sincretismo entre o catolicismo mal transmitido e as crendices – em que apareciam "lendas arrepiadoras do caapora, [...] os sacis diabólicos, [...] de parceria com os lobisomens e mulas-sem-cabeça notívagos; todos os mal-assombramentos, todas as tentações do maldito ou do diabo – este trágico emissário dos rancores celestes em comissão na Terra"[17] – faziam a mente do sertanejo ficar aberta aos movimentos místicos de feição milenarista, sebastianista e messiânica. Havia sempre um pregador, um messias, a ser acompanhado por fanatizados embevecidos por uma peroração.

O milenarismo, o sebastianismo e o messianismo mesclavam-se, embora distintos entre si. O milenarismo que ganhava força com o findar do século "não se destina à salvação e ao paraíso individuais e sim ao da coletividade ameaçada pelo pecado, importante medida a ser tomada ao término do milênio (ou mesmo do século) diante da iminência do fim do mundo"[18]. O sebastianismo é alicerçado em complicada história que envolve dom Sebastião, o grande rei de Portugal morto na batalha do Alcácer Quibir contra os mouros, cercada por mistérios provavelmente criados pelo imaginário e mantidos e até ampliados pelas gerações através dos tempos, que garantiam seu retorno a Portugal. Uma crendice, portanto. Envolve também São Sebastião, mártir cristão morto pelos romanos, para o sertanejo um santo milagreiro. "Reunidos numa só unidade, o santo e o rei, pela crença popular, absolutamente imprescindível para o retorno à felicidade e para a cessação das desgraças do povo sertanejo. O terceiro, porque o que de errado existe somente pode ser reparado por um messias"[19].

Antônio Conselheiro

Para alguns, Antônio Conselheiro era um demente, que trazia em sua alma as seqüelas de um casamento malsucedido. Para os que o seguiram, um santo, que só desejava o bem e, acima de tudo, a garantia da vida eterna para os puros e pobres e o fogo do inferno aos ímpios e pecadores. "A multidão aclamava-o representante natural das suas aspirações mais altas"[20].

Obrigava a si próprio à prática de uma disciplina rígida, poder-se-ia dizer rara, ascética, que lhe enrijecia o corpo e a mente. Era o que carecia para cumprir a difícil missão que a si próprio conferira: "apontar aos pecadores o caminho da salvação. Satisfez-se sempre com este papel de delegado dos céus"[21].

Os indícios de desequilíbrio mental a ele atribuídos foram se corrigindo pela idéia fixa (talvez em si mesmo um sintoma de instabilidade psíquica), conduzida por vontade férrea e firmeza inabalável em suas crenças e predestinação.

Essas facetas de seu caráter, paradoxalmente, conferiram lucidez ao raciocínio e argumentação lógica a seus sermões, conseguida após muitos anos de prática.

De muito colaboraram no convencimento dos fiéis seu aspecto físico e o modo como se apresentava, anteriormente descritos.

A miséria, a aridez do sertão, os longos estios de céu azul e noites limpas, a certeza da próxima seca, a desesperança forneciam os elementos para as palavras do místico carismático, que oferecia bonanças na terra e a eternidade. Era o que o homem do sertão desejava ouvir para alimentar sua alma e atravessar os dias difíceis de sempre.

"Para o historiador não foi um desequilibrado. Apareceu como integração de caracteres diferenciais – vagos, indecisos, mal percebidos quando dispersos na multidão, mas enérgicos e definidos, quando resumidos numa individualidade"[22].

Possuía alguma instrução. Fora, na juventude, em sua cidade natal, Quixeramobim, introduzido ao latim, o que permitiu em suas prédicas a citação de frases latinas da *Bíblia* – da qual possuía algum conhecimento –, à semelhança dos padres católicos, que impressionavam os sertanejos que o seguiam.

Ao iniciar, em 1874, suas pregações pela província da Bahia, perambulando sem rumo determinado, tinha – o que era compreensível – dificuldades em sua oratória. Mesmo assim, atraía seguidores com a força inexplicável que é concedida aos condutores de homens. Porém, com o passar do tempo, tornou-se na propagação de suas idéias, agora com palavras bem-postas que a prática dos anos lhe conferiu, orador convincente que silenciava as multidões que o escutavam.

Os registros assinalavam que era manso ao falar, embora por vezes elevasse o tom da voz em pontos que julgava importantes na condução do rebanho ou em resposta a alguma argüição descabida.

A idéia que me ficou das leituras realizadas foi a de que suas prédicas não tinham o propósito explícito de fazer prosélitos. Os seguidores incondicionais simplesmente aconteciam, hipnotizados por aquela figura diferente, insólita, de olhar penetrante.

O fim do século aproximava-se. A mensagem milenarista era transmitida pelos pregadores que cruzavam os sertões. Mas em Antônio Conselheiro, místico carismático que aliava ao milenarismo e ao sebastianismo o conhecimento que possuía da *Bíblia* e as citações em latim, ela se tornava superlativa. Era inigualável. Os párocos não lhe faziam concorrência. Eram por ele suplantados na arte de conduzir o rebanho.

Iniciou-se, pouco a pouco, a oposição da Igreja Católica àquele homem que a ela era obediente e não a enfrentava. Se o vigário interrompia sua prédica, acolhia-o. Se ordenasse que se retirasse do vilarejo, obedecia-o. E ia pregando adiante, construindo e reparando igrejas e cemitérios.

Os livros sagrados que utilizava foram a *Missão abreviada* e as *Horas marianas*. "A *Missão abreviada*, livro de caráter bíblico muito forte, no qual encontramos a toda hora o diabo. Se alguém diz o nome *diabo*, já pecou, e o que disse fica imediatamente à mercê de satanás"[23]. Em suas falas, no que se referia ao demônio, parecia não se distinguir muito dos padres. A alma do sertanejo ficava entre céu, inferno, pecado e salvação eterna.

Em suas caminhadas aleatórias, em 1876, aparece o Conselheiro na Vila de Itapecuru de Cima. Já era conhecido pelo povo do sertão. Inicia sua pregação como de costume. "Um dos adeptos carregava o templo único, então, da religião minúscula e nascente: um oratório tosco, de cedro, encerrando a imagem do Cristo", que era preso "a um galho de árvore; e, genuflexos, rezavam. Entravam com ele, triunfalmente erguido, pelos vilarejos e povoados, num coro de ladainhas"[24].

Sua existência, com algum detalhe, fora transmitida naquela ano pela *Folhinha Laemmert* de 1877, publicação bastante difundida na capital do Império. Já se tornara muito conhecido.

A presença em Itapecuru de Cima constituiu-se em ponto marcante de sua vida, pois fora acusado falsamente e preso por, no Ceará, haver matado a esposa e a mãe. Formara-se uma lenda a respeito. O Conselheiro já preocupava as autoridades. Não ofereceu resistência.

Para quem estava neste tirocínio de amarguras, aquela ordem de prisão era incidente mínimo. Recebeu-a indiferente. Proibiu aos fiéis que o defendessem. Entregou-se. Levaram-no à capital da Bahia.

[...]

Interrogaram-no os juízes estupefatos.

Acusavam-no de velhos crimes, cometidos no torrão nativo. Ouviu o interrogatório e as acusações, e não murmurou sequer, revestido de impassibilidade marmórea[25].

Ficou decidido remetê-lo para o Ceará, onde, após o reconhecimento da improcedência da denúncia, foi posto em liberdade. Retorna à Bahia. Era esperado pelos crentes. Seu prestígio crescera, até porque, segundo relatos da época, voltara no dia que prefixara, ao ser preso. "Tomou aspecto de milagre."

De 1877 a 1887, vagueia por todo o interior do estado da Bahia, pregando e fazendo obras em igrejas e cemitérios. Passou a conhecer o sertão e sua gente como a palma de sua mão. Começaram a atribuir-lhe milagres e cura de doentes crédulos.

Ao entrar nas vilas seguido dos crentes, onde permanecia por poucos dias, colocava no ostracismo as autoridades locais, do juiz de direito aos curas. Pregava à tarde, às vezes em palanques improvisados. A maioria dos moradores dos povoados comparecia para entoar terços e ladainhas e escutar as palavras daquele que, naquele estágio da vida, era reconhecido como profeta. Nas pregações, profecias fantasiosas e fantásticas. Emitia muitos conselhos, mais que conselhos, quase ordens. Falava, então, o milenarista, pois que o fim do mundo estava próximo:

> Que os fiéis abandonassem todos os haveres, tudo quanto os maculasse com um leve traço da vaidade. Todas as fortunas estavam a pique da catástrofe iminente e fora temeridade inútil conservá-las.
>
> Que abdicassem as venturas mais fugazes e fizessem da vida um purgatório duro; e não a manchassem nunca com o sacrilégio de um sorriso. O juízo final aproximava-se, inflexível[26].

E os seguidores, cumprindo rigorosamente as palavras do "santo", tornaram-se a cada instante em maior número. Não constituíam apenas miseráveis e doentes; muitos, de alguma posse, desfizeram-se de seus bens para acompanhá-lo.

Havia certa condescendência dos padres do interior em relação a Antônio Conselheiro. Afinal, ajudava, graças à obediência cega dos adeptos, nas construções e nos reparos de igrejas e cemitérios e em outras solicitações que lhe eram feitas. “Os pedreiros e carpinteiros trabalhavam de graça; os abastados forneciam, grátis, os materiais indispensáveis; o povo carregava pedras.[27]” Todos recebiam seus salários, o maior de todos a garantia da passagem após a morte para a vida eterna.

Ao deixar os vilarejos remodelados, partia com a simpatia dos curas. Havia mesmo um aspecto relacionado à pecúnia:

> O povo costumava afluir em massa aos atos do Conselheiro, a cujo aceno obedece, e resistirá ainda mesmo a qualquer ordem legal, por cuja razão os vigários o deixaram impunemente passar por santo, tanto mais quanto ele nada ganha e, ao contrário, promove batizados, casamentos, desobriga, festas, novenas, tudo o mais em que consistem os vastos rendimentos da Igreja[28].

“Os vigários toleravam com boa sombra os despropósitos do Santo endemoninhado que ao menos lhes acrescia a côngrua reduzida”[29].

Todavia, o arcebispo da Bahia fora acumulando informações sobre os fatos envolvendo os párocos e o Conselheiro, os quais contrariavam a doutrina da Igreja Católica codificada no direito canônico. A diocese emite, em 1882, circular a todos os vigários a ela subordinados proibindo a atuação de Antônio Conselheiro e determinando que fosse vedado aos paroquianos que se reunissem para ouvir suas pregações, pois não tinha tal autoridade. Dizia a circular que o povo “se reúne para ouvi-lo, doutrinas supersticiosas e uma moral excessivamente rígida”[30]. Lembra que competia à Igreja Católica, “somente aos ministros da religião, a missão santa de doutrinar os povos”.

A determinação do arcebispo, embora não surtisse o efeito desejado – pois o místico continuou a pregar pelo interior do estado –, mostrou claramente que a hierarquia católica não toleraria mais a atuação de Antônio Conselheiro. E tinha poder para influenciar o governo do estado nesse particular.

O Conselheiro voltava sempre a Itapecuru, como se fosse um revide à injustiça sofrida, onde acampava por mais tempo, realizava suas construções e reunia o povo na praça para ouvir seus sermões, rezar o terço e as ladainhas. Nesses dias, relata o delegado de polícia em ofício aos superiores na capital que "o ajuntamento sobe a mil pessoas". O delegado carrega nas tintas, faz acusações alarmantes. Porém, foi ignorado.

Em meados de 1887, a diocese, com a assinatura do arcebispo, pede providências ao presidente da província para que contivesse o "indivíduo Antônio Vicente Mendes Maciel, que, pregando doutrinas subversivas, fazia um grande mal à religião e ao estado, distraindo o povo de suas obrigações e arrastando-o após si, procurando convencer de que era Espírito Santo"[31].

O presidente da província oficia ao ministro com a responsabilidade para tratar do assunto e solicita uma vaga para baixar "o tresloucado no hospício de alienados do Rio". A resposta, lacônica e digna de um burocrata, foi a de que no nosocômio não havia sequer uma vaga. A diocese foi cientificada.

Nada mais foi feito em relação ao Conselheiro durante o Império.

A República

Conselheiro não a aceitou. Criado e vivendo na sociedade extremamente conservadora do interior, era natural que se insurgisse contra mudanças. Mormente a mudança no sistema político do Brasil. Aprendera a respeitar o imperador e somente a ele dever obediência. Colocava a princesa Isabel no mais alto patamar espiritual, pela liberdade ao povo escravo por ela concedida. A República era o anticristo, porquanto traíra o imperador e sua dinastia, escolhidos por Deus para governar o Brasil. O ato de traição tivera o apoio dos donos de terra em revide aos escravos libertados pela princesa.

Com a República vieram novas leis. A relativa ao casamento civil, decorrente da separação da Igreja e do estado, atingiu profundamente Antônio Conselheiro, que entendia ser válido o casamento somente quando celebrado perante Deus pela Igreja Católica.

Porém, em todo o interior, não era apenas o místico contrário ao casamento civil. Conta-nos o historiador José Calasans:

> O casamento civil no sertão era uma coisa chocante. Minha avó, que foi do tempo da Monarquia, que conheci ainda com mais de 80 anos, me contava que, numa roda de família do interior, alguém disse: "Fulano casou-se com sicrana". E responderam em coro: "Não. Não se casou. Amancebou-se com a licença do juiz". Quer dizer, o casamento civil era uma mancebia autorizada pela lei, uma heresia autorizada pela República"[32].

***

Antônio Mendes Maciel viveu na Bahia em época de grandes dificuldades. Nos sertões o flagelo da seca, no Brasil a questão religiosa, a abolição do cativeiro, a República. A Bahia, Estado próspero, começara a perder o poder econômico com o rápido desenvolvimento da cultura do café no Sudeste. O lavrador inicia a imigração às fazendas de café. O impacto foi mais forte após a abolição da escravatura. Os fazendeiros baianos sentiram a falta de braços em suas fazendas. Quando o Conselheiro estabeleceu-se em Canudos, a evasão de mão-de-obra das fazendas do interior cresceu, com os homens e suas famílias abandonando-as para residir em Canudos sob sua proteção espiritual. Os fazendeiros começaram a engrossar a pressão contra o Conselheiro.

O eixo do poder político deslocava-se para São Paulo.

> Há de fato uma demonstração de que a economia baiana nessa época – fins da Monarquia e começos da República – estava em evidente decadência, porque o próprio Rui Barbosa, que se vai projetar como grande figura na organização da República, na verdade é menos representante da força econômica, que não foi, do que do bacharelismo, como também algumas figuras menores. Outro não é o motivo por que a

Bahia continuava monarquista, apesar da República, segundo opiniões correntes na época[33].

***

Contudo, mesmo pregando contra a República, o Conselheiro não usava da violência e não era perseguido por tais alegações. Dizia não ser Deus. "- Deus é outra pessoa", disse ele a Pedrão, um de seus seguidores e membro de sua segurança pessoal. "Eu sou um peregrino, um pobre pecador que está pagando seus crimes, seus pecados"[34].

A postura, se não pacífica, não beligerante do carismático pregador sofreu, contudo, repentina mudança. Ocorreu em 1893, na feira de Soure.

O início da rebeldia – Massetê

Os episódios do Soure (revolta popular contra impostos) tiveram início em 10 de abril de 1893, repetindo-se nos dias 17 e 24. A revolta popular que o Conselheiro encontrou iniciada foi uma das muitas rebeliões contra o Fisco registradas em nossa história. Os governos, com pouca imaginação, não encontram solução outra que o aumento ou a invenção de impostos e taxas para a solução dos problemas por eles criados. Esse modo de pensar parece estar ligado à mentalidade mercantilista herdada de Portugal, que, infelizmente, até hoje persiste.

Com a República, fora decretada a autonomia dos municípios, que em conseqüência poderiam cobrar tributos. Não perderam tempo. E os novos impostos, diferentes daqueles que o povo acostumara-se a pagar durante o Império, como de costume, eram afixados em tabuletas. A ocasião não era propícia. O período coincidiu com a seca, que se prolongou até 1895, aumentando a pobreza. A manifestação antifisco caracterizou-se pelo quebra-quebra e pela queima das tabuletas. O Conselheiro, ao entrar na cidade com seus, ainda poucos, acompanhantes, uniu-se à turbamalta, dando maior vigor à manifestação, pois não aceitara a República e suas leis. O número de manifestantes cresce de 20 para cerca de 500 no período de duas semanas.

O barão de Jeremoabo assim descreveu o protesto popular que se seguiu: "Uma horda de mais de 500 homens, carregados de armas de fogo, facões, cacetes, chuchos, percorreu as ruas com ameaças [...] e que ninguém, absolutamente ninguém pagaria um real de imposto, porque não reconheciam nem obedeciam às leis da República"[35].

Há que se registrar, porque encontra-se no início das disputas que dividiram as forças políticas da Bahia – que tanta responsabilidade tiveram na eclosão da Guerra de Canudos –, "que o líder da rebelião, José Horonato de Souza Neto, era adversário político do então intendente Francisco Dantas, partidário do barão de Jeremoabo"[36].

José Honorato de Souza, "a alma, a faísca que ateou o incêndio", foi preso, julgado e condenado pelo juiz de direito de Itapicuru, "gente do barão". Crime de sedição, inafiançável. Contudo, a corte de apelação na capital aceitou o *habeas corpus* em favor de José Honorato, que, julgado pelo Superior Tribunal de Justiça, então sob a presidência de Luiz Viana, foi absolvido, sendo decretada a nulidade do processo.

Os políticos e a guerra

A pressão dos fazendeiros, e portanto política, a partir do episódio do Soure (novos impostos), começa a aparecer. A despeito de ser minoritária a participação conselheirista no quebra-quebra, foi contra ele que o governo do estado enviou sua polícia, quando reuniu pouco mais de 30 soldados. O encontro ocorreu no local conhecido por Masseté, a 26 de maio de 1893. A tropa policial foi vencida pelos jagunços[37], que mostraram enorme determinação para a luta. "O comandante correu em fuga batida pelos matos e, espavorido, chegou à Vila de Tucano sem boné, sem espada e com a farda em tiras"[38].

É importante assinalar que o comandante da tropa declarou em seu relatório que "a gente do Conselheiro não cometera um só ataque ou agressão à propriedade ou individualidade alguma"[39]. Apenas reagiu à tropa.

O Conselheiro ainda não se estabelecera em Canudos, o que ocorreu em junho, mas seu prestígio de muito crescera após Masseté.

O governador Rodrigues Lima obteve autorização do marechal Floriano Peixoto para enviar 80 militares do Exército em perseguição ao beato. Contudo, determinou o retorno da tropa na altura de Serrinha. Cumprira orientação de Luiz Viana, que, realmente, mandava no governo e entendera ser Antônio Conselheiro, agora estabelecido em Canudos, útil a seus desígnios políticos. É que naquela região encontravam-se fazendas do barão de Jeremoabo e de seus correligionários. Essas terras formavam a 3ª Região Eleitoral, sob total controle do barão. Luiz Viana imaginava que o Conselheiro e seus homens criassem dificuldades aos fazendeiros locais, minando o prestígio de Jeremoabo.

As fazendas do interior (e também do litoral) – que tiveram a mão-de-obra arregimentada pelos agentes dos fazendeiros plantadores do café no Sudeste, desde a segunda metade do século XIX, e posteriormente sofreram o efeito da abolição da escravatura – agora viam seus trabalhadores arregimentados pelo "santo", cooptados pela pregação do místico, uma vez que, espontaneamente, abandonavam as fazendas para segui-lo.

A população de Canudos, agora Belo Monte, teve crescimento rápido e expressivo, o que colocou em pânico os fazendeiros locais, pois a fome, que esperavam acontecer, acabaria por bater naquelas bancadas. Tiveram medo de que suas terras fossem invadidas, embora o respeito à propriedade privada fosse pregado por Antônio Conselheiro.

"O povo em massa abandonava suas casas e afazeres para acompanhar [Antônio Conselheiro]. A população vivia como se estivesse em êxtase [...], nem os proprietários nem os fazendeiros podem contar com os agregados e vaqueiros"[40].

> O desespero dos chefes políticos, assim como da Igreja Católica e dos grandes fazendeiros, estava no fato de que a influência do Conselheiro se fazia sentir não apenas junto às classes subalternas, mas também junto a setores intermediários da sociedade, que se deixavam atrair por suas palavras, por seu carisma.

> Um poder concorrente ao que, até então, exerciam de modo inconteste. Assim o barão registrou a força da atração do novo líder do sertão: "Com exceção da minha, posso dizer, sem receio, que não houve família que não assistisse às suas orações. O fervor chegou ao excesso de convidarem-no para as suas casas aquelas que, em quaisquer circunstâncias, não podiam comparecer nos pontos de reunião"[41].

Começaram a delinear-se com mais clareza os inimigos de Antônio Conselheiro: os fazendeiros que passaram a espalhar boatos que chegavam a Salvador com foros de verdade, os chefes políticos e juízes locais, praticamente todos os donos de terra e a Igreja Católica.

A cisão partidária

Luiz Viana não cogitava dividir o poder político e a força do partido governista. Passou a atuar na sede dos municípios, de onde emanava, em última análise, o controle partidário.

O tema posto em debate no Senado estadual foi o da limitação ou não da autonomia municipal, que culminou com a criação das facções vianistas e gonçalvistas. Estes queriam garantir a integridade de seu reduto eleitoral e de seus amigos no sertão do nordeste da Bahia. O projeto dos vianistas permitia antepor recursos às eleições municipais.

O propósito de Luiz Viana, com grande influência sobre o governador, era enfraquecer o poder local dos agora seus adversários, o que se tornaria um fato com a limitação da autonomia municipal.

Luiz Viana, presidente do Tribunal de Justiça, usou o poder que lhe conferia o cargo e promoveu mudanças das autoridades locais nos municípios sob o mando de Jeremoabo: do promotor público e juiz de direito ao delegado de polícia e outros. E seus prepostos iniciaram a perseguição política e a intimação dos moradores.

Cesar Zama[42] denunciou, na época, que a origem da Guerra de Canudos estava no ódio que Luiz Viana devotava a "dois antigos correligionários, depois adversários políticos que ousavam enfrentar o dominador", destacando o que Viana havia feito para conquistar um distrito eleitoral, em que esse homens [Gonçalves e Jeremoabo] exerciam e ainda exercem influência incontestável[43].

Poucos votavam. Oitenta e dois por cento da população baiana era de analfabetos. As mulheres e praças de pré não votavam. A 3 de março de 1885, realizou-se eleição em que se ignorava o conceito de cidadania.

Cada partido lavrou suas atas, que continham nomes de seus eleitores.

Da duplicata de atas eleitorais lavradas a *bico de pena*, passou-se à duplicata de juntas apuradoras, que, por sua vez, gerou duplicata de diplomas e, daí, a duplicata da assembléia geral – Câmara e Senado.

A assembléia vianista foi presidida pelo barão de Camaçari, influente senhor de engenho no Recôncavo. [...] A ele o governador Rodrigues Lima enviou a mensagem governamental. [...] A assembléia geral em oposição se organizou sob a presidência do barão de Jeremoabo, que, além de senhor de engenho, era o maior pecuarista do sertão[44].

Estava duplicada a Assembléia Legislativa. Ocorre que o governador Rodrigues Lima solicita afastamento do cargo, para tratamento de saúde no Rio de Janeiro.

Camaçari e Jeremoabo "avocaram-se o direito de substituir o governador e instalaram-se no palácio governamental. Durante dois meses (de 18 de outubro a 20 de dezembro) ambos exerceram a chefia do Executivo baiano"[45]. O barão de Jeremoabo aproveitou para recompor seu poder nos municípios onde exercia influência.

Rodrigues Lima retornou às pressas e reassumiu o Executivo.

Os oposicionistas esperavam que Prudente de Morais decretasse a intervenção federal, mas o presidente remeteu a questão ao Congresso. Luiz Viana gozava de prestígio na capital da República.

Os parlamentares oposicionistas foram cassados por não haver comparecido "a uma só das sessões".

"O *Diário de Notícias*, em 21 de janeiro de 1895, estampou manchete: 'Sofrimento do povo brasileiro causado pela trindade maldita: a peste, a fome e a guerra'. Comenta Consuelo Novaes Sampaio:

> "Mas o leitor desavisado poderia pensar que a "guerra" mencionada no jornal diz respeito a Canudos. Engano. A questão política, que se resumia na defesa de interesses pessoais, sobrepunha-se a Antônio Conselheiro e sua gente. O medo da guerra a que se referia o *Diário* era decorrente do "escândalo eleitoral que tomou proporções inauditas" nas eleições de 4 de novembro de 1894. Temia-se que a disputa pelo poder fizesse com que a Bahia tivesse "a mesma sorte do Rio Grande do Sul"[46].

À época da Guerra de Canudos (1893-1897),

> Os membros da elite baiana estavam muito envolvidos na luta por cargos na administração pública, no Legislativo e no Judiciário, que então se organizavam.
>
> Questiúnculas partidárias e de interesse pessoal não lhes permitiam desviar a atenção para uma multidão de romeiros decididos a acampar em Belo Monte. *Foi a disputa pelo poder, na Bahia e na capital federal, que conferiu a Canudos dimensão nacional.* [grifos do articulista][47].

A questão da madeira

Deveria ter sido assunto de menor importância, facilmente solucionado pelas autoridades locais. Até porque tratava-se de uma trapaça armada contra Antônio Conselheiro.

O pregador carismático havia encomendado e pago a madeira adquirida no comércio de Juazeiro para a construção da nova igreja que iniciara em Belo Monte. Segundo procedimento utilizado, iniciaram-se os boatos, que, reforçados, passaram a intranqüilizar a população; a madeira não seria entregue.

O magistrado local deveria esclarecer o episódio chamando à fala os comerciantes inescrupulosos. Mas até o "juiz de direito de Itapicuru, Reginaldo Alves de Melo, conferiu-lhe foros de verdade plena"[48].

Luiz Viana, agora governador (28 de maio de 1896), substitui o juiz de direito de Itapicuru, "gente do barão", por Arlindo Leoni, antigo desafeto do Conselheiro.

Os boatos, agora acrescidos, são fabricados e espalhados pelo sertão: o místico viria com seus seguidores, já reunidos em Canudos, para tomar pela força a madeira que comprara e por ela havia pago.

O governador, atendendo a pedido de Arlindo Leoni, envia tropa do Exército, com o consentimento do comandante do distrito, general Solon, para enfrentar os "jagunços". A 7 de novembro, o tenente Pires Ferreira chega a Juazeiro.

Todavia, a razão, o direito e a justiça estavam com o Conselheiro. O desrespeito a esses valores fundamentais teve a mais terrível das conseqüências: a Guerra de Canudos, que ceifou a vida de 15 mil brasileiros.

O Conselheiro, com seguidores em todo o sertão, recebeu a notícia e deslocou sua gente para Uauá, onde ocorreu o combate com a tropa do tenente Pires Ferreira[49], que culminou com a fuga dos soldados, embora mais de cem conselheiristas houvessem morrido, contra cerca de dez praças.

Uauá, vila que apresentava progresso, foi incendiada pela soldadesca, o que levou Luiz Viana a telegrafar ao ministro da Guerra e dizer que a tropa federal enviada para combater os jagunços era mais "perigosa à ordem pública e ao bem-estar da zona que o próprio Antônio Conselheiro". A força que combateu em Uauá, acrescentou, "saqueou todo o povoado, havendo soldados que chegaram a Juazeiro com um e mais contos de réis e não contentes com isso incendiaram o povoado"[50].

O problema Conselheiro/Canudos, ainda de pequena monta, começava a complicar-se com o envolvimento do Exército e a derrota de seus soldados.

Providências na busca da conciliação deveriam ser, com toda a urgência, procuradas pelos políticos baianos.

Ainda havia tempo.

Mas diferente foi o caminho escolhido.

***

Prepara-se com urgência nova expedição. Porém, a essa altura, não se entendiam o governador e o general Solon, o qual passou a relacionar-se diretamente com o ministro da Guerra, Dionísio Cerqueira. Luiz Viana, cônscio de sua autoridade de governador, "telegrafou ao ministro da Guerra dizendo que só ao seu governo competia a manutenção da ordem no Estado, e que, se pelo fato de haver pedido auxílio das forças federais, a autoridade do general superava a sua, poderia retirá-las imediatamente"[51].

Esse desentendimento teve reflexos negativos sobre a 2ª Expedição comandada pelo major Febrônio de Brito[52].

O combate de Uauá ocorreu em 21 de novembro. No dia 25 partia de Salvador Febrônio de Brito. Os expedicionários chegaram a Monte Santo com 548 soldados, 14 oficiais combatentes e três médicos. Dispunham de dois canhões Krupp de campanha e quatro metralhadoras Nordenfeldt.

O açodamento na partida da 2ª Expedição foi conseqüência de imposição de Luiz Viana, que afirmava considerar certa a vitória sobre Antônio Conselheiro. O general Solon, movido apenas por motivos de caráter militar, em consonância com as informações que possuía, entendia haver necessidade de maior efetivo e preparo da tropa.

O major Febrônio, sem o necessário apoio logístico, com a fome rondando seus subordinados e sob forte pressão dos fanáticos, decide pela retirada, que foi realizada em ordem.

Manuel Vitorino, baiano, correligionário de Luiz Viana, no exercício da Presidência da República, demite o general Solon, que no entanto, permaneceu em Salvador, agora politicando abertamente contra o governador. Este jogou a responsabilidade da derrota nos ombros do major Febrônio, que recebeu, publicamente, pela imprensa, a solidariedade de seus camaradas. Luiz Viana foi acusado de praticar "politicagem escandalosa. Febrônio de Brito, em carta ao *Diário da Bahia*, em 1º de fevereiro de 1897, debitou o fracasso da expedição ao que chamou de política desgraçada, torpemente velhaca dos adesos diluídos nos banhos da sarnagem monárquica"[53].

Na briga política baiana, enquanto Luiz Viana evitava aceitar abertamente a presença do Exército, o barão de Jeremoabo a via com bons olhos, na esperança de que ela evoluísse para intervenção federal no estado, único modo de afastar Luiz Viana.

Um problema nacional

A derrota da 2ª Expedição alterara a problemática Conselheiro/Canudos. A questão tornara-se nacional em seus aspectos políticos e militares. Atingira a capital da República.

Manuel Vitorino, ansioso por substituir definitivamente Prudente de Morais, inicia trabalho político nesse sentido, incentivado por jacobinos e florianistas, os quais aceitara como aliados. Via a eliminação do Conselheiro e de Canudos no seu caminhar rumo à Presidência. Começa a criar e a espalhar o perigo da restauração monárquica, cujo foco se encontrava em Canudos. Esses sebastianistas imagináveis, nos boatos gerados, recebiam auxílio material de especialistas militares monarquistas brasileiros e da própria família imperial, além de potências européias. A imprensa, toda ela, não apenas os pasquineiros jacobinos, apoiava tal despautério. Os jornais inventavam notícias, mentiam, a fim de criar um clima de comoção nacional. Prudente de Morais, hospitalizado, era desprestigiado, ridicularizado. Vitorino não duvidava que assumiria a Presidência.

Montou a 3ª Expedição[54]. Escolheu para comandá-la o coronel Moreira César, fanático florianista-jacobino, de grande prestígio na República de Floriano Peixoto. Era um homem doente: sofria com alguma freqüência ataques de epilepsia, fato este que era, pelo menos, do conhecimento de seus camaradas. Eram recentes as mortes que mandara perpetrar, recentes e conhecidas.

O doutor Francisco Pires, em carta ao barão de Jeremoabo datada de 10 de fevereiro de 1897, lamenta a "infeliz lembrança de nomeação do coronel Moreira César [...] O assassino dos infelizes prisioneiros da Ilha do Governador e de Santa Catarina vai fazer uma carnificina medonha nos maltrapilhos e quase inermes fanáticos de Canudos. Este façanhudo militar está se transformando na segunda legalidade, o tira-teima"[55].

Porém, "o homem põe e Deus dispõe". Moreira César encontrou a morte, quando imaginava ter Canudos a sua disposição.

Após sua morte, foi a debandada.

A enorme quantidade de armas modernas e a munição foram abandonadas e fizeram dos conselheiristas uma comunidade bem armada e municiada, perfeita conhecedora do terreno, após derrotar o famoso coronel, e ainda mais fanatizada por Antônio Conselheiro.

As conseqüências da derrocada da 3ª Expedição

> Prudente de Morais reassumiu o governo no dia 14 de março de 1897, uma Quarta-feira de Cinzas. A 7, a capital federal e o Brasil foram sacudidos pelo desastre da Terceira Expedição e pela morte de Moreira César.
>
> A reação popular, incentivada pela imprensa, foi imediata e violenta.
>
> O presidente desprestigiado fora envolvido pelos acontecimentos.
>
> A nação levantava-se contra Antônio Conselheiro[56].

O fantasma da Monarquia alimentado por uma imprensa facciosa leva o povo a atingir o paroxismo.

Certamente existiam republicanos esclarecidos que discordavam de tal postura. Porém encolhiam-se. Por medo ou por saber que suas opiniões não seriam veiculadas pelos jornais.

Prudente é pressionado por todos os lados, inclusive por Campos Salles, que, em carta, lhe recomenda: "Acho que se deve acabar com isso já e sem meias medidas". Tradução: arrasar Canudos e eliminar Antônio Conselheiro e seus seguidores.

Prudente, enfraquecido em sua saúde e politicamente, manda chamar o general Artur Oscar para organizar e comandar a 4ª Expedição. O que foi a odisséia desses militares e o fim de Antônio Conselheiro foi anteriormente descrito[57].

As origens do conflito, os responsáveis

Não houvesse existido Antônio Conselheiro e *Os sertões* inexistiriam. Aquela terra, aquela gente, seus sofrimentos continuariam, por muito tempo, ignorados pelo Brasil. Quinze mil brasileiros teriam sido poupados daquela guerra cruenta. Foi um custo muito alto, inaceitável, para que o outro Brasil fosse mostrado. No entanto, o místico carismático existiu e iniciou suas andanças e pregação pelo interior da Bahia em 1874. Ao eclodir a guerra, era por demais conhecido. Não se constituía em surpresa. Por que então foi permitido que chegasse ao ponto de não retorno?

Porque, ao lado do "medo costumeiro", foi do interesse, da incompetência e/ou da insensatez daqueles com a responsabilidade de dirigir o Brasil, desde a capital da República até o estado da Bahia, passando pelos municípios do sertão baiano, fabricarem o "medo construído"[58], no dizer tão apropriado da historiadora Consuelo Novais Sampaio em seu ensaio *Cartas para o barão.*

Quando o Conselheiro passou a ser objeto de preocupação? Em 1876, ao ser injustamente preso e remetido para o Ceará e absolvido? Ao voltar? Ao ser, em 1882, denunciado pelo arcebispo da Bahia, que voltaria a denunciá-lo em 1887? Quem sabe?

É provável, porém, que o acompanhamento mais próximo do pregador houvesse tido como referência principal o fracasso da missão religiosa a Canudos do capuchinho frei João Evangelista de Monte Marciano[59]. Seu relatório pecou pela falta de invenção; foi quase um libelo acusatório contra Antônio Conselheiro.

Jorge Calmon[60], em depoimento a Oliveiros Litrento, assinala:

> A Igreja foi em parte responsável pela formação do clima de hospitalidade em torno da figura do Conselheiro e seu proselitismo. Para o clero, a atuação do beato, pregando nas vilas e nas fazendas, como se arauto fosse da palavra divina, e a construir capelas e cemitérios, afigurou-se intolerável, talvez mais que uma impostura, fácil de desmascarar, do que uma concorrência invasora dos seus privilégios. A indisposição teve como ponto de partida o relatório levado ao arcebispo da Bahia por frei João Evangelista de Monte Marciano, um religioso que estivera na região observando os fatos e, na volta, deles dera conhecimento – a seu modo – à autoridade eclesiástica. [...] A opinião da Igreja, embora separada do estado, pesava, e muito, nas deliberações do governo, fosse o central, fosse o do estado. E porque assim era, a repulsa aposta pela Igreja ao Conselheiro e seus métodos vinha a ser o mesmo que abençoar a ação repressiva, qualquer que fosse[61].

Todavia, era na condução da política estadual baiana, em suas disputas mesquinhas e impatrióticas, que estava a responsabilidade maior pela eclosão da tragédia que se abateu, em Canudos, sobre o Brasil. Esses políticos poderiam tê-la evitado, mas alimentaram-na. Até porque, querendo ou não, Luiz Viana envolveu o Exército, que a partir de então não poderia ser totalmente eximido de responsabilidade, embora sempre atuasse em obediência ao poder civil constituído.

A política de baixo nível na capital da República – aonde o presidente chegara enfraquecido ao poder e era ridicularizado com a alcunha de "Biriba", atacado mesmo por Rui Barbosa, e tendo por vice-presidente o baiano Manuel Vitorino, que contra ele conspirava aliado a fanáticos jacobinos – teve ação preponderante, após a derrota de Moreira César, quando assumira a responsabilidade de destruir Canudos.

Para isso foram fabricados propósitos separatistas e de retorno à Monarquia, sob o mando de Antônio Conselheiro, fixado em Belo Monte e lá desejando permanecer. Nunca atacou, sempre foi atacado.

Mesmo transportando-nos no tempo, pouco mais de um século atrás, do calor da violenta paixão política que varria o Sul e o Sudeste do Brasil, soam falsos esses propósitos maquinados por Manuel Vitorino, pelos jacobinos e florianistas e encampados por Prudente de Morais.

Mas para esses objetivos havia, como sempre, juristas de plantão, que encontrariam, nas entrelinhas da legislação, argumentação para justificar uma ação militar contra o que seria a secessão.

Mesmo para um oficial de Marinha que distingue perfeitamente proa de popa e boreste de bombordo, e quase nada do emaranhado das leis, tratava-se de mentira jurídica, onde se buscava a qualquer preço colocar o direito acima da justiça, para destruir Canudos.

Imaginar-se na capital da República que de Belo Monte os sertanejos (que lá se encontravam e lá, repito, desejavam permanecer, vivendo vida miserável à espera do Juízo Final) partissem com monarquistas brasileiros, daqui e do exterior, e estrangeiros, para derrubar a República, o que era mentirosamente propalado por jornais e políticos, não seria cabível. Somente em sonho, ou melhor, em pesadelo, pois foi um terrível pesadelo o que ocorreu, em Canudos, sobre nós brasileiros.

Hoje, alguns doutores marxistas querem atribuir ao Conselheiro o papel de reformador social, na luta contra o latifúndio. De Marx e Engels ele nada sabia. Mesmo dos regimes monárquico e republicano possuía conhecimentos bastante superficiais. Foi um visionário. Um cristão a seu modo, que respeitava os ensinamentos da Igreja Católica e nada tinha a ver com a distribuição de terras.

Aliás, para esses senhores vale apenas tentar manter na superfície seus pensamentos ideológicos ultrapassados. Para eles vale a ideologia e não a tragédia ocorrida, fruto, sobretudo, da insensatez da classe e dos homens que dirigiram o Brasil.

O papel do Exército

Após a destruição de Canudos e a morte de Antônio Conselheiro, como de hábito, o bode expiatório encontrado foi o Exército. Isso porque foi divulgado que prisioneiros foram mortos pelo método da "gravata vermelha", isto é, a degola. Uma barbaridade, certamente. Contudo, o método poderia ser outro, mas não faziam por menos os jagunços com os soldados que caíssem em suas mãos. A avenida de cadáveres com os mortos da Expedição Moreira César, com o coronel Tamarindo empalado, certamente está na lembrança dos leitores.

É fácil a percepção de que no decorrer de tão cruenta guerra predominasse o ódio e a irracionalidade. Aliás, seria pedir muito haver racionalidade entre jagunços fanáticos e soldados em grande parte analfabetos.

A degola, porém, havia sido praticada há pouco por pica-paus e maragatos durante a Revolução Federalista. Não houve comoção por essa conduta. Não eram os pobres jagunços os atingidos. Era coisa da gauchada dos pampas, que herdara o hábito de correntinos e entrerrianos. Os soldados e oficiais da Divisão Lima/Pinheiro Machado traziam escrito em seus chapéus: "Não damos nem pedimos quartel".

Em Canudos, não existiram anjos. É o que se poderia esperar daquele tipo de enfrentamento. Afinal, entre os jagunços imperava o fanatismo. Os soldados foram, com o correr da luta, tornando-se ferozes, um tipo de fanatismo.

Por que o truque, sempre usado, de, para encobrir os verdadeiros responsáveis pelo morticínio de Canudos – políticos, fazendeiros, juízes e a própria Igreja Católica –, utilizar-se tão-somente do Exército? Este foi o executor das ordens emanadas dos presidentes da República: Manuel Vitorino e Prudente de Morais!

Não se está a negar a degola. Esta existiu. Mas atribuir aos chefes orientação nesse sentido é falsear deliberadamente a verdade. Naquele pandemônio, o controle abrangente da tropa era difícil. Sem querer usar de cinismo, deveria acontecer como um detalhe a mais – certamente terrível – naquela guerra fratricida.

O "coronel" José Américo Camelo, fazendeiro de posse, amigo do barão de Jeremoabo, que nutria, como outros, profundo ódio pelo Conselheiro, em carta ao barão (15 de outubro de 1897), diz: "Houve para mais de 200 degolados de dois para três dias, seguindo assim, e assim tem seguido. Muitas mulheres e crianças de Monte Santo, seguindo para a Bahia para dar maior dispêndio ao estado! Que devia era tudo ser degolado, mas assim não quer o tal marechal"[62]. Referia-se ao ínclito marechal Carlos Machado Bittencourt, que não atendera a pedido seu para deixar parte da tropa no sertão da Bahia, para dar segurança aos fazendeiros.

Conclusão

Concluo esta tentativa de análise transcrevendo o trecho contido à página 78 de *Canudos, cartas para o barão*[63]:

> À destruição de Canudos seguiu-se "horrorosa seca", como se os céus clamassem vingança pela bárbara destruição daquela comunidade de sertanejos. Escrevendo ao barão em 31 de janeiro de 1899, o juiz Paulo Fontes observou que, também em Salvador, as condições de saúde haviam-se deteriorado. Atribuiu "à má qualidade das águas" o fato de muitas pessoas, inclusive ele próprio, estarem "acometidas de *influenza*"; outras, como seus filhos, de "disenteria", acompanhada de cólicas. [...] O pior (disse ele) é que os médicos higienistas já previram *grandes pestes* se a seca continuar e não tivermos chuvas torrenciais que lavem esta *desasseada cidade*. Vivia-se uma situação de crise medonha, parecendo ser um castigo da providência, que a todos procura infligir indistintamente essa pena, quando muitos são os *"perversos"* que criaram tal situação.

Os "perversos" a que se referia o juiz eram os políticos que haviam manipulado Canudos em proveito próprio. Não os identificou, mas disse que havia "falta de coragem" para se apontarem os *culpados.*

A Igreja, que está na origem da guerra de Canudos, mobilizando as autoridades contra Antônio Conselheiro quando este passou a manifestar-se como um poder concorrente, também aparece no final, exortando o povo a fazer penitência e a reassumir a situação de subserviência a que sempre o havia submetido. Essa postura reacionária da Igreja Católica é resumida pelo juiz Paulo Fontes na carta acima referida, quando ele critica a Igreja não só por "arrastar o povo à penitência”, ordenando-lhe que orasse, como meio de superar a situação calamitosa que vivia, mas também por induzir esse povo a se “subjugar à tirania”[64].

Mario Jorge da Fonseca Hermes tornou-se oficial da Reserva da Marinha em janeiro de 1988, por força da lei, no posto de almirante-de-esquadra e no exercício do cargo de chefe do Estado-Maior da Armada. Colaborador regular da Revista Marítima Brasileira, *publicou artigos na* Revista do Clube Naval *e na* Revista Segurança e Defesa. *Membro do Instituto Brasileiro de Geografia e História Militar do Brasil, tem proferido palestras nesta e em outras instituições, caso da Escola Superior de Guerra (ESG) e Escola de Guerra Naval (EGN).*

NOTAS

1 Oliveiros Litrento, *Canudos: visões e revisões*. Rio de Janeiro: Biblioteca do Exército Editora, 1988, p. 257. Entrevista com o historiador José Calasans (apêndice).
2 *Id., ibid.*, p. 241.
3 *Id., ibid.*, p. 164.
4 Cari-boc, do tupi, que procede do branco. Nota de Euclides da Cunha em *Os sertões*, 22 ed., Rio de Janeiro: Livraria Francisco Alves, 1952, p. 62.
5 Euclides da Cunha, *op. cit.*, p. 82.
6 *Id., ibid.*, p. 63.
7 Oliveiros Litrento, *op. cit.*, p. 242.
8 *Id., ibid.*, p. 53.
9 Euclides da Cunha, *op. cit.*, pp. 90, 93.
10 Consuelo Novais Sampaio, *Canudos: cartas para o barão,* São Paulo: Edusp, 1999, p. 81
11 A fidelidade é um atributo canino. O homem deve lealdade.
12 Euclides da Cunha, *op. cit.*, p. 108.
13 Consuelo Novais Sampaio, *op. cit.*, p. 81.
14 Euclides da Cunha, *op. cit.*, p. 119.
15 *Id., ibid.*, p. 123.
16 *Id., ibid.*, p. 129.
17 *Id., ibid.*, p. 123.
18 Oliveiros Litrento, *op. cit.*, p. 27.
19 *Id., ibid.*, pp. 27-8.
20 Euclides da Cunha, *op. cit.*, p. 132.
21 *Id., ibid.*, p. 134.
22 *Id., ibid.*, p. 132.
23 Oliveiros Litrento, *op. cit.*, p. 246.
24 Euclides da Cunha, *op. cit.*, p. 144.
25 *Id., ibid.*, pp. 146-7.
26 *Id., ibid.*, p. 150.
27 *Id., ibid.*, p. 152.
28 *Id., ibid.*, p. 153, nota de rodapé.
29 *Id., ibid.*, p. 153.
30 “Uma moral excessivamente rígida!” Registro de Euclides da Cunha, *op. cit.*, p. 153.
31 Euclides da Cunha, *op. cit.*, p. 155.
32 Oliveiros Litrento, *op. cit.*, p. 245.
33 *Id., ibid.*, p. 243.
34 *Id., ibid.*, p. 244.
35 Consuelo Novais Sampaio, *op. cit.*, p. 37.
36 *Id., ibid.*
37 Entender jagunço como denominação dada, ainda àquela época, ao homem do sertão.
38 Consuelo Novais Sampaio, *op. cit.*, p. 40. Entrevista do barão de Jeremoabo ao *Jornal de Notícias,* Bahia (4.3.1897).
39 *Id., ibid.*, p. 59.

40 *Id., ibid.*, p. 45.
41 *Id., ibid.*
42 Notabilizou-se por sua eloqüência e intransigência na oposição a Deodoro da Fonseca quando da Assembléia Constituinte.
43 Consuelo Novais Sampaio, *op. cit.*, p. 47.
44 *Id., ibid.*, p. 51.
45 *Id., ibid.*, p. 52.
46 *Id., ibid.*, p. 49.
47 *Id., ibid.*, p. 53.
48 *Id., ibid.*, p. 54.
49 *Revista Marítima Brasileira,* Rio de Janeiro, vol. 120, n.10-12, out./dez. 2000, pp. 116-8.
50 Consuelo Novais Sampaio, *op. cit.*, p. 47, p. 56.
51 *Id., ibid.*, p. 61.
52 *Revista Marítima Brasileira,* Rio de Janeiro, vol. 121, n.1-3, jan./mar. 2001, pp. 35-48.
53 Consuelo Novais Sampaio, *op. cit.*, p. 63.
54 Faziam parte da expedição cem praças da polícia baiana, cuja grande parte encontra-se no interior do estado combatendo o bandidismo e atuando em benefício político do governador.
55 Consuelo Novais Sampaio, *op. cit.*, p. 64.
56 *Revista Marítima Brasileira,* Rio de Janeiro, vol. 121, n.4-6, abr./jun. 2001, p. 90.
57 *Id., ibid.*, n. 1-3, jan./mar. 2001, pp. 48-60.
58 "Medo costumeiro" aquele que os sertanejos estavam acostumados a viver o medo das secas prolongadas, das doenças de toda espécie, das arbitrariedades da força policial, das punições da Igreja Católica, das perseguições políticas, das devastações do banditismo etc. Para esse tipo de medo desenvolveram mecanismos para administrá-lo. O "medo constituído" foi imposto pelos que detinham o poder." In: Euclides da Cunha, *op. cit.* p.52.
59 *Revista Marítima Brasileira,* Rio de Janeiro, vol. 121, n.4-6, abr./jun. 2001, p. 89-121.
60 Oliveiros Litrento, *op. cit.*, p. 259. Jorge Calmon, professor emérito da Universidade da Bahia; presidente de honra do Instituto Geográfico e Histórico da Bahia, entre outros títulos.
61 Consuelo Novais Sampaio, *op. cit.*, p. 74.
62 *Id., ibid.*, pp. 78-9.
63 *Id., ibid.*, p. 78.
64 *Id., ibid.*, pp. 78-9.

Os sertões e os grupos oligárquicos baianos

Álvaro Pinto Dantas de Carvalho Júnior

Segundo os biógrafos de Euclides da Cunha, *Os sertões* foi lançado em 2 de dezembro de 1902. O autor, até a última hora, hesitara em lançá-lo nessa data devido à chegada do barão do Rio Branco ao Rio de Janeiro depois de vários anos longe do Brasil – a 1º de dezembro, fato que estava concentrando as atenções da imprensa. Segundo Roberto Ventura, em novembro Euclides tinha iniciado a raspar com um canivete os erros de impressão – depois de ter sido alertado por Francisco de Escobar – e com uma pena ia acrescentando crases e vírgulas a cada exemplar do livro: foram feitas 37 correções em 1200 exemplares, ou seja, mais de 44 mil emendas. Mesmo assim, com medo de um fracasso, o autor tentou, sem sucesso, convencer o editor a adiar o lançamento.

Cronologicamente, o passo inicial de *Os sertões* se deu quando seu companheiro de campanha republicana, Júlio Mesquita, diretor de *O Estado de S. Paulo,* o convidou a cobrir o conflito de Canudos para o jornal. Com essa finalidade, Euclides acompanhou o marechal Carlos Machado de Bittencourt, ministro da Guerra, em sua viagem à Bahia, na condição de adido ao estado-maior, já planejando escrever o livro.

Em 3 de agosto de 1897, o escritor embarca no vapor *Espírito Santo* para a Bahia, aonde chega no dia 7, pela manhã; lá aguarda, com impaciência, a partida para o arraial. Começa a correspondência para São Paulo, no dia 30 segue para Monte Santo e chega a Canudos em 16 de setembro. Acompanha de preferência as incursões de Siqueira de Menezes, ambos seduzidos pelos aspectos da natureza agreste e original.

Terminada a guerra, regressa a Salvador e dali traz, em esboço já bem definido, o projeto de sua obra, com o título de A *nossa Vendéia*, conforme telegrama ao *Jornal do Commercio* de 23 de outubro. Os artigos da correspondência para o *Estado* são em número de 23, sendo o último a saudação feita ao "Batalhão de São Paulo", publicado em 26 de outubro, por ocasião de seu regresso, elogiando a bravura dos combatentes.

Volta a seu cargo de engenheiro em São Carlos, em 1898, publicando a 19 de janeiro artigo que fará parte de *Os sertões*: "Excerto de um livro inédito". Em março, vai inspecionar a obra da ponte de São José do Rio Pardo, cuja reconstrução lhe é confiada. Aí permanece três anos nos trabalhos de reparação e reconstrução da ponte.

Cidade tranqüila do oeste paulista, encontrou ali Euclides um ambiente propício para a confecção do livro, apesar de sua vida muito atarefada, como ele mesmo diz em nota preliminar de *Os sertões:* "Escrito nos raros intervalos de folga de uma carreira fatigante..."[1].

Em 1901 termina de escrever seu grande livro, ao mesmo tempo que conclui a reconstrução da ponte. Começam então as preocupações da edição. Vai a São Paulo e de lá, com carta de Garcia Redondo a Lúcio de Mendonça, dirige-se ao Rio de Janeiro. Mendonça encaminha-o à editora Laemmert, com a qual contrata a publicação. Para ficar mais próximo do Rio, transfere-se para o distrito de Guaratinguetá, residindo em Lorena.

Lançado *Os sertões,* aguardou apreensivo e desconfiado as primeiras notícias. Estas lhe chegaram ruidosas e enaltecedoras. Em pouco tempo, de engenheiro apenas que era, passou a maior escritor brasileiro de sua época. Entre todas, a crítica lúcida de Araripe Júnior promoveu-o de "recruta a triunfador"[2]. Em breve esgota-se a primeira edição. Deixemos que o próprio Euclides nos dê essa notícia em carta para seu pai datada de 19 de fevereiro de 1903: "Recebi uma carta do Laemmert declarando-me que é obrigado a apressar a segunda edição, já em andamento, dos *Sertões,* para atender pedidos que lhe chegam até de Mato Grosso – os quais não pode satisfazer por estar esgotada a primeira edição. Isto em dois meses"[3]. O sucesso era inédito, no Brasil, para livro daquele tomo.

Apesar de ter chegado oficialmente como correspondente de guerra do *Estado de S.Paulo* e adido ao estado-maior do marechal Bittencourt, Euclides, como foi dito antes, já veio com o intuito, também, de colher dados para escrever o seu livro – há mais de uma evidência a comprovar isso. Chega à Bahia no dia 7 de agosto se 1897. Ao descer em Salvador, procura de imediato as redações dos principais jornais: *Diário da Bahia, Diário de Notícias* e *Jornal de Notícias.* Revela aos colegas o objetivo de sua vinda: fazer a cobertura da guerra escrevendo reportagens para o diário paulista e recolher elementos para escrever análise na qual centraria, de preferência, aspectos geológicos da região convulsionada.

Na redação dos periódicos baianos, Euclides é bem recebido e dele três profissionais da imprensa se aproximam: Torquato Bahia, Pethion de Villar e Aloísio de Carvalho. O *Diário da Bahia,* para o qual Torquato trabalhava, é farto em noticiar a respeito do jovem repórter. Euclides se teria, na ocasião, oferecido para ser correspondente do *Diário da Bahia* em São Paulo no regresso de sua jornada profissional.

Em seu diário, datado de 7 de agosto de 1897, ainda a bordo do *Espírito Santo*, o escritor menciona "a entrada belíssima e arrebatadora da Bahia", que ele vislumbrava do vapor[4]. Ao repórter comissionado pelo diário da Paulicéia a impressão é de estar desembarcando em cidade opulenta:

> Vendo-a deste ponto, com as suas casas ousadamente aprumadas, arrimando-se na montanha em certos pontos, vingando-a em outros e erguendo-se a extraordinária altura, com as suas numerosas igrejas de torres esguias e altas ou amplas e pesados zimbórios que recordam basílicas de Bizâncio vendo-a deste ponto, sob a irradiação claríssima do nascente que sobre ela se reflete dispersando-se em cintilações ofuscantes, tem-se a mais perfeita ilusão de vasta e opulentíssima cidade[5].

Se a cidade da "Bahia" o impressionou, o interior do estado já era conhecido através de leituras. Antes de vir a Salvador, já se informara sobre os sertões baianos, tendo trazido consigo indicações precisas que lhe dera Teodoro Sampaio. "Levou algumas notas das que eu lhe ofereci sobre as terras do sertão que eu viajara antes dele, em 1878..."[6].

Mas não era só a geografia que lhe era familiar. Euclides chegou em 7 de agosto à terra baiana, onde nasceram seu pai, seus tios e primos paternos. As suas origens eram por um lado baianas. Sua avó paterna era dona Teresa Maria de Jesus Viana, casada com o português Manuel Rodrigues Pimenta da Cunha. Ficando viúva, ela casou-se com o baiano Joaquim Antônio Pereira Barreto. Do primeiro consórcio nasceram os seguintes filhos: Manuel, Antônio e José Rodrigues Pimenta da Cunha, sendo o primogênito pai de Euclides da Cunha.

O escritor poderia ter nascido na Bahia, mas por circunstâncias profissionais seus pais estavam na Fazenda Saudade, em Santa Rita do Rio Negro, município fluminense de Cantagalo, onde veio ao mundo em 20 de janeiro de 1866. Cantagalo, nas alturas de 1860, era uma das zonas fluminenses que mais atraíam os filhos das outras províncias. O Império atingira os extremos da prosperidade. As enormes lavouras de café, estendendo-se por vales imensos, transpondo espaldeiras de serras, ramalhando por toda a parte, explicavam a opulência dos grandes magnatas. Quando surgiram os primeiros clamores da guerra contra o Paraguai aquelas paragens fluminenses já recolhiam todos quantos do norte e do sul procuravam meios propícios à conquista da fortuna pelos esforços. Entre eles se encontrava Manuel Pimenta da Cunha, oriundo da Bahia, homem culto, com pendores literários, poeta, tendo escrito alguns versos, como "A morte de Castro Alves".

Guarda-livros competente, vivia de fazenda em fazenda, entregue às exigências da profissão. Nesse cotidiano, veio a conhecer dona Eudóxia Moreira, a mais moça de três irmãs de uma família sem grandes posses. Pouco depois noivaram e casaram.

A vida de Euclides e de sua única irmã, Adélia, foi marcada desde cedo pela falta da companhia materna. Aos 3 anos de idade ficou órfão de mãe, passando a ser educado por sua tia Laura, que residia na Fazenda São Joaquim, no município de São Fidélis, no Rio de Janeiro. Esse contato permanente com a natureza nos primeiros anos de sua vida, coincidindo com o período em que iniciou os estudos (1874-76) em São Fidélis, influenciou, de certo modo, seu gosto por assuntos ligados à terra, ao clima, à vegetação[7].

Seu primeiro contato com a Bahia foi em 1877. Ficou hospedado na casa dos avós paternos, onde permaneceu até o ano seguinte. Nesse período estudou no Colégio Bahia, sob a direção dos professores Carneiro Ribeiro e Cônego Lobo. A partir dessa época passou a ser baiano, não só pelo sangue que lhe corria nas veias, pois na Bahia estavam suas raízes e grande parte de sua família, como pelo espírito e pela inteligência.

Retornando ao Rio de Janeiro em 1879, passou a residir com seu tio paterno, Antônio Pimenta da Cunha, matriculando-se no Colégio Anglo-Americano. A partir daí prossegue seus estudos, iniciando sua vida de escritor com artigos em jornais, ao mesmo tempo em que assenta praça na Escola Militar.

Seu segundo contato com a Bahia se deu 19 anos após ter partido da casa dos avós. Em 14 de março de 1897, saiu seu artigo no *Estado de S.Paulo*, intitulado "A nossa Vendéia". Como se sabe, esse foi o primeiro pronunciamento de Euclides acerca dos acontecimentos de Canudos, antes de sua partida para o cenário da guerra. O título, por si evidente, reportava a uma comparação entre o levante contra-revolucionário dos camponeses da Vendéia, na França, e a revolta de Canudos[8].

Em 17 de julho publica o segundo artigo, com o mesmo título, e no mês seguinte desembarca em Salvador. Era, então, um jovem repórter no auge dos seus 30 anos, temperamental e irrequieto, que legaria ao Brasil uma obra importantíssima. Hospedou-se na casa do tio paterno José Rodrigues Pimenta da Cunha, na rua da Mangueira, ficando aí até o dia 30, quando partiu para o sertão.

No período de 23 dias que ficou em Salvador, aproveitou, como vimos, para visitar os órgãos da imprensa local e colher mais informações a respeito da situação sociopolítica do estado da Bahia após a Proclamação da República. Deve ter sido informado de que a Bahia estava dividida em grupos políticos, antes pertencentes a um só partido e agora divididos em dois: um chefiado pelo governador Luiz Viana, ao qual pertencia seu antecessor, Rodrigues Lima, em cujo governo tivera início a campanha contra Canudos, e o outro grupo comandado pelo ex-governador José Gonçalves da Silva e pelo seu dileto amigo Cícero Dantas Martins, barão de Jeremoabo. Dantas Martins era um político de longa tradição no Império, sob o qual fora deputado geral por várias legislaturas, no Partido Conservador, e na República, senador da primeira Constituinte baiana, em que ocupou os cargos de secretário e presidente do Senado.

Apesar de só se referir ao barão uma vez no seu livro, no capítulo "O homem", subitem "Canudos – antecedentes – aspecto original – e crescimento vertiginoso", como testemunha ocular do crescimento do arraial, que "ia transmudar-se, ampliando-se, em pouco tempo, na Tróia de taipa dos jagunços"[9], Euclides deveria ter ciência do poderio político, social e econômico do barão na região em que se estava desenrolando o conflito.

Jeremoabo era o chefe político inconteste da região nordeste da Bahia, que abrangia Itapicuru, cidade onde o Conselheiro primeiro chegara e ali fizera o seu pouso inicial, daí partindo em peregrinação por Nova Soure e Bom Conselho até o ponto final de Canudos, zona esta onde o barão imperava (na verdade, sua família já exercia esse poder havia várias gerações).

Seu prestígio social e político advinha em grande parte de sua condição de grande latifundiário, proprietário de 61 fazendas que partiam do Recôncavo, envolvendo toda a região nordeste, até Sergipe – fora as pertencentes aos seus parentes, irmãos, cunhados e primos. A própria zona conflagrada pertencia na época da guerra a suas sobrinhas, herdeiras de seu cunhado doutor Fiel José de Carvalho e Oliveira e proprietárias das fazendas Canudos e Cocorobó.

Não poderia, pois, Euclides desconhecer o contexto político da Bahia, ainda mais que o seu sogro, o general Frederico Solon Sampaio Ribeiro, era o comandante do 3º Distrito Militar e esteve envolvido diretamente nas decisões tomadas pelos governos estadual e federal de enviar tropas para Canudos – articulações essas que estavam sujeitas aos interesses dos grupos políticos dominantes do estado.

***

Após a contextualização das ligações de Euclides da Cunha com a Bahia, a sua chegada ao estado e algumas possíveis circunstâncias que lhe foram favoráveis a um melhor conhecimento da realidade política da região, enfocaremos agora alguns aspectos de *Os sertões* que podemos relacionar com a disputa política local, na qual Jeremoabo era um dos principais protagonistas, juntamente com algumas considerações feitas com base em comentários de membros da família Dantas e de fontes primárias que compõem o arquivo do barão.

Pelo que sabemos, Euclides da Cunha não esteve pessoalmente com o barão de Jeremoabo. Teve conhecimento de seus artigos publicados no *Jornal de Notícias* da Bahia, nas edições de 4 e 5 de março de 1897, sob o título "Antônio Conselheiro". Aproveitou o depoimento do barão, utilizando-o como uma fonte oral:

> Diz uma testemunha: "Alguns lugares desta comarca e de outras circunvizinhas, e até do Estado de Sergipe, ficaram desabitados, tal a aluvião de famílias que subiam para os Canudos, lugar escolhido por Antônio Conselheiro para o centro de suas operações. Causava dó verem-se expostos à venda, nas feiras, extraordinária quantidade de gado cavalar, vacum, caprino etc., além de outros objetos, por preços de nonada, como terrenos, casas etc. O anelo extremo era vender, apurar algum dinheiro e ir reparti-lo com o Santo Conselheiro"[10].

Esta é a única vez em que Jeremoabo é referido em *Os sertões*. Até porque, ao longo de toda a obra, mesmo estando ciente do contexto político no qual a Bahia estava inserida, Euclides preferiu não se envolver nem opinar nas disputas locais. Não faz nenhum julgamento nem juízo de valor a respeito da rivalidade entre os dois maiores grupos oligárquicos da época, o *vianista*, que reunia os adeptos do então governador Luiz Viana, e o *gonçalvista-jeremoabista,* do ex-governador José Gonçalves e do barão de Jeremoabo.

Para alguns historiadores atuais a disputa que separava os dois grupos políticos, ocorrida no mesmo tempo histórico de Canudos, foi a principal causa do holocausto do Conselheiro e seus seguidores. Em outras palavras, "a principal vertente explicativa para a brutal resposta que o governo federal ofereceu a

Canudos deve ser encontrada, não no Conselheiro, nem tampouco nos seus romeiros, mas na disputa pelo poder, primária e mesquinha, que se desenvolvia no país e, mais especificamente, na Bahia"[11].

Como já dissemos, é óbvio que Euclides estava por dentro da importância que as forças políticas locais tinham no desenrolar do conflito, mas preferiu não se envolver nem tomar partido em sua obra. É interessante transcrever um pequeno trecho relacionado à derrota das forças legais em Uauá e à organização da 2ª Expedição, no qual Euclides deixa clara sua intenção de não enveredar pela análise das brigas políticas locais, sendo da opinião de que pouca valia teriam para enriquecer a história do conflito. Deixemos que ele fale:

> O revés de Uauá requeria reação segura.
>
> Esta, porém, preparou-se sob extemporânea disparidade de vistas entre o chefe da força federal da Bahia e o governador do Estado. Ao otimismo deste, resumindo a agitação sertaneja a desordem vulgar acessível às diligências policiais, contrapunha-se aquele, considerando-a mais séria, capaz de determinar verdadeiras operações de guerra.
>
> De tal modo, a segunda expedição organizou-se sem um plano firme, sem responsabilidades definidas, através de explicações recíprocas entre as duas autoridades independentes e iguais. Compôs-se a princípio de 100 praças e 8 oficiais de linha, e 100 praças e 3 oficiais da força estadual[...]
>
> Simultaneamente o comandante do distrito apelava para o governo federal requisitando, para a aparelhar melhor, 4 metralhadoras Nordenfeldt, 2 canhões Krupp, de campanha, e mais 250 soldados: 100 do 26º Batalhão, de Aracaju, e 150 do 33º, de Alagoas.
>
> Todo este aparato era justificável. Sucediam-se informações alarmantes, dando, dia a dia, realce à gravidade das coisas. À parte os exageros que houvesse, delas se colhia a grandeza do número de rebeldes e os sérios empecilhos inerentes à região selvagem em que se acoitavam.
>
> *Estas novas, porém, baralhavam-nas sem-número de versões contraditórias agravadas pelos interesses inconfessáveis de uma falsa política sobre*

a qual nos dispensamos de discorrer.

Nem os apontaremos, embora largo tempo se perdesse, inútil, nesse agitar estéril de minudências desvaliosas[12]. (Grifo nosso.)

Até mesmo em relação à animosidade surgida entre o governador da Bahia, Luiz Viana, e o sogro de Euclides, general Frederico Solon Sampaio Ribeiro – devido à insistência com que Viana freava a disposição do general, de enviar forças federais em auxílio das combalidas tropas estaduais, fazendo com que, de amigo dedicado, se transformasse em crítico impiedoso do seu governo –, o escritor pouco se envolveu. Limitou-se, apenas, a relatar os fatos acontecidos, tecendo suas conclusões com base em observações feitas sobre o desenrolar do conflito, sem se deixar influenciar por questões pessoais ou familiares, já que era genro do general – elevando, desse modo, o valor de sua obra.

Ainda em relação à divergência do governo estadual sobre o envio ou não de tropas federais para ajudar a polícia estadual, que envolvia Luiz Viana e seu sogro, é assim que Euclides historia:

> O governo baiano afirmou "serem mais que suficientes as medidas tomadas para debelar e extinguir o grupo de fanáticos e não haver necessidade de reforçar a força federal para tal diligência, pois as medidas tomadas pelo comandante do distrito significavam mais prevenção que receio"; e aditava "não ser tão numeroso o grupo de Antônio Conselheiro, indo pouco além de quinhentos homens etc."
>
> Contravinha o chefe militar entendendo ter a repressão legal vingado o círculo das diligências policiais, cumprindo-lhe não mais prender criminosos, "mas extirpar o móvel de decomposição moral que se observava no arraial de Canudos em manifesto desprestígio à autoridade e às instituições", *acrescentando que a força federal deveria seguir bastante forte para se subtrair à contingência de "retiradas prejudiciais e indecorosas"*[13]. (Grifo nosso.)

Após transcrever o argumento das duas autoridades que detinham o poder de decisão, Euclides procura ater sua explicação ao contexto histórico do período pós-republicano, dando sua opinião, sem porém adentrar em particularidades e disputas pessoais:

> O governo estadual, porém, agindo dentro do elástico art. 6º da Constituição de 24 de fevereiro, cerrou a controvérsia levantando o espantalho de uma ameaça à soberania do Estado, e repelindo a intervenção que lhe implicava incompetência para manter a ordem nos seus próprios domínios. Deslembrara-se que em documento público se confessara desarmado para suplantar a revolta e que, apelando para os recursos da União, justificava, naturalmente, a intervenção que procurava encobrir[14].

Logo que chegou à Bahia, adido ao estado-maior do marechal Bittencourt, Euclides teve de ir diariamente ao palácio do governo, pois o ministro da Guerra lá se hospedou. Para não criar uma situação de constrangimento com seu sogro, general Solon, que já estava brigado com Luiz Viana, apressou-se em escrever-lhe justificando sua presença diante da autoridade máxima do estado.

É válido transcrever essa missiva, pois revela, também, a intenção do escritor de não se deixar levar pelas desavenças políticas locais, apesar de estar a par de todos os acontecimentos:

> Bahia, 12 de agosto de 1897.
>
> Ao gal. Solon
>
> Deve estar surpreendido com a minha vinda à Bahia, inesperadamente.
>
> A minha missão é esta: fui convidado em São Paulo para estudar a região de Canudos e traçar os pontos principais da Campanha. Aceitei-a e vim. Além do assunto ser interessante, além de estar em jogo a fe-

licidade da República, considereis que tínheis um nobre papel em tudo isso e almejo defini-lo bem perante o futuro. Consegui-lo-ei? Anima-me a intenção de ser o mais justo possível; porei de lado todas as afeições para seguir retilineamente. Assim pensando aceitei uma apresentação do dr. Campos Sales para o dr. Luiz Viana, que me tratou gentilmente. É escusado, porém, declarar que motivos de ordem elevada fizeram com que agradecesse os seus oferecimentos. Aquela apresentação era indispensável não só para afastar injustas prevenções como também porque vindo eu no Estado-Maior do general Bittencourt e estando este hospedado com o governador, o que me obriga a ir diariamente a palácio, sem ela, somente vexado cumpriria esse dever.

[...]

Trago à Bahia a mais nobre e elevada aspiração e hei de realizá-la.

Estou certo que meu velho amigo e chefe que me conhece bastante aprová-la-á inteiramente.

[...]

Carta escrita às pressas, tão às pressas que inverti a folha de papel: são as preocupações constantes agravadas pelas saudades dos entes queridos[15].

Além dos muitos méritos de Euclides em seu "livro vingador", acrescentamos mais esse, o de não se deixar envolver no clima de ódios e paixões que pairava sob os dois principais partidos políticos rivais da época.

No episódio da ameaça de invasão da cidade de Juazeiro pelo grupo de Antônio Conselheiro, em outubro de 1896, Euclides conclui que o efetivo de cem praças designado pelo governo do estado para conter a invasão dos conselheiristas era insignificante diante da superioridade numérica dos sertanejos.

Para chegar a essa conclusão, ele se cerca de informações seguras a respeito da trajetória de Antônio Conselheiro, desde o ano de 1874, historiando todos os seus passos pelo interior da Bahia, até chegar ao arraial de Canudos, já com uma grande quantidade de seguidores. Para fundamentar essa informação, aproveita o relatório alarmante escrito por frei João Evangelista em 1895, que afirmara a existência, em Canudos, "excluídas as mulheres, as crianças, os velhos e os enfermos, de mil homens, mil homens robustos e destemerosos, armados até os dentes"[16].

Depois de apresentar argumentos concretos da força e da superioridade numérica dos sertanejos, Euclides acha-se em condições, como intelectual comprometido com a verdade e com sua formação cientificista e positivista, de opinar sobre o assunto e em tom de ironia afirma: "E achou-se suficiente para debelar uma situação de tal porte uma força de cem soldados"[17].

Após essa observação encaixa a defesa apresentada por seu sogro, general Frederico Solon, do envio de número insignificante de soldados para combater um inimigo tão superior numericamente, atribuindo a responsabilidade ao governo do estado:

> A 4 de novembro do ano findo (1896) em obediência à ordem já referida, prontamente satisfiz a requisição, pessoalmente feita pelo dr. governador do estado, de uma força de cem praças da guarnição para ir bater os fanáticos do arraial de Canudos, asseverando-me que, para tal fim, era aquele número mais que suficiente.
>
> Confiando no inteiro conhecimento, que ele devia ter, de tudo quanto se passava *no interior de seu estado* [grifo nosso], não hesitei; fazendo-lhe apresentar, sem demora, o bravo tenente Manuel da Silva Pires Ferreira, do 9º Batalhão de Infantaria, a fim de receber as suas ordens e instruções, o qual, para cumpri-las, seguiu, a 7 do dito mês, para Juazeiro, ponto terminal da estrada de ferro, na margem direita do rio São Francisco, comandando 3 oficiais e 104 praças de pré daquele corpo, conduzindo apenas uma pequena ambulância, fazendo eu seguir logo depois um médico com mais alguns recursos para o exercício de sua profissão. *O mais correu pelo estado*[18]. (Grifo nosso.)

É válido frisar, mais uma vez, a honestidade e o comprometimento de Euclides com a verdade histórica, sem se deixar envolver nem influenciar pelas rixas políticas locais nas quais a Bahia estava imersa.

Não que não tivesse ambiente para tomar posição nos interesses antagônicos dos partidos políticos rivais. Como já dissemos, sua família paterna era baiana, portanto devia estar ligada a alguma facção política, e seu sogro estava sendo disputado tanto pelo governador Luiz Viana como pelo barão de Jeremoabo e por José Gonçalves, tendo de início se identificado com o primeiro, passando em seguida para o grupo dos jeremoabistas-gonçalvistas e tornando-se, conforme foi dito, de amigo dedicado de Luiz Viana num crítico ferrenho do seu governo.

Euclides era um intelectual, um homem de letras, e dentro do possível manteve a imparcialidade em relação à política da Bahia. Não lhe faltou material nem munição para adentrar na artilharia pesada em que a Bahia estava envolvida, tanto no sertão como na capital. As fontes a sua disposição eram fartas, quer em jornais e revistas, quer em correspondências – oficiais ou particulares.

Em dezembro de 1896, após ter sido exonerado do cargo de comandante do 3º Distrito Militar pelo baiano Manuel Vitorino – que havia assumido a Presidência da República devido ao afastamento, por motivo de saúde, do presidente Prudente de Morais e agia sob a influência de Luiz Viana –, o general Solon escreveu uma série de artigos no jornal *Província,* que foram transcritos nos jornais do Rio de Janeiro, criticando o procedimento do governador Luiz Viana na conduta do conflito.

A propósito desses artigos, o barão de Jeremoabo escreveu uma carta em 11 de maio de 1897 ao general Frederico Solon felicitando-o pela sua iniciativa de denúncia contra o governador do estado. Por ser uma carta inédita e de grande valor histórico, vale a pena transcrevê-la na íntegra:

Bahia, 11 de maio de 1897.

Exmo. Sr. General Frederico Solon de Sampaio Ribeiro

Peço-lhe licença para vir cumprimentá-lo, almejando-lhe inalterável saúde e felicidades, e apresentar-lhe as minhas sinceras felicitações pela série de artigos que V. Exa. em boa hora tem publicado no jornal

Província deste Estado e transcrito nos jornais desta capital.

Asseguro a V. Exa. que, à exceção dos poucos adeptos do governador deste infeliz Estado, suas cartas, muito sensatas, judiciosas e verdadeiras em todas as suas expressões, têm agradado a todo este povo, que vive sequioso de justiça.

Era tempo de arrancar as máscaras aos falsos e degenerados republicanos, que exaltaram o governo deste Estado.

Quem conhece os acontecimentos, lê as cartas de V. Exa. e a mensagem do sr. presidente da República, que qualifica de correto o procedimento do governador Viana, fica fulminado e abatido diante de tanta degenerescência.

Há muito desejava escrever-lhe, mas receava o nosso correio. Agora, pelo endereço que me indicou um amigo de V. Exa., animei-me a cumprir os meus desejos.

Fui a Queimadas visitar o general Arthur Oscar e voltei muito satisfeito do seu cavalheiroso acolhimento. Notei muita ordem, disciplina e entusiasmo da força. Acredito agora no bom êxito desta expedição que está agindo por si e tem os deploráveis exemplos anteriores.

A demora tem sido justificada pela falta e dificuldade de transportes, mas grande parte da força já está no Monte Santo. Me parece que a coluna do general Savaget, que seguiu por Sergipe, encontrará maiores embaraços por faltar-lhe estrada de ferro, telégrafo e ser o percurso maior. Antes do próximo mês talvez não seja possível haver combate.

Deve saber que já temos 5 corpos de polícia e mais um batalhão "Moreira César", composto do mesmo pessoal da polícia!

V. Exa. compreende o alcance da ostentação de tanta força. O governador precisa de jagunços nesta capital e de baionetas para mantê-lo em seu governo absoluto.

Apesar da falta de garantia que temos, estamos lutando com vigente esforço de montar nosso jornal de oposição, que deve surgir brevemente com o título *O Republicano.*

Desculpe V. Exa. o tempo que lhe roubei, certo de que pode contar com os fracos préstimos e com a estima e alta consideração do

De V. Exa.
Muito atencioso amigo e cordial
B. de Jeremoabo.

Como podemos observar após a leitura dessa missiva, muito antes de terminar a guerra o vaivém dos personagens que faziam parte da cúpula do poder, tanto estadual no federal, era muito grande. O general Solon, que era amigo e partidário do grupo de Luiz Viana, passou a apoiar o grupo do barão e de José Gonçalves.

O próprio barão de Jeremoabo mudou de posição política durante a Guerra de Canudos. Os primeiros incidentes armados do conflito de Canudos tiveram lugar no governo de Rodrigues Lima (1892 a 1896). Até o ano de 1893, o barão de Jeremoabo apoiou o governador, eleito pelo Partido Republicano Federalista, do qual ambos faziam parte. Com a cisão desse partido por divergências surgidas entre seus membros, formaram-se duas novas agremiações partidárias: uma liderada pelo conselheiro Luiz Viana, que fundou o Partido Republicano Federal, e outra chefiada pelo ex-governador José Gonçalves da Silva, que, coadjuvado pelo barão de Jeremoabo, deu origem ao Partido Republicano Constitucional.

Pelos fatos expostos, pode-se observar que no calor da luta de Canudos o barão estava politicamente afastado do poder. Sua interferência no âmbito estadual foi apenas na fase inicial, como ele próprio relata nos referidos artigos de março de 1897. Também estava sem prestígio político no âmbito federal. Em vista dos acontecimentos de 1893, estava politicamente separado de Manuel Vitorino, vice-presidente no exercício da Presidência até março de 1897. Somente em 1898, após a Guerra de Canudos e com Vitorino no ostracismo, reatou com este relações de amizade que a política havia interrompido[19].

O barão de Jeremoabo esteve com o Conselheiro duas vezes: uma na Vila do Soure e outra no Bom Jesus. Nesses encontros tentou fazer com que o

Conselheiro sentisse o erro em que laborava quanto à República, dizendo-lhe entre outras coisas que tanto essa forma de governar não estava em oposição às leis divinas e eclesiásticas que o papa, em encíclica ao clero e a fiéis da França, havia recomendado que prestassem firme e leal adesão à República e obedecessem às suas leis. Essas considerações foram refutadas pelo Conselheiro, dizendo-lhe este que, se o papa assim procedera, estava em erro e que a palavra "república" o indicava etc. etc., seguindo-se o que é do conhecimento geral.

O barão de Jeremoabo interferiu para que fosse organizada, e para que efetivamente seguisse para Massseté, uma força policial de 30 e poucos praças a mando do então tenente Virgílio de Almeida, ao qual prestou, por si e por seus amigos, as comodidades precisas que a ocasião permitia. Após a derrota do Masseté, ainda se deu a sua intervenção ante o governo estadual para que este enviasse uma nova expedição, que, organizada, seguiu para Serrinha no encalço dos conselheiristas. Essa expedição também fracassou em face da contra-ordem para o seu regresso. O barão estranhou, dizendo não saber o porquê dessa contra-ordem, sendo talvez o único que a ela se opôs, sem saber, em suas palavras, "qualificá-la nem classificá-la".

Os acontecimentos referidos se deram em 1893, ocasião em que começaram a surgir divergências entre os grupos que dominavam a Bahia.

Após esse período, observa-se mesmo trégua em relação à posição do governo estadual sobre Canudos. Voltou a interferir somente em 1895, quando o governador Rodrigues Lima resolveu solicitar a colaboração do arcebispo Jerônimo Tomé da Silva, que, aquiescendo ao seu pedido, enviou os capuchinhos frei João Evangelista de Monte Marciano e frei Caetano de São Leo com a intenção de pacificar o local. A providência se mostrou tardia e não foi aceita pelos conselheiristas, tendo os dois frades elaborado minucioso relatório de sua missão.

Daí em diante, novo hiato. Canudos, porém, continuava latente. O prestígio e a fama do Conselheiro aumentavam cada vez mais. O medo e a insegurança acometiam os chefes locais e a população que não acompanhara o Conselheiro.

A próxima medida, o estopim da guerra, só se vai verificar no governo Luiz Viana. A solicitação do juiz Arlindo Leoni – motivado pelo receio de que o Conselheiro fosse a Juazeiro buscar a madeira encomendada para a construção da Igreja Nova e ante a notícia da invasão da cidade pelos conselheiristas, temerosos de que a madeira encomendada não seria entregue – levou o governo a organizar a expedição comandada pelo tenente Pires Ferreira, que, como se sabe, resultou em fracasso e derrota humilhante.

Não teve, pois, o barão participação ativa, como acabamos de observar, na primeira expedição, comandada pelo tenente Pires Ferreira, nem nas posteriores. Colocou-se, porém, conforme documento do Arquivo Histórico do Exército, à disposição das forças federais[20]. Por meio do seu sobrinho, médico e militar, doutor João Dantas de Magalhães, acampado em Jeremoabo, colaborou no transporte de doentes, pondo à disposição das forças quantos carros de bois fossem necessários. Prestou, extra-oficialmente, toda a colaboração aos militares seus amigos. O juiz de direito de Monte Santo, Genes Martins Fontes, seu primo e irmão do juiz Paulo Fontes, deu toda a colaboração às Forças Armadas ali sediadas. O coronel José Américo de Souza Velho, seu parente, ajudou eficazmente as expedições militares, conforme atestam publicações sobre Canudos.

Não poderia Cícero Dantas permanecer à margem desses acontecimentos. Era o líder da região, e sua atuação refletia o pensamento dos seus amigos que sofriam com Canudos. Sentiam-se ameaçados pelos conselheiristas. Em 1894, seu primo e compadre Antônio Ferreira de Brito, chefe político de Pombal, escreveu-lhe: “Ontem fomos surpreendidos com a aparição de 17 sicários do Antônio Conselheiro armados até os dentes”. Mais adiante continua: “Principiam as correrias, em breve os roubos e desrespeitos às autoridades, e como repelir-se!!! Com uma só praça que tem no Pombal”. Ainda em 1894, seu amigo, o senador Aristides Borges, do Bom Conselho, também revela temor ao comentar em missiva que quando a miséria, que já começa a manifestar-se em Canudos, tomar proporções maiores, os roubos e assassinatos serão conseqüência do pouco-caso com que se olha para os primeiros atos daqueles monomaníacos: “Quem foi fazendeiro nas proximidades do Belo Monte [assim se chamava Canudos] há de pagar o descuido e a negligência dos que nos governam”.

Por aí prosseguem as cartas, demonstrando o receio e o medo em que viviam os sertanejos não participantes da corte do Conselheiro.

Era a síndrome de Canudos. Os sertanejos, além das ameaças dos conselheiristas, sofriam as das próprias tropas, que por meio de denúncias infundadas os perseguiam, confundindo-os com aqueles que se aproveitavam da situação para tirar vantagem em seus negócios.

O próprio barão, apesar de sua posição pública, sofreu acusação na imprensa, ora de estar envolvido em conspirações monarquistas com o favorecimento do Conselheiro, ora de ser um dos fomentadores de Canudos. Nos seus próprios artigos, já citados, refere-se a essas acusações. Como prova cabal do seu posicionamento em relação aos fatos expostos, apresentamos a carta íntima dirigida a seu filho, bacharel João da Costa Pinto Dantas, que o substituiu na liderança política. Datada de 9 de janeiro de 1897, diz: "Soube que se me têm caluniado aí, dizendo que eu protejo os fanáticos". E mais adiante: "Vivo assustado, como todos que não fazem parte da comunhão, e ainda assim não me poupam"[21].

Sendo o barão de Jeremoabo detentor de tanta influência e poderio político, como líder absoluto do nordeste da Bahia, conforme assinalamos, proprietário de 61 fazendas, foi reconhecido por todos – tanto em sua época quanto após a sua morte – pela sua insofismável liderança política. Sobre ele disse Câmara Cascudo, grande estudioso dos costumes sertanejos: "Em Itapicuru e Jeremoabo foi senhor. Até Inhambupe estendia-se o seu prestígio, de fio a fio, de parente a parente, como uma imensa teia que se articulava aos seus dedos e cobria léguas e léguas, numa sucessão de engenhos, fazendas, sítios, povoados de eleitores vibrantes e fiéis"[22]. Assim, não poderia o barão deixar de ser reconhecido pelo grande escritor que tanto tempo dedicou a escrever uma obra cujo cenário e cujos protagonistas principais eram o sertão da Bahia, os políticos baianos e o povo da terra.

Do mesmo modo, não poderia deixar de estar ciente do prestígio e do poderio político do governador Luiz Viana e do ex Rodrigues Lima, que também eram proprietários de terras, membros de famílias tradicionais e ainda por cima estavam, no momento do conflito, com a máquina do governo nas mãos.

Diante do exposto, é curioso observar a postura de Euclides da Cunha em relação a essas lideranças locais que, nas diversas revisões históricas que vêm sendo feitas sobre o tema, têm um papel de relevo na explicação e na análise do conflito. Seja pela proximidade com que vivenciou os fatos, não tendo a seu favor o distanciamento histórico necessário a uma análise mais precisa das circunstâncias do conflito, seja pela opção pessoal de não se envolver diretamente com os "poderosos" da terra, para que não perdesse sua liberdade, como homem e escritor, o fato é que em toda a sua obra, de mais de 400 páginas, Euclides refere-se ao barão apenas uma vez – e mesmo assim como uma simples testemunha, sem fazer nenhum comentário a respeito de sua influência social, política e econômica no cenário da guerra que com tanto afinco estudou.

Do mesmo modo procedeu em relação aos demais líderes políticos estaduais. Foi o caso do governador Luiz Viana: Euclides limitou-se a citá-lo como autor de decisões tomadas na chefia do executivo baiano, sem entrar em análises a respeito do jogo de interesses que envolvia suas tomadas de decisão. Preferiu expor suas conclusões baseando-se em observações e dentro da lógica dos acontecimentos, sem se preocupar, como ele mesmo diz, em se prender ao "sem-número de versões contraditórias agravadas pelos interesses inconfessáveis de uma falsa política sobre a qual nos dispensamos de discorrer".

Euclides da Cunha cumpriu sua missão, apesar de ter desprezado o "agitar estéril de minudências desvaliosas", que para os historiadores atuais configuram importantes fontes de análise para o entendimento de determinado momento histórico. Foi fiel sempre à sua visibilidade teórica, fundada na epistemologia positivista, então em plena vigência. Como homem de vasta erudição, atualizado com a cultura européia, criou um sistema interpretativo de incontrastável prestígio, influenciando sucessivas gerações de intelectuais e impregnando de modo avassalador o senso comum.

Walnice Nogueira Galvão já observou com propriedade que "nos lares brasileiros de um certo nível sociocultural é de rigor um exemplar de *Os sertões* na estante". José Calasans divide os estudos de Canudos em "não-euclidianos" e "pós-euclidianos" – situando a fase que vai até a década de 50 como a da hegemonia euclidiana e a posterior como a do início de uma revisão do assunto, com pesquisas esclarecedoras, à luz de modernas contribuições de feição histórica e sociológica.

Não nos cabe neste ensaio adentrar na análise literária de *Os sertões*. Críticos como Afrânio Coutinho, Luiz Costa Lima, Antonio Candido, Gilberto Freyre e Olímpio de Souza Andrade, entre outros, já a fizeram ao longo do século XX. Limitamo-nos a tecer algumas considerações sobre a obra inserindo dados biográficos da vida de Euclides da Cunha, para fazer as ligações dele com a terra de sua família paterna, e a levantar algumas questões a respeito do não-envolvimento do escritor com a política local e com seus representantes, como o barão de Jeremoabo, o que, a nosso ver, eleva ainda mais os méritos do seu "livro vingador".

Em relação a Canudos, concluímos que o tema está longe de esgotar-se, tanto na pesquisa documental como na reflexão dos historiadores e cientistas sociais e políticos. Não se encerrou na verdade o debate iniciado por Euclides da Cunha com a publicação do seu grande livro, *Os sertões*, que tem sido em um século objeto de análise e de estudos.

Apesar das inúmeras críticas e reavaliações históricas sobre o tema, a fascinação exercida por *Os sertões* é irresistível. A magia do estilo de Euclides da Cunha e sua apaixonante atração permanecem irretocáveis no universo literário brasileiro.

Álvaro Pinto Dantas de Carvalho Júnior, trineto do barão de Jeremoabo, é graduado em História pela Universidade Federal da Bahia, mestre em História Social pela mesma instituição, historiador do Museu de Arte da Bahia, sócio efetivo do Instituto Geográfico e Histórico da Bahia e secretário geral do Instituto Genealógico da Bahia. Colaborador de vários periódicos, tem textos publicados na Revista da Fundação Pedro Calmon *e em jornais da Bahia. Participou do livro* Canudos: cartas para o barão, *organizado por Consuelo Novais Sampaio (São Paulo: Edusp/Imprensa Oficial do Estado de S. Paulo, 1995). Nele, fez o ensaio "Canudos: a posição do barão de Jeremoabo", no qual elabora um esboço biográfico de seu trisavô, com o objetivo de situar o antepassado no contexto em que se desenrolaram os eventos de Canudos. Sua dissertação de mestrado – ainda inédita e intitulada* Cícero Dantas Martins – De barão a coronel: trajetória política de um líder conservador da Bahia. 1838-1903 *– versou sobre a atuação política do barão de Jeremoabo.*

BIBLIOGRAFIA

ANDRADE, Jeferson de. *História de um trágico amor*. Rio de Janeiro: Codecri, 1987.

ANDRADE, Olímpio de Souza. *História e interpretação de* Os sertões. São Paulo: Edart, 1966.

ARARIPE JÚNIOR, Tristão de Alencar. *Expedições militares contra Canudos; seu aspecto marcial*. Rio de Janeiro: Imprensa do Exército, 1960.

BASTOS, José Augusto Cabral Barreto. *Incompreensível e bárbaro inimigo: a guerra simbólica contra Canudos*. Salvador: Editora da Universidade Federal da Bahia, 1995.

BENÍCIO, Manuel. *O rei dos jagunços*. Crônica histórica e de costumes sertanejos sobre os acontecimentos de Canudos. Edição fac-similar. Brasília: Senado Federal, 1997.

CALASANS, José. "Euclides da Cunha nos jornais da Bahia". In: *Revista da Academia de Letras da Bahia*. Salvador: EGBA, 1993, n. 39.

CARVALHO JÚNIOR, Álvaro Pinto Dantas de. "Canudos: a posição do barão de Jeremoabo". In: SAMPAIO, Consuelo Novais. *Canudos: cartas para o barão*. São Paulo: Edusp/Imprensa Oficial do Estado de São Paulo: 1999.

CARVALHO JÚNIOR, Álvaro Pinto Dantas de. "Cícero Dantas Martins — de barão a coronel: trajetória política de um líder conservador da Bahia. 1838-1903". Brochura. Salvador: Universidade Federal da Bahia, 2000. (Dissertação de mestrado, inédita).

CHIACCHIO, Carlos. "Euclides da Cunha". In: *Ala das Letras e das Artes*. Ed. n. 7, ano II, nº 3, Bahia: Imprensa Oficial do Estado, 1940.

CUNHA, Euclides da. "A nossa Vendéia" I e II. In: *O Estado de S. Paulo*, 14.03; 17.07.1897.

CUNHA, Euclides da. *Caderneta de campo*. São Paulo: Cultrix, 1975.

CUNHA, Euclides da. *Os sertões* (*Campanha de Canudos*). 29 ed. Rio de Janeiro: Francisco Alves/Brasília: Instituto Nacional do Livro, 1979.

DANTAS, Paulo. *Euclides da Cunha e Guimarães Rosa. Através dos Sertões*. São Paulo: Massao Ohno, 1996.

GALOTTI, Oswaldo; GALVÃO, Walnice Nogueira (orgs.). *Correspondência de Euclides da Cunha*. São Paulo: Edusp, 1996.

GRAHAM, Roberto Cunninghame. *A brazilian mystic, being the life and miracles of Antônio Conselheiro*. New York: Dodd, Mead, 1920.

GRAMSCI, Antonio. *Os intelectuais e a organização da cultura*. Rio de Janeiro: Civilização Brasileira, 1968.

HORCADES, Alvim Martins. *Descrições de uma viagem a Canudos*. Salvador: Tipografia Tourinho, 1899.

MONTE MARCIANO, frei João Evangelista de. "Relatório apresentado ao arcebispo da Bahia sobre Antônio Conselheiro e seu séquito no Arraial de Canudos". Salvador: Centro de Estudos Baianos da Universidade Federal da Bahia, 1987.

MOURA, Clóvis. *Introdução ao pensamento de Euclides da Cunha*. Rio de Janeiro; Civilização Brasileira, 1964.

PEREGRINO, Umberto. *Euclides da Cunha e outros escritos*. Rio de Janeiro: Record, 1968.

RABELLO, Sylvio. *Euclides da Cunha*. Rio de Janeiro: Civilização Brasileira, 1966.

TAVARES, Luís Henrique Dias. *História da Bahia*. 10 ed. São Paulo/Salvador: Unesp/UFB, 2001.

VENANCIO FILHO, Francisco. *Euclides da Cunha a seus amigos*. São Paulo: Nacional, 1938.
VENTURA, Roberto. Folha explica. *Os sertões*. São Paulo: Publifolha, 2002.
VERÍSSIMO, José. *Estudos de literatura brasileira. 1895-1898*. Rio de Janeiro: H. Garnier Livreiro Editor, 1901.
VIANA FILHO, Luís. *À margem dos sertões*. Salvador: Livraria Progresso, 1960.
VILLA, Marco Antonio. *Canudos: o povo da terra*. São Paulo: Ática, 1995.
ZILLY, Berthold. "Um depoimento brasileiro para a história universal". In: *Humboldt*, Bonn, ano 38, n. 72, pp. 8-16, 1996.

NOTAS

1 Euclides da Cunha. *Os sertões (Campanha de Canudos)*.
2 Tristão de Alencar Araripe Jr. *Expedições militares contra Canudos; seu aspecto marcial*.
3 A carta faz parte do livro organizado por Francisco Venâncio Filho, *Euclides da Cunha a seus amigos*, p. 83.
4 Euclides da Cunha, *Diário de uma expedição*.
5 *Op. cit.* In: Oleone Coelho Fontes. *O Treme-Terra: Moreira César, a República e Canudos*. Rio de Janeiro: Vozes, 1995.
6 Teodoro Sampaio. *O Rio São Francisco e a Chapada Diamantina*. São Paulo: Escolas Profissionais Salesianos, 1905.
7 Francisco Venancio Filho. *Op. cit.*
8 José Augusto Cabral Barreto Bastos. *Incompreensível e bárbaro inimigo: a guerra simbólica contra Canudos*. Salvador: Editora da Universidade Federal da Bahia, 1995.
9 Euclides da Cunha. *Op. cit.*, p. 122.
10 Barão de Jeremoabo. In Euclides da Cunha. *Op.cit.*, 1979, p. 122.
11 Consuelo Novais Sampaio. Canudos: o jogo da oligarquia. In: *Revista da Academia de Letras da Bahia*, n. 40, 1994, p. 242.
12 Euclides da Cunha. *Op. cit.*, p. 161.
13 *Idem*, p. 167.
14 *Idem*, p. 167.
15 Trechos de carta escrita por Euclides da Cunha ao general Solon, extraída da *Revista do Brasil* de junho de 1922, nº 78, que reproduz artigo de Maurício de Lacerda, intitulado "A missão de Euclides", anteriormente publicado em O Imparcial.
16 *Idem*, p. 154.
17 *Idem*, p. 154.
18 *Idem*, p. 154.
19 Álvaro Pinto Dantas de Carvalho Jr.. Canudos: a posição do barão de Jeremoabo. In: SAMPAIO, Consuelo Novais. Canudos: cartas para o barão. São Paulo: Editora da Universidade de São Paulo (Edusp) /Imprensa Oficial do Estado de São Paulo, 1999.
20 José Augusto Vaz Sampaio Neto *et alii*. Canudos, subsídio para a sua realização histórica. Rio de Janeiro: Fundação Casa de Rui Barbosa, 1896, p. 124.
21 Álvaro Pinto Dantas de Carvalho. *Op. cit.* p. 16
22 Luís da Câmara Cascudo. "O barão de Jeremoabo", Salvador: *A Tarde*, 01.08.39.

Mundos extintos: as poéticas de Euclides e Pompéia

Francisco Foot Hardman

Queste, o spirito gentil, miserie estreme
Dello stato mortal; vecchiezza e morte,
Ch'han principio de allor che il labbro infante
Preme il tenero sen che vita instilla;
Emendar, mi crede io, non può la lieta
Nonadecima età più che potesse
A decima o la nona, e non potranno
Più di questa giammai l'età future.

Giacomo Leopardi, "Palinodia al marchese Gino Capponi", 1835*

Nessuno canti più de amore o di guerra. (...)
La luce stessa ricade, rotta dal proprio peso,
E tutti noi sieme umano viviamo e moriamo per nulla,
E i cieli si convolgono perpetuamente invano.

Primo Levi, "Le stelle nere", 1974**

Euclides da Cunha (1866-1909) e Raul Pompéia (1863-1895) possuíram mais de uma afinidade. Viveram intensamente os desdobramentos de suas respectivas poéticas, aqui chamadas da extinção e aparentadas em várias imagens pictóricas, motivos, ritmos, traços de estilo. Românticos na tradição, imagéticos na mobilização radical das figuras metafóricas (cromático-simbolistas, mais abstratas em Pompéia; esculturais, supernaturalistas, mais figurativas em Euclides) e críticos da modernidade no confronto dramático com a civilização triunfante do valor de troca, a aproximação entre seus destinos pessoais também se fez inevitável após as mortes trágicas de cada um deles, vindo interromper produções literárias em pleno apogeu. A alguns amigos e críticos contemporâneos não escapou a percepção desta sorte de irmandade no plano da estética e da vida. O historiador Capistrano de Abreu, por exemplo, numa carta a João Lúcio Azevedo, antes de enveredar pela constatação de que "ambos morreram tragicamente", dá um juízo enfático: "Euclides e Pompéia são para mim os dois primeiros escritores do Brasil moderno. Prefiro Pompéia, mas em certas cousas Euclides é superior. Com duas, três linhas rasga às vezes perspectivas admiráveis"[1].

Já bem antes, Araripe Jr. expressara a imagem de um "crisol da tragédia", ao modo de precipício sublime, em torno do qual o estilo da poética euclidiana se desenvolvia. E ponderava: "Não se passa impune, de olhos abertos, através da morte"[2]. Neste caso, aludia o crítico à revolução antiflorianista de 1893 e, em segundo lugar, à Campanha de Canudos, dois conflitos militares cruentos do início da República que tiveram em Euclides testemunha privilegiada. Tentava sugerir assim que o escritor, "nascido para a poesia", havia forjado, com sua "segunda vista, que lhe tornava perigoso o exercício da faculdade de observação", esse estilo peculiar em que a revolta romântica e o traço colérico de juventude incorporaram-se "na vida do artista com raro êxito"[3]. E seria ainda Araripe Jr. que em artigo antológico, escrito poucas semanas após a morte de Euclides, em setembro de 1909, faria a ligação do estilo literário e humano do inventor de *Os sertões* ao de *O Ateneu*, sob o título "Dois vulcões extintos"[4], imagem-símbolo ancorada no sublime romântico, em que vida e obra se abrigavam na mesma metáfora. E, bem mais recentemente, Augusto e Haroldo de Campos, ao tratar da construção poética presente na prosa de *Os sertões*, voltam a apontar paralelos de similitude/diferença entre sua poética e a de Raul Pompéia, em diálogo com crí-

* "Estas, amigo, o extremo das misérias/ Que os mortais têm aqui: velhice e morte,/ Que começam com o lábio da criança/ Colado ao terno seio que dá vida;/ Saná-las, creio eu, não pode o alegre/ Dezenove, não mais do que o puderam/ O dez ou o nove, e os séculos por vir/ Jamais, mais do que este, poderão." (G. Leopardi, "Palinódia ao marquês Gino Capponi, 1835" – tradução brasileira de Álvaro Antunes, *Poesia e prosa*, 1996)

** "Nenhum canto mais de amor ou de guerra. (...)/ A luz mesma decai, rota do próprio peso/ E todos nós semente humana vivemos e morremos por nada,/ E os céus se convulsionam perpetuamente em vão." (P. Levi, "As estrelas negras", 1974)

ticas anteriores formuladas por, entre outros, Guilherme de Almeida, Augusto Meyer, Eugênio Gomes, Franklin de Oliveira e Mário de Andrade[5].

Caberia, na esteira dessas leituras, verificar as afinidades entre a "escritura artística" de Pompéia e a linguagem rebuscada, exuberante e "excessiva" em Euclides, a atração, em ambos, por paisagens naturais ou humanas arruinadas, a profusão de imagens em prol da dramatização do discurso, a fixação de uma plasticidade retórica que esboça "quadros" não só como exercício de estilo, mas na condição de crônicas relâmpagos de mundos e temporalidades em perpétuo movimento rumo à extinção; isso numa lírica que, impregnada dos sentidos e enigmas da melancolia, extravasa-se em enumerações caóticas de objetos, em proliferações léxicas e sintáticas que, longe de firmar um solo, denunciam a precariedade do que é vivente e caminham também para uma sorte célere de "envelhecimento", seja ao modo de uma "antigüidade" das formas, no gosto da eloqüência e dos arcaísmos, seja como aglutinação cristalizada de palavras-vestígios, tão tônicas quão fugazes, a poesia daí extraída reverberando como coleção de figuras desaparentes, e aí se oferecendo também para o ritual de autodissolução.

Reconhecidos ambos como dois dos nossos maiores prosadores, neste esboço de leitura deixarei as respectivas obras-primas à margem e ao fundo, assimilada, não obstante, a acurada arte produzida por suas poéticas da extinção, tanto em *O Ateneu* quanto em *Os sertões*, para aproximar-me da poesia em prosa de Raul Pompéia em *Canções sem metro* – cuja primeira edição em livro apareceu postumamente em 1900, mas em verdade reunindo textos de juventude iniciados em 1883, com vários de seus poemas e variantes dispersos pela imprensa entre 1885 e 1889 e da poesia também dispersa de Euclides, esta nunca reunida em volume específico, sobretudo aquela produzida entre 1883 e 1897[6]. Considerando que ambos os escritores estão entre os precursores da modernidade literária entre nós[7], valho-me neste cotejo do aporte que o criticismo radical de outra poeta da extinção legou-nos, a americana Laura Riding (1901-1991). Nascida no alvorecer do século XX em Nova York, vivendo todas as contradições das artes e da História mundial nos novecentos, ela levaria ao extremo a experiência ao mesmo tempo explosiva e autodissolutiva da poesia moderna[8]. Sua presença aqui pode iluminar as trajetórias das poéticas de Pompéia e Euclides. Quando não, relançá-las noutra dimensão de leitura, mais enfocada nas trilhas que aproximam e separam o ato poético da experiência da morte.

Já na poética presente em suas prosas primas pode-se também localizar o papel jogado pelos traumas da história pessoal ou coletiva no desencadeamento do ato discursivo, que é, de uma parte, desdobramento e tradução da violência experimentada para o plano da linguagem escrita e, ao mesmo tempo, de outra parte, sublimação e cripta das perdas e ferimentos sofridos[9], não só na própria pele, mas na percepção de si mesmo e do mundo, conduzindo à fragilização do autoconceito de humanidade, ao desvanecer das ilusões de progresso social ou político, e com ela ao naufrágio das primeiras esperanças. Em *Os sertões*, isso surge bem claro, a começar do diário da expedição e de outras anotações esparsas sobre a campanha de Canudos que o engenheiro-repórter colecionava, ao sabor do vivo testemunho experimentado no teatro da guerra, naqueles últimos dias de sobrevida do povoado rebelde. O início do incêndio destruidor de Canudos pelo Exército parece um ponto nodal na reviravolta do texto euclidiano, detonando sua prosa maior como canto épico-dramático às vítimas desse "crime da nacionalidade", dessas "loucuras" que já não se sabem se dos fanáticos ou de seus agressores, canto em que se insinua muitas vezes o modo elegíaco de reverência lamentosa ao destino trágico daquele "bárbaro e incompreensível inimigo"[10]. E ali, naquele cenário em extinção (junto com seus protagonistas maiores), o narrador exibe as armas da destruição, as "barbáries civilizadas" dos últimos requintes tecnológicos da indústria bélica combinadas às atrocidades do fogo, da faca e das cabeças cortadas.

Em Pompéia de *O Ateneu*, a "crônica da saudade" poderia remeter à busca desse tempo perdido do final da infância e início da adolescência, isso na superfície da história narrada. Mas a violência desencadeadora do ato de linguagem, ali, está presente, por um lado, na repressão do aparelho escolar, cujo incêndio final, ao contrário do significado do fogo em *Os sertões*, parece cumprir certo rito vingativo e liberador, embora sempre fundamente nublado pela melancolia que se aloja em todo o fluxo narrativo dessas lembranças, as quais podem ser contadas por idêntica razão de se terem tornado inalcançáveis. Num raro fragmento manuscrito de duas páginas que restou do livro, há um esboço de abertura da narrativa depois abandonado pelo escritor, tanto na versão fascicular publicada na imprensa em 1888 quanto na forma livresca surgida em 1890. A supressão de várias passagens desse texto manuscrito é tanto mais significativa por referirem de modo direto uma experiência traumática, essa sim, verdadeiramente inauguradora da "crônica de saudades": a morte do pai, ocorrida em 1884. Vejamos como o manuscrito introduzia a narrativa a partir da interrupção do fluxo temporal e sua imobilização melancólica na hora "sangrante e sagrada" dessa perda irreparável, em que corpo e memória resistem ao aplacamento da dor pelo trabalho de luto:

> Quando ele morreu fizeram parar o relógio na hora cruel – seis da manhã. O sol acabava de erguer-se, abrindo sobre a terra a larga mão de ouro, bênção matinal da luz, sobre a ressurreição da vida – quando ele partiu para a eterna sombra. O mostrador imóvel parecia igualmente alcançado pela morte e a fixidez do ponteiro ampliava-nos a dor na alma, com a permanência implacável da recordação, sangrando, rebelde ao tempo que cicatriza; como se para nós que o queríamos devesse ficar a existência nada mais que o prolongamento intérmino daquela hora, eco imortal das seis pancadas trêmulas do velho relógio, culto sagrado e doloroso de uma memória[11].

O que depois o ficcionista elide permanece como marca desencadeadora do trabalho de luto na memória, da arte da escrita como esforço de sublimação, ao mesmo tempo das lembranças e do esquecimento que as transforma ou extingue. O pai fantasma é o mesmo que leva o filho até a porta do colégio interno, despedindo-se com essas palavras: "Vais encontrar o mundo. Coragem para a luta". Mundo cercado da violência predadora de todos os interesses inóspitos, luta que é também a da superação-conservação das recordações fúnebres, do tempo da inocência que não se restitui na íntegra porque sobretudo não pode trazer de volta voz e vida ao corpo paterno. Numa formulação anterior dessa mesma passagem antológica que abre a narrativa efetivamente publicada de *O Ateneu*, presente em um texto de juventude, *Alma morta* (escrito em 1885 e publicado na imprensa em 1886), depois refundido sob o título *Cartas para o futuro* (versão que restou inédita), sob forma epistolar, surgem as seguintes variantes:

> Meu filho – Em tempo hás de ver o mundo. O mundo é uma espécie de circo enorme de feras, onde os homens combatem, em nome do ventre. Cada qual porfia a ver quem vai mais gordo para o túmulo. Feliz quem pode ver o combate do lado de fora. O anfiteatro tem arquibancadas, mas raros são os espectadores. Se tiveres força para galgar um ponto nos assentos da arquibancada poderás ver o grande espetáculo. Os gladiadores batiam-se nus, os nossos combatentes digladiam-se mascarados.

Ou então:

> Eu vi o mundo. Circo enorme onde os homens combatem em nome do Ventre.
>
> Porfia-se a ver quem vai mais gordo para o túmulo.
>
> Os romanos gladiadores batiam-se nus; os gladiadores que eu vi, para a luta fardam-se de hipocrisia. Não trajam de aço como os cavaleiros medievais do torneio; em vez da máscara de ferro dos elmos, eles cobrem o rosto com a viseira impenetrável da astúcia e da mentira.
>
> Pelo Ventre e pela Vida! É o grito de guerra.
>
> Mascarada sinistra![12]

Na ausência do pai, este ventre-mundo ou ventre-mãe passa a ser voraz e vertiginoso na deglutição de todas as ambições humanas terrenas, de seu tempo e medidas. Interessante é que a imagem do *Ventre* reaparece como um dos títulos das seções dos magistrais poemas em prosa de *Canções sem metro*. E, no poema homônimo, vemos como essa voragem destruidora se radicaliza, anulando os marcos do tempo histórico: “O abismo prenhe de auroras alimenta-se de séculos”. Em todos os outros poemas que compõem essa parte, a humanidade tende a dissolver-se, absorvida ora pelo mar, ora pela floresta, ora igualando-se aos animais e minerais, ora pela cobiça do comércio e pela ilusão do ouro:

> COMÉRCIO
>
> TÍTULOS... COTAÇÕES... CÂMBIO...
>
> [...] Quando não houver mais trigo para os pães, faremos pães de ouro; quando o planeta, exausto, fragmentar-se no vácuo, um novo planeta, de ouro, dará refúgio à humanidade expatriada, mas triunfante!
>
> Famoso alarma dos iluminados videntes do dia.

Mas o ventre-abismo absorve a vida social em sua inteireza: "A ordem social também é o turbilhão perene ao redor de um centro. Giram as instituições, gravitam as hipocrisias, passam os Estados, bradam as cidades... O ventre, soberano como um deus, preside e engorda"[13].

Nesses poemas, como em outras "canções", circunscreve-se ainda um movimento em sociedade, descreve-se a dissipação do tempo histórico em meio ao entorno humano por ele engendrado. Em "Alma espectro", por exemplo, é a figura degradada de um escravo negro que surge, mas ainda assim antes da morte física, anunciando no olhar o ódio contra os brancos e todos os símbolos de sua civilização, as marcas da brutalidade cravadas no rosto:

> Era um acervo aquela natureza.
>
> Sentia-se-lhe, no olhar, um brilho horripilante de raio e no espírito a amálgama espessa dos sentimentos todos, entre o pesar profundo, roxo, e a vermelha cólera sanguissedenta.
>
> Espantava-me aquela alma espectro.
>
> [...]
>
> Ele odiava os homens brancos, odiava a torre aguda, estacada no horizonte, sobre aqueles tetos.
>
> E odiava o trem medonho de fogo e ferro que passa, mugindo através dos inocentes campos...[14]

Se a escravidão, por cuja abolição Pompéia combateu, levava à extinção da humanidade dos negros, semelhante tratamento do autor encontramos também em relação aos índios. Retomando algumas das melhores aquisições românticas, numa crônica de 1888, intitulada "Um povo extinto", os bacairis são representados numa felicidade que os punha "ausentes da geografia sistemática, distantes da História". O choque civilizatório é o trauma em seguida poeticamente trabalhado com imagens que lembrarão, em seu lirismo trágico, a elegia posterior de Euclides aos sertanejos de Canudos, mormente na imagem irônica da "ferocidade do progresso" espelhada, na guerra dos sertões, na maravilha dos canhões Krupp. Vale transcrever os parágrafos finais:

> Os brancos mostraram as lâminas afiadas e o pano; mostraram o espelho, emblema da verdade, e que mente como um reflexo de miragem; mostraram o cão desconhecido e o burro, animais escravos como os Bacairis vencidos; mostraram o relógio e a bússola, mesquinho aviso das horas e dos lugares, como os astros contra o esquecimento consolador, mas sem a grandeza ao menos dos cenários do firmamento.
>
> E deram-lhes o machado, as facas, copiosa propaganda de aço, desmoralizando a pedra primitiva, a amiga heróica dos antepassados na guerra e na paz, com a maravilha súbita da civilização que sabe polir a baioneta e fundir em Essen a ferocidade do progresso e calibrar as almas raiadas como a última palavra na psicologia da confraternização universal.
>
> Mas eram livres; e estão agora marcados como um documento inerte para a etnografia, como vítimas para a catequese e para a conquista[15].

Aqui, como se pode ler, a catástrofe localiza-se no choque de culturas e nas relações sociais. E seria bom sublinhar, neste passo, que a maioria dos contemporâneos de Pompéia, de Araripe a Capistrano e Rodrigo Octavio, de Bilac a Coelho Neto, ressaltarão as desilusões com os rumos da sociedade burguesa e do governo republicano como traumas mais visíveis nas suas crônicas e, também, no crescente isolamento que o levaria ao suicídio. Se antes de 1888-89 havia as bandeiras justas do abolicionismo e do combate à monarquia, depois das revoltas de 1893, com a crise do florianismo, tanto Pompéia quanto Euclides rapidamente se decepcionavam com o ideário jacobinista de sua primeira juventude. E a República, como um pouco antes para Silva Jardim ou um pouco depois para Gonzaga Duque, ruía em seus corações e mentes como o regime das ilusões perdidas. Conjuntura propícia para a eclosão, em nível da sensibilidade afetiva e estética desses poetas, da "caverna de pavores" em que a melancolia profunda tece seus demônios e a crise do pensamento humano pode ser traduzida em "queda satânica", sendo a militância civil e política substituída por uma "nostalgia da forma"[16]. Assim os objetos perdidos da razão histórica e da memória afetiva, num compósito instável, são sublimados pela busca estética que é também trabalho precário de luto, pois a forma perfeita de restituição equivaleria a um completo esquecimento. Resta uma forma sonhada e sua sondagem melancólica, que recobre a trilha da morte, arrisca-se a todo instante a dissipar-se, mas nos oferece ainda os belos vestígios dessa pesquisa do inexprimível.

A tendência recorrente dessa poética da extinção, sobretudo em Pompéia, retomando inclusive motivos mais profundamente abissais a partir de uma fina apreensão dos *Canti* de Leopardi, é tornar-se mais e mais "despovoada" das marcas do humano, a própria poesia seu único traço derradeiro, testemunha solitária como um "documento inerme" redesenhando-se nos traços de paisagens cósmicas desoladas, que exercitam as pinturas visionárias do infinito sublime. Na seção V das *Canções*, intitulada *Infinito*, o poema de abertura, "Rumor e silêncio", funciona ao modo quase de um manifesto dessa perspectiva. Valendo-se como epígrafe da famosa passagem final de Leopardi em "L'infinito"* – "Così tra questa / Immensità s'annega il pensier mio: / E il naufragar m'è dolce in questo mare."[17] –, o poema opõe de início o rumor da civilização urbana ao silêncio dos céus, tentando contrariar a idéia comum que associa o silêncio à morte. Seria oportuno nessa passagem reportar-se a um dos aforismos de Agamben em seu belo livro poético-filosófico *Idea della prosa*, sobre a idéia da linguagem identificada intimamente à do silêncio.

* Citação de Leopardi em "O infinito", 1835 – tradução brasileira de Ivo Barroso, *Poesia e prosa*, 1996: "(...) Assim, nessa / Imensidão se afoga o pensamento: / E doce é naufragar-me nesses mares."

Ao contrário dos animais e da natureza sempre prestes a falar[18], "la belleza umana apre il viso al silenzio. Ma il silenzio – che qui avviene – non è semplicemente sospensione del discorso, ma silenzio della parola stessa, il diventar visible della parola: idea del linguaggio. (...) Solo la parola ci mette in contatto con le cose mute"*.

Em "Rumor e silêncio", o movimento que almeja essa suspensão de todos os sons conhecidos, rumo à mudez absoluta do infinito, segue por contraste num crescendo de imagens que multiplicam vozes e ruídos para além do coletivo humano. Em meio ao caos crescente das intempéries naturais em choque, o eu lírico conclama:

> Multiplicai esses rumores. Agravai o tumulto industrial dos homens na paz com as perturbações estrepitosas da guerra; reforçai as vozes da floresta e do mar; juntai-lhes a solene toada das catadupas, o pungente mugir dos oceanos lanceados pelo temporal, as explosões elétricas do raio, a crepitação fragorosa dos gelos derrocados pelo primeiro sopro da primavera polar, o garganteio monstruoso dos vulcões inflamados; fazei rugir o coro das catástrofes humanas e dos cataclismos geológicos.

E, na parte final, a inversão de valor, com o elogio do silêncio nos espaços celestes:

> Dizei, depois, onde mais intensa é a vida e maior o assombro, se embaixo ou lá em cima, no zimbório diáfano que a noite vai conquistando agora, na savana imensa onde transita a migração dos dias e viajam as estrelas, onde os meteoros vivem, onde os cometas cruzam-se como espadas fantásticas de arcanjos em guerra – na mansão dos astros e do sagrado silêncio do infinito?![19]

* "Idéia da linguagem" in: *Idéia da prosa*, 1985: "a beleza humana abre o viso ao silêncio. Mas o silêncio – que aqui sucede – não é simplesmente suspensão do discurso, mas silêncio da palavra mesma, o tornar-se visível da palavra: idéia da linguagem. (...) Somente a palavra põe-se em contato com as coisas mudas."

Mas esse espaço, animado por figurações que ainda lembram uma coletividade terráquea, vai tornar-se mais dissipado e rarefeito conforme se radicaliza a poética da extinção. Em "Vulcão extinto", na mesma série de *Infinito*, é a antiga fúria da "lava fervente" que agora se imobiliza, alcançada pela morte, "punida pelo século" em sua tentativa, outrora, de "incendiar a amplidão". Tem-se só as marcas devastadas de um anfiteatro natural em ruínas:

> Nada mais ficou dos grandes dias além das escarpas calcinadas, o velho esqueleto informe. [...] extinguiram-se de vez as cenografias satânicas da conflagração; pereceu a memória das erupções triunfais!
>
> Tudo agora está findo.
>
> E para os espaços arreganha-se o caminho das lavas, imensa boca torcida na expressão de atroz agonia – brado estrangulado pela morte, apóstrofe muda e terrível, blasfêmia misteriosa da terra[20].

Alguns tentaram ler em Pompéia e Euclides traços de expressionismo. Se nas suas prosas maiores certo dramatismo das cenas trágicas do mundo, certo gosto pelo grotesco e pela encenação da decadência de comunidades e pela presença mórbida da degeneração de corpos e mentes, certa crítica mordaz à ideologia do progresso fazem lembrar algumas imagens e construções recorrentes entre os artistas e escritores daquele movimento nos países de língua alemã, é preciso de todo modo lembrar que sua emergência na Europa ocorrerá mais efetivamente como manifestação estética coletiva só a partir de 1905, portanto em época posterior às obras-primas de nossos autores (alguns anos em relação a Euclides e quase duas décadas em relação a Pompéia). Quanto à poesia deles aqui comentada, reúne aspectos estilísticos variados e contraditórios do simbolismo, decadismo e parnasianismo, sempre forjada em solo de fértil raiz romântica. No caso de *O Ateneu* e de *Os sertões*, o modo de cantar a queda de seus respectivos mundos poderia levar a alguma associação apenas parcial com certa representação expressionista. Mas, já na poesia que estudamos, ocorre certa suspensão da ação dramática no mundo em favor de maior contemplação. A melancolia é mais produto de ausência de vida ou sentido, pós-desastre "natural" ou "humano", pouco importa, do que resultado agônico de uma catástrofe "em presença" (sendo evidente que tal balanço deva se matizar em se tratando das respectivas prosas narrativas, já que em *O Ateneu* e *Os sertões* diferentes dramas humanos são igualmente enquadrados com tintas fortes da eloqüência). No que toca às artes visuais, a tentativa de contraponto, sobretudo em Pompéia, que foi desenhista e caricaturista refinado (lamentavelmente, os desenhos em cores que fez com cuidado especial para ilustrar suas *Canções* perderam-se de todo, o mesmo acontecendo com algumas peças de escultura que criara), faz ressaltar a impertinência da estilização própria dos desenhos expressionistas, em particular a xilogravura[21]. Afastado, pois, o risco de rótulo que seria, ademais, anacrônico, pode-se compreender tal aproximação a partir da matriz comum do supernaturalismo do final do século XIX, tendência que atualiza traços do romantismo na cultura cientificista da época, sobretudo em torno à degradação e finitude dos seres vivos, que repercutirá tanto nos artistas e escritores finisseculares quanto em certas vanguardas claramente tributárias da revolta romântica, como o expressionismo e o surrealismo.

Feitas as ressalvas, vale recuperar dois poemas homônimos – "Fim do mundo" ("Weltende") – de autoria de dois representantes significativos da literatura expressionista alemã, a escritora Else Lasker-Schüler (1869-1945), nascida na mesma década que Pompéia e Euclides, e Jakob van Hoddis (1887-1942), da geração seguinte. No poema de Lasker-Schüler, datado de 1905, o fim do mundo projeta-se do choro disperso, da vida tragicamente compartilhada "como em ataúdes", de uma saudade difusa que anuncia o reconhecimento melancólico da morte, para um lugar secreto a que o eu lírico convoca seu amor à união e ao beijo plenos, plasmados no desejo críptico de clandestinidade e desaparição:

> Há um choro no mundo,
> Como se o bom Deus chegasse ao final,
> E a nuvem plúmbea cai ao fundo,
> Em peso sepulcral.

Vem, escondamo-nos juntos em plenitude…
A vida está no coração de todos
Como em ataúdes.

Tu! Profundamente nos beijemos –
No mundo palpita uma saudade,
Da qual morreremos[22].

Em "Fim do mundo" de Hoddis, de 1911, em outro registro e tom, o lirismo melancólico cede terreno ao dramatismo quase satírico que mistura cenas caóticas da civilização humana e de catástrofes naturais:

O chapéu voa da cabeça do cidadão,
Em todos os ares retumba-se gritaria.
Caem os telhadores e se despedaçam
E nas costas – lê-se – sobe a maré.

A tempestade chegou, saltam à terra
Mares selvagens que esmagam largos diques.
A maioria das pessoas tem coriza.
Os trens precipitam-se das pontes[23].

Talvez se pudesse vislumbrar alguma ressonância entre a lírica melancólica presente no poema de Lasker-Schüler e a poética da extinção mais radicalizada em Pompéia. Ainda em *Canções sem metro*, depois da primeira seção, *Vibrações*, na qual inspirado diretamente nas correspondências baudelairianas (de quem retira uma estrofe para epígrafe do poema-título, "Vibrações", que abre esta parte e, por extensão, todo o volume)[24], faz pequenos poemas em prosa de associação entre cores e sentimentos, Pompéia organiza uma segunda seção, intitulada *Amar*. Nela, após cantar a sucessão das estações do ano, apresenta o poema "Ilusão renitente", mais uma vez inspirado numa epígrafe leopardiana extraída do longo canto épico-dramático "La ginestra, o il fiore del deserto" (A giesta ou a flor do deserto)[25], que, tendo brotado – "Qui su l'arida schiena / Del formidabil monte / Sterminator Vesevo"* –, também fenecerá. São estes os versos de Leopardi escolhidos:

> E tu, lenta ginestra,
> Chi di selve odorate
> Queste campagne dispogliate adorni,
> Anche tu presto, alla crudel possanza
> Soccomberai [...]**

E o poema de Pompéia irá abrir-se com as imagens de um "estranho sonho" do fim do mundo: "Estranho sonho. Cataclismo inaudito assaltou a natureza. A espessura trágica de uma noute extraordinária invadiu o espaço como se de asas de corvo se fizesse o firmamento. Nesta sombra, espantoso sepulcro!, jaz aniquilado o universo".

A extinção, aqui, elimina todos os sinais e formas que pudessem fazer lembrar a vida humana e planetária, dissipando nossas referências espaço-temporais:

> Nem uma lasca de túmulo a nos lembrar mais os homens, nem um aerólito perdido a recordar os planetas, nem uma fugitiva centelha que diga dos consumidos sóis. A efeméride dos aspectos, no tempo, cessou.
>
> O tempo e o espaço imanentes numa só uniformidade, sem soluções, sem sucessões, realizam a hipótese do termo absoluto.
>
> Resolveu-se enfim a universal comédia das formas, das superfícies, das ilusões...

* "Aqui na árida encosta / Do pavoroso monte / O destruidor Vesúvio"

** "E tu, lenta giesta/ Que com matos cheirosos/ Adorna estes campos despojados,/ Também tu, prestes, à cruel potência/ Sucumbirás (...)" (Ambos os trechos na tradução brasileira de Affonso Félix de Sousa, *Poesia e prosa*, 1996)

A "ilusão renitente" insinua-se no bloco final, que retoma o verso de abertura para introduzir a "luz de um olhar" (projeção igualmente frágil da humanidade contida no ato poético-amoroso?), que não repõe nenhuma esperança, apenas enseja a encenação lírica e onírica de todo esse drama da finitude. O olhar iluminado é o mesmo que pode fazer a elegia da giesta, antes de sua próxima extinção:

> Estranho sonho!
>
> E eu vi, senti nascer das trevas um clarão suavíssimo, semelhante ao luar que vem do céu, rasgando uma por uma as bambolinas pesadas da tempestade.
>
> Era a luz de um olhar...
>
> Nem tudo perecera!
>
> Este simples clarão saciava-me como se fosse a concentração da vida universal roubada aos seres, ou o espírito errante das constelações extintas[26]!

Mesmo acercando-se do fim último de todas as coisas, com a percepção da morte dos mundos aguçada ("a universal comédia das formas, das superfícies, das ilusões"), conduzida assim ao termo de nossa dimensão perceptiva no espaço-tempo, permanece esse ponto luminoso – flor fugaz na encosta do vulcão em Leopardi, convocação ao enlace amoroso agônico em Lasker-Schüler, olhar que retoma a condição universal e abstrata da vida em Pompéia – que, embora seja igualmente da ordem do ilusório, restitui os laços entre o nada e o ato da poesia. Ou, nas palavras radicalmente poéticas de Laura Riding: "What is a poem? A poem is nothing. By persistence the poem can be made something; but then it is something, not a poem"*.

Nesse modernismo da "desativação" de qualquer dinâmica metafórica do sentido e da mímesis, a poeta prossegue em seu libelo, identificando a materialidade do poema com a criação de um "vácuo" na experiência: "It (a poem) is

* "Que é um poema? Um poema é nada. Por persistência o poema pode se tornar algo; mas então ele é algo, não um poema".

not an effect (common or uncommon) of experience; it is the result of an ability to create a vacuum in experience – it is a vacuum and therefore nothing. It cannot be looked at, heard, touched or read because it is a vacuum"*.

Contrapondo-se às tradições românticas que tomaram o poema como "efeito" ou "causa do efeito" de uma experiência, mascarando sua condição de nada ou de vácuo que o situariam de todo modo "fora" da experiência, Riding vê todo o esforço da crítica literária como ao mesmo tempo suspeito e precário[27]:

> Whenever this vacuum, the poem, occurs, there is agitation on all sides to destroy it, to convert it into something. The conversion of nothing into something is the task of criticism. Literature is the store-house of these rescued somethings. In discussing literature one has to use, unfortunately, the same language that one uses in discussing experience. But even so, literature is preferable to experience, since it is for the most part the closest one can get to nothing**.

A poesia assim tomada seria o lugar e o momento, ainda nos termos de Riding, em que "a linguagem sempre defronta-se, e geralmente encontra-se com o fracasso", por residir, justamente, "no coração da dificuldade", qual seja, não a de uma expressão individual, mas a dos limites e incompletude do processo humano de entendimento e comunicação – a linguagem sendo, aí, uma forma de "prostração" e a palavra, um compromisso frágil "entre o que é possível expressar e o que não é possível expressar". Recompondo-se com linhagens da revolução romântica as mais radicais, Riding sugere que a expressão resulta dessa falha universal, da consciência dessa perda inevitável, do vácuo que desencadeia o ato de linguagem. Mas este, desde logo, especialmente na poesia, desponta como

* "Ele (um poema) não é um efeito (comum ou incomum) da experiência; ele é o resultado de uma habilidade em criar um vácuo na experiência – ele é um vácuo e por isso nada. Ele não pode ser visto, ouvido, tocado ou lido porque ele é um vácuo".

** "Sempre que este vácuo, o poema, ocorre, há agitação por todos os lados para destruí-lo, para convertê-lo em algo. A conversão de nada em algo é a tarefa da crítica. A literatura é o depósito desses algos resgatados. Ao se discutir literatura, utiliza-se, infelizmente, a mesma linguagem com que se discute a experiência. Mas, apesar disso, a literatura é preferível à experiência, pois é aquela em grande parte que pode chegar o mais próximo do nada".

forma de inação, de recusa radical da experiência comum, como tentativa agônica e melancólica – porque sabidamente fadada ao insucesso – de levar "a linguagem a fazer mais do que expressar; fazê-la trabalhar; redistribuir inteligência por meio de significações da palavra"[28].

Ora, poderíamos tratar desta poética da extinção como uma prática de linguagem e leitura que se espraiou por várias escolas estéticas, desde pelo menos a modernidade barroca até algumas das vanguardas modernistas dos novecentos, vinculada à elegia das ruínas naturais e históricas e a um forte apelo moral, em que a finitude dos seres vivos e das criações humanas contrapõe-se a todo complexo de onipotência, buscando-se nas imagens de um sublime infinito a suspensão da ordem espaço-temporal e a produção de nivelamento igualizador e perceptoriamente também ilusório, ancorado na vista de um cosmos desabitado de coisas e palavras. O modernista Flávio de Carvalho formulou assim esta idéia, em 1931, num livre e belo ensaio poético: "Uma superfície homogênea infinita daria a ilusão de igualdade, de falta de onipotência. A humanidade vista de uma grande distância forneceria a mesma ilusão"[29].

Consideremos que tanto a ilusão de onipotência vital quanto a ilusão de vácuo, de ausência da paisagem, parecem remeter-se à "luz de um olhar" como fonte ilusória "renitente", de que falava a canção de Pompéia há pouco citada. Por isso, tanto o ouvido (no caso de cessarem todos os rumores) quanto o olho (último elo entre proximidade e distância do mundo, entre luminosidade e escuridão) são dois sentidos condenados à extinção nesse desabar dos mundos. Também Laura Riding radicaliza tal perspectiva em seu poema "World's end" (Fim do mundo), feito nos anos 1920, em que se pergunta ironicamente pelo destino dos sentidos auditivo e visual e pelo lugar do olho humano diante do "claro espetáculo" que o fim de tudo apresenta:

> The tympanum is worn thin.
> The iris is become transparent.
> The sense has overlasted.

Sense itself is transparent.
Speed has caught up with speed.
Earth rounds out earth.
The mind puts the mind by.
Clear spectacle: where is the eye?*

Não havendo mais oposição entre corpos, nem necessidade de "nomes de contraste", a própria experiência significante embutida na ação dramática ou épica deixaria de querer existir, e o ato de representação poética, como nos autores que visitamos, vai dissipar-se em meio a uma natureza morta[30]:

All is lost, no danger
Forces the heroic hand.
No bodies in bodies stand
Oppositely. The complete world
Is likeness in every corner.
The names of contrast fall
Into the widening centre.
A dry sea extends the universal**.

Em "As lágrimas da terra", uma das "canções sem metro" avulsas depois não incluídas na edição em livro, aparecida na imprensa em 1886, Pompéia inspira-se igualmente numa epígrafe leopardiana, em versos extraídos do poema "Imitazione" (Imitação), de 1835, ainda dos *Canti*[31]:

Lungi dal proprio ramo,
Povera foglia frale,

* "O tímpano recobriu um quase nada./ A íris tornou-se transparente./ O sentido extrapolou./ O próprio sentido é transparente./ A velocidade alcançou a velocidade./ A terra gira toda ao redor da terra./ A mente poupa a mente./ Claro espetáculo: onde está o olho?"

** "Tudo está perdido, nenhum perigo/ Força a heróica mão./ Não há corpos postos/ Em confronto. O mundo inteiro/ É semelhança em cada canto./ Os nomes de contraste caem/ No interior do largo centro./ Um mar seco estende o universal".

> Dove va tu? [...]
> [...]
> Vo dove ogni altra cosa*.

Fazendo do orvalho "lágrima da terra" e símile da pequena folha solta ao vento, este poema também se interroga, à sua maneira, não mais pelo mistério da "luz de um olhar", mas pelos segredos desse olho invisível, não humano, perdido no infinito da noite, que perscruta histórias de ruínas e extinção e chora "copioso sobre saudades e lamentações":

> Misteriosas lágrimas! Quem sabe o segredo das lágrimas da terra? Quem me pode contar a lenda negra das tristezas da noite? Este crepe dos céus, este silêncio enorme, entrecortado de murmúrios leves, volitantes fantasmas de rumo livre no espaço, a contrição das árvores, a atitude meditadora das montanhas ásperas, esfinges colossais feitas de treva interrogando a treva do infinito… É morto o grande Pã? Qual o pretexto, qual o motivo trágico do luto? Este pesar imenso do Universo, erguido em mausoléu à luz dos astros, celebra exéquias de que mundo extinto?
>
> [...] Tudo está morto. O céu abandonou-se. Vagos os tronos, frios os turíbulos, à beira dos altares desolados. Foram-se os poemas, e a Verdade triste reina: — o furor do Tempo iconoclasta. Quem sabe! canta a noite lacrimosa o salmo lamentoso, a melancólica Odisséia dos deuses. E os rumores sutis da escuridão falam, quem sabe?, dessa existência efêmera dos templos; da sorte que tiveram as excelsas arquiteturas das religiões; deste ruir perpétuo das divinas coisas, qual ruem as humanas coisas: imortais, que se extinguem com o passado mortal e morto?… E a treva é como o enorme desespero de anjos negros sem céu, de divindades já sem culto, passando e repassando. E o orvalho corre em copioso pranto sobre saudades e lamentações!…

* "Longe do próprio ramo,/ Ó pobre folha frágil,/ Onde vais tu? [...]/ Vou [peregrina pelo meu sendeiro]/ Em que vai toda cousa,"

> Misteriosas lágrimas!
>
> [...] E a noite calma, a cismadora noite, insensível à lua, sobranceira às injúrias de fogo da tormenta, enquanto os campos e as aldeias dormem, vai meditar aos túmulos e escombros desmantelados das sagradas ruínas.
>
> Passa a grandeza humana... Que lhe importa a grandeza dos homens? As vindouras que deplorem as gerações extintas. Os deuses passam... Que lhe importa, à noite, a derrota dos deuses? Edifiquem um novo Empíreo e, após, além às nuvens divindades modernas, que lamentem as velhas divindades... A tristeza da noite é outra e o segredo é outro das lágrimas do orvalho: a noite pensa nas primaveras mortas e nas folhas que o vento leva...[32]

Ao contrário da síntese reflexivo-imagética de Laura Riding, em Pompéia proliferam imagens que apontam para esse desejo de figurar uma paisagem terrestre pós-humana, pós-divina, pós-apocalíptica por olhos imaginários que deslocassem todas as crenças e convenções antropocêntricas de tradição iluminista. No romance-poema que esboçou e jamais concluiu, *Agonia*, Pompéia projetava fixar a montanha do Corcovado, em plena Floresta da Tijuca, como protagonista do drama de anulação das formas. No único fragmento que restou desse intento, "Paisagem", mais aparentado a uma incursão impressionista, em meio à "compressão moral do nevoeiro" que se harmoniza com a solidão do poeta-narrador, lê-se:

> O nevoeiro é o sonho triste da natureza que a torna vaga e visionária durante o dia, como pelas noites de luar, que a aeriza, que a torna irreal, que a dissolve toda no aspecto indistinto de uma miragem vácua.
>
> Não há mais formas, há, quando muito, intenções de formas. O universo inteiro tem volvido à nebulosa primitiva e tenta renascer às vezes. Então vão se criando arvoredos e montes, que surgem, que ressurgem, que se mostram, que se dissolvem; o mundo cria-se lá dentro na obscuridade, e quer nascer por tentativas, como a gênese receosa de um deus inexperiente e tímido. E nada se distingue existindo; nada existe[33].

Esta perspectiva de inversão e, no limite, anulação do foco costumeiro de visão irmana-se com a experiência da morte. Pompéia e Euclides, tão precocemente desaparecidos, carregaram nas tintas apaixonadas, ígneas, de suas poéticas prolíficas em palavras como lavas vulcânicas. O excesso verbal na encenação retórica mal escondia, assim, o vazio desértico de giestas ou folhas solitárias que, do mesmo modo que seus versos sublimados dos traumas coletivos e pessoais, dispersam e sucumbem à passagem dos tempos e das linguagens. E embora certos críticos evitem a coisa, ditados por ilusões teóricas como "divindades modernas", não há como fugir ao reconhecimento de que, no caso em exame, as relações vida-obra não podem ser elididas e devem ser perscrutadas. Por isso, estes olhos brilharam e se foram junto às arrojadas poéticas inventadas. E mais uma vez Araripe Jr., no seminal e amoroso ensaio "Dois vulcões extintos", ao narrar o impacto da morte trágica de Euclides, em agosto de 1909, vê nos próprios olhos do poeta refletida a metáfora da lava vesuviana:

> Mal sabia eu que aqueles olhos agudos e acesos, que Euclides da Cunha lançava sobre todos os objetos dignos de sua visada, esculcas e condutores do pensamento artístico que lhe consumia a alma, me apareceriam, poucos dias depois, no necrotério, apagados, completamente extintos, nas crateras das pálpebras arroxeadas – sepulcros de uma inteligência prematuramente dissipada, antes de haver terminado a obra que era a sua função essencial[34].

Em Euclides poderíamos também inventariar os traços disseminados dessa poética da extinção, uma modalidade extremada, digamos, da poética das ruínas, em que a paisagem resultante dos traumas da história e dos afetos já não sinaliza possibilidades estáveis de representação. Bem ao contrário: passa a sinalizar os impasses de qualquer representação e o eu lírico desdobra-se em sucessivas desidentificações. Do fundo de seu olhar melancólico anuncia-se a própria autodissolução em fragmentos elegíacos que precipitam o fim do mundo na ordem cosmológica aparente e sua desagregação em restos caóticos do incógnito e do infinito, num movimento de rumo perpétuo ao vácuo do ser dissipado em deletérias significações. Na prosa euclidiana, esse movimento pode ser acompanhado por toda a narrativa de *Os sertões*, como também nos ensaios amazônicos de *À margem da História* ou em várias crônicas sobre as cidades mortas do café em *Contrastes e confrontos*, afora vários textos esparsos[35].

Mas, em sua poesia dispersa, os exemplos também se multiplicam. Ao retornar da campanha de Canudos para Salvador, ainda traumatizado pelas cenas que testemunhou às vésperas do massacre final da cidadela rebelde, Euclides escreve um lindo soneto, "Página vazia", datado de 14 de outubro de 1897, no álbum de recordações de Francisca Praguer Fróes. Como sua correspondência pessoal esteve praticamente interrompida durante a viagem à Bahia, este seria o primeiro texto escrito do autor após o fim de seu diário da expedição e das famosas reportagens para *O Estado de S.Paulo*. O poema tematiza exatamente a impossibilidade de transmissão da experiência da guerra, ou a contradição entre o ideal de elevação do ato poético e os terrores revistos "inda na mente":

Quem volta da região assustadora
De onde eu venho, revendo inda na mente
Muitas cenas do drama comovente
Da Guerra despiedada e aterradora

Certo não pode ter uma sonora
Estrofe, ou canto ou ditirambo ardente,
Que possa figurar dignamente
Em vosso Álbum gentil, minha Senhora.

E quando, com fidalga gentileza,
Cedestes-me esta página, a nobreza
Da vossa alma iludiu-vos, não previstes

Que quem mais tarde nesta folha lesse
Perguntaria: "Que autor é esse
De uns versos tão mal feitos e tão tristes"?![36]

Na última estrofe, houve quem visse reminiscências de um antológico soneto de amor do dramaturgo romântico francês Félix Arvers, publicado em 1833, cujos dois tercetos também sugerem a doce ilusão da musa, embora por motivação bem diversa[37]:

Pour elle, quoinque Dieu l'ai faite douce et tendre,
Elle suit son chemin, distraite et sans entendre
Ce murmure de amour élevé sur ses pas.

A l'austere devoir, pieusement fidèle,
Elle dira, lisant ces vers tout remplis de elle:
"Quelle est donc cette femme?" et ne comprendra pas*.

Em Euclides, a chave romântica clássica, se serve de molde, quebra seu andamento convencional e introduz a auto-ironia da fealdade da forma corroída não pela distração nem pelo auto-engano amoroso, mas pela guerra e seus horrores incomunicáveis. Mais interessante observar aqui é que o poeta não rompe definitivamente a forma, ao contrário, até a realça com brilho e invenção, apesar de seu cerne ser atingido pelo motivo mais tangível da arte moderna: a crise da representação.

A atração melancólica do olhar euclidiano pelas paisagens em ruínas, muito ao modo de Volney e como Pompéia em "As lágrimas da terra", "Os continentes", "Paisagem", entre outros poemas, vai dos sertões baianos aos desertos mineiros e paulistas e vazios amazônicos, amplificando-se não em geo-

* "Ela, entanto, apesar de tão mimosa e terna,/ Sem jamais perceber minha tortura eterna/ Nem meu eco de amor que sempre a seguirá [...]/ Fiel ao seu dever dirá, talvez, singela,/ Lendo estes versos meus, tão transbordantes dela:/ 'Que mulher será essa?' – e não compreenderá!" Tradução brasileira de Heitor Praguer Fróes, *Meus poemas... dos outros: traduções e versões*, 1952.

grafias típicas, mas antes em dramas históricos análogos. Num exemplo matricial e anterior às viagens e aos escritos que o consagraram, na estadia na cidade de Campanha, no sul de Minas, Euclides fez, em 1895, um longo poema épico-dramático, "As catas", cujo manuscrito mais tarde dedicaria ao grande amigo Coelho Neto, espécie de elegia ao há tanto tempo extinto ciclo da mineração. As ruínas das antigas cidades mineiras "que se ocultam majestosas / Na tristeza solene do sertão" seriam, neste belíssimo poema, objetos de adoração fúnebre, porque guardam os sinais de uma civilização morta, a sensação de proximidade de "Um deslizar sinistro de duende: / O fantasma de um povo que morreu". Todo o poema contrapõe a grandeza suntuosa das capitais da civilização industrial – Paris, Gand, Essen, Londres – ou mesmo da antigüidade pagã – Babilônia, Bagdá –, ou ainda muçulmana ou judaico-cristã – Meca, Jerusalém –, à beleza sublime dessas "catas desoladas do deserto", "necrópoles sagradas", ruínas que os viajantes devem evitar, "Cheias de sombra de tristeza e paz..."[38]

A poética da extinção mais extremada em Euclides surgia, porém, ainda em sua primeira juventude, neste notável soneto denominado "Mundos extintos", escrito provavelmente entre 1886 e 1887 e publicado duas vezes na imprensa paulista, entre 1889 e 1890 (numa delas com pequenas variações, inclusive no título, que foi alterado para "Soneto antigo"). O poema reaparece mais tarde numa coletânea que o diretor da Biblioteca Nacional e amigo do escritor, Félix Pacheco, fez editar pelo *Jornal do Commercio*, como homenagem póstuma logo após seu falecimento, em agosto de 1909. Versão esta a que já se acrescentava, em epígrafe, citação de texto de divulgação científica, bem ao gosto do imaginário do final do século XIX, na vertente de *L'astronomie populaire*, de Camille Flammarion. A frase ficou mais conhecida depois da inclusão deste soneto por Manuel Bandeira, em 1946, em sua *Antologia de poetas brasileiros bissextos contemporâneos*: "São tão remotas as estrelas que, apesar da vertiginosa velocidade da luz, elas se apagam, e continuam a brilhar durante séculos"[39].

Neste exercício poético-cosmológico, a ilusão luminosa dos astros extintos é transposta para os ideais "mortos, fantásticos e insanos" da alma revolta do poeta, e a juventude é vista como luz igualmente enganosa, já que a tragédia da velhice e finitude mal se esconde sob a "mocidade aos vinte anos":

> Morrem os mundos... Silenciosa e escura,
> Eterna noite cinge-os. Mudas, frias,
> Nas luminosas solidões da altura
> Erguem-se, assim, necrópoles sombrias...
>
> Mas pra nós, di-lo a ciência, além perdura
> A vida, e expande as rútilas magias...
> Pelos séculos em fora a luz fulgura
> Traçando-lhes as órbitas vazias.
>
> Meus ideais! extinta claridade –
> Mortos, rompeis, fantásticos e insanos
> Da minh'alma a revolta imensidade...
>
> E sois ainda todos os enganos
> E toda a luz, e toda a mocidade
> Desta velhice trágica aos vinte anos...[40]

Sem dúvida, este soneto parece mesmo conter certa antigüidade não datável, como sugeria um dos primeiros títulos que lhe dera o poeta. As estrelas extintas retomam tanto o infinito leopardiano quanto a eternidade dos astros na utopia derradeira do revolucionário Blanqui. Retornamos às formas evanescentes de Pompéia, às paisagens dissipadas de sua "ilusão renitente". A vida que se expande além é uma fulguração mágica e irreal que traça, no espaço dos séculos e dos céus solitários na noite, "as órbitas vazias" de corpos siderais já mortos. Lembram "a luz de um olhar", ou a giesta esplêndida na encosta do "exterminador Vesúvio", esperando seu próximo sepulcro sob a lava. São antes como a própria forma da arte poética, pura expressão de "todos os enganos", "folha frágil" que imita o percurso de todas as demais coisas lançadas ao vento, longe de seus lugares, arrebatadas de seus nomes numa viagem que alucina, rumo a esse vórtice que é um nada, apenas traços de escrituras extintas, memórias perdidas de "nossa miséria extrema". Se não fossem tais "luminosas solidões" tão enganadoras, os mundos extintos de Euclides antecipariam o "mar seco" de Laura Riding ou as "estrelas negras" de Primo Levi, terrivelmente mais próximas de nós, onde a luz "rompeu-se ao próprio peso" e "os céus se convulsionam perpetuamente em vão"[41].

Itinerários de leituras possíveis, creio que muitas afinidades eletivas sobressaem entre as poéticas aqui pontilhadas. Na suspensão "muda e fria" desses mundos mortos, erguidos como "necrópoles sombrias", como não surpreender, no mosaico de imagens da própria poética euclidiana, algo como um enorme *espelho tragicósmico* daquelas "necrópoles sagradas" das fantasmagóricas catas mineiras ou, logo adiante, no sertão baiano, aquele povoado perdido que "se lobrigava, indistinto, sob o aspecto tristonho de enorme cata abandonada, Canudos…"? Sim, Canudos, esta cidade encantada e maldita, "velha e vasta necrópole" em breve também extinta, por isso mesmo nada mais do que "nódoa" impressa numa "página sem brilhos…", bem ao modo, como se pode logo entrever, daqueles versos "mal feitos e tristes" numa "página vazia". Porque essa poesia e seu criador só querem se inscrever, contra qualquer memória edificante, como traço revolto, tênue, violento, sombrio – numa palavra: sublime. Essa visão, contrafeita ante qualquer realismo naturalista, incorpora o objeto representado e a quase impossibilidade de sua escrita. E é como pura imagem poética condensada da catástrofe que Canudos, prestes a desaparecer para sempre, desponta apenas assim: "Era um parêntese; era um hiato. Era um vácuo. Não existia"[42].

Francisco Foot Hardman é professor do Departamento de Teoria Literária do Instituto de Estudos da Linguagem da Universidade Estadual de Campinas. Publicou, entre outros, Nem pátria, nem patrão!: Memória operária, literatura e cultura no Brasil *(São Paulo: Editora da Universidade Estadual Paulista, 3ª edição, revista e ampliada, 2002) e* Trem fantasma: A modernidade na selva *(São Paulo: Companhia das Letras, 1988).*

ABRAHAM, Nicolas; TOROK, Maria. *L'écorce et le noyau*. Paris: Aubier-Flammarion, 1978.
ABREU, João Capistrano de. *Correspondência*. Rio de Janeiro: MEC/INL, 1954-56, v. II e III.
AGAMBEN, Giorgio. *Idea della prosa*. Milano: Feltrinelli, 1985.
ARARIPE JR., Tristão. H. *Obra crítica*. Rio de Janeiro: MEC/Casa de Rui Barbosa, 1960-1966, vols. II, III e IV.
BLANQUI, Auguste. *Instructions pour une prise d'armes; l'éternité par les astres: hypothèse astronomique; et autres textes*. Paris: Société Encyclopédique Française/Eds. de La Tête de Feuilles, 1972.
CAMPOS, Augusto de; CAMPOS, Haroldo de. *Os sertões dos Campos: duas vezes Euclides*. Rio de Janeiro: Sette Letras, 1997.
CAPAZ, Camil. *Raul Pompéia: biografia*. Rio de Janeiro: Gryphus, 2001.
CARVALHO, Flavio de. *Experiência nº. 2: realizada sobre uma procissão de Corpus Christi; uma possível teoria e uma experiência*. Rio de Janeiro: Nau, 2001.
CAVALCANTI, Claudia (org. e trad.). *Poesia expressionista alemã: uma antologia*. São Paulo: Estação Liberdade, 2000.
CUNHA, Euclides da. *Obra completa*. Rio de Janeiro: Nova Aguilar, 1966, 2 v.
CUNHA, Euclides da *Os sertões*. São Paulo: Ateliê Editorial/Imprensa Oficial do Estado, Arquivo do Estado, 2002 (Org. Leopoldo M. Bernucci).
DELVAILLE, Bernard. *Mille et cent ans de poésie française*. Paris: Robert Laffont, 1991.
EXPOSIÇÃO COMEMORATIVA do Nascimento de Raul Pompéia. Rio de Janeiro: Biblioteca Nacional, 1963 (catálogo).
FRÓES, Francisca Praguer. "Álbum de recordações". [Documento original. Ms.].
FRÓES, Heitor Praguer. *Meus poemas... dos outros: traduções e versões*. Salvador: Ed. do autor, 1952.
GOMES, Eugênio. *Prata de casa*. Rio de Janeiro: A Noite, s. d.
GOMES, Eugênio. *Visões e revisões*. Rio de Janeiro: MEC/INL, 1958.
GRAÇA, Antônio Paulo. *Uma poética do genocídio*. Rio de Janeiro: Topbooks, 1998.
HARDMAN, Francisco Foot. "Antigos modernistas". In: NOVAES, Adauto (org.). *Tempo e história*. São Paulo: Secretaria Municipal de Cultura/Companhia das Letras, 1992.
HARDMAN, Francisco Foot. "Brutalidade antiga: sobre história e ruína em Euclides". *Estudos Avançados*. São Paulo: IEA/USP, 10 (26), jan.-abr. 1996, pp. 293-310.
HARDMAN, Francisco Foot. "Estrelas indecifráveis ou: um sonhador quer sempre mais". In: PAZ, Francisco (org.). *Utopia e modernidade*. Curitiba: UFPR, 1994.
HARDMAN, Francisco Foot. "Tróia de taipa: Canudos e os irracionais". In: HARDMAN, F. Foot (org.). *Morte e progresso: cultura brasileira como apagamento de rastros*. São Paulo: Unesp, 1998.
HARDMAN, Francisco Foot. "A vingança da Hiléia: os sertões amazônicos de Euclides". *Tempo Brasileiro*. Rio de Janeiro: (144), jan.-mar. 2001: 29-61.
IVO, Lêdo. *O universo poético de Raul Pompéia*. 2 ed., Rio de Janeiro: Academia Brasileira de Letras, 1996.
LANDA, Fabio. *Ensaio sobre a criação teórica em psicanálise: de Ferenczi a Nicolas Abraham e Maria Torok*. São Paulo: Unesp, 1999.

LEOPARDI, Giacomo. *Canti.* [1835]. Milano: A. Mondadori, 1978 (Org.: G. e D. De Robertis).
LEOPARDI, Giacomo. *Poesia e prosa.* Rio de Janeiro: Nova Aguilar, 1996 (Org. e notas Marco Lucchesi).
LEVI, Primo. *Ad ora incerta.* 2 ed., Roma: Garzanti, 1998.
MORTIER, Roland. *La poétique des ruines en France: ses origines, ses variations de la Renaissance à Victor Hugo.* Genève: Libr. Droz, 1974.
NYE, Robert (ed.). *A selection of the poems of Laura Riding.* New York: Persea Books, 1996.
PAES, José Paulo. *Gregos & baianos.* São Paulo: Brasiliense, 1985.
PERRONE-MOISÉS, Leyla (org.). O Ateneu: *retórica e paixão.* São Paulo: Brasiliense/Edusp, 1988.
POMPÉIA, Raul. *O Ateneu.* 9 ed., Rio de Janeiro: Francisco Alves, 1993.
POMPÉIA, Raul. *Canções sem metro.* Rio de Janeiro: MEC/Olac/Civilização Brasileira, 1982 (*Obras*, IV).
POMPÉIA, Raul. *Contos.* Rio de Janeiro: MEC/Olac/Civilização Brasileira, 1981 (*Obras*, III).
POMPÉIA, Raul. *Crônicas 2.* Rio de Janeiro: MEC/Olac/Civilização Brasileira, 1983 (*Obras*, VII).
POMPÉIA, Raul. *Crônicas 3.* Rio de Janeiro: MEC/Olac /Civilização Brasileira, 1983 (*Obras,* VIII).
PONTES, Eloy. *A vida inquieta de Raul Pompéia.* Rio de Janeiro: José Olympio, 1935.
RIDING, Laura. *Anarchism is not enough.* Berkeley: Univ. of California Press, 2001.

NOTAS

1 Capistrano de Abreu, carta de 8-3-1918, *Correspondência*, II, 1954, p. 82.
2 Araripe Jr., "Dois grandes estilos" [1907]. In: E. da Cunha, *Obra completa*, vol. 1, 1966, p. 86.
3 *Idem, ibidem.*
4 Araripe Jr., "Dois vulcões extintos" [1909], *Obra crítica*, IV, 1966, pp. 291-99. Roberto de Oliveira Brandão, no artigo "Presença da oratória no Brasil do século XIX", a propósito da cultura eloqüente em Pompéia, traça interessante paralelo com Euclides, na idéia da oratória como força escultural da realidade brasileira (tanto no engendramento de suas deformações quanto na dissipação catastrófica de seus conflitos). Cf. *in* Leyla Perrone-Moisés (org.), O Ateneu: *retórica e paixão*, 1988, pp. 213-26. Este livro reúne um dos melhores apanhados críticos coletivos sobre a obra-prima de Pompéia, a partir de paralelo significativo entre o escritor brasileiro e Lautréamont proposto pela organizadora, ao qual não escapa a referência à atração encontrada em ambos por metáforas vulcânicas, incendiárias e bélicas.
5 Augusto e Haroldo de Campos, *Os Sertões dos Campos: duas vezes Euclides*, 1997, cf. em especial pp. 15-6 e 52-3. Ainda para o contraponto Pompéia-Euclides, dos críticos citados convém referir os estudos de Eugênio Gomes reunidos em *Visões e revisões*, 1958, centrados mais na obra do autor de *O Ateneu*. E entre os não citados, restaria lembrar os importantes ensaios de José Paulo Paes sobre o estilo art nouveau na literatura brasileira da virada do século XIX, em que novamente reaparecem referências ao estilo dos dois escritores. Cf. *Gregos & baianos*, 1985.
6 Em colaboração com Leopoldo Bernucci e Fred Amory, estamos finalizando a organização de uma edição da *Poesia completa de Euclides da Cunha*, reunindo cerca de 135 poemas e variantes escritos entre 1883 e 1906, que deverá ser publicada em 2003.
7 Tanto no juízo de Capistrano de Abreu acima citado, quanto na revisão histórico-literária que propus em "Antigos modernistas", 1992.
8 Para efeito deste estudo, sirvo-me da estranha, bela e fulminante reunião de textos críticos, contos e pequenos poemas em prosa de Laura Riding, *Anarchism is not enough* [1928], reedição de 2001(org. e introd. de Lisa Samuels).
9 Apóio-me aqui nas reflexões sobre o conceito de cripta e de incorporação pós-trauma da própria figura e armas do algoz desenvolvidas por N. Abraham e M. Torok em *L'écorce et le noyau*, 1978, e retomadas entre nós por Fabio Landa em *Ensaio de criação teórica em psicanálise*, 1999.
10 Cf. maiores considerações sobre o tema no artigo de minha autoria "Tróia de taipa: Canudos e os irracionais", in: *Morte e progresso*, 1998.
11 *Apud* Camil Capaz, *Raul Pompéia*, 2001, p. 106. Este fragmento, que teria sido doado à Biblioteca Nacional por Capistrano de Abreu, foi otimamente trabalhado por Eugênio Gomes em ensaio no *Correio da Manhã*, em 1951, e depois incorporado em *Prata da casa*, pp. 113-16.
12 *Apud* Camil Capaz, *op. cit.*, pp. 76-7. Já a frase de abertura de *O Ateneu* foi acompanhada de um desenho de Pompéia, dentre os 43 que fez para o livro, que traz as figuras de filho e pai de costas, este apontando com a bengala para o interior da escola, que fica imperscrutável sob a ramagem da vegetação do jardim, mundo ameaçador representado apenas por uma pilastra encimada por um vaso de folhagem, bem mais alta que os dois personagens, ao lado do portal de entrada. Cf. *O Ateneu*, 9 ed., 1993, capa e p. 18.
13 Raul Pompéia, *Canções sem metro*, 1982, pp. 70-1. Todas as maiúsculas fazem parte do título original deste poema. O caráter da crítica social em Pompéia foi muitas vezes radical, oscilando entre posturas anarquistas ou socialistas. Como em Euclides, citações de

Proudhon despontam em alguns textos. Lembremos que a ruptura da métrica é a grande inovação trazida por Pompéia à poesia brasileira finissecular, quase quatro décadas antes de 1922. Mas sua visão radical do comércio capitalista, na linha do que Sousândrade, entre outros, já tivera, é algo matizada, ainda em *Ventre*, por uma fé no progresso da "Indústria", aqui pressentida no "ventre fecundo, o ventre inexaurível das forjas", que, "para as novas pugnas, produz novas armas. Bendita febre industrial! Bendito o operário, mártir das indústrias! Estenda-se por todo o firmamento o fumo que paira sobre as cidades, vele aos nossos olhos os abismos da amplidão e os signos impenetráveis das esferas." (*Op. cit.*, p. 69).

14 *Op. cit.*, p. 118. Este poema faz parte do conjunto disperso de "Outras canções sem metro", aparecidas sob forma avulsa na imprensa, mas não reunidas pelo autor no volume que seria publicado em 1900.

15 In: Lêdo Ivo, *O universo poético de Raul Pompéia*, 1996, pp. 232-34. Cf. com a edição das *Obras de R. Pompéia* organizadas por A. Coutinho, vol. VII, *Crônicas 2*, 1983, pp. 114-15. Para uma análise crítica de largo espectro desse tema na ficção brasileira desde o romantismo até o anos 1980, vide Antônio Paulo Graça, *Uma poética do genocídio*, 1998.

16 Apóio-me livremente em Araripe Jr., *Obra crítica*, *op. cit.*, II, pp. 130-31; e IV, pp. 293-95.

17 Cf. G. Leopardi, *Canti*, [1835], 1978, XII.

18 G. Agamben, "Idea del linguaggio" in: *Idea della prosa*, 1985, p. 87.

19 *Op. cit.*, p. 89. Esta inversão de perspectiva, em que se valoriza o movimento não-humano e não-terrestre dos espaços siderais como lugar do sentido e da vida, faz lembrar o panfleto escrito pelo revolucionário romântico anarquista Auguste Blanqui em 1871, e publicado no ano seguinte, a utópica e enigmática "hipótese astronômica" *L'éternité par les astres*, que se abre justamente com uma indagação sobre as relações universo/infinito. Esta obra foi depois inspiradora de vários registros de W. Benjamin sobre as passagens parisienses e o espírito utópico no séc. XIX. Cf. Blanqui, 1972, pp. 119-20.

20 *Op. cit.*, p. 92. Este poema abre-se com epígrafe da *Divina comédia* de Dante: "E quel medesimo che si fue accorto / Ch'io dimandava il mio Duca di lui / Gridò: Qual i'fui vivo, tal son morto!" Mesma figuração aparece no poema seguinte, "Os continentes", em torno da desaparição de Atlântida, que se representa como: "Terror perene e indefinível dos continentes vivos: a interrogação permanece." (Cf. *Id.*, *ibid.*, pp. 93-4).

21 Cf. Camil Capaz, *op. cit.*, além dos testemunhos de Rodrigo Octavio e Coelho Neto feitos em 1925 para a *Revista da Academia Brasileira de Letras* e reproduzidos em *Canções...*, *op. cit.*, 1982, pp. 25-8. Quanto à estatueta que esculpiu, Cocotte-Coquette, a reprodução fotográfica in Elói Pontes, *A vida inquieta de Raul Pompéia*, 1935, entre pp. 120-1, é dos raríssimos vestígios da incursão de Pompéia por essa modalidade das artes plásticas. Para as xilogravuras do expressionismo, vide a bela seleção incorporada por Claudia Cavalcanti à edição bilíngüe de *Poesia expressionista alemã: uma antologia*, 2000.

22 Claudia Cavalcanti (org. e trad.), *op. cit.*, pp. 134-5.

23 *Id.*, *ibid.*, pp. 118-9. O tragicômico e quase nonsense das cenas que desconexamente se entremeiam no poema de Hoddis tornam mais problemática suas afinidades com as *Canções sem metro*. Mas esse senso de ironia trágica e traço caricato, de charge fugaz, como bem observou mais uma vez Araripe Jr., estará presente em toda a prosa poética de *O Ateneu*, narrativa que não por acaso, talvez, o autor fez acompanhar de dezenas de gravuras muitas vezes satíricas. Cf. Araripe Jr., "*O Ateneu* e o romance psicológico" [1888-89], *Obra crítica*, II, 1960, pp. 125-77. E, em outro exemplo, num belo conto de Pompéia como o vulcânico e catástrófico "A batalha dos livros" [1889], poderemos também surpreender imagens irônicas deste caos civilizatório, na cena da destruição de uma biblioteca inteira por um punhado de ratos. Cf. Pompéia, *Contos*, 1981, pp. 256-66, em que, como também em *O Ateneu*, e mais tarde em Hoddis, o hiper-dramático deste "realismo subjetivista" abre as portas para um riso incendiário e demolidor das instituições.

24 Além dessa reconhecida presença de Baudelaire e das fortes ressonâncias leopardianas, muito antes dos decadistas-simbolistas, Araripe Jr. e Venceslau de Queirós, entre outros, indicaram os ecos poéticos de Edgar Allan Poe nas *Canções* de Pompéia. Cf. as considerações de Araripe Jr. acerca do "pânico do belo" ou "pânico literário" em Raul Pompéia e sua afinidade com o "sentimento filosófico do nada e a inflexibilidade cosmológica" presentes na angústia do never more de Poe e na invocação de "todos os estados de consciência que se referem misteriosamente aos aspectos da eternidade, do infinito, da destruição e da morte", in: *Obra crítica*, II, 1960, pp. 162-7. Esse sentido radical levaria, ainda na composição de *O Ateneu*, a uma confluência de aspectos em que ressaltam a "cripta moral, asfixia intelectual, campânula pneumática social, ausência de analogia de caracteres", segundo Araripe Jr.: cf. *op. cit.*, p. 172. Em outra passagem, o crítico refere-se a uma não especificada canção sem metro que conforme Pompéia teria "Ligéia" de Poe como tema e os perfumes e cores da flora brasileira como encarnação. Cf. *Obra crítica*, IV, 1966, p. 172. Seria, por acaso, "A morte de Rosita", poema não incluído depois nas Canções publicadas em livro (e do qual restou um único desenho do próprio autor reproduzido em Elói Pontes, *op. cit.*, entre pp. 120-1)? É bem possível, se tomarmos o poema como libérrima adaptação da cena do leito de morte do conto, Rosita como recriação da musa Rowena, o eu lírico centrado na voz e olhos femininos, a morbidez melancólica focada no azul do ciúme que repõe a figura fantasmal da outra amada. Já a resenha de Venceslau Queirós sobre as *Canções*, datada de 1901, insiste nos elos Poe-Baudelaire-Pompéia: cf. *Canções...*, *op. cit.*, 1982, pp. 29-35.

25. Raul Pompéia, *Canções...*, *op. cit.*, p. 58. Cf. a tradução brasileira na edição organizada por Marco Lucchesi de G. Leopardi, *Poesia e prosa*, 1996, pp. 288-95. O verso "Soccomberai" é interrompido na epígrafe, mas continua no poema original com a morte da "lenta giesta" sob o impacto da lava vulcânica, este "subterrâneo fogo,/Que retornando ao sítio/De antes, estenderá o avaro manto/Sobre teus tenros bosques." No apêndice desta edição, o organizador reúne uma série de traduções e incorporações de Leopardi por escritores brasileiros, começando evidentemente com Raul Pompéia. Cf. *op. cit.*, "Variações leopardianas", pp. 967-86. Cf. também, G. Leopardi, *Canti*, *op. cit.*, XXXIV.

26 Pompéia, *op. cit.*, pp. 58-9.

27 Laura Riding, "What is a poem?" in *Anarchism is not enough* [1928], 2001, pp. 16-9.

28 Cf. *op. cit.*, "Language and laziness", pp. 13-4. Nesse sentido, as *Canções sem metro* poderiam ser lidas como uma "cosmologia malograda", como as denominou Lêdo Ivo, desde que se entenda este "malogro" não como circunstância fortuita no percurso vida-obra de Pompéia, mas como condição inerredável de uma poética fundada toda ela num simbolismo das extinções, em especial do mundo humano e suas linguagens. Cf. Lêdo Ivo, "A cosmologia malograda" in: *O universo poético de Raul Pompéia*, pp. 107-31.

29 Flavio de Carvalho, "O complexo de onipotência" in *Experiência nº 2: realizada sobre uma procissão de Corpus Christi; uma possível teoria e uma experiência*, [1931], 2001, p. 134. Acerca da presença forte da poética das ruínas na cultura estética e literária francesa do Renascimento ao Romantismo (com inegáveis repercussões no Brasil do séc. XIX), apóio-me em Roland Mortier, *La poétique des ruines en France*, 1974. No caso de Euclides, a marca de certa eloqüência catastrófica hugoana parece inegável; em Pompéia, são antes as variações leopardianas que se multiplicam, entremeadas, algumas vezes, pela morbidez tenebrosa de Poe (cf. notas 23 e 24).

30 Robert Nye (ed.), *A selection of the poems of Laura Riding*, 1996, p. 92. Este poema deve integrar a primeira edição/tradução de poemas de Laura Riding fora dos EUA/Inglaterra, a ser publicada em breve no Brasil pela editora Iluminuras (Mindscapes).

31 Pompéia, *Canções...*, *op. cit.*, p. 156. Cf. G. Leopardi, *Canti, op. cit.*, XXXV.

32 *Id., ibid.*, pp. 156-58. Há pequenas variações na transcrição feita em Lêdo Ivo, *op. cit.*, pp. 246-50. Este autor anota o seguinte acerca dessa belíssima "canção" esparsa de Pompéia: "Note-se que quase todo este poema em prosa é vazado em decassílabos, numa singular fusão de verso e ritmo." (*op. cit.*, p. 246).

33 Raul Pompéia, "Paisagem (Fragmentos)" [1895], *Crônicas 3*, 1983, p. 369. Cf. também Lêdo Ivo, *op. cit.*, pp. 235-42. Sobre este inconcluso romance-poema, ver ainda referências em Camil Capaz, *op. cit.* Já Araripe Jr. testemunhou um episódio em que Pompéia contou-lhe ter ficado de ponta-cabeça à beira do abismo do Corcovado para vislumbrar a impressão deixada pela paisagem invertida; no mesmo diálogo, o escritor ressaltou ao crítico sua concepção da obra de arte como metamorfose contínua da realidade por meio da imaginação. Cf. Araripe Jr., "Raul Pompéia como esteta" [1897] in *op. cit.*, III, 1963, pp. 257-64.

34 Araripe Jr., in: *op. cit.*, IV, p.299.

35 Vide os ensaios de minha autoria, "Brutalidade antiga: sobre história e ruína em Euclides", 1996; "Tróia de taipa: Canudos e os irracionais", 1998; "A vingança da Hiléia: os sertões amazônicos de Euclides", 2001.

36 Euclides da Cunha, *Obra completa*, I, 1966, p. 656. Cf. "Brutalidade antiga...",. *op. cit.* Graças ao apoio de José Carlos Barreto de Santana e de Consuelo Pondé, consegui localizar, recentemente, no Rio de Janeiro, o álbum original de Francisca Praguer, com sua nora, dona Celina Fróes, a quem devo agradecer pelo gentil acolhimento a nosso projeto. A reprodução fotográfica desse notável documento contou com o trabalho de Sergio Burgi, coordenador da Reserva Técnica Fotográfica do Instituto Moreira Salles do Rio de Janeiro (ver página 160).

37 Bernard Delvaille, *Mille et cent ans de poésie française*, 1991, p. 962. Num interessante processo de correspondência poética, reencontrei este soneto traduzido pelo filho de Francisca Praguer, o médico, poeta e tradutor Heitor Praguer Fróes, em *Meus poemas... dos outros: traduções e versões*, 1952, juntamente com uma réplica de Charles Nodier e uma paródia de Maurice Donnay, todas as três traduções ao lado dos textos em francês. O título completo do poema de Arvers era "Sonnet imité de l'italien". Cf. *op. cit.*, pp. 38-43.

38 Euclides da Cunha, *op. cit.*, pp. 652-53. Ver considerações em "Brutalidade antiga...", *op. cit.*

39 E. da Cunha, *op. cit.*, p. 650. Cf. também "Brutalidade antiga...", *op. cit.* O tema, parece ter atraído a tal ponto a imaginação de Euclides, que reapareceria na figura desses "astros volúveis, que pelejam por momentos e morrem indecifráveis", no ensaio com que encerrará À margem da história, em 1909: "Estrelas indecifráveis". Cf. E. da Cunha, *op. cit.*, pp. 377-84. A propósito, ver ensaio de minha autoria, "Estrelas indecifráveis ou: um sonhador quer sempre mais", 1994.

40 E. da Cunha, *Id., ibid.*

41 Cf. Primo Levi, "Le stelle nere", in: *Ad ora incerta*, 1998, p. 39.

42 As imagens finais de Canudos encontram-se em E. da Cunha, *Os sertões*, 2002, edição organizada por Leopoldo Bernucci. Cf. parte "A luta".

Expatriados em sua própria pátria

Milton Hatoum

Life and the arts follow dark courses,
and will not turn aside to the brilliant arc-lights of science

Joseph Conrad, *Notes on life and letters**

Dentre os textos publicados na primeira parte de *À margem da História*[1], "Judas Ahsverus" é o que mais se desvia de uma análise geográfica ou histórico-social da Amazônia. É como se esse relato fosse um quadro estranho ou dissonante para o próprio Euclides da Cunha, que relutou em incluí-lo no conjunto de seus ensaios amazônicos e o considerou um "excerto"[2].

A dúvida em publicar esse texto foi atribuída ao seu caráter supostamente "pitoresco"[3], destoando, assim, dos ensaios de interpretação que constam no livro. É provável que a dúvida tenha fundamento, sobretudo vinda de um engenheiro-escritor, cuja vida intelectual e profissional foi um embate pendular entre a engenharia e a literatura, entre a sua formação cientificista, embasada no código positivista, e a literária. Nesse embate Euclides expressou seu drama interior e suas visões sobre um Brasil quase desconhecido, a que nomeou várias vezes "deserto". Embate, em suma, entre a "linha reta" da engenharia e as outras linhas, as da escrita literária, com seus recursos da expressão poética, inseparáveis do esforço de estilo que sempre marcou a linguagem euclidiana. Por certo, nada disso falta ao texto por pouco excluído de *À margem da História*,

* "A vida e a arte seguem trilhas obscuras e não vão enveredar pelo lado luminoso da ciência." (Joseph Conrad, *Notas sobre vida e literatura*.)

em que a beleza da prosa e a força dramática não deixam nada a dever às melhores passagens de *Os sertões*, que não são poucas.

Uma das qualidades de "Judas Ahsverus" é o fato de nele estarem ausentes conceitos de uma ideologia retrógrada, como a teoria racialista e o determinismo climático, disseminados no livro sobre a batalha de Canudos e, em menor grau, em alguns ensaios amazônicos. Ou seja, em "Judas Ahsverus" há um olhar sobre a história, a geografia, a religião e o meio socioeconômico, mas sem a intromissão de um narrador que pretenda enquadrar numa hierarquia de valores os seres de quem fala. Por tudo isso, e também pela construção da narrativa, com ênfase na vida dramática dos personagens, o relato tende a ser muito mais literário e menos explicativo ou assertivo, ainda que refratário a um gênero literário específico.

A mescla de modalidades de discursos, tão presente em *Os sertões*, permite vários enfoques interpretativos, o que de fato vem ocorrendo com a recepção crítica da obra euclidiana. Como se sabe, misturar ensaio com ficção, ou tornar ficcional o que, na aparência, pode ser lido como um comentário crítico, é um dos recursos retóricos de Jorge Luis Borges, que não escondeu sua admiração pelo "heresiarca de Canudos"[4].

No entanto, na obra de Euclides essa intersecção de gêneros não faz parte, ao menos consciente ou deliberadamente, de seu projeto estético. Conforme observou Antonio Candido, "a visão histórico-social e a penetração psicológica levaram Euclides muito além do objetivo, por meio de intuições que entram pelo campo das ciências humanas. em *Os sertões* há matéria bastante para ocupar o antropólogo, o geógrafo, o historiador, o sociólogo, o político"[5].

Penso que o mesmo se pode dizer de uma parte dos ensaios de *À margem da História*, que formam um embrião do que seria um estudo mais aprofundado sobre a Amazônia, o "segundo livro vingador", conforme escreveu o próprio Euclides[6]. O título desse livro seria *Um paraíso perdido*, que já sugere o desencanto e o pessimismo de um mundo promissor: o jardim aprazível irremediavelmente perdido, espécie de Éden decaído. Nesse título, os contrários são colocados lado a lado, e aqui, mais uma vez, a figura retórica da antítese é a tônica e o móvel do estilo de Euclides, como já apontaram alguns críticos.

O outro deserto: a experiência amazônica

O Purus é um enjeitado.

Euclides da Cunha, "Rios em abandono"

Ao contrário da breve permanência no sertão da Bahia durante a guerra de Canudos, Euclides permaneceu aproximadamente um ano na Amazônia, como chefe da Comissão Mista Brasileiro-Peruana de Reconhecimento do Alto Purus. Partiu de Manaus no começo de abril de 1905 e só retornou a essa cidade quase sete meses depois[7].

Foi uma viagem tumultuada (para usar um adjetivo que lhe é caro), em que o escritor contraiu malária, um médico da expedição brasileira morreu e uma das lanchas foi a pique. As dificuldades de navegação, devidas à época da vazante, forçaram os membros da expedição a navegar de canoa em vários trechos encachoeirados e rasos, ou mesmo a caminhar por varadouros na floresta, carregando víveres, mantimentos, canoas, tendas e instrumentos de trabalho. Num entardecer de julho de 1905, Euclides chegou "com os restos de uma comissão exploradora, à foz do Cavaljani, último esgalho do Purus, distante 3 200 quilômetros da confluência deste último no Amazonas"[8].

Os meses que navegou penosamente no Purus foram fundamentais para a compreensão desse afluente amazônico, pois em quase todos os ensaios sobre a região, o Purus é um rio recorrente. Às vezes, ele é apenas citado ou aparece de forma lateral; outras vezes é o assunto de um ensaio[9].

A cartografia, o povoamento e as condições de navegabilidade do Purus, bem como as características geográficas, climáticas, topográficas e mesológicas da região foram estudadas e arroladas no relatório dos trabalhos técnicos da expedição brasileiro-peruana[10]. A leitura desse relatório revela um conhecimento notável das obras dos principais antecessores que navegaram pelo Purus: dos relatos dos cronistas da época colonial, como os padres Cristóvão de Acuña e João Daniel, aos dos viajantes da segunda metade do século XIX, como James Orton, William Chandless, Silva Coutinho e Manuel Urbano da Encarnação. Ainda no relatório, em que faz um apanhado histórico do Purus, Euclides opõe a "geografia regressiva" de feição fantasiosa dos primeiros cronistas à lucidez e ao rigor de antecessores como Chandless e Manuel Urbano[11].

Por isso, quando escreveu "Judas Ahsverus", o rio enjeitado era também o mais estudado e vivenciado, quase uma obsessão para o escritor. Se, hoje, o relatório parece desatualizado ou superado, possuindo sobretudo um valor de documento, "Judas Ahsverus" permanece como um breve legado estético, e, a meu ver, o mais expressivo dos textos de *À margem da História*.

Nesse relato, o Purus é o palco de mais um drama humano, dos muitos e memoráveis narrados por Euclides nas páginas de *Os sertões*. Num excelente ensaio sobre esse livro, Augusto Meyer notou que o escritor "dramatiza tudo, a tudo consegue transmitir um frêmito de vida e um sabor patético"[12]. De fato, Euclides raramente fala dos seres humanos e da natureza sem atribuir-lhes dramaticidade. Em quase tudo há conflito e tensão, enfatizados pela força expressiva da linguagem, que, aliada a uma intuição poderosa, fazem de Euclides um iluminado, muito mais que um sociólogo, na expressão certeira de Antonio Candido[13].

***

Na Europa, o tema de Judas Ahsverus, popular na Idade Média, ressurgiu durante o Romantismo e ganhou força na literatura do século XIX, quando foi usado por poetas e narradores[14]. No Brasil, aparece num poema de Castro Alves, num livro de Joaquim Nabuco e no conto "Viver!", de Machado de Assis[15]. Neste breve texto machadiano, Ahasverus, sentado em uma rocha, sonha com o fim dos tempos, quando ouve a voz de Prometeu, com quem mantém um diálogo sobre a humanidade em extinção e o surgimento de uma outra. O conto, em que prevalece a cena, narra o sonho entre o criador (Prometeu) e o último homem (Ahasverus), que seria também o primeiro de um novo mundo, mais belo e mais justo.

Machado recorre ironicamente ao mito e aos textos sagrados para construir uma alegoria sobre o destino da humanidade, por meio de uma personagem que, mesmo morrendo, ainda sonha com a vida. A errância de Ahasverus até o fim dos tempos é fruto de sua culpa irremissível, ou do gesto impiedoso para com aquele que ia morrer crucificado.

É provável que esse e outros textos tenham estimulado Euclides a escrever "Judas Ahsverus", cuja sina de eterno errante tem um forte significado na vida atribulada e nômade do autor, sempre em busca de movimento, "aí por estes sertões desertos e vastos da nossa terra", como sublinhou numa carta a um amigo[16].

Há, por certo, temas comuns nos textos de Machado e Euclides: o do pecado sem redenção e o da fatalidade de um destino. No entanto, Euclides trouxe a lenda antiga de Ahsverus para um rio da Amazônia, num dia e lugar determinados: o Sábado de Aleluia às margens do Purus.

O mito serviu de motivo ou núcleo de enredo para dar concretude à experiência numa região que exerceu ao mesmo tempo fascínio e assombro em Euclides. A exemplo de vários viajantes que antes dele passaram pela Amazônia, o escritor também se sentiu perplexo diante de uma natureza tão complexa, difícil de ser apreendida cientificamente e até hoje pouco estudada. A comparação dessa terra vasta e quase ignota com textos sagrados foi uma das maneiras que encontrou para enfrentar o desconhecido. Por isso, a paisagem amazônica "lembrava (ainda incompleta e escrevendo-se maravilhosamente) uma página inédita e contemporânea do *Gênesis*"[17]. O sudoeste amazônico seria, para as "populações transplantadas, a terra da promissão do Norte do Brasil"[18]; em outro texto, ele a chamou de fantátisca e incompreensível[19], o que reitera a dificuldade e mesmo a impossibilidade de uma análise científica do conjunto da região; ou, como ele próprio assentiu, talvez a contragosto, no prefácio ao livro *O inferno verde*:

> O espírito humano, deparando o maior dos problemas fisiográficos, e versando-o, tem-se atido a um processo obrigatoriamente analítico, que se, por um lado, é o único apto a facultar elementos seguros determinantes de uma síntese ulterior, por outro, impossibilita o descortino desafogado do conjunto[20].

Por isso, o escritor prefere considerar uma pequena parte do "conjunto" de uma região ciclópica, vastíssima, propícia aos superlativos, um dos traços mais marcantes do estilo euclidiano. Assim, uma análise científica da Amazônia só será possível por meio de um afunilamento progressivo, até alcançar o que há de mais diminuto, e mesmo microscópico na natureza grandiosa da região:

> [a Amazônia] é um infinito que se dosa, a pouco e pouco, lento e lento, indefinidamente, torturantemente... A terra é ainda misteriosa... Para vê-la, deve renunciar-se ao propósito de descortiná-la[21].

Um pouco adiante da citação acima – a que não faltam traços de dramaticidade e constrangimento –, Euclides adia para "um futuro remotíssimo" essa "guerra de mil anos contra o desconhecido". Felizmente em "Judas Ahsverus" ele parece ter renunciado à tarefa impossível de descortinar um espaço que se esconde em si mesmo. Preferiu outros caminhos e varadouros, bem diferentes da análise dos fatos e teorias científicas que estudam o mundo da natureza. E, se não chegou a analisar detidamente a Amazônia sob o ângulo das ciências naturais, por certo compreendeu, ao menos em parte, os movimentos e os conflitos da história regional, de que participou como chefe expedicionário na questão de demarcação de fronteiras com o Peru. Como assinalou R.G. Collingwood, "a ciência natural, enquanto forma de pensamento, existe e sempre existiu num contexto da História, e depende do pensamento histórico para a sua existência"[22].

Para Euclides, a compreensão do processo histórico da Amazônia foi decisiva para a elaboração de outros textos, sem os quais dificilmente teria escrito "Judas Ahsverus", como se verá mais adiante. Mas o "pitoresco" que o escritor temia ou teimava ver nesse relato, é, de fato, o que lhe dá uma feição literária; nele, o caráter "pitoresco" se aproxima mais do étimo "pictórico" (um quadro ou algo digno de ser pintado) do que do uso mais corrente da palavra: gracioso ou divertido. O modo de apreender analiticamente a Amazônia, através da observação minuciosa de uma mínima parte, foi também o jeito que Euclides encontrou para falar do cotidiano e do destino dos seres que a habitam. Em poucas páginas, relacionou a região com o mundo, elegendo como eixo do relato uma questão social esquecida, ou à margem de uma história desconhecida.

O alcance histórico e simbólico de "Judas Ahsverus" é amplo, mas tem como foco o recorte de uma vida, pois parte de um caso particular, específico, que é o modo de ser material e espiritual de um grupo de trabalhadores no rio Purus. É dessa visão particular que Euclides extrai, a meu ver, o melhor de sua lavra amazônica. Ele, que infelizmente não viveu o suficiente para escrever o prometido *Um paraíso perdido*, sem dúvida nos deixou um dos relatos mais visionários sobre a Amazônia.

Ecos de *Os sertões* e de outros textos

O seringueiro em "Judas Ahsverus" não é o índio nem o nativo da Amazônia. É o sertanejo, que, desde as secas de 1870, migrou para a região, onde trabalhou nos seringais, "maniatado e escravo", pois foi levado "pelos traficantes impunes que o iludem".

Em outros textos, Euclides assinalou a diferença nas relações de trabalho entre o seringueiro e o caucheiro[23]. Este é um nômade que erra na floresta em busca da *castilloa*, da qual extrai o sernambi, borracha de qualidade inferior. É um predador de árvores, pois a *Castilloa elastica*, depois de sangrada, "morre, ou definha durante largo tempo, inútil"[24]. Assim, o caucheiro, espécie de sertanista peruano, entrega-se a uma "vida aleatória de caçadores de árvores". Mas a força de trabalho que usa é a do nativo: os índios da Amazônia peruana, brasileira e boliviana, que (os caucheiros) "devem combater e exterminar ou escravizar, para que do mesmo lance tenham toda a segurança no novo posto de trabalhos e braços que lhos impulsionem"[25].

Para Euclides, o seringueiro, à semelhança dos índios, é "o homem que trabalha para escravizar-se"[26]. Mas não é um nômade. Nas "estradas" do seringal, onde há uma grande concentração de *Hevea brasiliensis*, o sertanejo passa a vida como "um expatriado dentro de sua própria pátria"[27]. É sobretudo desse seringueiro-sertanejo, deslocado dos sertões do Nordeste para a Amazônia, que Euclides trata em "Judas Ahsverus". É como se o drama humano de que ele fora testemunha no sertão da Bahia reacendesse em outra terra quase ignota do Brasil. Certamente as condições de vida e de trabalho, a geografia e a natureza são também distintas. Mas o deslocamento humano e suas causas fazem parte de um mesmo processo histórico, que Euclides percebeu durante sua viagem ao Purus em 1905:

> Quando as grandes secas de 1879-1880, 1889-1890, 1900-1901 flamejavam sobre os sertões adustos e as cidades do litoral se enchiam em poucas semanas de uma população adventícia, de famintos assombrosos, devorados das febres e das bexigas – a preocupação exclusiva dos poderes públicos consistia no libertá-las quanto antes daquelas invasões de bárbaros moribundos que infestavam o Brasil. [...] Mandavam-nos para a Amazônia – vastíssima, despovoada, quase ignota – o que equivalia a expatriá-los dentro da própria pátria.[...] Os banidos levavam a missão dolorosíssima e única de desaparecerem...[28].

Um pouco adiante, menciona os 100 mil sertanejos (ou 100 mil ressuscitados), que "apareciam inesperadamente e repatriavam-se de um modo original e heróico, dilatando a pátria até os terrenos novos que tinham desvendado"[29]. Foram esses sobreviventes que, em 1904, ajudaram a fundar no extremo sudoeste amazônico o Acre, a última área de grandes dimensões a ser incorporada ao Brasil, primeiro como o mais recente território, e depois estado.

Sem dúvida, há laivos de patriotismo e euforia nessa empresa épica dos sertanejos que dilatam a pátria nos confins da Amazônia. Mas Euclides alterna euforia patriótica com pessimismo e desencanto, pois a forma de ocupação e as condições de trabalho na região constituem uma "miragem de progresso", expressão que usou para comentar a brutalidade dos caucheiros, esses "estranhos civilizados", mais bárbaros que os próprios nativos ou "selvagens"[30].

A atribuição dos valores negativos da barbárie à suposta civilização está disseminada em vários textos sobre a Amazônia, mas vem de antes, de várias páginas de *Os sertões*, em que Euclides ironiza ou mesmo satiriza cruelmente os oficiais do Exército republicano durante a campanha de Canudos[31]. Ao migrar para a Amazônia, o sertanejo trouxe consigo os costumes e a religião do sertão distante. Em certas passagens do livro sobre Canudos, Euclides se refere à religião do sertanejo como um "monoteísmo incompreendido, eivado de um misticismo extravagante"[32]. Para o escritor, o sertanejo, "homem primitivo, audacioso e forte [...] deixa-se facilmente arrebatar pelas superstições mais absurdas"[33].

No jogo de contradições que move a escrita euclidiana – fruto talvez de uma visão ideológica ingênua, e de uma crença no progresso e na civilização a que depois ele renunciou –, não é raro o leitor encontrar a negação do que se afirma. Assim, o "misticismo extravagante" e as "superstições absurdas" do sertanejo tornam-se uma "experiência belíssima" em 13 de dezembro, dia de Santa Luzia, quando uma "usança avoenga lhe faculta sondar o futuro, interrogando a Providência"[34]. Nessa mesma seqüência do livro sobre Canudos, ele escreveu: "O homem dos sertões... mais do que qualquer outro está em função imediata da terra"[35].

O conhecimento da terra repercute em tudo: na alimentação, no transporte, na arquitetura, no trabalho, enfim, na vida material e espiritual do sertanejo. Repercute inclusive na guerra, pois o conhecimento da geografia, do clima e da vegetação são cruciais para enfrentar o exército republicano, pois "a natureza toda protege o sertanejo"[36].

Euclides percebeu essa herança religiosa nos sertanejos que trabalharam nos seringais do Purus. Mas sete anos depois da publicação de *Os sertões*, a visão do narrador (e certamente a de Euclides) em "Judas Ahsverus" é bem diferente. Nesse relato, o sertanejo-seringueiro já não é mais um homem "que se deixa facilmente arrebatar pelas superstições mais absurdas". Não há, na visão do narrador, um julgamento sobre a religião ou qualquer tipo de crença ou superstição do seringueiro. Ao contrário, o ritual religioso é narrado como um movimento de descenso, sempre para baixo, guiado por uma visão sombria e pessimista de seres que não encontram redenção na fé, tampouco recorrem à reza, à penitência ou à queixa:

> Então, pelas almas simples entra-lhes, obscurecendo as miragens mais delumbrantes da fé, a sombra espessa de um conceito singularmente pessimista da vida: certo, o redentor universal não os redimiu; esqueceu-os para sempre...[37].

Se, por um lado, o homem dos sertões na Amazônia também "está em função imediata com a terra", por outro, a terra adquire outro significado, pois não se restringe ao solo e à geografia de uma determinada região; tampouco é o Cosmos, no sentido religioso que Euclides dá a Canudos: "o último pouso na travessia do deserto". No "Judas Ahsverus", "o rio que lhe passa à porta é uma estrada para toda a terra". Ou seja, a terra, para além do rio e da Amazônia, se remete para o mundo todo.

Trabalho, metamorfose e fatalidade

À primeira vista, "Judas Ahsverus" é um texto sobre pobres-diabos que, num mundo sem redenção, se vingam dos seus dias tristes e revelam à "humanidade longínqua" a vida transformada numa interminável penitência. No fundo, é muito mais do que isso, pois permite entrever uma visão de Euclides sobre a Amazônia, que se enlaça a uma perspectiva pessimista e mesmo fatalista sobre os seringueiros. É também um texto sobre formas distintas do trabalho: a labuta diária do seringueiro, recluso no círculo fechado das "estradas", e o trabalho artístico, seja do homem que desenha e esculpe um boneco, seja o do narrador, que, de algum modo, diz respeito à atividade do engenheiro-escritor.

O narrador, um homem culto num meio rude, conta as atividades dos seringueiros num Sábado de Aleluia, quando se vingam ruidosamente de seus dias tristes, vividos no "círculo fechado" das estradas do seringal, a que não se pode escapar.

> E consideram, absortos, que esses sete dias excepcionais [...] lhes são, ali, a existência inteira, monótona, obscura, dolorosíssima e anôni-

ma, a girar acabrunhadoramente na via dolorosa inalterável, sem princípio e sem fim, do círculo fechado das "estradas"[38].

Na vingança subjaz um travo de ressentimento contra a divindade, pois nem mesmo Deus, o redentor universal, os redimiu. Nesse mundo fechado, sem saída possível, o seringueiro é "um excomungado pela própria distância que o afasta dos homens". O que lhe resta é a desforra contra Judas, um emissário sinistro da Igreja. Esquecidos por Deus e isolados dos homens, os seringueiros celebram o sábado de aleluia entregando-se ao afã da divinização da vingança.

A perspectiva do relato quanto ao destino do seringueiro é a de uma vida emparedada, circunscrita ao trabalho repetitivo e degradante em cada dia do ano, que se parece com o calvário da Sexta-Feira da Paixão: "Toda a semana-santa correu-lhes na mesmice... a estirar-se, angustiosamente, indefinida, pelo ano todo afora"[39].

O único dia feliz é o Sábado de Aleluia: dia da desforra, "prefixo aos mais santos atentados, às balbúrdias confessáveis, à turbulência mística dos eleitos e à divinização da vingança"[40]. Nesse dia os seringueiros do Purus dedicam-se a um trabalho de outra natureza: o da arte de esculpir.

***

A mais estática das artes... vibra então na dinâmica
poderosa das paixões e a estátua, um trabalho de colaboração
em que entra mais o sentimento popular do que o
gênio do artista, a estátua aparece-nos viva...

Euclides da Cunha, "A vida das estátuas"

Não foi por acaso que o escritor se fixou na estatuária para representar um grupo social e, por meio deste, o sentimento, as condições de vida e as aflições de uma coletividade.

O interesse de Euclides pela escultura está presente tanto nos seus ensaios como em *Os sertões*. Essa modalidade artística tem implicações profundas no seu estilo e no alcance social e afetivo que a escultura sugere. Gilberto Freyre logo percebeu na obra do escritor o "gosto de literatura escultural e de música dramática", assinalando a "obsessão quase bizantina do escultural", do "instante de tensão escultural" e da "tendência ao monumentalismo que quase nunca o abandona"[41].

Freyre dá como exemplo uma das passagens famosas de *Os sertões*, em que um negro, capanga do Conselheiro, torna-se ao mesmo tempo uma espécie de mártir e titã antes de morrer:

> Um primor de estatuária modelado em lama.[...] Seguiu impassível e firme; mudo, a face imóvel, a musculatura gasta duramente em relevo sobre os ossos, num desempeno impecável, feito uma estátua, uma velha estátua de titã, soterrada havia quatro séculos e aflorando, denegrida e mutilada, naquela imensa ruinaria de Canudos. Era uma inversão de papéis. Uma antinomia vergonhosa...[42].

Com efeito, não são poucas as passagens no livro sobre Canudos que evocam a força escultural de personagens e animais, imobilizados em pose patética depois da morte, fixados como estátuas sinistras. Nesses quadros assombrosos de violência e atrocidade – recortes que expõem cruamente o drama humano na luta fratricida –, o elemento demoníaco se faz presente, como na representação do corpo morto do coronel Tamarindo: "um manequim terrivelmente lúgubre, o cadáver desaprumado, braços e pernas pendidos, oscilando à feição do vento no galho flexível e vergado, aparecia nos ermos feito uma visão demoníaca"[43].

Um outro quadro pungente, que revela uma enorme força escultural, é o da morte do alferes Wanderley e a de seu cavalo. A descrição do cavalo morto aponta o sentido paradoxal, a antítese que diz da estátua que parece viva ou "com todas as aparências de vida", ambigüidade reiterada pelo fantástico atribuído ao animal morto:

> Ficou quase em pé, com as patas dianteiras firmes num ressalto de pedra... E ali estacou feito um animal fantástico, aprumado sobre a ladeira, num quase curvetear, no último arremesso da carga paralisada, com todas as aparências de vida, sobretudo quando, ao passarem as rajadas ríspidas do nordeste, se lhe agitavam as longas crinas ondulantes...[44].

Nessas passagens, dois cadáveres – o do homem e o do animal – são descritos como se tivessem sido paralisados num "instante prodigioso", ou, como ainda escreve Euclides num ensaio:

> um arremesso que se paralisa na imobilidade da matéria, mas para a animar, para a transfigurar e para a idealizar na ilusão extraordinária de uma vida subjetiva e eterna, perpetuamente a renascer das emoções e do entusiasmo dos que a contemplam[45].

A escultura, na visão de Euclides, além de destacar o caráter dominante e especial de uma vida pregressa, também harmoniza esse caráter com um sentimento dominante e generalizado. Seria, então, uma maneira de aludir "a toda a existência imortal de uma época, ou de um povo, numa fase qualquer de sua história..."[46].

Na descrição dos mortos em *Os sertões*, Euclides lhes imprime, através do efeito plástico e visual da linguagem, um contorno monumental que não se esgota na figura representada, pois alude, de forma patética, a uma coletividade num determinado momento da História.

Algo semelhante parece ocorrer em "Judas Ahsverus"; no entanto, nesse texto a escultura é resultado de um trabalho, o artístico, feito por seringueiros do Purus. Quer dizer, o relato enfeixa ao mesmo tempo duas formas de trabalho, ambas relacionadas com o drama e o destino de um grupo social, que o objeto esculpido espelha e transcende com contornos simbólicos e históricos.

A desforra dos seringueiros, vingança contra Deus e o mundo, é materializada no monstrengo de pano, construído com gestos inventivos e livres das mãos que moldam com esmero a escultura.

Não se trata de mais uma reprodução de um boneco de pano ou palha, "trivialíssimo, de todos os lugares e de todos os tempos". Tampouco lhe basta o "manequim vulgar que satisfaz a maioria das gentes". O trabalho criativo de seringueiros-escultores nos confins da Amazônia "lhes quebra tão de golpe a monotonia tristonha de uma existência invariável e quieta".

Nesse sentido, o narrador dá ao seringueiro o atributo de um artista, que seleciona o material e, pouco a pouco, vai moldando o corpo da estátua, pintando e desenhando o seu rosto, dando-lhe expressão e vida, a ponto de transformá-lo numa "obra-prima, a criação de seu gênio rude longamente trabalhado de reveses".

A arte do seringueiro – um monstrengo diferente dos demais – espelha, na expressão do rosto de pano, a dor e o desespero de quem o esculpiu. É como se a escultura fosse um duplo monstruoso do homem desvalido; este, por sua vez, ao acentuar no rosto esculpido "as linhas mais vivas e cruéis", cria também uma máscara, cuja expressão de tortura reflete a tragédia do homem: o artista e o seringueiro.

Aqui, o fazer artístico, trabalho essencialmente humano, é uma espécie de parênteses no sofrimento de uma vida inteira. Ao trabalho árduo, brutalizado e alienado, contrapõe-se o trabalho criativo do pintor e escultor que constrói aos poucos a sua arte, "expressão concreta de uma realidade dolorosa". Para alcançar essa expressão concreta – a escultura – o narrador se refere aos retoques delicados, lentos, pacientes e cuidadosos do seringueiro durante a atividade laboriosa e inventiva do processo artístico. O resultado é uma "figura disforme", que, mesmo sendo grotesca, não deixa de dar a impressão de um ser humano, pois no rosto esculpido o seringueiro "aviva um ríctus expressivo na arqueadura dos lábios" e "com dois riscos demorados abre-lhe os olhos, em geral tristes e cheios de um olhar misterioso".

O narrador busca, assim, uma "vista de conjunto, a impressão exata, a síntese de todas aquelas linhas" que tentam transmitir, pela linguagem, uma impressão da realidade. Depois da lenta transformação do monstro em ser humano feita pelo trabalho artístico – transfiguração insensível, segundo Euclides –, o objeto escultural revela uma "ilusão empolgante". Essa expressão, usada em *Os sertões*, certamente faz parte de um ideal estético, ou seja, o da obra de arte que ao mesmo tempo ilude e empolga o espectador. Nesse caso, trata-se da filharada do seringueiro, que assiste, maravilhada, "ao desdobrar da concepção". Mas os espectadores são também os ribeirinhos que vêem os Judas errantes na jangada rio abaixo, e, por fim, nós, leitores.

Na visão trágica do narrador, o seringueiro molda, à sua imagem, a escultura; curiosamente, são os traços, trejeitos e a expressão do Judas esculpido que refletem os do seringueiro. Através do monstrengo esculpido vemos o homem, seu duplo. Não por acaso Euclides usa o verbo ressuscitar para ambos: "o eterno condenado e sua divina vítima". Ambos compartilham o destino comum da condenação e da errância, expondo "a imagem tanto possível perfeita da sua miséria e das sua agonias terríveis".

A errância do seringueiro-migrante, do sertão à Amazônia, acaba "na via dolorosa inalterável, sem princípio e sem fim, do círculo fechado das 'estradas' ".

À semelhança do mito de Sísifo – citado por Euclides em outro texto[47] –, a dívida do seringueiro ao patrão só aumenta, tornando aquele um prisioneiro no círculo fechado da propriedade vigiada. Mas os caminhos da errância continuam a ser percorridos – "na lúgubre viagem sem destino e sem fim"– pelo Judas construído à imagem e semelhança do homem que o criou. A estrada dolorosa agora é o rio. O boneco esculpido desce o Purus "aos rodopios e giros", movimentos que dramatizam ainda mais uma situação, pelo cômico-grotesco da imagem de "demônio e truão", da figura "desgraciosa, trágica, arrepiadoramente burlesca". Essa figura não impressiona apenas os seringueiros (artistas e espectadores), mas também serve de reconhecimento crítico dos mesmos: reconhecimento do outro, através do "demônio e truão". A figura torna-se então um desdobramento do sertanejo heróico (pois na Amazônia ele é também um forte), que vaga no leito do rio, palco móvel e sinuoso do ritual encenado no Sábado de Aleluia.

Como acontece em *Os sertões*, onde o lugar da batalha e a natureza são muitas vezes representados por um teatro, palco ou anfiteatro[48], também nesse relato a errância dos monstrengos de pano "de bubuia nas grandes águas", emerge "da penumbra das matas, na sua forma apavorante, à humanidade longínqua...".

A representação teatral do espantalho é encenada a todos: aos vizinhos e curiosos no alto das barrancas, que, entretanto, participam da encenação, pois "intervêm ruidosamente, saudando com repetidas descargas de rifles aquele bota-fora". A jangada que conduz a escultura para uma viagem sem fim leva também desolação e terror aos ribeirinhos e à fauna. Nenhum ser da natureza é indiferente à passagem da jangada; a reação dos ribeirinhos contra o Judas, além de ser uma desforra rancorosa na forma de esconjuros, sarcasmos, pedradas e balas, provoca na escultura gestos agitados dos braços e "agradecimentos em canhestras mesuras"; assim, o monstrengo, grotescamente humanizado, torna-se mais uma vez uma figura à imagem e semelhança de seu criador.

Ao espantalho infeliz juntam-se outros, "vários no aspecto e nos gestos", formando uma multidão de "sócios do infortúnio" a descer o rio vagarosamente, como se toda uma humanidade de desvalidos se mostrasse à outra humanidade, longínqua: a dos "concorrentes mais felizes, mais bem protegidos, mais numerosos" das grandes cidades[49].

Na celebração do Sábado de Aleluia e no ritual da malhação do Judas, Euclides contrasta, ironicamente, o sentimento do seringueiro com o do morador da metrópole. Contraste que é também o das cidades ricas e suas catedrais com o isolamento da floresta, ou seja, das metrópoles européias com a Amazônia. Ambas fazem parte de um mesmo processo histórico, em que se combinam o capitalismo mais avançado da Europa e o periférico, onde a economia extrativista prevalece em sua forma rudimentar. Assim, a velha oposição barbárie/civilização já não faz mais sentido, pois são inseparáveis pelas relações econômicas, históricas e simbólicas.

Como se sabe, o látex extraído e defumado por seringueiros da Amazônia era destinado às metrópoles industrializadas. Euclides aborda essa questão em outros textos, mas no "Judas Ahsverus" essa relação dos seringueiros com as metrópoles aparece no fragmento de vida desses seres, num único dia de vingança, em que a dor e o sofrimento se projetam na figura esculpida, que será mostrada para o mundo inteiro.

Talvez haja na encenação teatral de "Judas Ahsverus" um eco paródico do topos do *theatro mundi*, que desde a Antiguidade clássica, passando pela Idade Média, chegou aos nossos dias, sempre renovado, como se nota na obra de Jorge Luis Borges e de tantos outros escritores[50]. É provável também que esse relato euclidiano contenha certas características do drama de destino do teatro barroco, embora num contexto histórico totalmente diverso. Ainda assim, lembra o palco móvel, que representa metaforicamente a Terra, "como um cenário criado para o espetáculo da história", conforme analisou Walter Benjamin num livro sobre o drama barroco alemão[51].

Num dos ensaios desse livro[52], o filósofo reflete sobre a maldição, a culpa e a fatalidade no drama barroco alemão e espanhol, acentuando as particularidades de cada um e sua relação com a poesia trágica. No espírito da teologia restauradora da Contra-reforma, Benjamin assinala que "o destino não é nem um acontecimento puramente natural nem puramente histórico", mas antes "uma força elementar da natureza no processo histórico". Este, por sua vez, "só não é inteiramente natureza porque o estado de Criação reflete ainda o sol da Graça. Mas a superfície em que ele se espelha é o pântano da culpa adamítica"[53].

No relato de Euclides, o destino dos seringueiros liga-se a uma cadeia de pecado, culpa e penitência, cujo vínculo não se encontra na teologia cristã, mas antes numa transgressão moral: "a ambição maldita que os conduziu àqueles lugares". A ambição, que se enlaça a um só tempo ao pecado e ao castigo, faz da vida dos seringueiros uma interminável penitência. O que lhes resta, portanto, não é a redenção espiritual, e sim a desforra, movida por atos transgressores num dia feliz: "o sábado prefixo aos mais santos atentados..."[54].

A antítese, figura tão cara à Euclides, revela a alma agitada do seringueiro, e prenuncia a vingança por meio de sua arte rude que vai expor ao mundo todo. Não se trata, portanto, da expiação de uma culpa perante Deus, cujos "grandes olhos [...] não podem descer até aqueles brejais, manchando-se"[55].

A visão de Euclides se coaduna com uma outra, mais forte e decisiva quando remete à vida daqueles seres: o pessimismo. É "a sombra espessa de um conceito singularmente pessimista da vida" que obscurece "as miragens mais deslumbrantes da fé". Pessimismo enraizado na História, ou na força elementar da natureza no processo histórico, como notou Walter Benjamin.

A conjunção da natureza com a História é importante na obra de Euclides, sobretudo em *Os sertões*, em que o conceito de isolamento é um dos pilares de seu pensamento sociológico. Encontra-se também nos ensaios de *À margem da História*, cujo título já diz muito sobre o isolamento do homem e da região em relação à História. Estar à margem não significa excluir-se do processo histórico, mas dele participar de uma outra forma. Como apontou Antonio Candido num estudo sobre *Os sertões*, o isolamento do sertanejo típico, filho da segregação, não é um fenômeno de natureza puramente geográfica, mas também sociológica[56].

O isolamento do seringueiro é ao mesmo tempo geográfico e social. Longe do sertão, ele tem de se sujeitar ao círculo fechado das estradas, lugar que o confina no trabalho do corte e da colheita do látex. As relações de trabalho e a ordem social são as causas determinantes de sua "existência imóvel, feita de idênticos dias de penúria". O fenômeno geográfico, importante, mas não decisivo, decorre da condição de quem trabalha para escravizar-se: "Ali – é seguir, impassível, mudo, estoicamente, no grande isolamento da sua desventura"[57].

No "Judas Ahsverus" o isolamento já não é o da segregação de um grupo social, como Euclides escreveu em *Os sertões*, mas antes uma submissão ao regime de trabalho. "Isolados pela desventura" (e não infelizes pelo isolamento), o seringueiro é ainda "um excomungado pela própria distância que o afasta dos homens". Excomugado, na dupla acepção da palavra: banido da Igreja Católica e estigmatizado como maldito. Assim, o enlace da excomunhão com a maldição refere-se ao seringueiro e ao Judas. Ambos se afastam dos homens pela distância que não é apenas geográfica, mas também histórica e simbólica, pois as injúrias dos pobres-diabos contra o Judas errante encerram "maldições que revivem na palavra descansada dos matutos, este eco de um anátema vibrado há 20 séculos: – Caminha, desgraçado!"[58]

Quase um século depois desse relato, esse eco vibra com timbre forte e parece cada vez mais longe de se apagar. Os expatriados em sua própria pátria são inúmeros no Brasil e no mundo todo...

A imagem da multidão de fantasmas vagabundos penetrando em recintos de águas mortas dá a dimensão trágica desses protagonistas de uma vida erradia. No fim do relato, o narrador constrói uma cena teatral silenciosa, mas tétrica ou macabra, em que os fantasmas se ajuntam, se misturam e se cruzam num "estranho conciliábulo". Para o remanso espectral – "amplos recintos de águas mortas" –, confluem todos os "fantasmas vagabundos", encenando com mímica de gestos e olhares, segredando "num abafamento de vozes inaudíveis". Mais uma vez Euclides emprega uma antítese para evocar a revolta de seres fantasmagóricos ou espectrais: "Há a ilusão de um estupendo tumulto sem ruídos e de um estranho conciliábulo, agitadíssimo, travando-se em segredos, num abafamento de vozes inaudíveis"[59].

É como se ninguém escutasse esses seres esculpidos pelas mãos dos homens, cujas vozes ou súplicas fossem também inaudíveis. No entanto, as palavras (e imagens) desse relato tentam amplificar os ecos abafados de esculturas que espelham um drama humano num recanto da Amazônia. Essa pobre pantomima – cena silenciosa de horror, violência e vingança de seres errantes no rio Purus –, Euclides da Cunha tentou revelar aos habitantes das metrópoles, leitores-espectadores na outra margem de uma história em que também estão implicados. Parafraseando Jorge Luis Borges, os sonhos de cada um são, de certa forma, os de toda a humanidade. Assim também os pesadelos...

Duas décadas depois do relato euclidiano, Mário de Andrade, leitor de Euclides e turista mais que aprendiz na Amazônia, compôs o "Acalanto do seringueiro", um poema que torna a evocar a presença do seringueiro do Acre, "brasileiro que nem eu", esquecido nos confins de uma pátria tão despatriada.

Milton Hatoum é romancista, autor de Relato de um certo Oriente *(1989) e* Dois irmãos *(2000), ambos publicados pela Companhia das Letras, de São Paulo, e professor de literatura da Universidade Federal do Amazonas.*

Bibliografia

1. Livros de Euclides da Cunha

À margem da História. 2 ed., Porto: Lelo & Irmão, 1913.
Os sertões (Campanha de Canudos). Edição crítica de Walnice Nogueira Galvão. São Paulo: Ática, 1998.
Os sertões (Campanha de Canudos). Edição, prefácio, cronologia, notas e índices de Leopoldo M. Bernucci. São Paulo: Ateliê/Arquivo do Estado/Imprensa Oficial, 2002.
Um paraíso perdido – ensaios, estudos e pronunciamentos sobre a Amazônia. Organização, introdução e notas de Leandro Tocantins. Rio de Janeiro: José Olympio, 1986.
Contrastes e confrontos. São Paulo: Lello Brasileira, 1967.
Correspondência de Euclides da Cunha. Walnice Nogueira Galvão e Oswaldo Galotti (organizadores). São Paulo: Edusp, 1997.
Obra completa, vol. I. Rio de Janeiro: José Aguilar, 1966.

2. Outras referências

ARRIGUCCI JR., Davi. *Outros achados e perdidos*, São Paulo: Companhia das Letras, 1999.
ARRIGUCCI JR., Davi. *O cacto e as ruínas*, São Paulo: Duas Cidades/Editora 34, 2000.
BENJAMIN, Walter. *Origem do drama barroco alemão*. Tradução, apresentação e notas de Sergio Paulo Rouanet. São Paulo: Brasiliense, 1984.
CANDIDO, Antonio. "Euclides da Cunha sociólogo". In: *Remate de males*, número especial Antonio Candido. Campinas: IEL/Unicamp, 1999.
COLLINGWOOD, R.G. *The idea of nature*. London/Oxford/New York: Oxford University Press, 1960.
FREYRE, Gilberto. *Perfil de Euclides e outros perfis*. Rio de Janeiro: Record, 1987.
HOLANDA, Lourival. *Fato e fábula*. Manaus: Editora Universidade do Amazonas, 1999.
LIMA, Luiz Costa. *Terra ignota – a construção de* Os sertões. Rio de Janeiro: Civilização Brasileira, 1997.
LIMA, Luiz Costa. *Contrastes e confrontos do Brasil*. Rio de Janeiro: Contraponto/Núcleo Superior de Estudos Governamentais, Uerj/Petrobras, 2000.
MEYER, Augusto. *Textos críticos*. João Alexandre Barbosa (organizador). São Paulo: Perspectiva/Pró-Memória, Instituto Nacional do Livro, 1986.
SANTANA, José Carlos Barreto de. *Ciência & arte: Euclides da Cunha e as ciências naturais*, São Paulo/Feira de Santana: Hucitec/Universidade Estadual de Feira de Santana, 2001.
SLATER, Candace. *Entangled Edens – visions of the Amazon*. Berkeley/Los Angeles/London: University of California Press, 2002.
VENTURA, Roberto. "Visões do deserto: Selva e sertão em Euclides da Cunha". In: *História, ciências, saúde: Manguinhos*. Rio de Janeiro, v. 5, pp. 133-147, jul. 1998.

NOTAS

1 Euclides da Cunha, *À margem da História*. A primeira edição data de 1909: Porto: Livraria Chardron, Lelo & Irmão editores. Com algumas exceções, mencionadas em notas de rodapé, as referências a "Judas Ahsverus" e a outros textos amazônicos de Euclides foram extraídas do livro: *Um paraíso perdido – ensaios, estudos e pronunciamentos sobre a Amazônia*. Organização, introdução e notas de Leandro Tocantins.

2 A palavra "excerto" aparece entre parênteses no índice das duas edições portuguesas. A segunda edição de *À margem da História* foi publicada também por Lelo & Irmão.

3 Euclides não sabia se "Judas Ahsverus" "tinha algum valor ou tratava-se, apenas, de frases valorizadas pela força do pitoresco". Coelho Neto, ao ler o manuscrito, teria dito a Euclides: "Isto é uma das melhores coisas que você já escreveu". In: Modesto de Abreu, "Estilo e personalidade de Euclides". Trecho citado por Leandro Tocantins, *Euclides da Cunha e o paraíso perdido*, p. 145.

4 Sobre formas misturadas na obra de Jorge Luis Borges, ver "Borges ou do conto filosófico", in: Davi Arrigucci Jr., *Outros achados e perdidos*.

5 Antonio Candido, "O sociólogo em Euclides da Cunha". Conferência na Semana Euclidiana, agosto, 1947. O texto dessa conferência foi publicado, com alterações, em *Remate de males*, número especial Antonio Candido.

6 Euclides da Cunha, "Carta a Francisco de Escobar, Rio, 13 de junho de 1906". In: Walnice Nogueira Galvão e Oswaldo Galotti, *Correspondência de Euclides da Cunha*.

7 No texto intitulado "Valor de um símbolo", Euclides narra o momento que antecede a "volta verginosa" do Alto Purus a Manaus. A frase final desse texto é: "E partimos, retravando, desesperadamente, o duelo formidável com o deserto." In: *Obra completa*, vol. I, p. 531.

8 Euclides da Cunha, "Valor de um símbolo", *op. cit.*, p. 529.

9 Euclides da Cunha, "Rios em abandono". In: *Um paraíso perdido*, *op. cit.*, pp. 39-51.

10 Ver *Relatório da comissão mista brasileiro-peruana de reconhecimento do Alto Purus*, edição bilíngüe (português e espanhol) do Itamaraty, Rio de Janeiro: Imprensa Nacional, 1906. O capítulo I desse relatório intitula-se "O Rio Purus". In: *Obra completa*, *op. cit.*

11 *Idem*, p. 714.

12 Cf. Augusto Meyer, "Nota sobre Euclides da Cunha". In: *Textos críticos*, p. 242.

13 Antonio Candido, *op. cit.*, p. 33.

14 Ver: "A vingança da Hiléia: os sertões amazônicos de Euclides", de Francisco Foot Hardman. In: *Revista Tempo Brasileiro*, n. 144, jan.-mar. 2001, pp. 47-8.

15 Segundo John Gledson, "este Ahasverus é o personagem da peça *Ahasverus*, do historiador e escritor francês Edgar Quinet (1803-75), que Joaquim Nabuco, em *Minha formação*, diz ter sido o 'Apocalipse', de sua geração." A observação do crítico consta numa nota do conto "Viver!", de *Várias histórias* (1895). In: *Machado de Assis, contos — uma antologia*. Seleção, introdução e notas de John Gledson. São Paulo: Companhia das Letras, vol. 2, 1998, p. 326. Castro Alves compôs "Ahasverus e o gênio", um dos poemas de *Espumas flutuantes*.

16 Euclides da Cunha, "Carta a Reinaldo Porchat. Rio, 26 de agosto de 1892". In: *Correspondência...*, *op.cit.*

17 Euclides da Cunha, "Contrastes e confrontos". Discurso de recepção (Academia Brasileira de Letras). In: *Obra completa*, *op. cit.*

18 Euclides da Cunha, "Um clima caluniado". In: *Um paraíso perdido, op.cit.*, pp. 57-8.

19 Euclides da Cunha, "Prefácio do livro *O inferno verde*, de Alberto Rangel [1907]". In: *Um paraíso perdido*, *op. cit.*, p. 202.

20 *Idem.*, p. 200.

21 *Idem*, pp. 200-201.

22 Cf. R. G. Colingwood: "From nature to History". In: *The idea of nature*, p. 177.

23 Euclides da Cunha, "Os caucheiros". In: *Um paraíso perdido*, *op. cit.*, pp. 65-75.

24 *Idem*, p. 66.

25 *Idem, ibidem.*

26 Euclides da Cunha, "Um clima caluniado", *op. cit.*, p. 57.

27 *Idem, ibidem.*

28 *Idem*, pp. 56-57.

29 *Idem*, p. 57.

30 Euclides da Cunha, *Um paraíso perdido, op. cit.*, p. 69. Sobre o tema 'civilização/barbárie' nas obras de Euclides e Sarmiento, ver Berthold Zilly, "A barbárie: antítese ou elemento da civilização? Do Facundo de Sarmiento a *Os sertões* de Euclides da Cunha". In: *Revista Tempo Brasileiro*, n. 144, jan.-mar. 2001, pp. 103-146.

31 A visão irônica e sarcástica de Euclides sobre o Exército republicano foi muito bem analisada por Lourival Holanda em *Fato e fábula*, sobre a poética de Os sertões. Ver sobretudo pp. 49-58.

32 Euclides da Cunha, *Os sertões, op. cit.,* p. 125.

33 *Idem*, p. 124.

34 *Idem*, p. 120.

35 *Idem*, p. 126

36 *Idem*, p. 207.

37 Euclides da Cunha, "Judas Ahsverus", *op. cit.*, pp. 76-7.

38 *Idem*, p. 76.

39 *Idem, ibidem.*

40 *Idem*, p. 77.

41 Gilberto Freyre, "Euclides da Cunha". In: *Perfil de Euclides e outros perfis*. Rio de Janeiro: Record, 1987, pp. 22-3.

42 Euclides da Cunha. *Os sertões*, *op. cit.*, p. 462.
43 *Idem*, p. 294.
44 *Idem*, p. 39.
45 Euclides da Cunha. "A vida das estátuas", p. 60. In: *Contrastes e confrontos*.
46 *Idem*, p. 61.
47 Euclides da Cunha, "Um clima caluniado", *op. cit.* p. 55.
48 Sobre a representação teatral da guerra de Canudos ver: Berthold Zilly, "A guerra como painel e espetáculo: a história encenada em *Os sertões*". In: *História, ciências, saúde. Rio de Janeiro*: Manguinhos, Fiocruz, vol. V, julho, 1998. Cf. também Roberto Ventura, "Deus e o diabo no monstruoso anfiteatro", sobretudo pp. 72-3: *Revista Tempo Brasileiro*, n. 144, *op.cit.*, e Leopoldo M. Bernucci, "Prefácio", in: *Os sertões* (*Campanha de Canudos*).
49 Euclides da Cunha, "Judas Ahsverus", *op. cit.*, p. 77.
50 Cf. Davi Arrigucci Jr., *op. cit.*
51 Cf. Walter Benjamin, "O luto e trágico". In: *Origem do drama barroco alemão*, p. 142.
52 Cf. W. Benjamin, "Conceito de destino no drama de destino", *op. cit.*, p. 152.
53 "Por mais que tenha um aspecto pagão e mitológico, o destino só se torna inteligível, como categoria histórico-natural, no espírito da teologia restauradora da Contra-Reforma. É a força elementar da natureza no processo histórico, e mesmo este só não é inteiramente natureza porque o estado de Criação reflete ainda o sol da Graça. Mas a superfície em que ele se espelha é o pântano da culpa adamítica". Cf. Walter Benjamin, *op. cit.*, p. 152.
54 Euclides da Cunha, "Judas Ahsverus", *op. cit.*, p. 77.
55 *Idem, ibidem.*
56 Antonio Candido, *op. cit.*
57 Euclides da Cunha, "Judas Ahsverus", *op. cit.*, p. 77.
58 *Idem*, p. 81.
59 *Idem, ibidem.*

Uma construção simbólica da nacionalidade num mundo transnacional

Berthold Zilly

A dimensão internacional da guerra nos sertões

Vale a pena lembrar a posição especial e atípica da América Latina na penúltima virada de século, no auge do imperialismo clássico. A Europa e os Estados Unidos estavam repartindo entre si o globo inteiro, a maior parte do mundo, nomeadamente a África e a Ásia consistiam de colônias ou semicolônias, ou estavam sob forte pressão nesta direção, com a grande exceção do Japão, de modo que quase não havia estados independentes com população não-européia. Até alguns países não europeus com população predominantemente branca eram colônias ainda, como o Canadá ou a Austrália. Esse estado de coisas era considerado natural pela maior parte dos cientistas, filósofos, teólogos, escritores da época, com poucas exceções como alguns intelectuais indianos ou árabes. Era delicada a situação dos intelectuais latino-americanos, que por um lado, naturalmente, defendiam, bons patriotas na maioria, a independência de seus países para a qual pretendiam dar uma contribuição com sua produção cultural. Por outro lado admitiam o atraso de suas pátrias, principalmente das províncias mais afastadas da capital ou habitadas por pessoas de cor, o que parecia pôr em dúvida o direito à independência. Os jovens países ibero-americanos, portanto, tinham que civilizar-se, europeizar-se para "merecer" de verdade a independência, sempre ameaçada pelo expansionismo das potências imperialistas. Os patriotas ibero-americanos tinham que ser antiimperialistas na medida em que rejeitavam a hegemonia européia e estadunidense para si mesmos, aceitando-a, porém, para o resto do mundo. E tendiam a tratar as províncias mais atrasadas dos seus próprios países, os pampas, os llanos, os altiplanos, os sertões, como as potências imperialistas tratavam as suas colônias na África ou na Ásia, ou na própria América, no Caribe, por exemplo. Sempre em nome da missão civilizatória.

Já antes da publicação de *Os sertões*, a Guerra de Canudos, que à primeira vista nos parece assunto intrinsecamente brasileiro e até interiorano, bem do fim do mundo, foi, durante quase todo o ano 1897, evento de mídia não só no Brasil mas nas Américas e em toda a Europa, comparável à nossa época com o movimento zapatista em Chiapas ou a guerra na Chechênia. Pois aquele assalto ilegal de tropas legais contra uma comunidade relativamente pacífica de vaqueiros e lavradores – sem aviso prévio, sem negociação, sem chance nenhuma para os assaltados – teve não apenas traços arcaicos e bárbaros, como todas as guerras, mas também um empreendimento muito moderno e, por conseguinte, internacional. O mundo inteiro, preocupado com a instabilidade interna e a dívida externa do Brasil, se aliou ao Exército atacante, concedendo ao governo brasileiro os créditos necessários, mandando-lhe a sua mais avançada tecnologia militar, além de alguns poucos frades e filantropos – como se agisse segundo o princípio do morde-e-assopra – e apoiando, por meio de grandes jornais do mundo, sua campanha propagandística anticonselheirista.

Pois, desde 1874, o Brasil tinha acesso à rede telegráfica mundial que passou a reunir os leitores dos grandes jornais numa aldeia global, o que não era desconhecido a Euclides, pois ele comentava notícias sobre a guerra publicadas num jornal argentino, *La Nación* (p. 644)[1] Diferentemente de Chiapas, no caso de Canudos não havia opinião pública mundial que comentasse os eventos lembrando o coro na tragédia grega, julgando as duas partes, inclinando-se para o lado dos mais fracos, atacados. Em Canudos, ao contrário, a incomunicabilidade do movimento selou a sua extinção. Assim, o Exército pôde agir num *homizio*, espaço fora do alcance da opinião pública e sobretudo da justiça, pensando que "a História não iria até ali", de modo que os seus crimes ficariam silenciados (p. 734)[2]. E, realmente, estes só depois da guerra ficariam conhecidos, parcialmente graças a *Os sertões*, sem que isso alterasse a sua impunidade. Os inimigos de Canudos, letrados e atualizados globalmente, tinham clara consciência da importância do apoio propagandístico internacional que procuravam para si mesmos, e que inventavam para os canudenses, explicando com isso a sua espantosa resistência militar e caluniando-os como impatrióticos, o que não deixava der ser paradoxal, pois quem realmente tinha apoio de fora eram o governo e o Exército.

A Europa fazia décadas havia preparado os paradigmas teóricos e interpretativos para comportamentos considerados bárbaros, atrasados e desviantes, de coletividades rurais, radicalmente religiosas ou consideradas criminosas, aparentemente incompatíveis com a modernização – uma ciência, psiquiatria e antropologia que funcionavam como uma continuação da guerra com meios intelectuais[3]. Os preconceitos mundialmente vigentes contra populações tradicionais, inconformadas, sobretudo de cor, sejam de *bandidos* ou de *fanáticos*, as que bem mais tarde o historiador inglês Eric Hobsbawm chamaria de *primitive rebels*[4], eram compartilhados pela maioria dos intelectuais latino-americanos, inclusive pelo jornalista e engenheiro Euclides da Cunha, tenente reformado e, portanto, perito em assuntos militares, que sabia apreciar a incrível eficiência militar daqueles semi-selvagens nos fundões do Brasil.

Os canudenses se definiam a si mesmos principalmente por sua religiosidade, autônoma, mas nada herética, sendo caluniados pelos jornalistas e pelo próprio Euclides, imbuídos das mais modernas idéias do evolucionismo europeu, como *atávicos*, *paranóicos*, *jagunços* e *revoltosos*, o que, naquela época, eram acusações tão graves quanto as de *fundamentalista* e *terrorista* hoje em dia[5]. Também é estranho que logo esses intelectuais do litoral, em grande parte positivistas e ateus, se preocupassem tanto com supostas heresias dos caboclos. Era inexplicável o que estava acontecendo: o povo de Canudos ia tomar o seu destino em suas próprias mãos, dispondo-se a entrar no palco da história enquanto sujeito político com um projeto social alternativo, regional, transétnico, brasileiro, baseado num catolicismo tradicional, procurando obstinadamente resolver os seus problemas materiais e espirituais sem pedir licença nem ao latifúndio, nem ao Estado, nem à Igreja[6]. Afinal, todas essas instâncias haviam entregue, durante séculos, o povo do sertão ao abandono, nada fazendo para diminuir a sua miséria e opressão. E a República, com seu lema de origem positivista *Ordem e Progresso*, só se lembrou do sertão quando lá se formou uma comunidade fora do seu alcance, embora de caráter defensivo e pacífico, tendo-se retirado justamente para evitar conflitos com as forças repressivas do Estado.

Por que os canudenses foram perseguidos? Em última instância por não se adequarem à ordem coronelística estabelecida, aceita pelas elites, por mais esclarecidas e civilizadas que se considerassem. Antônio Conselheiro e seus seguidores, apesar de se terem retirado para os rincões mais inóspitos do sertão, onde só queriam ser deixados em paz, questionavam a quase soberania dos latifundiários e dos políticos a eles ligados. Não respeitavam o direito costumeiro, embora anticonstitucional, de que cada território, município, cada quilômetro e cada metro quadrado, mesmo que não habitado, explorado ou utilizado por alguém, tivesse donos, chefes políticos, mandões, caciques que não tolerassem autoridade fora deles mesmos. Os canudenses por outro lado não aceitavam ninguém acima deles a não ser Deus e seu encarregado para governar o Brasil, o imperador e seu governo deposto desde 1889, ainda que não fossem monarquistas no sentido político, nada sabendo acerca das lutas partidárias nos estados e na capital. Na prática, os moradores do arraial estavam relativamente bem inseridos, apesar de alguns atritos, na sociedade sertaneja a nível cultural e econômico, trocando mercadorias com fazendeiros e comerciantes, chamando um padre de vez em quando para ministrar os sacramentos. Restou a questão do poder, que era crucial, pois Canudos contrariava não só o poder dos potentados locais e seu domínio sobre a mão-de-obra rural, mas também o monopólio da violência do Estado, embora milhares de coronéis, mandões discricionários pelo Brasil afora, também o fizessem, sem provocar a fúria dos guardiães da ordem estabelecida e da civilização, às quais eles pertenciam por mais truculentos que fossem.[7] É interessante notar que Euclides, que não se cansa de pesquisar as causas de qualquer fenômeno natural ou social, pouco contesta as justificativas da campanha dada pelos assaltantes civilizados.

Acentua as oposições estruturais, até a incompatibilidade entre um Estado nacional, republicano e moderno, aberto ao mundo, por um, e um movimento apresentado como retrógrado, supersticioso, improdutivo, não pagador de impostos, insurgente, por outro lado, mas ele não expõe e inevitabilidade concreta da guerra, cujo começo se devia a "incidente desvalioso", banal, fútil, fatal (p. 339). No entanto, ele adivinha também que a suposta barbárie do sertanejo não é simplesmente a antítese da civilização importada da Europa, mas efeito do mau uso que dela fazem as eleites brasileiras: "A nossa civilização de empréstimo arregimentava, como sempre o fez, o banditismo sertanejo" (p. 304).

Euclides da Cunha, mesmo antes de ir a Canudos, como correspondente de guerra, sempre enfatizou o significado internacional da guerra, procurando entendê-la por meio da comparação com expedições punitivas, conquistadoras ou exploradoras das potências da Europa ou América do Norte na Ásia ou na África[8]. Na "nota preliminar" do livro, justifica a sua publicação, cinco anos depois do evento e depois de um sem-número de outras publicações sobre o assunto, com a sua relevância para o conhecimento não só do Brasil, mas da marcha da história universal, caracterizada pelo embate entre raças e nações na corrida impulsionada pelo avanço da civilização, visão socialdarwinista da história, mediada pelo *Zeitgeist* internacional. A campanha de Canudos é apresentada como "variante de assunto geral", como estudo de caso do conflito entre uma comunidade local, tradicional, atrasada, constituída por uma população mestiça, por um lado, e os interesses econômicos e políticos das metrópoles européias, por outro, que têm como aliados políticos, intelectuais e militares do Brasil, mencionados pelo autor na primeira pessoa do plural, de modo que também se trata, indiretamente, de um livro de auto-reflexão e de autocrítica (p. 66). Graças ao seu talento de fabulação e ao seu interesse emocional pelo assunto, a narração da guerra ganha uma dinâmica própria, sendo bem mais do que mero episódio da História universal marcada pela luta de raças.

Por outro lado, os destinatários do livro não são apenas os políticos, militares e intelectuais brasileiros, mas esse crime da civilização deve ser levado ao conhecimento de todos os homens civilizados do mundo. Desde o início, *Os sertões* é concebido como um livro da literatura universal e, antes de escrever a primeira linha, o seu autor já combinou com um letrado franco-brasileiro na Bahia, Pethion de Villar, uma tradução para o francês, língua franca da época[9].

Veracidade poética versus preconceitos "científicos"

O escritor muitas vezes é mais clarividente do que o pensador, o artista pode intuir o que o analista ignora, basta pensarmos no famoso exemplo de Balzac, que, apesar de monarquista e admirador da aristocracia, narrou, como foi mostrado por Georg Lukács com perspicácia e com certa simpatia, a ascensão da burguesia e até a emergência do proletariado na França da Restauração[10]. Pois bem, o ideólogo republicano e cientificista Euclides da Cunha, repleto de preconceitos social-darwinistas e racistas, cada vez mais cede lugar, no decorrer das descrições e narrações do seu livro, ao observador direto, ao "narrador sincero" (p. 67)[11] e empático, que representa a realidade social e histórica por meio de um "consórcio da ciência e da arte"[12], tendendo cada vez mais para esta última. Pois resolve, desmentindo o seu próprio cientificismo e nele recaindo de vez em quando, contemplar o sertanejo "sem método, despretensiosamente, evitando os garbosos neologismos etnológicos" (p. 204), transformando a própria ciência em arte, em arsenal de recursos estéticos[13]. Em um dos seus muitos momentos de ceticismo ante a ciência, resolve retratar os sertanejos espontânea e subjetivamente, assumindo, numa típica hipérbole, a atitude de "simples copista" que reproduziria "todas as impressões, verdadeiras ou ilusórias, que tivemos quando, de repente, acompanhando a celeridade de uma marcha militar, demos de frente, numa volta do sertão, com aqueles desconhecidos singulares que ali estão – abandonados – há séculos" (p. 205). Vale a pena repetir essa formulação, que revela desconfiança no poder cognitivo da ciência importada da Europa para entender o sertão e o sertanejo: "Reproduzamos todas as impressões, verdadeiras ou ilusórias, que tivemos [...]". Até as percepções ilusórias e subjetivas podem captar aspectos da realidade – esboço de uma epistemologia das impressões, intuições e imaginações, cujo meio de representação e comunicação é a literatura, inclusive a ficção[14].

Se Euclides lança mão da subjetividade e da fantasia na representação do espaço e da história, do sertão e da guerra, sempre o faz a serviço da verdade, uma verdade artisticamente configurada. Nas palavras de Gilberto Freyre: "O poeta viu os sertões com um olhar mais profundo que o de qualquer geógrafo puro. Que o de qualquer simples geólogo ou botânico. Que o de qualquer antropologista"[15]. Fantasia e empatia – a realidade é percebida através de um temperamento cheio de compaixão com todos os seres sofridos, as pedras, as plantas, os animais, os soldados e sobretudo os sertanejos, o que explica o forte caráter tanto expressivo como apelativo, retórico do livro. Euclides vê reinar no sertão o "martírio secular da Terra" de que nasce o "martírio do homem", consideração com que finaliza o primeiro capítulo "A terra", preparando a transição para "O homem" e expressando boa parte de sua idiossincrasia pessoal, sensibilizando e comovendo o leitor ante uma infinitude de sofrimentos e lutas contra eles (p. 147). O martírio, a resistência estóica, entre resignação e heroísmo, sugere o autor, transcende o sertão, faz parte da condição humana, da natureza, do universo, sendo, portanto, como o próprio sertão, "do tamanho do mundo"[16].

Propagação e crítica da razão colonialista

Sempre insistindo no caráter internacional da Guerra de Canudos, Euclides a insere na ordem imperialista mundial e na relação colonialista entre litoral e sertão, com uma avaliação que oscila entre aprovação e protesto. Trata com igual ambigüidade os discursos científicos, culturais e políticos inspirados pela civilização européia.

Sarcasticamente ele desmonta, quando observa a realidade concreta do sertão, as categorias antropológicas da época que ele mesmo acaba de justificar no plano teórico (pp. 199-201), denunciando-as logo depois como "fantasias psíquico-geométricas" da psiquiatria e craniometria (p. 204), incapazes de dar conta da realidade sertaneja. O padrão, por exemplo, para medir o "ângulo facial" (p. 204) dos frenólogos contemporâneos era o crânio – idealizado – dos europeus do norte: quanto mais o ângulo se aproximasse dos 90°, ou seja, quanto mais a face coincidisse com a linha perpendicular, tanto mais nobre e civilizável seria o indivíduo ou o grupo étnico, de modo que os índios, negros e mestiços teriam pouca chance de civilizar-se e de contribuir para a construção de uma nação moderna[17]. O autor compartilha e se distancia ao mesmo tempo desse tipo de ciência que desvaloriza a maior parte da população do Brasil, da América Latina, da África e da Ásia, e que serve, propositalmente ou não, a interesses hegemônicos da Europa e dos Estados Unidos. Se ele rompe, provisoriamente, com esse ideário, incômodo para qualquer patriota brasileiro mas consagrado pela ciência a serviço de uma *ideologia do colonialismo*[18], ele o faz menos ao nível científico e intelectual, com argumentos seja teóricos, seja empíricos, mas o faz a nível da observação subjetiva e da configuração estética. Ele não tem à disposição uma ciência social que possa ser ferramenta de análise e compreensão da população sertaneja, de modo que a literatura, a poética e a retórica, apoiadas pela história e mitologia do Velho Mundo, por outras artes e ciências usadas como fonte de metáforas, se tornam o meio mais apropriado e confiável para pesquisar e representar aquela realidade opaca, contraditória, ilógica que é o sertão.

Euclides satiriza os discursos grandiloqüentes, hipócritas e desumanos dos seus colegas da imprensa e do Exército que legitimam o colonialismo interno e o massacre contra os vencidos com a suposta missão de salvar a República e assegurar o triunfo da civilização e da modernidade sobre a barbárie e o atraso dos sertanejos. Ora, são discursos muito próximos daqueles que o próprio autor pronuncia, e para distanciar-se deles exagera de modo quase caricatural a retórica belicista dos oficiais positivistas que consideram os caboclos meros objetos de uma violenta operação de mudança social: "Era preciso que saíssem afinal da barbaria em que escandalizavam o nosso tempo, e entrassem repentinamente pela civilização adentro, a pranchadas" (p. 377). Os sertanejos quase não são brasileiros, qualquer imigrante era mais bem-vindo do que aqueles mestiços condenados pela ciência, antes de serem condenados pelo Exército. Para este, a campanha de Canudos é "uma guerra externa" (p. 677), "uma invasão – em território estrangeiro" (p. 678). O Brasil invade e pacifica o sertão brasileiro como as potências européias invadem e pacificam a África. Mais uma vez, o narrador hesita entre a aceitação e a condenação dessas atitudes, ambigüidade que usa a roupagem da ironia, amarga, sutil, dúbia, por vezes difícil de ser percebida. Diversas vezes ele volta, sem ironia nenhuma, para o lado do governo, por exemplo, ao comparar a ocupação do sertão, visto como território selvagem e inimigo, com a ocupação francesa da Tunísia, onde o "muslim inerte" (p. 145), com seu "desleixo bárbaro" teria entregue construções romanas de irrigação ao abandono (p. 142), parecendo tão pouco merecer a posse da sua terra quanto o morador do sertão, um "fazedor do deserto", com sua nefasta prática das queimadas (p. 138).

Essa atitude colonialista para com a própria hinterlândia, Euclides já a mostra antes de viajar a Canudos, no segundo artigo intitulado "A nossa Vendéia", de julho 1897. Discutindo problemas de estratégia e tática no confronto entre soldados regulares e guerrilheiros, compara a 4ª Expedição sob o comando do general Artur Oscar com outras expedições punitivas no mundo, com a "Inglaterra enfrentando os zulus e os afgãs, a França em Madagáscar e a Itália recentemente, às arrancadas com os abissínios", aludindo inclusive à tentativa da Espanha de reconquistar Cuba[19]. Legitima, pelo menos implicitamente, esses tipos de intervenção bélica pelo benefício civilizatório, construção de açudes e estradas, por exemplo, mas do qual por outro lado duvida cada vez mais, pelo menos no caso do sertão colonizado à força. Pois diferentemente das colônias ultramarinas da Europa, o sertão deve não só ser dominado e explorado mas também ser "incorporado à nossa nacionalidade"[20], servindo o soldado como vanguarda do "mestre-escola"[21]. Essas duplicidades, ambivalências, incoerências são típicas na escrita de um autor que se propôs como princípio de pesquisa: "eu sistematizo a dúvida"[22] e que repassa as suas dubiedades e incertezas, quando não consegue esclarecê-las, para o leitor de *Os sertões*. Grande parte das idéias e imagens neste livro é polissêmica ou ambivalente, revelando à análise atenta um segundo ou terceiro sentido, muitas vezes oposto ao primeiro, de modo que o leitor é chamado a participar e opinar num debate com várias vozes e de resultado aberto, em que o autor é apenas um moderador, sem posição definida e muito menos definitiva.

Apesar da empatia e compaixão pelo sertanejo, Euclides de vez em quando recai em caracterizações que o desumanizam. Se de um lado ele antropomorfiza a natureza, a terra, as plantas, os animais, por outro lado ele animaliza os homens do sertão, atitude típica do colonialismo que considera o selvagem como parte da natureza, estudando-o como parte da geografia, de que se originou a antropologia, exibindo-o em jardins zoológicos da Europa. Já nas reportagens, Euclides expressa a admiração pelos canudenses expressa em vocábulos que tendem a privá-los de sua qualidade humana, atribuindo-lhes uma "agilidade de símios, deslizando pelas caatingas como cobras, resvalando céleres, descendo pelas quebradas, como espectros, (...) com as peles bronzeadas coladas sobre os ossos – ásperas como peles de múmias (...)"[23]. Os *jagunços* – outro atributo denegridor – são equiparados a animais, a fantasmas, a cadáveres, mortos simbolicamente antes de morrer de verdade, uma indireta preparação e justificação do seu não-tratamento como gente. Em *Os sertões*, até a admiração pela ousadia e eficiência dos chefes sertanejos se reveste de metáforas zoológicas: "Por fim o rude cabecilha predispô-los, ao que se figua, a recontro decisivo, braço a braço. O seu perfil de gorila destacou-se temerariamente, à frente de um bando de súbito congregado" (p. 395). Matar gorilas não é tão grave quanto matar gente, de modo que a morte subseqüente desse "cabecilha", João Grande, não comove ninguém (p. 395).

Quando Euclides põe de lado as ideologias colonialistas, deixando falar em si o poeta e o homem com compaixão, ou mesmo apaixonado, ele passa, embora não sem hesitações, a justificar, em seu estilo ora peremptório, ora cambiante e sarcástico, ao mesmo tempo solene e sublime, a resistência dos "rudes patrícios transviados" contra a invasão das suas terras: "O jagunço (...) só podia fazer o que fez – bater, bater terrivelmente a nacionalidade que, depois de o enjeitar cerca de três séculos, procurava levá-lo para os deslumbramentos da nossa idade dentro de um quadrado de baionetas, mostrando-lhe o brilho da civilização através do clarão de descargas" (p. 502). Em vez de mandar o direito, a educação, a moral, o governo, como representante da civilização, da República e da nação, fala com os brasileiros "retardatários" do sertão unicamente a linguagem da violência: "Enviamos-lhes o legislador Comblain; e esse argumento único, incisivo, supremo e moralizador – a bala"(p. 320). É nos emissários do progresso e da modernidade, muito mais do que nos "bárbaros" do sertão, que ressurge "a animalidade primitiva" da natureza humana (p. 735), degolando os inimigos presos como se fossem bois no matadouro, violando todas as regras da lei e da moral. Euclides faz uma observação infelizmente universal e atual: os civilizados, ao lado de tecnologias sofisticadas de matar gente, volta e meia recaem em métodos arcaicos e até bestiais de massacrar o próximo "O homem do sertão, encourado e bruto, tinha parceiros porventura mais perigosos", justamente os homens civilizados, "trogloditas enluvados", cujo "tênue verniz de cultura" (p. 501) é precário e superficial e cuja barbaridade é mais perigosa do que a do selvagem ou semi-selvagem, já que tem organização e armamento mais eficientes.

Se o sertão é bárbaro, ele o é mais pela presença da civilização colonizadora do que pela sua ausência, um paralelo com a selvageria do interior da África em *O coração das trevas*, de Joseph Conrad[24], romance também publicado em 1902. "A Rua do Ouvidor valia por um desvio das caatingas" (p. 501), assim como a Bruxelas de Conrad tem aspectos tão sombrios, lúgubres e tumulares quanto o Congo explorado, bestializado e devastado pelo colonialismo belga[25]. As luzes que a nação brasileira e os seus órgãos, o governo, o Exército, a imprensa prentendiam levar ao sertão, num combate contra o obscurantismo, contra as trevas da superstição e do fanatismo, produziram um vasto cemitério, hoje submerso num açude, símbolo real das contradições do progresso civilizatório e meta de romarias de movimentos rurais em cada outubro, no aniversário da destruição de Canudos, um *ground zero* da história brasileira.

Se o autor enfatiza a dimensão internacional desse conflito, é que lhe atribui caráter paradigmático na História universal, como choque de culturas provocado pela expansão secular da civilização, que, tão sedutora quanto violenta, esmaga no mundo inteiro aquelas sociedades e culturas que não se deixam facilmente integrar ou que nem sequer obtêm a chance de fazê-lo. Diferentemente da África ou da Ásia, no Brasil essa modernidade global, atropeladora de tudo o que seja diferente e incompreensível,[26] não necessita de intervenções imperialistas, pois tem como aliados e cúmplices os políticos, os intelectuais, os cientistas, os militares da mesma nação, aos quais o próprio autor se inclui numa auto-acusação: "Nós (...), armados pela indústria alemã, tivemos na ação um papel singular de mercenários inconscientes" (p. 66).

Valorização ambígua da mestiçagem

Entre as visões inovadoras de Euclides merece destaque a valorização, menos no plano científico, mas sobretudo no plano poético-narrativo, da mestiçagem. Apesar de permanecer problemática para Euclides até o fim da sua vida, ela se impõe, no caso do sertanejo, graças à sua combatividade e habilidade na luta contra as adversidades da natureza e da guerra. A comunidade de Canudos consegue satisfazer as necessidades básicas de milhares de habitantes em plena caatinga, num semi deserto, onde os sertanejos vivem melhor do que nas fazendas das redondezas, em certa dignidade, calma e solidariedade, o que provoca a constante migração rumo ao arraial, um dos motivos do ódio dos latifundiários vizinhos (pp. 290-291). Depois da derrota da 2ª Expedição, muitos sertanejos pensaram que o governo e o Exército "os deixariam, afinal, na quietude da existência simples do sertão" (p. 436), idéia com que o narrador parece simpatizar, visão idílica, sedutora, mas ilusória. Esses mestiços têm uma cultura material, musical e poética que o sensibiliza, lembrando-lhe o patricarcalismo da *Bíblia*; eles criam bodes e vacas, são bons agricultures e artesãos, homens hábeis e honestos, trocam no "barracão da feira", destacado diversas vezes no *Diário de uma expedição* e em *Os sertões*, os seus produtos por aqueles da civilização, poderiam ser felizes se esta última não os perseguisse.

Mais ainda: depois de três séculos de intensa miscigenação e homogeneização das três raças formadoras do Brasil surge no sertão um amálgama seminal, uma subcategoria étnica a caminho se tornar uma raça nova.

Aquela raça cruzada surge autônoma e, de algum modo, original, transfigurando, pela própria combinação, todos os atributos herdados; de sorte que, despeada afinal da existência selvagem, pode alcançar a vida civilizada por isso mesmo que não a atingiu de repente. "[...] nos sertões a integridade orgânica do mestiço desponta inteiriça e robusta, imune de estranhas mesclas, capaz de evolver, diferenciando-se, acomodando-se a novos e mais altos destinos, porque é a sólida base física do desenvolvimento moral ulterior" (pp. 203-204).

Euclides, ou pelo menos o narrador em *Os sertões*, acaba reconhecendo a mestiçagem – considerada pela ciência um estorvo para o progresso civilizatório – como processo fundamental e positivo para a formação da sociedade sertaneja e brasileira, ainda que a sua argumentação contra o racismo seja no fundo racista também, pois se baseia numa suposta uniformidade e nova pureza da qual são excluídos os "mestiços neurastênicos do litoral", ou seja, os mulatos com toda a sua variedade de cor e atropelados pelas constantes levas imigratórias e elevadas exigências da civilização na faixa litorânea do Brasil, mais voltada para Europa (p. 207). Claro que transparece aí uma boa dose de indianismo romântico, já que ele acentua no sertanejo o elemento índio, negligenciando o negro. Já durante a guerra, mesmo antes de chegar em Canudos, o jornalista Euclides da Cunha anotava em um caderninho a sua visão trágica sobre a coincidência entre surgimento e ocaso do sertanejo enquanto possível base étnica da nação.

> Os jagunços são inegavelmente uma sub-raça formada, definida, completa, mas fugaz, destinada a desaparecer em breve, atravessando instantaneamente pela história, como que para unicamente mostrar qual seria o nosso tipo étnico, se condições imperiosíssimas atualmente criadas pelo ambiente geral do mundo civilizado não viessem em breve, irresistivelmente, anular em poucos anos uma lenta fusão feita em três séculos.(...) A política colonial, sem a feição quase cavalheiresca que a revestiu ao esboçar-se no século XVI, obedece a estímulos mais vigorosos e sobretudo mais práticos, espelhando ainda o sucesso de uma lei sociológica indiscutível e brilhante. Esboçou-a Gumplowicz. O embate das raças é a força motriz da história[...][27].

A concorrência entre as raças e nações por territórios, matérias-primas e mercados, na era clássica do imperialismo, é considerada lei natural. "Impelle-as [as vagas humanas] o fatalismo da própria força. Diante da fragilidade dos países fracos ou das raças incompetentes, ellas recordam, na história, aquele horror ao vacuo, com que os velhos naturalistas explicavam os movimentos irresistiveis da materia"[28]. A história humana segue as leis da história natural, idéia que talvez explique o ar de melancolia que caracteriza os escritos euclidianos. Por outro lado, no fatalismo total não haveria tragicidade, que precisa de um certo espaço de ação humana que Euclides concede ao sertanejo, temporariamente. No fundo, nessa corrida e concorrência no plano mundial ele não se sai tão mal, e se sucumbe é porque a luta é desigual demais, injusta, desleal de certa forma, sem a suposta "feição cavalheiresca" que o autor vislumbra em séculos passados do colonialismo. A tarefa e o valor de *Os sertões* consistem justamente em projetar e perpetuar um flagrante dessa *performance* fugaz do sertanejo no palco da História enquanto brasileiro por excelência, admirável num aniquilado pela civilização que neste contexto em parte coincide com aquilo que entendemos por imperialismo. Resta a esperança de que este se redima pelos benefícios que traz para as terras invadidas: "O único significado verdadeiramente civilizador do movimento expansionista das raças vigorosas sobre a terra, está todo em afeiçoar os novos cenários naturais a uma vida maior e mais alta – compensando-se o duro esmagamento das raças incompetentes com a redenção maravilhosa dos territórios(...)"[29]. Mesmo que se veja aí um grão de ironia, no essencial Euclides acredita nessa filosofia da história, deprimente para qualquer sul-americano. Uma das mensagens do seu livro consiste em nos convencer de que o sertanejo justamente não representa uma raça incompetente, mas um tipo social de que se deve orgulhar o Brasil. Na história do pensamento social brasileiro, Euclides, com a elevação de um mestiço a herói nacional, ainda que mais bem no plano do imaginário, constitui importante elo de ligação entre o viajante alemão Martius – que, no seu tratado *Como se deve escrever a história do Brasil*, publicado em 1844 pelo Instituto Histórico Geográfico Brasileiro, reinterpretou a mestiçagem como processo necessário e propício para a constituição do Brasil como nação – e o sociólogo Gilberto Freyre, cujo ensaio clássico *Casa-grande & senzala* (1933) comprovou e elogiou o caráter mestiço da população e da cultura no Brasil, um marco contra o racismo "científico".

É principalmente na hora da sua morte que ele se transfigura em possível agente político e fazedor de sua própria história. Porém é tragicamente sacrificado pelas elites do litoral, de modo que na realidade não pode dar a sua contribuição para a construção de um moderno Estado verdadeiramente nacional, permanecendo a sua valorização mais bem a nível simbólico e estético, que marca a memória coletiva, nacional. No livro euclidiano, o sertanejo passa por uma *Aufhebung* hegeliana no tríplice sentido da palavra: como eliminação, elevação e preservação.

Uma visão trágica e contudo alentadora da História

Quando a República, no seu fanatismo civilizador, extermina o sertanejo, ela cumpre uma lei da evolução, mas também pratica um ato de fratricídio e automutilação nacional – numa guerra de assédio, cuja sombria grandiosidade lembra não só a *Ilíada*, a que alude a metáfora da *Tróia de taipa* (p. 290), mas também a *Anel de nibelungos*, epopéia medieval alemã, transformada em ciclo de óperas por Richard Wagner, em que um herói capaz de redimir o mundo da maldição do ouro é assassinado pelos dirigentes da tribo germânica dos borgonheses, supostamente em Worms, sul da Alemanha, também chamados de *nibelungos*, povo por sua vez aniquilado pelos hunos sob o comando do rei Átila. O inimigo execrado, o sertanejo, na hora da sua morte, se afigura como "cerne de uma nacionalidade", "a rocha viva da nossa raça" (p. 766)[30]. Aquele povinho que tal qual os caboclos da Amazônia vive "à margem da história"[31], atrasado e analfabeto, aparentemente inferior e estranho, quase estrangeiro dentro do Brasil, incapaz de participar na construção da nação, conhece de repente a sua apoteose, sua "consagração"(p. 766), revelando-se no ocaso como superiormente brasileiro e entrando na luz de ribalta da história, embora apenas a nível simbólico-cultural, justamente através de *Os sertões*. Só como "ficção geográfica" Canudos fazia parte do território nacional (p. 678), sendo principalmente depois de devastada, "um parêntese, um vácuo, um hiato" (p. 735), um lugar irreal, fora do Brasil, fora da civilizacão, um não-lugar – lembrando mais uma vez o posto do traficante de marfim mr. Kurtz no Congo do romance de Joseph Conrad. Mas, na retrospectiva, essa comunidade em que se concentravam todos os males e todas as qualidades do sertão passa a ser vista, momentaneamente, quando é tarde demais, como possível berço de um futuro estado brasileiro, já não excludente como o era o projeto nacional das elites, mas incorporador e participante, embora não igualitário nem formalmente democrático – a utopia trágica de uma cidadania autônoma dos que tinham sido mantidos não-cidadãos.

A glória e a atualidade de *Os sertões* nem tanto se devem às informações e às reflexões sobre a guerra, que se encontram quase todas também em numerosos outros escritos da época, pois muito se escreveu sobre a guerra antes, durante e depois da publicação de *Os sertões*, mas é certo que, sem ele, a guerra, os sofrimentos e as façanhas dos canudenses assim como os crimes praticados contra eles teriam caído no esquecimento da opinião pública. O sertanejo morreu na realidade, morreu nos outros livros, morreu também no livro de Euclides, mas neste, e só neste, ele também revive, sendo ressuscitado e imortalizado como utopia e mito. O seu efeito se deve principalmente à arte presentificadora e encenatória do autor, ao seu estilo sugestivo, sonoro e plástico, ao seu poder imagético e escultural, à sua prosa clássica, barroca e moderna ao mesmo tempo, ao seu esforço bem-sucedido de inserir o seu livro na tradição milenar das grandes narrativas da humanidade, remontando à *Ilíada* e à *Bíblia*. O meio, os eventos, os objetos e os personagens, teatralizados, aparecem como entidades e forças típicas, coletivas, mas também concretas e vivas, representando os principais agentes naturais e históricos, regionais, nacionais e internacionais. O Exército, mais ainda o povo e a paisagem, as pedras e as plantas, as águas e os ventos, também os fuzis e os canhões, passam a ser portadores de sentimentos e ações, sendo a antropomorfização importante recurso estilístico. O principal protagonista, porém, é o sertão, que no plural, na sua multiplicidade e variabilidade, fornece o título do livro. Acima de todos os agentes paira, porém, o destino, a História com maiúscula, as leis inexoráveis e em grande parte insondáveis da evolução e da civilização, os deuses da vida e da morte.

Mesmo assim, obedecer cegamente às leis históricas, ao avanço da civilização por vezes mortífera, é considerado um crime. Essa instância da modernidade deveria ter mandado, em vez do soldado, o professor e o engenheiro, pessoas como o próprio autor.

Apesar do seu ceticismo, o autor assume elementos do messianismo que ele mesmo denunciou de modo exagerado no movimento de Canudos. Chamando o Conselheiro de "messias", "apóstolo" e "profeta", com ironia decrescente no decorrer do livro, pondo-o acima dos padres da Igreja, Euclides admite que o caráter sagrado que Canudos tem na visão dos seus moradores passe para a obra que está escrevendo. Não é por acaso que esse livro-mor da literatura brasileira foi logo chamado de "Bíblia da nacionalidade", por Joaquim Nabuco e outros. As aporias éticas, políticas, intelectuais da recente história nacional e internacional, e as incoerências analíticas no pensamento do próprio autor encontram uma solução duradoura, exemplar e satisfatória no plano estético-metafísico. Raramente na história da literatura a identificação entre um segmento da realidade e a sua representação são tão intensas quanto aqui, pois quase todos os leitores reconhecem uma simbiose entre a obra, a região e o evento. Uma parte atrasada, carente, marginalizada do Brasil de repente se transfigura – "transfigurar" é um dos verbos prediletos de Euclides – em região virtualmente modelar do país e até da história universal. Os últimos serão ou poderiam ser os primeiros. À centralidade geográfica dos sertões, mais bem teórica e matemática, corresponde de repente uma centralidade histórica e política. Com seu caráter de epopéia nacional e sua implícita, embora trágica, teologia política, *Os sertões* é um livro fundador, uma súmula da nacionalidade, uma obra que, com suas ambigüidades e contradições, cria uma imagem do Brasil real e ideal, em que a nação se reconhece até hoje e que põe perguntas muito atuais ao mundo.

Berthold Zilly é professor no Instituto Latino-americano da Freie Universität, em Berlim, e tradutor de Os sertões *ao alemão.*

BIBLIOGRAFIA

1. Obras de Euclides da Cunha

Contrastes e confrontos. Porto: Empresa Litteraria e Typographica, 1907. Também em *Obra completa.* 1966, v. 1, pp. 101-219.
Á marjem da Historia. Porto: Chardron, 1909. Também em *Obra completa.* 1966, v. 1, pp. 221-384, sob o título "À margem da História".
Obra completa. Organizada por Afrânio Coutinho. 2 v., Rio de Janeiro: Aguilar, 1966; 2 ed., Rio de Janeiro: Nova Aguilar, 1995.
Diário de uma expedição. Organizada por Walnice Nogueira Galvão. São Paulo: Companhia das Letras, 2000. Também em *Obra completa.* 1966, v. 2, pp. 491-584).
Caderneta de campo. Introdução, notas e comentário por Olímpio de Souza Andrade. São Paulo: Cultrix, 1975.
Os sertões (Campanha de Canudos). Edição, prefácio, cronologia, notas e índices de Leopodo M. Bernucci. São Paulo: Ateliê/Imprensa Oficial do Estado/Arquivo do Estado, 2001.

2. Outras referências

ABREU, Regina. *O enigma de* Os sertões. Rio de Janeiro: Funarte/Rocco, 1998.
BASTOS, José Augusto Cabral Barretto. *Incompreensível e bárbaro inimigo: a guerra simbólica contra Canudos.* Salvador: Edufba, 1995.
BERNUCCI, Leopoldo M. *A imitação dos sentidos: prógonos, contemporâneos e epígonos de Euclides da Cunha.* São Paulo: Edusp, 1995.
CALASANS, José. "Canudos não euclidiano: fase anterior ao início da guerra do Conselheiro". In: SAMPAIO NETO, J.A.V. *et al. Canudos: subsídios para a sua reavaliação histórica.* Rio de Janeiro: Fundação Casa de Rui Barbosa, 1986, pp. 1-21.
CONRAD. Joseph. *Heart of darkness. An authoritative text, backgrounds and sources, criticism.* Robert Kimbrough (Ed.). New York/London: Norton & Company, 1988.
FACÓ, Rui. *Cangaceiros e fanáticos: gênese e lutas.* Rio de Janeiro: Civilização Brasileira, 1965.
FREYRE, Gilberto. "Euclides da Cunha". In: FREYRE, Gilberto. *Perfil de Euclides e outros perfis.* Rio de Janeiro: Record, 1987, pp. 17-69.
GALOTTI, Oswaldo; GALVÃO, Walnice Nogueira. *Correspondência de Euclides da Cunha.* São Paulo: Edusp, 1997.
GALVÃO, Walnice Nogueira. *No calor da hora. A guerra de Canudos nos jornais. 4ª Expedição.* São Paulo: Ática, 1974.
GALVÃO, Walnice Nogueira. *O Império do Belo Monte: vida e morte de Canudos.* São Paulo: Fundação Perseu Abramo, 2001.
GALVÃO, Walnice Nogueira; PERES, Fernando da Rocha (Orgs.). *Breviário de Antônio Conselheiro.* Salvador: Edufba, 2002.
GUMPLOWICZ, Ludwig. *Der Rassenkampf: sociologische Untersuchungen.* Innsbruck: Verlag der Wagner'schen Univ.-Buchhandlung, 1883.

GUMPLOWICZ, Ludwig. *La lutte des races*. Paris: Guillaumin, 1893
LUKÁCS, Georg. *Balzac und der französische Realismus*. Berlin: Aufbau, 1952.
HOBSBAWM, Eric J. *Primitive rebels: studies in archaic forms of social movements in the 19th and 20th centuries*. Manchester: Manchester University Press, 1959.
HOBSBAWM, Eric J. *Rebeldes primitivos; estudos sobre formas arcaicas de movimentos sociais nos séculos XIX e XX*. Trad. de Nice Rissone. Rio de Janeiro: Zahar, 1970.
MARCIANO, Frei João Evangelista de Monte. "Relatório ao arcebispo da Bahia", in: MENEZES, E. Diatahy B. de; ARRUDA, João (Orgs.). *Canudos: as falas e os olhares*. Fortaleza: UFC, 1995, pp. 126-139.
NOGUEIRA, Ataliba. *Antônio Conselheiro e Canudos: revisão histórica. A obra de Antônio Conselheiro e que pertenceu a Euclides da Cunha.* 2 ed. São Paulo: Editora Atlas, 1997.
ROSA, João Guimarães. *Grande sertão: veredas.* Rio de Janeiro: Nova Fronteira, 1986.
SANTANA, José Carlos Barreto de. *Ciência e arte: Euclides da Cunha e as ciências naturais*. São Paulo/Feira de Santana: Hucitec/Universidade Estadual de Feira de Santana, 2001.
SCHWARCS, Lilia Moritz. *O espetáculo das raças: cientistas, instituições e questão racial no Brasil – 1870-1930*. São Paulo: Companhia das Letras, 1995.
SKIDMORE, Thomas. *Preto no branco: raça e nacionalidade no pensamento brasileiro*. Trad. de Raul de Sá Barbosa, Rio de Janeiro: Paz e Terra, 1976.
SODRÉ, Nelson Werneck. "Revisão de Euclides da Cunha", in: CUNHA, Euclides da, *Obra completa,* pp. 11-55.
TAINE, Hippolyte. *Essai sur Tite-Live*. Paris: Hachette, 1860.
VENTURA, Roberto. *Estilo tropical: história cultural e polêmicas literárias no Brasil 1870-1914*. São Paulo: Companhia das Letras, 1991.
VILLA, Marco Antonio. *Canudos: o povo da terra.* São Paulo: Ática 1995.
ZILLY, Berthold. "Sertão e nacionalidade: formação étnica e civilizatória do Brasil segundo Euclides da Cunha". In: *Estudos Sociedade e Agricultura*, Rio de Janeiro, n. 12, abril 1999, pp. 5-44.
ZILLY, Berthold. "Canudos telegrafado: a guerra do fim do mundo como evento de mídia na Europa de 1897". In: *Ibero-amerikanisches Archiv. Zeitschrift für Sozialwissenschaften und Geschichte*, Berlin: NF Jahrgang 26, 2000 (1), pp. 59-96.
ZILLY, Berthold. "O tradutor implícito. Considerações acerca da translingualidade de *Os sertões*". In: *Revista USP*, São Paulo, mar.-maio 2000 (2), pp. 82-105.

NOTAS

1 Sobre a cobertura na imprensa ver Galvão 1974; na imprensa européia, ver Zilly 2000 (1).
2 Todas as citações de *Os sertões* se referem à edição Cunha 2001.
3 Ver Schwarcs 1995; Skidmore 1976; Ventura 1991.
4 Hobsbawm 1959; 1970. Ver também Facó 1968.
5 A publicação de um manuscrito de prédicas do Conselheiro por Ataliba Nogueira, em 1974, provou que as acusações euclidianas contra ele de "heresiarca" ou "messias" eram infundadas, Nogueira 1997. Ver também outro manuscrito do Conselheiro: Nogueira, Peres 2002.
6 Zilly 1999. Nem a própria Igreja acusou o Antônio Conselheiro de heresia, messianismo ou milenarismo, mas no fundo só de insubordinação, tratava-se de um conflito de autoridade e de poder. Sobre a relação entre o Conselheiro e a Igreja ver Villa 1995, especialmente pp. 30-51; Marciano 1995.
7 Calasans 1986; Villa 1995; Nogueira 1997; Galvão 2001.
8 "A nossa Vendéia", in Galvão 2000, pp. 43-61.
9 Ver Galvão, Galotti 1997, pp. 118, 147, 162. Sobre o caráter translingual, trancultural, transnacional de *Os sertões* ver Zilly 2000 (2).
10 Lukács 1952.
11 A citação que Euclides faz de Taine acentua unilateralmente, a subjetividade empática na pesquisa histórica, em detrimento da intersubjetividade e objetividade, também reivindicada pelo historiador positivista francês; ver Taine 1860, p. 30.
12 Galotti, Galvão 1997, p. 143.
13 Sobre metáforas científicas em *Os sertões*, ver Santana 2001, sobretudo pp. 121-126.
14 Sobre a questão central da mimese em Euclides, e da relação entre ciência e ficção ver Bernucci 1995, especialmente pp.17-24.
15 Freyre 1987, p. 21.
16 Rosa 1986, p. 60.
17 Ver Zilly 1999.
18 Sodré 1966, sobretudo pp. 52-55. Sodré tem razão ao notar que do *Diário de uma expedição*, ou seja, dos artigos escritos durante a guerra de Canudos, de março a outubro 1897, até *Os sertões*, publicado em 1902, não há progresso no sentido de uma superação de preconceitos etnocêntricos e colonialistas, antes pelo contrário. Até o fim de sua vida, Euclides não evita recaídas em posições racistas e pró-imperialistas, como se pode ver nos artigos "Plano de uma cruzada" (Cunha 1907, 1966 pp. 141-168), "O Ideal americano" (Cunha 1907, 1966 pp. 243-251).
19 Cunha 2000, pp. 53, 58.
20 *Idem*, p. 208; em artigo publicado dia 1° de setembro de 1897, escrito antes de chegar à região de Canudos, Euclides já afirmou o "dever de incorporar à civilização estes rudes patrícios que – digamos com segurança – constituem o cerne da nossa nacionalidade" (Cunha 2000, p. 140).
21 *Idem*, p. 92.
22 *Idem*, p. 125.
23 *Idem*, pp. 75-6.
24 Conrad 1988.
25 *Idem*, pp. 13, 70.
26 Cf. O desabafo "Incompreensível e bárbaro inimigo!", Cunha 2000, p. 199, o que lembra a caracterização, semi-irônica, do Conselheiro morto como "corpo do 'famigerado e bárbaro' agitador" (Cunha 2001, p. 779). Ver também Bastos 1995, que assinala claramente as ambigüidades euclidianas, considerando porém *Os sertões* como obra sociológica, e menos como literária. O problema da incompreensibilidade do sertanejo parece ter sido preocupação central do autor, mais do que um *topos*, mola mestra da sua pesquisa e escrita; ver Cunha 1975, p. 69, onde também desabafa: "Que inimigo incompreensível este!"
27 Cunha 1975, p. XXV; ver também Cunha 2001, p. 66, pp. 787-9. Gumplowicz, jurista e sociólogo polonês, filho de um rabino de Cracóvia e pai de militantes socialistas, professor na universidade austríaca de Graz, foi um dos teóricos do socialdarwinismo e um dos fundadores da sociologia nos países de língua alemã. Euclides lia Gumplowicz em tradução francesa. Para este a luta de raças era, o desejo ou até a mania do mais forte de subjugar e explorar o mais fraco, é a *força motriz* da História, ver Gumplowicz 1883, pp. 218 e ss. Porém *raça* era para ele não um conceito meramente biológico, mas social e histórico. A história por sua vez, no entanto, é entendida também como processo natural. As raças não são entidades estáveis através das épocas, de qualidades fixas, mas estão em constante processo de miscigenação, assimilação, transformação, podendo subir ou descer na escala do poder, Gumplowicz, pp. 193 e ss. Essa idéia dinâmica de raça devia agradar a Euclides, que pode ter sido estimulado por Gumplowicz para elaborar a idéia de uma nova raça pura no sertão, resultado de longos processos de mescla das três raças formadoras do Brasil.
28 Cunha 1907, in 1966, p 161.
29 *Idem,* p. 168.
30 Cf. Cunha 2000, p. 140.
31 Ver Cunha 1909, cuja primeira parte é intitulada "Terra sem história (Amazonas)".

O sertão: um "outro" geográfico

Antonio Carlos Robert Moraes

O sertão não se qualifica, do ponto de vista clássico da geografia, como um tipo empírico de lugar, isto é, ele não se define por características intrínsecas de sua composição ou do arranjo de seus elementos numa paisagem típica. Não são as características do meio natural que lhe conferem originalidade, como o clima, o relevo ou as formações vegetais. O sertão não é, portanto, uma obra da natureza. Não há um espaço peculiar, cuja naturalidade própria permita uma tipologização consistente da localização sertaneja. Se bem que a prevalência de elementos naturais na composição paisagística apareça, amiúde, como um atributo associado a sua identificação: o sertão como um lugar onde predomina o ritmo dado pela dinâmica da natureza, onde o elemento humano é submetido às forças do mundo natural.

Muito menos o sertão se qualifica pela intervenção das sociedades sobre a superfície da Terra. Não são as obras decorrentes da ação humana que individualizam tal espaço, dando-lhe uma qualificação própria pelo uso e pela transformação dos lugares. Não são construções específicas (ou o seu adensamento) que lhe conferem singularidade. Antes, a ausência de tais elementos é que aparece como fator de distinção em sua delimitação. Tampouco são as atividades produtivas ali praticadas que o qualificam, ou mesmo a marca de tais atividades numa paisagem local. O sertão não se constitui, portanto, como uma materialidade criada pelos grupos sociais em suas relações com os lugares terrestres. Ao contrário, a invisibilidade da presença humana é muitas vezes levantada como um traço característico desses espaços, não raro definidos como "vazios demográficos" ou "terras desocupadas"[1]. Nesse sentido, enquanto realidade fáctico-material, a noção de sertão não representa uma individualidade específica que o identifique como um ente telúrico dotado de particularidades intrínsecas. Não podendo ser estabelecido como um tipo de meio natural singular nem como uma modalidade própria de paisagem humanizada. Não se trata de um resultado de processos da natureza na modelagem de uma porção da superfície terrestre (como um ecossistema, um bioma ou um compartimento geomorfológico) nem do resultado de processos sociais na criação de um espaço produzido pela sociedade (como uma plantação, uma vila ou uma cidade). Assim, o sertão não se habilita como uma figura do universo empírico da geografia tradicional, apesar de – em grande parte – a história dessa disciplina revelar como um dos seus objetivos constantes a prática de seu levantamento e explicação. Descrever os sertões tem sido uma das metas mais praticadas pelo labor geográfico no Brasil, aparecendo mesmo como um elemento forte de legitimação desse campo disciplinar em diferentes conjunturas históricas do país[2].

Desse modo, não há possibilidade de realizar uma caracterização geográfica precisa das localidades sertanejas, pois estas não correspondem a uma materialidade terrestre individualizável, passível de ser localizada, delimitada e cartografada no terreno.

O sertão não se inscreve como uma empiria, nos moldes dos enfoques indutivos tradicionais da geografia. Nesse sentido, sua discussão força um rompimento na relação direta entre conceito e realidade empírica, que domina as abordagens desse campo disciplinar, no qual as conceituações referem-se a recortes tidos como efetivamente existentes na superfície da Terra. A idéia de sertão possui, portanto, um status teórico distinto das noções mais usuais de "hábitat", "ambiente", "região" ou "território", não se confundindo com elas. Enquanto estas teriam por referência limites e extensões materialmente aferíveis no campo, aquela recobriria situações telúricas díspares e variadas, não fornecendo fundamento para divisões objetivas do espaço terrestre. Assim, do ponto de vista clássico da geografia, pode-se considerar consistente a afirmação roseana de que "o sertão está em toda parte"[3].

Na verdade, o sertão não é um lugar, mas uma condição atribuída a variados e diferenciados lugares. Trata-se de um símbolo imposto – em certos contextos históricos – a determinadas condições locacionais, que acaba por atuar como um qualificativo local básico no processo de sua valoração. Enfim, o sertão não é uma materialidade da superfície terrestre, mas uma realidade simbólica: uma ideologia geográfica. Trata-se de um discurso valorativo referente ao espaço, que qualifica os lugares segundo a mentalidade reinante e os interesses vigentes nesse processo. O objeto empírico desta qualificação varia espacialmente, assim como variam as áreas sobre as quais incide tal denominação. Em todos os casos, trata-se da construção de uma imagem, à qual se associam valores culturais geralmente – mas não necessariamente – negativos, os quais introduzem objetivos práticos de ocupação ou reocupação dos espaços enfocados. Nesse sentido, a adjetivação sertaneja expressa uma forma preliminar de apropriação simbólica de um dado lugar[4].

É possível identificar características comuns presentes nas imagens do sertão, apesar de sua variedade espacial de aplicação. Tais características compõem a base do que pode ser definido como o imaginário do sertão, um conjunto de juízos e valores adaptável a diferentes discursos e a distintos projetos. O recurso a esse imaginário para qualificar uma dada localidade já demonstra certa indução quanto ao uso futuro do espaço abordado, exatamente por mobilizar uma valoração que traz em si uma crítica a sua situação atual e/ou uma meta para sua transformação. Definir um lugar como sertão significa, portanto, projetar sua valorização futura em moldes diferentes dos vigentes no momento dessa ação. Nesse sentido, pode-se dizer que os lugares tornam-se sertões ao atrair o interesse de agentes sociais que visam estabelecer novas formas de ocupação e exploração daquelas paragens. A noção pode, então, ser equacionada como elemento de argumentação no processo de hegemonização de políticas e práticas territoriais do Estado ou de segmentos da sociedade[5].

Do aspecto acima comentado decorre um segundo traço geral identificável na construção do imaginário sertanejo: trata-se de uma valoração aplicável a novos lugares ou a novas ondas colonizadoras. O sertão é comumente concebido como um espaço para a expansão, como o objeto de um movimento expansionista que busca incorporar aquele novo espaço, assim denominado, a fluxos econômicos ou a uma órbita de poder que lhe escapa naquele momento. Por isso, tal denominação geralmente é utilizada na caracterização de áreas de soberania incerta, imprecisa ou meramente formal. No geral, utiliza-se o termo sertão para qualificar porções que se quer apropriar dos fundos ainda existentes no território nacional em cada época considerada. Nesse sentido, trata-se de um qualificativo que induz um novo processo de domínio territorial sobre os espaços enfocados, isto é, que introduz um novo surto de dominação política no âmbito espacial delimitado pela qualificação proposta.

A relação entre sertão e colonização emerge como evidente numa outra característica comum presente nas imagens construídas: a designação sertaneja para ser formulada necessita de um contraponto que lhe forneça sentido por diferenciação. Isto é, o sertão só pode ser definido pela oposição a uma situação geográfica que apareça como sua antípoda. Trata-se, portanto, da construção de uma identidade espacial por contraposição a uma situação díspar que, pela ausência, a qualifica. Para existir o sertão é necessária a existência de lugares que não sejam englobados nessa denominação, que apresentem condições que exprimam o oposto do qualificado por tal noção. Daí ela sempre se apresentar numa formulação dualista, como parte de uma realidade vista como cindida e dual, na qual a condição sertaneja ocupa a posição negativa ou subordinada. A dualidade mais repetida no pensamento social brasileiro opõe o sertão ao litoral, tomando o primeiro termo como sinônimo de hinterlândia, cobrindo portanto todo o vasto interior do território nacional. Nessa visão o contraponto se estabelece com a zona costeira, tida como o referente negativo (o "outro") na caracterização da condição sertaneja[6].

Em suma, o sertão para ser identificado demanda o levantamento de seu oposto: o não-sertão, visto como o lugar que possui as características de positividade ali inexistentes. Vale salientar que é sempre a partir dessa posição oposta que o sertão é qualificado enquanto tal. Isto é, o lugar a partir do qual se qualifica uma localidade como um sertão está sempre localizado no campo contraposto. Nesse sentido, trata-se de uma imagem construída por um olhar externo, a partir de uma sensibilidade estrangeira e de interesses exógenos, que atribuem àquele espaço juízos e valores que legitimam ações para transformá-lo. Mesmo aquelas concepções que veiculam uma visão positiva desses lugares vão equacionar tal positividade como um potencial adormecido, cuja efetivação prática demandaria ações transformadoras da realidade vigente. É o caso dos intelectuais estado-novistas que ressaltam a autenticidade e a originalidade presentes na vida sertaneja, as quais deveriam guiar um novo projeto nacional para o país, que teria por eixo central a incorporação dessas terras e de suas riquezas[7]. O sertão é sempre um espaço-alvo de projetos.

Enfim, o sertão é qualificado para ser superado, por meio de um exercício em que a denominação já expressa interesses projetados pelo qualificador para os lugares abordados. Impor um domínio efetivo ou uma nova dominação ao espaço em pauta é o objetivo de um processo que tem na apropriação simbólica um passo inicial. Esta imputa uma imagem que traz em si uma proposta de transformação das características que a fundamentam. Ultrapassar a condição sertaneja é a meta implícita dos discursos que buscam levantar e explicar a sua essência. Por exemplo, a concepção de que o sertão se caracteriza como uma terra pouco conhecida ou desconhecida acompanha-se sempre da proposta de seu conhecimento e divulgação. É no bojo de muitas descrições corológicas de lugares sertanejos que a tese do desconhecimento geográfico como critério qualificador do sertão ganha corpo. Nesse sentido, por lógica, o devassamento intelectual do sertão seria o pioneiro passo de sua superação prática enquanto tal. Conhecer e divulgar um dado espaço desconhecido iniciaria o processo de sua transformação, seu fim enquanto sertão.

Uma imagem forte associada a esta qualificação é aquela que aponta para um lugar isolado e distante. Tais termos, contudo, devem ser avaliados com cautela, pois só tomam sentido quando inseridos num sistema de referências que conforme o horizonte geográfico do qualificador, num quadro em que ganha destaque a questão das escalas. Perto ou longe são qualificativos multiescalares, que dependem do estabelecimento de um referencial de localização e de comparação. A distância é, em muito, função das condições de transporte, numa relação na qual o tempo de deslocamento emerge como critério de medida[8]. Na cultura caiçara do litoral paulista, por exemplo, a noção de sertão é aplicada aos fundos de vale que avançam no sopé da Serra do Mar, distanciando-se das praias[9]. Assim, a idéia do longínquo ajusta-se à grandeza do espaço de circulação do sujeito ou do grupo social, sendo portanto uma referência cultural variada. Entretanto, em todos os casos, a localização sertaneja não se refere a um espaço imediato de vivência, a um lugar familiar e sempre visitado. Ao contrário, qualifica localidades tidas como fora dos circuitos cotidianos de trânsito.

Esse estranhamento geográfico também está presente na idéia do lugar isolado. Cabe, de início, sublinhar que todo isolamento é sempre relativo, posto que sua manifestação absoluta equivale ao desconhecimento (logo, à impossibilidade de classificação). Não sabemos da existência de uma localidade absolutamente isolada, sendo a sua própria "descoberta" um elemento-chave na superação dessa condição. O espaço de que se tem alguma notícia já está submetido a um isolamento relativo (ou semi-isolamento). Este varia pelo nível e intensidade dos contatos efetuados com o "mundo exterior", isto é, pelo grau e ritmo dos fluxos externos entabulados. A periodicidade destas relações caminha no sentido de superação da condição sertaneja, chegando no limite à situação de integração plena dos espaços considerados, o que os qualifica como indiferenciados diante de seus entornos (logo, como não-sertões). O tópico em tela destaca bem outro ângulo de visão associado à idéia de sertão: a diferença. Esta incide sobre os lugares, e também sobre seus habitantes. A diferença é, assim, paisagística mas, sobretudo, cultural.

O sertão também é definido como um lugar ocupado por povos diferentes, exóticos, qualificando-se como a morada dos "outros"[10]. É um espaço com habitantes cultural ou racialmente distintos na classificação dos tipos nacionais. Trata-se nesses discursos de localidades povoadas por seres identificados como saídos de uma outra época ou descendentes de uma outra origem que aquela que tipifica a formação da nacionalidade[11]. Não poucas vezes, o sertão foi estabelecido como o "hábitat dos selvagens", a "terra de tapuias", ou ainda "terrenos ocupados pelos indígenas ferozes" como mencionado no *Atlas do Império do Brasil* de Candido Mendes de Almeida, editado em 1868. Vale mencionar que a associação do termo com as áreas de habitação dos índios remonta já aos primórdios da colonização, quando as "jornadas do sertão" objetivavam o apresamento indígena e sua escravização[12]. Remontam a tal objetivo denominações como: sertão de Lages, sertão dos Patos, sertão dos Goitacás, entre tantas outras. Igualmente a cobiça sobre as terras do gentio animou muitas expedições de extermínio estimuladas pelo avanço da pecuária no sertão nordestino no século XVII[13]. Num outro momento, as populações indígenas – vistas na função de "muralhas do sertão" – são nacionalizadas numa ótica geopolítica de defesa das fronteiras do país, postura integrativa que atravessa as primeiras décadas republicanas, como bem se expressa nos trabalhos da Comissão Rondon[14]. Mesmo quando identificado como um nacional, o sertanejo é definido como um segmento diferente, um tipo exótico ou arcaico dotado ou não de alguma positividade (conforme o discurso considerado). Depositário dos males inerentes à mistura das raças, para alguns; produto positivo dessa miscigenação adaptado às condições adversas do meio, para outros; portador dos valores autênticos do caráter nacional; fruto da degeneração advinda do isolamento e do abandono; enfim, são múltiplas as faces desse personagem desenhadas pela intelectualidade brasileira[15]. Contudo, uma acentuada localização não-urbana delimita e unifica o universo sertanejo, marcado pela ruralidade e pela vida agrária e extrativa. A "roça", o "bairro rural", o hábitat disperso são imagens que se associam a esse mundo estranho à cidade e às atividades citadinas. Um mundo de fronteira, cada vez mais circunscrito e impelido para áreas economicamente marginais ou próximas dos limites territoriais do país. Nesse sentido, o sertão pode ser concebido como um território não urbanizado, morada do "bugre", do caboclo, do caipira, do quilombola, do ribeirinho, do caiçara, enfim – em termos contemporâneos –, o hábitat das hoje chamadas "populações tradicionais"[16].

Em suma, a denominação sertaneja – seja qualificando tipos sociais ou paisagens – recobre as áreas de fronteira da ocupação nacional em cada conjuntura considerada, nomeando os lugares de povoamento frágil e transitório como as frentes pioneiras e outros espaços de litígio patrimonial[17]. Tal noção também recobre as zonas de domínio incompleto, nas quais a ordem estatal não está bem presente ou consolidada. E ainda incide sobre as áreas economicamente estagnadas ou decadentes, onde os ciclos produtivos do passado resultam em assentamentos e instalações abandonados. Trata-se de lugares esquecidos, compostos de cidades mortas e fazendas arruinadas, onde predominam lavouras de subsistência e atividades de extrativismo animal e vegetal. Espaços de esquecimento na ótica do padrão territorial hegemônico, imersos numa vida autárquica, de fluxos majoritariamente locais.

Porém, como visto, a mera qualificação de uma localidade como sertão já revela a existência de olhares externos que o ambicionam, que ali identificam espaços a serem conquistados, lugares para a expansão futura da economia e/ou do domínio político. Transformar esses fundos territoriais em território usado é uma diretriz que atravessa a formação histórica do Brasil, alçando-se mesmo à condição de um projeto estatal-nacional básico do país. No período imperial, os sertões brasileiros foram definidos como um *locus* da barbárie, sendo sua apropriação legitimada como uma obra de civilização. Conhecer, conectar, integrar, povoar, ocupar são metas que contrapõem a modernidade ao sertão, qualificando-o como o espaço-alvo de projetos modernizantes, recebendo destaque o estabelecimento de comunicações, notadamente por meio do telégrafo e de ligação ferroviária[18]. A ordem republicana se instala com esse objetivo de modernização, que novamente qualifica o sertão como o *locus* do arcaísmo e do atraso. Situação que – na ótica de seus ideólogos – deveria ser superada com a alocação de sistemas de engenharia e de objetos técnicos integradores do território[19].

Pode-se considerar que essa meta e esse processo atravessam todo o século XX brasileiro e, em certo sentido, até hoje o país se vê mergulhado em movimentos de incorporação de novos espaços. A imagem do "país em construção" emerge como uma constante histórica, estando presente no ideário varguista, na plataforma do governo JK, e na ideologia da integração nacional do regime militar. O sertão se repõe, assim, como uma espécie de pecado original do berço colonial de nossa formação, sofrendo requalificações a cada época e recebendo atribuições e qualificações próprias aos interesses em pauta a cada onda de ajustes dos espaços periféricos. Na atualidade, a perspectiva da globalização poderia identificá-lo com os lugares não integrados às redes de fluxos internacionais ou com os depositários do patrimônio natural e da biodiversidade do planeta[20].

Enfim, o sertão é uma figura do imaginário da conquista territorial, um conceito que ao classificar uma localização opera uma apropriação simbólica do lugar, densa de juízos valorativos que apontam para sua transformação. Neste sentido, a designação acompanha-se sempre de um projeto (povoador, civilizador, modernizador), o qual almeja – no limite – a superação da condição sertaneja. Trata-se de um espaço a ser conquistado, submetido, incorporado à economia nacional: uma área de expansão. Por essa característica, é possível estabelecer paralelos entre o papel desempenhado pela idéia de sertão na formação brasileira e o uso similar da noção de "deserto" na história da Argentina[21]. No mesmo plano conceitual, mas mais distante de conteúdo em função de seu componente democrático (não presente nos conceitos anteriores), estaria a "fronteira" – tal como analisada por Turner – na colonização dos Estados Unidos[22].

Tem-se o sertão como um qualificativo de lugares, um termo da geografia colonial que reproduz o olhar apropriador dos impérios em expansão. Na verdade, trata-se de sertões, que qualificam caatingas, cerrados, florestas, campos. Um conceito nada ingênuo, veículo de difusão da modernidade no espaço.

O geógrafo e sociólogo Antonio Carlos Robert Moraes é professor associado do Departamento de Geografia da Faculdade de Filosofia, Letras e Ciências Humanas da Universidade de São Paulo.

NOTAS

1 Lia Osório Machado. "Origens do pensamento geográfico no Brasil: meio tropical, espaços vazios e a idéia de ordem (1870-1930)" In: Iná E. de Castro *et alli*. *Geografia: conceitos e temas*. Rio de Janeiro: Bertrand, 1995.
2 Antonio Carlos Robert Moraes. *Território e História no Brasil*. São Paulo: Hucitec/Annablume, 2002, caps. 5 e 6.
3 João Guimarães Rosa. *Grande sertão: veredas*, Rio de Janeiro: Nova Fronteira, 1988.
4 Antonio Carlos Robert Moraes. *Ideologias geográficas. Espaço, cultura e política no Brasil*. São Paulo: Hucitec, 1988.
5 Os propósitos do Instituto Histórico e Geográfico Brasileiro, fundado em 1838, de "levar as luzes ao sertão" (conforme o discurso inaugural do Visconde de São Leopoldo) bem conduna-se com a auto-imagem da monarquia bragantina de ser uma representante da Ilustração nos trópicos e com o objetivo de consolidar a unidade e integração territoriais defendidos pelo Estado imperial. (Ver: Ilmar R. de Mattos. *O tempo Saquarema. A formação do estado imperial*. São Paulo: Hucitec, 1990;, José Murilo de Carvalho. *A construção da ordem. A elite política imperial*. Brasília: Editora da Uiversidade de Brasília, 1981; Regina Araújo. "A formação da memória territorial brasileira (1838-1860)". Tese de doutorado. São Paulo: Departamento de Geografia da Faculdade de Filosofia, Letras e Ciências Humanas da Universidade de São Paulo, 2001; e Manoel L. S. Guimarães. "Nação e civilização nos trópicos: o Instituto Histórico e Geográfico Brasileiro e o projeto de uma história nacional". *Estudos históricos 1*, Rio de Janeiro: IHGB, 1988).
6 Candice Vidal e Souza,. *A pátria geográfica. Sertão e litoral no pensamento social brasileiro*. Goiânia: Universidade Federal de Goiás, 1997. Essa oposição já aparece nos cronistas coloniais como frei Vicente do Salvador e frei Gaspar da Madre de Deus, e em Ambrósio Fernandes Brandão (ver: Pedro Puntoni. *A guerra dos bárbaros. Povos indígenas e a colonização do sertão nordeste do Brasil*. São Paulo: Hucitec/Edusp; 2000, cap.1).
7 Monica Pimenta Velloso. "O mito da originalidade brasileira: a trajetória de Cassiano Ricardo". Dissertação de mestrado Pontifícia Universidade Católica do Rio de Janeiro, 1983; e Luis Lopes Diniz Filho. "Território e destino nacional: As ideologias geográficas no Estado Novo". Dissertação de mestrado. São Paulo: Departamento de Geografia da Faculdade de Filosofia, Letras e Ciências Humanas da Universidade de São Paulo, 1994.
8 Pierre Chaunu comenta, nesse sentido, que o mundo nunca foi tão grande quanto no século XVI, dada a superfície do espaço de relações europeu em face das condições de comunicação na época. In: *Conquista e exploração dos novos mundos*. São Paulo: Pioneira/-Edusp, 1984.
9 Armando Correa da Silva. *O litoral norte do estado de São Paulo (formação de uma região periférica)*. São Paulo: Instituto de Geografia/USP, 1975.
10 No sentido trabalhado por Tzvetan Todorov em: *Nós e os outros. A reflexão francesa sobre a diversidade humana*. Rio de Janeiro: Zahar, 1993; e *La Conquista de América. La cuestión del outro*. México: Siglo XXI, 1987.
11 Lilia Moritz Schwarcz. *O espetáculo das raças. Cientistas, instituições e questão racial no Brasil 1870-1930*. São Paulo: Companhia das Letras, 1993.
12 John Manuel Monteiro. *Negros da terra. Índios e bandeirantes nas origens de São Paulo*. São Paulo: Companhia das Letras, 1995.
13 Antonio Carlos Robert Moraes. *Bases da formação territorial do Brasil. O território colonial brasileiro no "longo" século XVI*. São Paulo: Hucitec, 2000, cap.12. Vale assinalar que tais expedições não buscam escravizar os povos indígenas, mas eliminá-los, como nas campanhas nos sertões do Açu, do Orobó, do Aporá, e em vários outros lugares atacados na abertura do caminho do gado (Luiz de Barros Mott. *Piauí colonial. População, economia e sociedade*. Teresina: Projeto P. Portela, 1985).
14 Nádia Farage. *As muralhas dos sertões: os povos indígenas no rio Branco e a colonização*. São Paulo: Paz e Terra, 1991; e Laura Antunes Maciel. *A nação por um fio. Caminhos, práticas e imagens da "Comissão Rondon"*. São Paulo: Editora da Pontifícia Universidade Católica de São Paulo, 1998.
15 Nísia Trindade Lima. *Um sertão chamado Brasil. Intelectuais e representação geográfica da identidade nacional*. Rio de Janeiro: Revan/Iuperj, 1999.
16 Antonio Carlos Diugues. *O mito moderno da natureza intocada*. São Paulo: Hucitec, 1996.
17 José de Souza Martins. "A vida privada nas áreas de expansão da sociedade brasileira", In: F. Novais (org.), *História da vida privada no Brasil*, v. 4. São Paulo: Companhia das Letras, 1998.
18 Francisco Foot Hardman. *Trem fantasma. A modernidade na selva*. São Paulo: Companhia das Letras; 1988.
19 A crença numa superação técnica da condição sertaneja é recorrente na intelectualidade brasileira desde o império (ver, por exemplo, Maria A. Rezende de Carvalho. *O quinto século. André Rebouças e a construção do Brasil*. Rio de Janeiro: Revan/Iuperj; 1998).
20 Antonio Carlos Robert Moraes. "Geografia, capitalismo e meio ambiente". Tese de livre-docência. São Paulo: FFLCH/USP, 2000.
21 Ver: Tulio Halperin Donghi. *Una nación para el desierto argentino*. Buenos Aires: Ceal, 1992.
22 Ver: Lucia Lippi Oliveira. *Americanos. Representações da identidade nacional no Brasil e nos EUA*. Belo Horizonte: Editora da Universidade Federal de Minas Gerais/Humanitas, 2000.

Terreno de prospecções

ESTUDIOSOS EXPLORAM AS CAMADAS DO SOLO EUCLIDIANO

Apesar da abrangência com que, em graus variáveis, tem sido estudada, a obra de Euclides da Cunha é um território que por muito tempo ainda desafiará os melhores espíritos.

Por isso, ao reunir especialistas de diversas áreas para discutir a produção euclidiana e o contexto em que ela aflorou, os CADERNOS não tiveram a pretensão de esgotar os veios da carreira do escritor.

Entretanto, para o encontro realizado na sede do Instituto Moreira Salles, em São Paulo, a 30 de setembro passado, o objetivo foi fazer representar alguns dos mais significativos domínios da investigação sobre Euclides e seu tempo. Estiveram presentes à mesa-redonda especialistas dos campos literário, histórico, militar, visual e biográfico.

Os assuntos foram, assim, derivando-se: multiformes, díspares.

Do entendimento de *Os sertões* como epos da modernização capitalista ao esforço de preservação da memória euclidiana – passando pela redescoberta de sua poesia, o cruzamento entre ciência e arte presente em seus escritos, as implicações políticas da Guerra de Canudos, o embate entre ficção e relato jornalístico e a mistura de gêneros numa literatura definida como cinematográfica –, os depoimentos dos participantes e o debate seguinte reafirmaram ser impossível encerrar a vastidão do trabalho de Euclides.

A afirmativa é segura.

Não a sugere, apenas, a heterogeneidade dos elementos essenciais de *Os sertões*. Reforça-a outro elemento igualmente irrefutável: o de que o livro maior de Euclides da Cunha constitui – como já o afirmou, e bem, Joaquim Nabuco – a "Bíblia da nacionalidade brasileira".

Walnice Nogueira Galvão: *Os sertões* é uma obra de arte literária que aborda o avesso da modernização capitalista. Como vocês sabem, aqueles tempos assistiram a um processo similar na América Latina inteira, o que provocaria por toda parte revoltas dos pobres, sacrificados pelo conjunto das medidas.

No caso do Contestado, por exemplo, a questão foi colocada pela abertura da ferrovia. O Contestado, só para lembrar, aconteceu alguns anos depois de Canudos – e no Sul do Brasil. A chegada do trem desapossou os posseiros e os transformou em nômades, isto é, em retirantes destituídos. Perdendo suas terras, viram-se excluídos do sistema produtivo no qual anteriormente se integravam. Poderíamos ir mais longe e lembrar os casos de construção de grandes represas na China, que, tal como no Brasil, expulsam as populações locais. Para não falar do que Stalin fez com os cúlaques, praticamente exterminando 10 milhões de pessoas quando coletivizou a produção no campo. Trata-se, portanto, de algo que acontece no mundo todo, embora no caso que ora nos ocupa fiquemos mais restritos ao que aconteceu na América Latina naquelas décadas. A modernização, então, quando sobrevém, leva de roldão cidades, agrupamentos, comunidades, plantações, florestas, meios de vida, laços de solidariedade etc., deixando a gente ao léu. É o que se pode ver hoje, pelo planeta afora; com a globalização, está-se intensificando de novo esse capítulo, nos nossos dias. Este é o primeiro ponto a reter.

O segundo ponto seria o seguinte: Euclides opera a contrapelo, ou seja, em vez de fazer o panegírico da modernização a que estamos tão acostumados, vai escrever sobre o seu avesso. O que interessou a ele foi o preço que a modernização custou aos pobres e desvalidos, que se sublevaram em movimentos messiânicos e milenaristas. Essa guinada de Euclides da Cunha – olhar para a insurreição, e não para o avanço da tecnologia, olhar as coisas pelo avesso do costumeiro – é uma importante distorção. Vocês podem imaginar o que ela custou ao escritor, um militante republicano que acreditava no progresso e na ciência? Em resposta, vai expor sua consciência dilacerada, bradando aos céus que aquilo não estava certo.

O último ponto a reter seria o que focaliza propriamente a forma literária que Euclides encontrou para expressar-se. A forma literária é a da narrativa, ou, como se diz em jargão especializado, um epos, porque tal matéria exige o épico. Então eu diria que substantivamente *Os sertões* é um epos, que adjetivamente, ou secundariamente, aceita contribuições do ensaísmo, do enciclopedismo e do gênero dramático.

Por sua vez, o grande sintagma narrativo de *Os sertões*, que vai da primeira à última página, foi tomado da *Bíblia,* no sentido de que começa por um Gênesis ou origem dos tempos e termina por um Apocalipse ou fim dos tempos. E de onde vem o modelo bíblico, em princípio inadmissível para um ateu, cientificista e determinista? Vem dos canudenses, da absorção que Euclides faz do ponto de vista daqueles que se concentravam no Belo Monte para salvar suas almas, num mundo reencantado pela fé, à espera do Messias, que presidiria ao juízo final e à redenção dos justos.

Euclides utiliza as imagens bíblicas também pelo avesso. Vai invertendo e demonizando – para adequá-las à concepção dos canudenses – as imagens positivas do Apocalipse. Assim, por exemplo, a cidade dos justos descrita no Apocalipse é uma edificação de ouro, amurada de ouro e de planta quadriculada – que é uma forma, por assim dizer, benquista pela razão humana –, atravessada pelo Rio da Vida, às margens do qual viceja a Árvore da Vida. Quem reina nessa cidade é o Cordeiro, figuração de Jesus Cristo. Pois bem, o que acontece em Canudos? A Nova Jerusalém não é de ouro mas de taipa, portanto feita de barro e da cor da terra. Compõe um labirinto, quer dizer, o oposto da planta quadriculada ideal. O rio – o Vaza-Barris – é seco, não tem água. A árvore é substituída pela vegetação atrofiada da caatinga; ou, numa imagem bíblica mais avançada, metamorfoseia-se no cadáver do coronel Tamarindo, pendurado nos galhos do angico. O Cordeiro assume os contornos de sua inversão demoníaca, o bode, predominante no sertão. Resumindo: o céu virou inferno.

Bem, paro por aqui, tentando sintetizar numa frase tudo o que Euclides submete ao leitor: a meu ver, *Os sertões* é o epos da modernização capitalista focalizada em seu avesso, privilegiando não o progresso e seus supostos benefícios, mas o preço, de fato, pago pelos pobres.

Francisco Foot Hardman: Na verdade, vou fazer apenas um breve relato desse projeto de editar realmente a poesia completa de Euclides da Cunha. Não se trata de um projeto só meu, vem sendo compartilhado com dois outros companheiros das hordas euclidianas – aliás, tudo começou na Semana Euclidiana de São José do Rio Pardo, três anos atrás. O professor Leopoldo Bernucci e Fred Amory estavam iniciando a coleta de poemas do caderno *Ondas*, que traz, como vocês sabem, os versos adolescentes de Euclides e está bem guardado na Casa de Cultura Euclides da Cunha. Nele, nós temos cerca de 80 poemas – um pouco menos, vou falar em números redondos, para a gente ter uma dimensão mais ou menos quantitativa desse acervo. Pareceu-me que seria da maior importância recuperar integralmente aqueles poemas, já que hoje é muito difícil encontrarmos manuscritos de Euclides. Leopoldo e Fred concordaram de pronto com essa idéia, e passei a participar mais ativamente do projeto. A certa altura, eu disse: "Bem, já que estamos nessa empreitada para recuperar o início, por assim dizer, essa fonte adolescente da escrita euclidiana, talvez valesse a pena estender o esforço e reunir o restante da poesia dispersa de Euclides da Cunha". Imediatamente, essa proposta foi acatada e eu fiquei encarregado de vasculhar jornais, revistas etc. desde a década de 1880 até o início do século XX, particularmente 1905, 1906, que registram, salvo engano, os últimos poemas do autor. Ou seja, temos aí uma trajetória que vai dos 17 anos até por volta dos 40.

O segundo conjunto dessa produção, isto é, depois de *Ondas*, embora quantitativamente menor – perfaz alguma coisa como 40, 45 poemas –, é mais significativo porque acompanha, de certa maneira, a evolução estética e ideológica de Euclides. E nós temos depois uma fração de variantes que consideramos significativas, ou seja, as variantes que, em primeiro lugar, temos certeza de que foram feitas pelo autor – de uma publicação para outra, de um jornal para uma revista, de um manuscrito para uma correspondência etc. Nesse lote, temos algo da ordem de 15 poemas. Com isso, o total se aproxima de 145 poesias. Para vocês terem uma idéia, em termos de dimensão, a chamada *Obra completa*, editada pela Aguilar em 1966, reúne exatos 37 poemas. Levantamos, portanto, qualquer coisa como uma centena a mais de poesias, entre inéditas, dispersas, éditas porém dispersas, não incluídas no volume da Aguilar. Acredito, portanto, que não preciso argumentar muito sobre a importância dessa edição que estamos preparando.

A qualidade literária e a qualidade propriamente técnica são muito irregulares; acompanham, por assim dizer, a evolução de Euclides – estudante adolescente, depois cadete da Escola Militar e, finalmente, o escritor consagrado de *Os sertões*. O que a gente considera é que a publicação dessa poesia resgata uma parte menos conhecida, ainda oculta, da obra euclidiana. E a gente acha que Euclides da Cunha, no fundo, é como tantos outros autores, um pouco vítima de sua própria obra-prima. *Os sertões*, dada a sua enorme recepção, sua canonização precoce inclusive, de alguma maneira, obscureceu o restante da produção euclidiana – além da poesia, eu lembraria aqui o caso de suas crônicas, seus artigos, ensaios, seu conjunto incabado sobre a Amazônia, que eu considero uma das coisas mais belas que ele escreveu. É nessa direção que vai o nosso trabalho, que está numa fase, vamos dizer, quase final. Pretendemos lançar esse conjunto de poemas, a poesia reunida de Euclides, no ano que vem. Faremos o possível para isso.

José Carlos Barreto de Santana: Eu estudo a história da ciência no Brasil, entre o final do século XIX e início do XX. O que me motiva a trabalhar com Euclides da Cunha é exatamente a presença, na construção do discurso dele, das ciências naturais. Tento, então, analisar as relações do discurso euclidiano com as teorias e os personagens da história da ciência que transitaram e atuaram no Brasil. Acredito que a formação de engenheiro militar de Euclides, sua atuação como engenheiro civil, sua busca de inserção dentro de uma comunidade científica em formação na capital paulista, suas referências, em *Os sertões*, a geólogos e botânicos, deve, de alguma forma, refletir o panorama das ciências naturais do Brasil naquele período.

Euclides, em sua busca de estabilidade profissional e também como forma de integrar-se à comunidade científica paulista, tentou ser professor da Escola Politécnica – primeiro na cadeira de astronomia e depois de geologia –, o que nunca conseguiu, devido às críticas iniciais que fez ao projeto da instituição, as quais foram publicadas no jornal *O Estado de S. Paulo* com o título de "Instituto Politécnico". Em São Paulo, naquela época, com a ascensão da cafeicultura, realizava-se um processo de institucionalização forte na área científica, e isso significava trazer para a capital paulista profissionais de outros estados – como foi o caso do engenheiro baiano Teodoro Sampaio, que viria a ser importante na construção do conteúdo de Ciências Naturais de *Os sertões* – ou até de fora do Brasil, como o geólogo norte-americano que se naturalizaria brasileiro Orville Derby. Isso criava um ambiente científico em São Paulo, em instituições como o Instituto Histórico e Geográfico, por exemplo. Euclides da Cunha procura, então, integrar-se nessa comunidade e se torna sócio do Instituto, por indicação de pessoas como o próprio Teodoro Sampaio e Orville Derby.

No meu livro, *ciência & arte: Euclides da Cunha e as ciências naturais*, trabalho, inicialmente, essas questões, para depois tentar compreender e analisar, mais do ponto de vista da geologia, a presença do conteúdo científico em *Os sertões*. É possível perceber, então, que Euclides, que tinha uma formação científica bastante clara, não faz um simples uso direto de suas fontes. Ele se relaciona tanto com os profissionais como com os textos, mas recria teorias dentro de sua própria perspectiva. Um exemplo bem claro disso é quando Euclides trata da existência, no sertão baiano, de um mar cretáceo; ele, de certa forma, abandona suas fontes – que mostravam que ali teria existido uma deposição em água doce; abandona essa informação científica para criar a idéia de um mar. A meu ver, fazendo um percurso invertido do Conselheiro – de que o sertão viraria praia –, Euclides da Cunha cria a idéia de um sertão que um dia foi praia. Ou seja, de certo modo, ele está recriando certos conhecimentos de seus interlocutores.

Também trabalho com uma obra que não existiu, mas chegou a ter título, *O paraíso perdido*, a qual Euclides pretendia que fosse o seu "segundo livro vingador". O professor Foot Hardman tem razão: os ensaios que foram feitos para essa obra são, de fato, muito bonitos. A partir das cadernetas deixadas pelo escritor, é possível avaliar qual seria a importância das ciências naturais na nova empreitada. Já em suas considerações iniciais, Euclides da Cunha fala de que maneira vê a Amazônia, de que maneira a região o desencanta por conta de leituras prévias, de como aquela não é a mesma Amazônia que ele se prepara para ver. E que, para ver novamente a Amazônia, ele precisa voltar ao texto dos cientistas e retificar sua visão – para, enfim, conseguir realmente ver a Amazônia. Fundamentalmente, portanto, creio que ele manteria na nova obra o mesmo interesse em dialogar com as ciências, a fim de melhor compreender o que estava se passando na região amazônica. Como sabemos, o novo livro não existiu, claro; trabalho, então, com alguns indícios de como ele se concretizaria.

Só para fechar: uma evidência de como era cara para Euclides a construção do conteúdo científico em *Os sertões* está no fato de que as notas da segunda edição, constituídas de oito blocos, são todas respostas a críticas científicas feitas à obra. Qualquer dúvida que se levantasse a respeito de seu conhecimento científico o irritava profundamente.

Marco Antonio Villa: Acho que a primeira questão que aparece em Canudos é o problema da Monarquia. Acredito que 1889 tenha sido um dos grandes anos da História brasileira. É um ano marcado pela reforma. Tivemos, em maio, o congresso liberal; depois, em junho, a queda do gabinete João Alfredo e a designação de Afonso Celso, visconde de Ouro Preto, que, ao apresentar seu programa, numa das mais belas sessões do Parlamento imperial, é derrotado. Claro: era um programa de reformas sendo apresentado a um Parlamento conservador. O imperador optou, então, por não nomear um novo primeiro-ministro e sim convocar eleições. O debate foi intenso entre junho e agosto, quando se realizaram, no dia 30, as últimas eleições do Império, com vitória esmagadora dos liberais e uma derrota estrondosa dos republicanos, que tiveram eleitos apenas dois candidatos – Rui Barbosa, por exemplo, não se elegeu. A Câmara ia se instalar a 20 de novembro – e, cinco dias antes, houve o golpe.

Quando se fala da sombra da Monarquia em Canudos, é preciso assinalar a identificação entre o Império e a abolição da escravatura. É bom lembrar que os republicanos eram, quase todos, escravocratas. Os republicanos sempre estiveram identificados com o escravismo, especialmente em São Paulo – e os que não estavam não tinham papel de proa dentro do movimento. Os principais abolicionistas eram monarquistas (André Rebouças, Joaquim Nabuco).

Em Canudos, a República se revelaria de um modo bastante particular. O início do novo regime no Brasil é uma autêntica bandalheira. Havia tal desorganização que você encontra, por exemplo, vários decretos daquele período com o mesmo número. Eles resolviam a questão colocando letras depois da numeração: Decreto 17a, 17b, 17c. Esses primeiros decretos, aliás, só para fazer um parêntese, tinham uma linguagem sui generis. O que instituiu a censura, por exemplo, em dezembro de 1989, assinado pelo ministro da Justiça, Campos Salles, considera a oposição "fezes sociais"! Para a República, o crime de imprensa devia ser punido com o fuzilamento. Vários jornais, naquele momento, foram invadidos, tipógrafos eram assassinados. Digo isso só para ilustrar o clima em que o país estava mergulhado no final de 1889, início de 1890. Ora, esse clima acabaria marcando Canudos. A lembrança de que "nos tempos da Monarquia" era melhor realmente existia. O que a República instituiu, na verdade, foi o poder da oligarquia. E o militarismo, ao contrário do que se poderia supor, não termina em 15 de novembro de 1894, quando Prudente de Morais assume o poder. Na realidade, ele foi empossado numa circunstância de total fragilidade. É bom lembrar que Floriano Peixoto sequer transferiu oficialmente o poder para Prudente – algo que vai ocorrer outras vezes na História do Brasil, haja vista Figueiredo e Sarney. Ou seja, o primeiro presidente civil assumiu o poder ainda sob a marca do florianismo e a possibilidade de um golpe. Aliás, o fantasma do golpe iria marcar o governo de Prudente de Morais. Em 1896, doente, ele é obrigado a deixar a presidência por algum tempo e quem assume é seu vice, Manuel Vitorino – que irá se aliar a setores que, antes, eram contra Prudente. Os últimos meses de 1896 e o início de 1897 são marcados por uma enorme tensão – basta ver que Prudente de Morais reassumiu o governo sem comunicar oficialmente a Vitorino. Pois esse momento em que o presidente volta ao poder é justamente aquele marcado pela derrota da 3ª Expedição e o início dos preparativos da 4ª. A tensão chegou ao máximo – basta ver que a Escola Militar se rebelou em junho; depois haveria outra vez ameaça de golpe no dia 5 de novembro, com o atentado contra o presidente.

A situação de Prudente de Morais era tal que, em Canudos, o comandante da 4ª Expedição saúda, em todas as ordens do dia, o marechal Deodoro, Floriano, a bandeira brasileira, o Exército – e nunca, nem uma só vez, o presidente da República. Artur Oscar manda telegrama para todo mundo, manda poemas para a mulher, escreve para o jornalista Alcino Guanabara, símbolo do jornalismo venal, e nunca se dirige a Prudente.

Na frente de batalha, os bacharéis de farda cometem erros estratégicos a todo o instante, não dão conta do bê-á-bá, como colocar uma trincheira para proteger os canhões. Não sou eu quem diz isso. Isto foi dito na época pelo jornalista Manuel Benício – que foi tão perseguido pelos militares que se viu obrigado a abandonar a cobertura da guerra.

Penso, então, que Canudos aconteceu num momento de grave crise no poder central, e a campanha foi utilizada sob esta perspectiva. A professora Consuelo, que falará em seguida, estudou muito bem o caso da Bahia, onde você tem uma luta intra-oligárquica – e Canudos acabou fazendo parte dessa luta. No plano nacional, isso ocorreu também, pois tínhamos um presidente frágil – que, curiosamente, só se fortaleceria depois do atentado de 5 de novembro. Vale lembrar que, nesse episódio, o ministro da Guerra, marechal [Carlos Machado] Bittencourt, acabou morrendo ao defender Prudente, ao defender, portanto, o poder civil. É algo único na História do Brasil. Cinco de novembro é um marco, porque ali está o fim do florianismo.

E, para não me estender, gostaria de concluir dizendo que a República mostra o seu signo em Canudos, a sua real face, que é essa face de violência, de repressão. Duas semanas depois do fim da guerra, Campos Salles foi designado candidato oficial à sucessão de Prudente de Morais. Num banquete no Rio de Janeiro, ele leu um discurso que é muito significativo. Nele, Campos Salles dizia que o Brasil precisava se modernizar – vejam aí a relação com o que expôs a professora Walnice –, e apontava como modelo a ser seguido o México porfirista. É bom lembrar que Porfirio Díaz estava no poder havia 21 anos, desde 1876, e só o deixaria em 25 de maio de 1911. Pois, naquele momento, esse ditador representava a modernização. Que modernização? Aquela que levava à destruição das comunidades indígenas, à destruição da indústria artesanal. Quando o candidato oficial à Presidência do Brasil diz, em 1897, que o modelo a ser seguido era o de Porfirio Díaz, acho que fica muito claro o que representava a República brasileira naquele momento e por que essa República tinha de destruir a comunidade de Belo Monte.

Alberto Venancio Filho: Em 1911, os irmãos Edgar e Carlos – filhos de Lúcio Mendonça, grande escritor, ministro do Supremo, responsável pela recomendação de *Os sertões* à Laemmert –, que estudavam no Colégio Pedro II, fundaram o Grêmio Euclides da Cunha. Dois anos depois, essa instituição recebeu como presidente honorário Alberto Rangel, que fora companheiro de Euclides da Cunha na Escola Militar – presenciou o gesto do escritor contra o ministro da Guerra – e depois teve o seu livro *Inferno verde* prefaciado pelo autor de *Os sertões*. (Euclides escreveu dois prefácios, o de *Inferno verde* e o de *Poemas e canções*, de Vicente de Carvalho.) Foi Rangel que, num discurso proferido a 15 de agosto de 1913 à beira do túmulo de Euclides, no cemitério São João Batista, no Rio, fixou o lema "Por protesto e adoração". Quer dizer, as homenagens a Euclides da Cunha se fariam "por protesto e adoração".
Logo, várias outras pessoas, que depois se destacariam na vida brasileira – como Álvaro Alberto, que foi almirante, responsável pela criação da pesquisa científica no Brasil; Maurício Jopert, engenheiro, professor da Escola Politécnica, ministro da Viação do governo José Linhares, e Francisco Venancio Filho –, se juntaram ao grupo do Grêmio.
Em 1915, Venancio Filho, meu pai, escreveu a primeira biografia sobre Euclides: um volume pequeno, de poucas páginas, chamado *Notas biográficas*. A partir também de 1915, o Grêmio Euclides da Cunha passaria a publicar anualmente uma revista, que só deixaria de circular em 1939. A *Revista do Grêmio Euclides da Cunha* tinha uma orientação muito simples. Na época, Alberto Rangel morava na Inglaterra e na França – trabalhava nos consulados fazendo pesquisas históricas – e todo ano mandava uma mensagem numa linguagem gongórica e rebuscada, como era o seu estilo, na linguagem de *Os sertões*. Cada número da *Revista* tinha, por exemplo, a mensagem de Alberto Rangel, cartas de e para Euclides da Cunha, trabalhos sobre ele e documentos de várias obras. Com isso, ao poucos, foi se acumulando um material muito rico sobre Euclides.
De 1913 a 1919, o Grêmio Euclides da Cunha realizou várias conferências na Biblioteca Nacional. Naquela época, início do século, as conferências versavam sobre "o amor", "a saudade", "a afeição"; era importante que se estudasse a vida e a obra de Euclides da Cunha.
O Grêmio também continuou promovendo romarias ao túmulo do escritor, na data de sua morte. E cito aqui o depoimento de um dos participantes de peso desse tipo de homenagem, José Lins do Rego, falando de uma romaria realizada provavelmente na época do Estado Novo. Disse ele: "Venancio Filho me procurou para me dizer que no cemitério São João Batista haveria uma homenagem a Euclides da Cunha. Queria ele que um escritor da nova geração dissesse alguma coisa para firmar o ponto de vista do grande homem diante da opressão. E me falou: 'Diga você alguma coisa sobre Euclides da Cunha e a liberdade'. Foi o que fiz. A vida de Euclides, o seu exemplo, o seu inconformismo obrigaram-me a falar em liberdade, numa época em que a palavra liberdade ofende aos poderosos do dia como uma ofensa grave".
No ano de em 1938, Francisco Venancio Filho lança *Euclides da Cunha a seus amigos*, primeira coleta de cartas do escritor. Um trabalho mais difícil, imagino, foi o da professora Walnice [Nogueira Galvão], muito importante, na correspondência completa que fez com [Oswaldo] Galotti [*Correspondência de Euclides da Cunha*, de 1997]. Mas é interessante assinalar que quando Afrânio Coutinho lança a *Obra completa* do escritor, em 1966, ele praticamente reproduz as cartas que estão no livro de 1938, acrescentando umas 20 e poucas cartas.
Ampliando o texto de 1915, Francisco Venancio Filho faria – em uma coleção da Academia Brasileira

de Letras chamada "Afrânio Peixoto" – um ensaio bibliográfico sobre Euclides da Cunha, "Retrato humano", que seria publicado na *Obra completa*.

Em 1940 ele lançaria *A glória de Euclides da Cunha*. No ano anterior, viajara a São José do Rio Pardo para a conferência oficial da Semana Euclidiana. Com Rodrigo Melo Franco de Andrade, do Patrimônio Histórico Nacional, ele conseguiria depois que o barracão de obras usado por Euclides na época da reconstrução da ponte de São José do Rio Pardo fosse alçado à categoria de monumento nacional.

Eu tenho aqui as cartas de Oswaldo Galotti escritas naquele período pedindo a Francisco Venancio Filho a indicação de conferencistas oficiais – e, realmente, graças à atenção de meu pai é que, em 1942, Afrânio Peixoto pronuncia a conferência oficial da Semana. Em 1943 vai a São José do Rio Pardo, também pela mesma indicação, Alberto Rangel, que tinha voltado da Europa com a guerra e continuava o mesmo euclidianista de sempre.

Ainda em 1943 a revista da Academia Brasileira de Letras entrou numa nova fase e nela Francisco Venancio Filho escreveria vários outros textos sobre Euclides da Cunha, sobre *Os sertões*, sobre a atualidade de *Os sertões* e, especialmente, um artigo que é pouco conhecido, mas julgo importante, "Os fundamentos científicos d'*Os sertões*". Nele, Venancio Filho examinou a polêmica sobre os termos científicos da obra, mostrando-os a vários especialistas, de diversas áreas – geologia, climatologia, botânica etc. Todos disseram que, com algumas correções, o fundamento científico de *Os sertões* correspondia à ciência da época. Evidentemente, na matéria "raça", a evolução foi muito grande.

Em 1946, no centenário do barão de Rio Branco, Francisco Venancio Filho publica uma plaquete, *Rio Branco e Euclides da Cunha*, na qual divulga pela primeira vez várias cartas que o escritor enviava do Alto Purus sobre o trabalho da missão. Elas mostravam também uma situação interessante: Euclides da Cunha, um escritor consagrado, membro da Academia Brasileira de Letras, um homem histórico, tinha uma certa timidez diante do barão. Domício da Gama examinou o encontro em que Euclides foi nomeado chefe da missão do Purus. Ele e Rio Branco passaram horas conversando – Euclides, timidamente; o barão, do lado dele, muito afável. É importante ressaltar que o escritor ficou cinco anos trabalhando com o barão do Rio Branco, depois que voltou do Purus, e jamais conseguiu uma função permanente. Ele nunca teve coragem de pedir ao Rio Branco um cargo permanente – e nem Rio Branco nem seus colaboradores sentiram que aquele homem precisava dessa função.

O arquivo do Grêmio Euclides da Cunha do Rio de Janeiro, como falei antes, de passagem, encontra-se há décadas em São José do Rio Pardo, onde se manteve graças a Oswaldo Galotti e hoje se mantém aos cuidados de pessoas como o aqui presente Álvaro Ribeiro de Oliveira Neto.

É isso. Já que tive o prazer de ser chamado a falar nesta mesa, quis ressaltar o trabalho, em geral esquecido, dos pioneiros do euclidianismo, que fazem jus à memória e à biografia de Euclides da Cunha.

Consuelo Novais Sampaio: Em *Contrastes e confrontos*, há um comentário do cronista João Luso sobre a lentidão com que Euclides da Cunha escrevia. Segundo Luso, o próprio Euclides teria respondido com a seguinte comparação: "Certos pássaros, para despedir o vôo, precisam de trepar primeiro a um arbusto. Abandonados no solo raso e nu, de nada lhes servem as asas; e têm que ir por aí afora à procura do seu arbusto. Ora, o meu arbusto é o Fato". Cinqüenta anos depois, o mestre [José] Calasans, destacando a importância de *Os sertões*, comparou essa grande obra a uma gaiola de ouro, que havia aprisionado seu autor. E eu penso que foi o próprio professor Calasans que resolveu abrir a portinhola dessa gaiola, liberando não só o povo de Belo Monte mas também o próprio Euclides que, se confessando pássaro, estava ali engaiolado junto com sua obra. Ou seja, ao fato euclidiano, uma decorrência, claro, de sua formação positivista, o mestre Calasans contrapôs a fala. E foi com a sua fala, com a sua conversa, que o professor Calasans me cooptou para suas hostes, e eu acabei me dedicando, como todos sabem aqui, a estudar as lutas intestinas que, considero, levaram a Canudos uma guerra fratricida. Não vou me alongar, porque minhas idéias a esse respeito estão publicadas no livro *Canudos: Cartas para o barão*. De qualquer modo, gostaria de levantar algumas questões e me beneficiar, no debate, dos comentários de todos.

Quero me referir a alguns aspectos dos maiores grupos oligárquicos da Bahia no período – os vianenses, de Luiz Viana, e os gonçalvistas, jeremoabistas, ligados ao barão de Jeremoabo, o proprietário de 61 fazendas na região, o que, em termos políticos e no bojo da guerra, equivalia a dizer controlar um vasto e fiel rebanho de eleitores. As eleições são, portanto, um elemento primordial para a compreensão de Canudos. Eleições que, aliás, eram muito repetitivas – a cada dois anos se votava para o Legislativo estadual; a cada três, para o federal; a cada dois, para o municipal. Ou seja, vivia-se num processo constante de pleitos. Daí a necessidade de controle desses currais, dos chamados currais eleitorais. É importante lembrar aqui que os dois grupos eram remanescentes do Partido Conservador do Império; todos eram amigos e pertenciam agora ao Partido Republicano Federalista. Essa amizade que ligava os dois grupos vai ser rompida em 1893, ano que eu considero o marco inicial para que se contemple e compreenda Canudos do ponto de vista político.

Na verdade, esse marco poderia ser jogado até um pouco mais para trás – poderíamos tomar o 3 de novembro de 1891, que é quando, nas eleições para a presidência, o então governador José Gonçalves apóia Deodoro da Fonseca, e Luiz Viana fica com Floriano Peixoto. Em conseqüência do desenrolar dos acontecimentos, Viana pressiona José Gonçalves a renunciar, e ele renuncia. Porém Luiz Viana, que deveria assumir o poder, na condição de presidente do Senado estadual, não assume, alegando não ter a força a seu lado. Aliás, é muito conhecida a frase dele a respeito: "Desde que a força não garante o governo, que o governo seja a força". E foi assim que o governo acabou assumido pelo general Tude, que era o comandante do 3º Distrito Militar.

No ano de 1893, ocorrem muitos fatos importantes, que eu não repetirei porque estão mencionados no meu livro. Mas, entre eles, vale destacar a questão da discussão de um projeto de lei, posteriormente aprovado, que põe restrições à autonomia municipal, cerne de toda a via política na Primeira República principalmente, e ainda hoje presente. Essa restrição visava atingir municípios controlados pelo barão de Jeremoabo e seu grupo. E, logo depois da aprovação desse projeto, Luiz Viana promove a substituição das autoridades municipais. Friso esse ponto só para caracterizar o confronto entre grupos rivais dentro de uma mesma classe social.

Um segundo ponto que considerei importante para a compreensão de Canudos em seu aspecto político foi o ano de 1895. Ele é o segundo marco. Naquele ano, o governo de Rodrigues Lima, controlado por Luiz Viana, envia forças ao município de Bonfim – o maior reduto eleitoral de José Gonçalves – a fim de amendrontar eleitores. Era a prática, usada ainda hoje, de impedir eleitores de votar, sobre a qual, aliás, as cartas para o barão falam muito. Em 1895 há ainda algo mais grave: o governo retira dos municípios o direito de organizar suas guardas policiais. Em resumo, o governo despiu os municípios controlados pelos adversários de qualquer poder.

Tudo isso, eu considero, armou o cenário para a guerra. Evidentemente, essa disputa pelo poder só pode ser entendida, como de início frisou a professora Walnice, no contexto de uma das crises de longa duração do sistema capitalista. Só pode ser entendida no contexto da sociedade oligárquica como era a brasileira, mais especificamente a baiana. E também, como frisou o professor Villa, no contexto da disputa entre civilismo e militarismo. Um militarismo que apareceu vitorioso e um civilismo que queria se impor. Então a manipulação de todos esses interesses, eu entendo, conferiu a Canudos a sua dimensão nacional.

Quando escrevi o ensaio "A construção do medo", que abre o meu livro, me chamou a atenção o ritmo crescente desse temor. Não é o medo costumeiro, com o qual o sertanejo lida o tempo todo – o medo da seca, das doenças etc. É um medo construído por finalidades políticas, para satisfazer interesses de grupos em disputa. Dos principais ingredientes desse medo construído, eu destaquei o fantasma da restauração monárquica, principalmente em nível federal, o fantasma das fazendas destruídas, a defesa da grande propriedade fundiária, bem visível em nível estadual (mas sabemos que percorreu todo o Brasil). Por tudo isso, tentava-se conter Canudos, para que não servisse de inspiração a nenhuma outra parte da sociedade brasileira. Assim, no final da guerra, esse medo provocou um estupor.

Pois bem: eu quero conversar com vocês sobre como esse medo influenciou Euclides da Cunha e o trabalho dele. Observo, por exemplo, a cronologia da publicação de seus textos em *O Estado de S. Paulo*. A primeira reportagem, datada de 7 de agosto, saiu publicada no dia 23; a de 10 de setembro, que é muito importante, porque foi quando Euclides avistou Canudos, só viria a público um mês depois, em 11 de outubro. Quando já era velha a notícia da queda do arraial, em 26 de outubro, é que saiu a última reportagem dele escrita na frente de batalha, a 1º de outubro; 26 de outubro, a propósito, é a data em que o *Correio* anunciou a grande convenção do partido que elegeu Campos Salles presidente da República.

Isso tudo me sugere que Júlio Mesquita ou alguém promovia uma censura dentro do jornal. Quem sabe houvesse lá agentes oficiais encarregados desse trabalho. O fato é que só depois que as notícias saíam estampadas em outros veículos é que *O Estado* estampava os textos de Euclides – e eles continham exatamente aquilo que se queria apagar. O escritor desmentia, por exemplo, a propalada conspiração monarquista, na qual ele mesmo chegou a acreditar. Euclides também não transmitia uma boa imagem do Exército, tampouco das facções políticas presentes no conflito.

Campos Salles, que já se sabia futuro presidente, dava a fórmula para intimidar monarquistas. Basta fazê-los se intimidar pela polícia, suspendendo sua imprensa e dispersando reuniões, dizia. Tudo faz crer que a intensificação da censura nos jornais haja levado Júlio Mesquita a, preventivamente, fazer restrições aos artigos de Euclides. Um fato que me chamou a atenção é que o escritor, quando estava em Canudos ou na região, enviou telegramas a Campos Salles. Ele sabia, acredito, o que estava sendo articulado nas hostes mais altas do poder. Enviou dois telegramas bastante elogiosos em relação ao desempenho do Exército, ambos terminando com "Viva a República!". E o último artigo que escreveu, elogiando o Batalhão de São Paulo, penso que o fez – isto é especulação – a contragosto, por pressão de Júlio Mesquita, para melhorar sua posição perante o Exército.

Em *Os sertões*, como sabemos, a não ser quando cita Floriano e o sogro, Solon Ribeiro, ou faz alguma referência a eleições, ele não fala de política. E é claro que Euclides da Cunha conhecia a situação política do Brasil e da Bahia, em especial. Ele se demorou pelo menos 23 dias na capital baiana. Visitou o marechal Bittencourt no palácio do governo e certamente entrou em contato lá com Luiz Viana. Além do mais, visitou a redação de vários jornais antes de seguir para frente de batalha.

Anna Mariani: Pretender ilustrar Euclides é fora de propósito. Ele não precisa disso. Euclides da Cunha é mais do que fotográfico – é cinematográfico. *Os sertões* é visualmente tão extraordinário que nenhum fotógrafo conseguiria chegar nem perto.

Por razões familiares, como explico no depoimento que sairá nos CADERNOS DE FOTOGRAFIA BRASILEIRA, desde muito cedo a palavra sertão exerce um fascínio sobre mim. Para dizer a verdade, nem sei como isso começou. Eu vivi muito da minha infância no Recôncavo. Meu pai foi criado por uma avó que era daquela região, lia bastante, escrevia em jornal – e isso lhe dava muito orgulho. Eu custei a saber que a outra avó dele era sertaneja. E um dos irmãos do meu pai, a quem eu conheci quando mudamos para o Rio, foi criado no sertão. Assim, os relatos da vida sertaneja passaram a ser o máximo das minhas fantasias. Eu ouvia ainda, nas fazendas do Recôncavo, muita gente que vinha por causa da seca. Eram os chamados catingueiros. A relação dessas pessoas com a paisagem sertaneja, com a caatinga, era, para mim, algo alucinante, difícil de explicar. Só depois, quando eu soube da minha origem sertaneja, é que se explicou esse fascínio. Que, aliás, era considerado um pouco "desqualificado", já que o sertanejo era visto como rude, não era civilizado.

Quando me mudei para o Rio, aos 10 anos de idade, entrei contato com aquele tio, que tinha sido criado numa fazenda no Médio São Francisco e ainda administrava terras da família por lá. Ele era um grande contador de casos e as histórias dele fascinavam minha imaginação. Eram belíssimas e muito ligadas a essa coisa da vegetação e das mutações. Com Euclides, eu reencontrei isso, essa explosão da cor, que não aparecia em outros escritores – que se voltavam para a tragédia da seca – e nem mesmo em filmes.

Comecei a viajar pelo sertão em 1972. Não fui diretamente para Canudos; fui primeiro para a cidade da Barra, cidade da minha avó, na confluência do Rio Grande com o São Francisco. Comecei mesmo só para conhecer. Um pouco antes daquela viagem, eu tinha entrado em contato com *Os sertões*. Estava no colegial e tinha um professor de português extraordinário, Matoso Câmara. Nós lemos *Os sertões* em classe. Eu não sei se ainda se faz isso hoje; eu acho que não.

Quando cheguei em casa com o livro, assim, fascinada, falei com meu pai e ele, muito solenemente, me disse: "Mas você sabia que, se o seu avô tivesse permanecido em Juazeiro, não teria acontecido a Campanha de Canudos?" Perguntei: "Que história é essa?" Meu pai explicou: "Seu avô lidava muito bem com o Conselheiro. Ele foi juiz em Juazeiro por muitos anos. Acabou transferido por motivos políticos. Veio, então, o Arlindo Leoni e aconteceu o que a gente sabe".

Continuei lendo *Os sertões*, sozinha, e gostava muito daquela primeira parte que, em geral, meus colegas não gostavam, "A terra" – todo mundo achava chato, todo mundo queria ver "A luta". Então, quando cheguei no sertão, a primeira coisa que pensei foi na capacidade de Euclides de descrever aquilo com tantos detalhes. Eu levei dez anos, sei lá, muito tempo para começar a ver a diferença entre tipos de folhas, de plantas.

Nesses 30 anos de percursos e fotografias através do sertão, com várias passagens pela região de Canudos, me dediquei principalmente à paisagem, à vegetação – à caatinga –, às mutações cromáticas. "É uma mutação de apoteose, (...), transfigura-se em mutações fantásticas", escreveu Euclides em "A terra". O professor Medina Rodrigues chamou esse meu trabalho de "textos de tonalidades".

Ou seja, de novo: não é que, com minhas fotos, eu tenha *ilustrado* Euclides da Cunha. Ele dispensa isso. O que pretendi fazer foi uma junção daquelas frases extraordinárias com imagens que consegui fotografando. Tenho dezenas de fotografias de favelas, umas 50 fotos de umbuzeiro, em todas as épocas do ano, e daí por diante. Fotografar aquele lugar é um impacto. Lá estão algumas das paisagens mais fortes do mundo.

Cristiano Mascaro: Como vocês sabem, não sou um estudioso da obra de Euclides da Cunha, mas simplesmente um admirador tardio... Portanto minha participação nesta mesa se resumirá ao depoimento sobre a viagem que fiz para fotografar Canudos, a pedido dos CADERNOS DE FOTOGRAFIA BRASILEIRA, do IMS.

Como disse, não sou um especialista em Euclides, mas ao longo de minha vida sempre me senti muito próximo dele, com direito até de uma certa intimidade. Isso porque eu quase nasci em São José do Rio Pardo. Meus bisavós baianos, migrando para o sul, exageraram um pouco e foram parar no Rio Grande. Lá, espantados com o frio, foram voltando em direção ao norte e meu bisavô, que era médico, resolveu se estabelecer em São José, onde minha mãe nasceu, bem como todos os meus irmãos. Eu, infelizmente, não nasci em São José do Rio Pardo; sempre tive uma certa frustração por isso, pois minha ligação com aquela cidade é bem maior do que com Catanduva, minha terra natal. Desde a infância, todas as minha férias foram passadas em São José – e nessa época lá ia eu aos bailes da Semana Euclidiana, não perdia um. Mas dos concursos de monografia e das maratonas culturais, confesso que passava ao largo. No entanto eu nadava no rio Pardo, sob a ponte que Euclides reconstruiu, jogava bola ao lado da casinha onde ele escreveu *Os sertões* e, ainda, ouvia de minha avó histórias da família de Euclides, de sua mulher, de seus filhos...

Assim, quando recebi o convite para fotografar Canudos, pensei: meu Deus, está na hora de eu me aproximar realmente de Euclides da Cunha e sua obra. Foi então que li *Os sertões*, algo que, confesso, já havia ensaiado diversas vezes. Encarei a tarefa como missão e, ao partir para a Bahia, eu estava entusiasmado; queria *ver* tudo aquilo que as palavras de Euclides tinham feito com que eu imaginasse.

Tomei meus cuidados, pois a fotografia sempre se volta a um de dois extremos da realidade. Ou os fotógrafos se dedicam a retratar a condição humana e suas mazelas ou, no outro extremo, fazem o elogio da natureza, entardeceres, pássaros do Pantanal etc. E eu acredito que entre uma coisa e outra exista um universo de tamanho imenso, que é o retratar a vida cotidiana, descobrir pontos luminosas onde aparentemente nada está acontecendo ou nada tem importância. Acho que isso, do ponto de vista da representação plástica do real, é mui-

to rico, é um desafio muito grande. E foi com esse espírito que parti para lá – justamente porque não havia mais guerra e todo o cenário grandioso descrito por Euclides da Cunha praticamente não mais existia.
O trajeto de Salvador a Canudos foi, de certa forma, uma decepção. Eu tinha em minha cabeça as imagens fortíssimas das páginas de *Os sertões* e, quando lá cheguei, chovia!
Eu imaginava que, saindo de Salvador, depois da região do Recôncavo, que é mais verde, eu iria enfrentar o deserto do coronel Moreira César. No entanto as paisagens, a real e a do livro, não coincidiam. Fiquei um tanto incomodado com a situação. Mas eu tinha que fazer alguma coisa e resolvi tirar partido da situação, até porque havia uma mistura maravilhosa de sol e chuva naquele sertão, que de qualquer forma era uma grande novidade para mim. Corri para o primeiro morro que avistei para observar do alto a região. O cenário era grandioso e somente eu estava lá, naquele final de tarde. Estava me sentindo isolado frente a paisagem e resolvi fotografar imediatamente, tirar partido daquela situação inesperada. Quando corro para o carro em busca de minha câmeras, de uma *van* que acabava de estacionar, descem, vejam só, outra surpresa: José Celso Martinez Corrêa e a sua turma. Isso tudo – a chuva, a terra não exatamente inóspita, a chegada de José Celso – fez com que eu entendesse que eu não estava "dentro" de *Os sertões*, mas na realidade atual.
Mas eu tinha que fazer alguma coisa, estava ali em missão especial. Ao contrário do escritor, que faz, digamos, um trabalho de gabinete – já que traz suas anotações e pode retrabalhar suas idéias posteriormente –, nós, fotógrafos, trabalhamos "ao vivo" e, portanto, temos um tempo determinado para realizar nossos registros, nossos comentários. Em Canudos, revivi meus tempos de repórter fotográfico, quando era obrigado a voltar para a redação com as melhores imagens dos acontecimentos, chovesse ou fizesse sol.
E ainda, como fotografar uma Canudos atual que não tem mais absolutamente nada a ver com a Canudos euclidiana?
Resolvi retomar a leitura de *Os sertões* e todos os recortes de jornais que havia levado na tentativa de recompor o "clima" do lugar e me sentir estimulado a fotografar.
Fiz o que pude, percorrendo todos aqueles caminhos descritos por nosso autor. E fiquei levemente desconfiado de que devemos a ele, Euclides da Cunha, pela força de suas palavras, as sensações de grandeza e exuberância daquela paisagem.

Davis Ribeiro de Sena: Eu começo prestando uma homenagem ao saudoso Roberto Ventura, a quem eu conheci muito jovem. Um dia, ele apareceu no Arquivo do Exército, abri-lhe as portas e nos tornamos amigos. A última vez que o vi foi justamente num jantar, em São Paulo, ao qual estava presente a professora Walnice.
Também trouxe algumas fotos de Canudos, que eu gostaria de passar a vocês. [Distribui vários álbuns aos participantes do encontro]. Uma delas é notável: é essa cabeça-de-frade, que brotou em cima de uma pedra, exatamente como Euclides descreve em *Os sertões*.
[Seguem-se comentários a respeito das imagens. Na seqüência, Davis de Sena entrega aos convidados um texto de sua autoria intitulado "Canudos e o Exército", do qual se reproduzem aqui alguns trechos:
"O fenômeno Conselheiro deve ser estudado no contexto nacional, fazendo parte da evolução da nacionalidade brasileira. O Exército recebeu a missão de destruir Canudos diretamente do presidente da República, Prudente de Morais, e estava defasado quanto ao desenvolvimento bélico mundial, conseqüência da "revolução industrial" em andamento, que criara novas técnicas e tática militares: surgimento do fuzil de repetição, da metralhadora, da pólvora sem fumaça, do tiro indireto de artilharia etc. Filosofias exóticas e pacifistas como o positivismo, de ampla difusão entre a oficialidade, influíram negativamente na operacionalidade da tropa.
A força terrestre, que tivera atuação meritória na Guerra da Tríplice Aliança, empregou o mesmo dispositivo do passado e foi surpreendida pelo fogo certeiro dos conselheiristas, abrigados no interior da localidade, ocupando posição defensiva apoiada em um curso de água que, embora seco, possuía margens encaixotadas (...).
Ao todo foram empregados entre 10 mil e 11 mil homens ao longo do conflito armado, o que equi-

vale à terça parte do efetivo total do Exército à época (...). A campanha pode ser considerada como ponto de inflexão para a modernização da força terrestre. A inexistência de um serviço de apoio logístico estruturado foi a principal geratriz dos obstáculos a serem superados pelos expedicionários durante a guerra.

O Conselheiro fundara, talvez sem se dar conta, um Estado revolucionário dentro do Estado legal. (...) Outros conselheiros e espíritos místicos apareciam pelo Brasil afora, naqueles tempos: Conselheiro Francisco, na mesma área do Bom Jesus Conselheiro, que construiu, entre outras, a igreja do Cumbe, atual Euclides da Cunha; Conselheiro Guedes, em Pernambuco; monge José Maria, no Paraná; os Muckers, no Rio Grande do Sul; padre Cícero, no Ceará. Até na Itália foi debelado, com violência, um movimento messiânico.

Embora monarquista assumido, Antônio Conselheiro não pretendia expandir seu arraial sagrado (o dinheiro republicano não circulava em Belo Monte, não existiam autoridades de quaisquer níveis e a comunidade era garantida pela força das armas). Sua tentação, um pouco ingênua, era se excluir, ficar fora do pecado, imune às tentações do cão (...). Para ele, o fim do mundo estava próximo e aconteceria na virada do século. Ali chegara atraído pela queda do meteorito Bendengó – um presságio do Altíssimo – e pela inspiração do frei Apolônio de Todi, capuchinho milagroso que construíra um novo Calvário na localidade de Monte Santo, um século antes. Intransigente, conduziu os canudenses às últimas conseqüências."].

Álvaro Ribeiro de Oliveira Neto: Estou incumbido de falar sobre o movimento euclidiano em São José do Rio Pardo. O fato de Euclides da Cunha ter passado lá três anos e construído uma ponte que hoje é o símbolo da cidade, de haver escrito lá a maior parte de *Os sertões* e firmado grandes amizades, como no caso de Francisco de Escobar, tudo levou São José a cultuar a memória do escritor. Esse culto se iniciou em 1912 e acontece até hoje, portanto há 90 anos. Em conseqüência disso, a cidade recebeu ao longo dessas décadas alguns dos intelectuais mais expressivos do país, os melhores conhecedores e divulgadores do pensamento euclidiano. De 1912 até 1937, esse movimento acontecia em um único dia, ou seja, na data da morte de Euclides da Cunha, 15 de agosto. Ele se resumia a uma romaria feita ao barracão de obras ocupado pelo escritor quando trabalhava na reconstrução da ponte, seguida de uma conferência feita por pessoa de reconhecida competência, e, com o tempo, de um baile.

Como esse movimento passou a não caber num dia só, por iniciativa do doutor Oswaldo Galotti e do professor Hersílio Ângelo foi criada em 1938 a Semana Euclidiana, realizada de 8 a 15 de agosto. Dois anos depois, surgiu a Maratona Euclidiana – o evento recebeu esse nome porque os alunos da região vinham a São José do Rio Pardo fazer uma dissertação sobre um tema relacionado a *Os sertões*. Bem antes disso, em 1925, foi criado o Grêmio Euclides da Cunha. E, em 1946, a Casa de Cultura Euclides da Cunha, no sobrado onde o escritor residiu.

Tudo isso mostra o interesse que a cidade tinha e tem em manter o movimento euclidiano sempre ativo. Eu me lembro muito de meu tio Oswaldo Galotti falando de nomes como Francisco Venancio Filho, Honório de Silos, Agripino Ribeiro da Silva. Eu me recordo de um grupo de pessoas realmente envolvidas nesse trabalho de divulgação da obra euclidiana.

Posteriormente foi criado o Ciclo de Estudos Euclidianos. Acho que foi a partir dele que o movimento se intensificou – e não apenas numericamente. O ciclo consiste em aulas nas quais se estuda a biografia de Euclides da Cunha e os aspectos sociais, literários, geográficos, históricos e científicos da obra euclidiana. Isso, em todos os níveis, do ensino fundamental ao universitário. Desde que ele foi implantado, a repercussão tem sido muito grande – numa contribuição fundamental para a consolidação da Semana e para que São José do Rio Pardo viesse a ser considerada a "meca do euclidianismo". O próprio Roberto Ventura dizia considerar-se um peregrino. Ele ia todo ano lá. Depois foram criadas as mesas-redondas, nas quais os assuntos são debatidos por mais pessoas.

O ponto alto desse movimento foi a Semana Euclidiana de agosto passado, justamente por ser este o ano do centenário de *Os sertões*.

Como os senhores sabem, a Casa de Cultura Euclides da Cunha mantém um museu que, também em função de todo esse movimento, criou um acervo que só vem aumentando, graças à participação de todos. Francisco Venancio Filho, por exemplo, trabalhou muito nesse particular, cedendo peças importantíssimas.

Neste ano, a Semana homenageou o doutor Galotti, por tudo o que ele fez e em 2003 o homenageado será Roberto Ventura. Em 2004, vamos lembrar o centenário da viagem de Euclides da Cunha ao Amazonas.

A Casa de Cultura Euclides da Cunha foi municipalizada em 2001, o que vale dizer que o estado doou para São José do Rio Pardo o acervo que estava lá. Neste ano, nós conseguimos juntar a ele o arquivo do Grêmio Euclides da Cunha e o acervo de Oswaldo Galotti. Assim, foi criado, por lei, o Centro de Estudos e Pesquisas Euclidianas Dr. Oswaldo Galotti. A reunião de todas essas coleções transforma São José do Rio Pardo num centro de referência da maior importância para os que se dedicam à obra de Euclides da Cunha.

DEBATE

Cadernos de Literatura Brasileira: Poderíamos começar o debate pedindo à professora Walnice que falasse das duas perspectivas presentes na abordagem de Canudos – os estudos euclidianos, de um lado e, de outro, aquela vertente ligada a uma visão mais conselheirista, que é a perspectiva do professor José Calasans. São duas apropriações possíveis e que têm realmente força histórica e seguidores, então seria interessante que falássemos como é que elas funcionam.

Walnice Nogueira Galvão: Penso que foi José Calasans quem inaugurou a definição dessas correntes. Já trabalhava com ele havia tempos, quando me surpreendeu, dizendo-me que eu era conselheirista. Fiquei muito honrada: logo eu, que sou uma euclidiana, ouvir isso de Calasans. Então comecei a prestar atenção à demarcação das tendências e percebi que o pessoal da Bahia que quer estudar a Guerra de Canudos nega que Euclides seja um porta-voz autorizado. Calasans não era dessa opinião, e elogiou Euclides repetidamente, inclusive em seus escritos. Mas passei a reparar nessa prevenção que às vezes pervaga pela Bahia. Por outro lado, entre os euclidianistas, também noto muitas vezes certa antipatia pelo Conselheiro...

Costumo dizer que nós só sabemos da Guerra de Tróia graças à *Ilíada* e à *Odisséia*, não existindo outro testemunho. E, para mim, não fosse Euclides, ninguém mais falaria na Guerra de Canudos. Ninguém fala no Contestado, que foi muito mais importante que a Guerra de Canudos, não tem nem comparação; a Cabanagem e a Sabinada passam em silêncio. Por quê? Porque faltou um Euclides para fazer o registro daqueles outros levantes populares. A memória da Guerra de Canudos persiste porque Euclides da Cunha fez dela um monumento literário. Muitos baianos se manifestam com veemência quando digo isso.

Então, é verdade, existem essas duas posições. A própria Semana Euclidiana demorou muito a convidar o pessoal da Bahia para participar – e o pessoal da Bahia a aceitar o convite. Sei que Calasans foi em 1963 – e acho que não agradou muito, porque só voltaria na década de 90, ou seja, 30 anos depois.

Mas, em 97, penúltima vez em que participei da Semana, tive o prazer de tirar uma foto ao lado do vencedor da Maratona Euclidiana, que era um garoto de Canudos. "Isso sim", pensei, "agora Euclides pode repousar em paz". Era a síntese que ele nunca conseguiu fazer em vida: um canudense vencedor da Maratona Euclidiana.

Entendo que essas divergências possam existir, mas pessoalmente não as aceito. Trabalho pela conciliação entre as duas alas, vamos dizer assim. E vejo aqui alguns estudiosos que não estão em nenhuma delas. Marco Antonio Villa, por exemplo, é *excêntrico*: nem euclidiano, nem conselheirista. O coronel Davis, de modo semelhante, não é nem a favor nem contra, assume ainda uma outra posição. Mas queria dizer que sempre trabalhei para unir as duas tendências, dediquei muito esforço à tarefa. Afinal, vamos continuar repetindo as guerras fratricidas? Que bobagem!

Consuelo Novais Sampaio: Só para firmar a posição do professor Calasans, que você citou: numa das palestras a que assisti, ele fez longas citações de Euclides da Cunha – inclusive aquela em que o escritor descreve o caráter e a personalidade do marechal Bittencourt. Depois alguém comentou o trecho e ele, com aquela voz grave e pausada, disse: "As citações, talvez longas demais, encerram um pensamento mais alto, têm uma função educativa, valem um lembrete – é bem possível que isso seja um conselho aos moços do meu Brasil. É preciso ler e compreender Euclides da Cunha; seu livro não engrandece simplesmente o escritor, dignifica toda uma literatura". Esse foi o professor Calasans.

Davis Ribeiro de Sena: Eu queria dar um palpite rápido. Eu concordo plenamente com a professora Consuelo, porque eu lidei muito bem com o professor Calasans. Ele falou na gaiola de ouro, mas era um admirador do Euclides da Cunha. Outra coisa: no Exército, Euclides passou um tempo, não vou dizer execrado, mas um tanto marginalizado. A turma não gostava dele, com aquele estilo muito exuberante, muito forte. Por exemplo, eu vou ler só um negócio aqui que ele escreveu, um parágrafo pequeno: "De feito, aquela campanha cruenta e na verdade dramática só tinha uma solução, e esta era singularmente humorística. (...) Mil burros mansos valiam nas emergências por dez mil heróis.".
Vejam bem, ele não atacou o Exército, não era essa a intenção dele. Euclides queria dizer que a logística era que deveria prevalecer, e não o combate, que não adiantaria. "A luta com todo seu cortejo de combates sanguentos descambava, deploravelmente prosaica, a um plano obscuro. (...) Dispensava o heroísmo, desdenhava o gênio militar, excluía o arremesso das brigadas e queria tropeiros e azêmolas. Esta maneira de ser implicava com o lirismo patriótico e doía, feito um epigrama malévolo da História, mas era a única. Era forçada a intrusão pouco lisonjeira de tais colaboradores em nossos destinos." E arrematando: "O mais caluniado dos animais ia assentar, dominadoramente, as patas entaloadas em cima de uma crise, e esmagá-la...". O que ele queria dizer com essa coisa gongórica, com essa metáfora, era que o que interessava naquele momento era o apoio logístico, era a tropa estar bem alimentada, bem municiada, e não levar mais gente para combater e botar mais lenha na fogueira.

Alberto Venancio Filho: E o marechal Bittencourt deu razão a ele.

Davis Ribeiro de Sena: É verdade.

Alberto Venancio Filho: O livro é uma catilinária à incompetência do Exército. Não é só essa frase aí, não, ele diz outras coisas – ele diz a verdade.

José Carlos Barreto de Santana: Eu queria retomar o ponto em que a professora Walnice falou de José Calasans. Na verdade, o professor Calasans tinha muito clara essa situação dos conselheiristas e euclidianistas, mas, pessoalmente, com a grande generosidade dele, abrigava a todos. Por exemplo, no meu caso, apesar de ser da Bahia, como meu tema é Euclides da Cunha e a história das ciências, eu nunca fui visto, a não ser pelo professor Calasans, exatamente como um conselheirista. Mas ele, além de acolher bem a qualquer um, fazia uma distinção, dentro desse euclidianismo, entre o que ele chamava euclidianos e euclidianistas, para diferenciar os que de alguma forma se aproximam de Euclides e fazem essa reconstrução do mito, com muita paixão, e os que se aproximavam de Euclides como objeto de estudo, com um afastamento crítico maior – talvez Marco [Antonio Villa] possa se encaixar também numa situação dessa. Sobre outra questão, a da gaiola de ouro, citada aqui, sem dúvida o professor Calasans, que apreciava muito Euclides, foi o responsável por abrir essa gaiola. Agora, ele nunca negou também que, se *Os sertões* era uma gaiola de ouro que precisava ser aberta, e foi aberta, continua sendo um portal de ouro para a compreensão de Canudos. Pode não ser mais a gaiola; mas a porta de entrada principal para Canudos ainda é *Os sertões*, e isso Calasans sempre fez questão de deixar claro. Portanto eu acho que o professor Calasans era bastante sensível para perceber a grandeza da obra.

CADERNOS: Seria oportuno voltar a um tema que precisa estar presente na edição e que foi tocado aqui de passagem – a presença do Euclides na imprensa. A professora Consuelo, por exemplo, levantou a hipótese de algum tipo de censura ao trabalho de cobertura da Guerra de Canudos feito pelo escritor para *O Estado de S. Paulo*. O que importa é que, ao falar do jornalismo em Euclides da Cunha, nós nos remetemos a outro problema, cuja discussão talvez ainda não esteja superada, que é a do que existe de "real" e o que existe de "fictício" em *Os sertões*; o quanto o livro é literatura, o quanto é realidade, o quanto Euclides foi repórter, o quanto foi escritor. Já se afirmou, por exemplo, que, como ele saiu alguns dias antes do final da guerra, ele era um péssimo repórter.

Walnice Nogueira Galvão: Mas não importa: Euclides é um grande escritor – que seja um péssimo repórter.

Cadernos: Sem dúvida. No caso da seqüência de textos, suponho que a explicação esteja num problema logístico, de chegada mesmo dos textos. O importante, porém, a questão maior é a mistura de gêneros que existe em *Os sertões* – propositalmente, claro. É uma atitude romântica, no sentido de que foi o Romantismo quem quebrou a camisa-de-força da distinção entre os gêneros, em oposição ao Classicismo.

Marco Antonio Villa: Bem, eu realmente acho que nunca houve censura por parte de Júlio Mesquita. A demora na publicação de artigos vem das dificuldades de comunicação da época – basta ver que no interregno, entre um artigo e outro, há dezenas de telegramas.

Walnice Nogueira Galvão: O que ocorre também nos outros jornais.

Marco Antonio Villa: Pois então – você tem esse descompasso, mas ele é coberto pelos telegramas. Existem inúmeros telegramas entre um artigo da trincheira e outro. Portanto eu acho que não houve censura por parte de Júlio Mesquita.

Cadernos: Sim, não há censura nos jornais. Havia lá, na frente de batalha.

Marco Antonio Villa: Certo, mas é bom lembrar que Euclides chega a Canudos na condição de adido do Estado-maior, e os outros jornalistas não. Ele tinha privilégios tão grandes que, se você pegar a *Caderneta de campo* e cruzar com o *Diário de uma expedição* e começar a tecer, depois, pensando em *Os sertões*, vai ver, por exemplo, como o perfil do Artur Oscar é um no diário e outro em *Os sertões*. É bom lembrar que Euclides da Cunha janta diversas vezes com Artur Oscar, se hospeda na cabana do capitão Abílio Noronha (que depois vai ser general aqui, no segundo 5 de julho, de 1924; é ele quem comanda as forças legalistas aqui em São Paulo). Aí, quando entramos nas cartas que a professora Walnice editou com o [Oswaldo] Galotti, a gente percebe como Euclides, desde muito cedo, já está profundamente desiludido com a República. Aquele "A república é imortal" do final dos artigos é diferente, por exemplo, da carta de 1897 que, antes de chegar à Bahia, ele manda para João Luiz Alves. Nela você percebe que ele está sendo profundamente crítico em relação à República, mas esse sentimento não aparece nos artigos de jornal. Agora, Euclides não é, de fato, o melhor jornalista do conflito; o melhor é o Manuel Benício [que cobriu a guerra para o *Jornal do Commercio*, do Rio de Janeiro]. Mas quem lê o Manuel Benício hoje? Quando a gente lê as reportagens, não tem dúvida de que ele foi o melhor jornalista da guerra; já ao ler *O rei dos jagunços* [romance de Benício, publicado em 1899], a gente se decepciona enquanto literatura – não está ali o melhor escritor, evidentemente. Manuel Benício, aliás, chegou a viver situações muito difíceis em Canudos; precisou sair porque as denúncias que fazia eram bastante fortes. É bom lembrar que, depois da campanha, quem é promovido? O general [Cláudio do Amaral] Savaget é promovido, todo mundo é promovido – menos o Artur Oscar.

Davis Ribeiro de Sena: Depois de Canudos, Artur Oscar não recebeu mais nem comissão.

Walnice Nogueira Galvão: Nem foi condecorado. O general Solon [Ribeiro, sogro de Euclides, que foi afastado do comando do 3º Distrito Militar na Bahia em 1896, à época da organização da 4ª Expedição] tampouco.

Marco Antonio Villa: No caso do Solon, havia uma série de divergências dele com Luiz Viana.

Tanto que Euclides escreve uma carta tentando justificar para o sogro por que foi visitar Luiz Viana. É bom lembrar que em *Os sertões* Luiz Viana é apenas "o governador da Bahia", não é Luiz Viana – Euclides segue aquele velho estilo do *Estadão* de não citar o nome de seus adversários.

Davis Ribeiro de Sena: De qualquer maneira, voltando um pouco, é preciso frisar que Euclides não viu o final de Canudos.

Marco Antonio Villa: Não viu, com certeza. A rendição, Euclides não viu, porque ele não relata no *Estadão*. O último artigo feito em Canudos é de 1º de outubro. O combate do dia 1º, sim, ele assistiu – aliás, foi o combate mais violento da guerra.

Davis Ribeiro de Sena: No dia 5 de outubro não houve combate.

Walnice Nogueira Galvão: Claro que não.

Davis Ribeiro de Sena: Como se diz no Exército, a tropa tomou posse do objetivo, porque eles entraram lá sem combate.

Marco Antonio Villa: Uma parte morreu e outra parte saiu. Quantos realmente morreram? Isso é uma longa história. Com certeza, porém, não foram 20 mil. Isso é ficção.

Davis Ribeiro de Sena: Agora, uma pergunta. O que eu vou ler, todos conhecem, é de Euclides: "Canudos não se rendeu. Exemplo único em toda a história, resistiu até ao esgotamento completo. Expugnado palmo a palmo, na precisão integral do termo, caiu no dia 5, ao entardecer, quando caíram os seus últimos defensores, que todos morreram. Eram quatro apenas: um velho, dois homens feitos e uma criança, na frente dos quais rugiam raivosamente cinco mil soldados". Ele viu isso?

Marco Antonio Villa: Não viu, mas eram quatro, sim.

Walnice Nogueira Galvão: E nem precisava ter visto: vejam a beleza da formulação.

Consuelo Novais Sampaio: A maioria dos trabalhos que eu li, quando se referem à "Nota preliminar" de *Os sertões*, destaca sempre o fato de Euclides haver escrito o livro nos raros intervalos do trabalho. Mas em nenhum lugar eu vi qualquer comentário sobre a última frase desse primeiro parágrafo, em que ele diz que, a princípio, *Os sertões* se resumia à historia da Campanha de Canudos, mas que esse tema "perdeu toda a atualidade, remorada a sua publicação em virtude de causas que temos por escusado apontar". E, no segundo parágrafo: "Demos-lhe, por isto, outra feição, tornando apenas variante de assunto geral o tema, a princípio dominante, que o sugeriu". Isso está na "Nota preliminar". É interessante que, do mesmo modo, o estudante de medicina Alvim Martins Horcades, quando faz a apresentação do seu *Descrição de uma viagem a Canudos*, diz que ali estão reunidos artigos publicados pelo jornal, mas também outros que não saíram "por motivos imperiosos, inteiramente alheios à minha vontade e que não vêm ao momento declarar". Ora, eu entendo isso como censura que ambos sofreram.
Em *Os sertões* há ainda uma outra passagem que, para mim, indica que Euclides se autocensurou para que o livro fosse, entendo eu, publicado – depois direi por quê. Quando ele se refere ao revés de Uauá e fala de "extemporânea disparidade de vistas, entre o chefe da força federal da Bahia" – não cita o nome do general Solon – "e o governador do Estado" – também não cita o Luiz Viana –, Euclides descreve os acontecimentos – não opina – e sutilmente apóia o sogro. Logo a seguir, ele se refere a versões contraditórias agravadas pelos interesses inconfessáveis de uma falsa política "sobre a qual nos dispensamos de discorrer". Eu entendo que neste "nos dispensamos de discorrer" está implícita uma autocensura, que ele teria sido obrigado a realizar, não só para se preservar perante o círculo mais alto em que trafegava mas também para tornar possível a publicação do seu livro.
Numa das primeiras cartas que ele faz ao [poeta] Pethion de Villar, de 15 de maio de 1900, ele cobra a tradução francesa, porque o Pethion, como um homem de letras que queria cada vez mais se projetar socialmente, havia se oferecido para traduzir *Os sertões*. Euclides da Cunha cobra, ele não responde – e nunca faz essa versão. Na carta, Euclides diz que "o

livro está finalmente pronto", isso está taxativo lá. No Núcleo Sertão, eu vi algumas anotações do mestre Calasans em que ele registra que Euclides sabia que, devido ao grande número de páginas, seu livro não seria facilmente editado e por isso pensou em publicá-lo parceladamente em *O Estado de S. Paulo*. Chegou a levar os originais a Júlio Mesquita.

Walnice Nogueira Galvão: Muitos dos livros da época eram publicados nas gráficas dos jornais. Então era lógico que Euclides, prata da casa, pensasse no *Estado*.

José Carlos Barreto de Santana: Quando chega a Salvador. Euclides já diz que vai escrever um livro.

Walnice Nogueira Galvão: ... cujo título seria *A nossa Vendéia*; está em todos os jornais.

Marco Antonio Villa: Quando ele sai daqui, o *Estadão* já diz que ele vai publicar um livro.

Consuelo Novais Sampaio: O fato é que ele só vai assinar o contrato com uma editora, do Rio, a Laemmert, em dezembro de 1901.

Marco Antonio Villa: Havia, sim, o temor de que o livro fosse um fracasso, pois *A marinha d'outrora*, do visconde de Ouro Preto, tinha sido um fracasso.

Cadernos: Gostaríamos de voltar ao ponto da mistura de gêneros operada por Euclides em *Os sertões* e à discussão a respeito do encontro em ficção e não ficção no livro.

Walnice Nogueira Galvão: Penso que você tem razão quando vai buscar as raízes dessa mistura no Romantismo. Muito bem lembrado, porque a proposta do Romantismo era justamente derrubar os limites entre os gêneros. É o Romantismo que cria o drama, o chamado drama burguês, mesclando a tragédia e a comédia, até então separadas. Nessa inovação sobressai, entre os franceses que tanto nos influenciaram, Victor Hugo, que teoriza e põe em prática a fusão em sua dramaturgia: basta lembrar o prefácio de *Cromwell* e a "batalha de *Hernani*". Na ficção e na poesia, similarmente, assistem-se a várias dessas tentativas. Tenho a impressão de que até hoje a tônica é essa, até hoje se dá continuidade a essa linha, que vem do Romantismo mas enveredou pela modernidade adentro.
Poderíamos considerar que muita literatura do século XX é neo-romântica. Penso que se pode defender essa opinião, inclusive quanto a Euclides da Cunha. O seu é um livro naturalista, no sentido literário de pertencer estilisticamente ao naturalismo. No entanto, a visualidade que a obra tem, que, mais que fotográfica, é até cinematográfica, não é naturalista. Os parnasianos vão impor o primado do que se vê, do que se descreve visualmente, porém com isenção e sem emoção. Ora, isenção e falta de emoção inexistem em *Os sertões*. O que há é partido tomado, indignação, peroração, invectiva, como você quiser chamar.
Então, você vê, ele vai misturando muita coisa: as paráfrases, as antíteses, os oxímoros, os paradoxos, as antinomias de que o livro está coalhado. Além disso, assume a figura do vate, que é uma proposta do Romantismo de quase cem anos antes. O Romantismo, desde o início do século XIX, é um movimento renovador que vem postular para o escritor, para o poeta, o senso de missão, a defesa dos oprimidos, a denúncia da injustiça. Victor Hugo é a grande figura que encarna o ideal na vida pública e na arte literária: bem-nascido, rico e nobre, abre mão de seus privilégios ao se colocar ao lado dos sublevados na revolução popular de 1848. Perde tudo e vai para o exílio por 20 anos, voltando, aliás, a tempo de participar da Comuna de Paris, sendo eleito deputado por uma avalanche de votos. Esse era o modelo que funcionava para os escritores brasileiros, como funcionou para Euclides.
Em suma, quanto ao estilo: vamos dizer que há um veio romântico, que se agrega ao naturalismo de fundo, e mais esses laivos parnasianos que estão na grande visualidade que *Os sertões* apresenta. Agora, se se quiser levar mais a fundo a teoria dos gêneros, eu diria que o livro é um epos submetido secundariamente ao gênero dramático: desde o começo, coloca-se como uma narrativa, mas narrativa de um conflito, de uma guerra – portanto, entremeada de recursos do gênero dramático. Euclides, por sua vez, está fazendo o papel de tribuno da plebe, tomando partido numa guerra. Esta é matéria dramá-

tica por excelência, seja ela uma rixa entre duas pessoas ou entre duas famílias, como em *Romeu e Julieta,* entre dois partidos, entre dois países, entre duas metades do mundo. Então *Os sertões* não pode deixar de ser adjetivamente dramático, assim como é substantivamente épico. Tudo servindo, portanto, em primeiro lugar, à narrativa: o importante é frisar que se trata de uma narrativa, de um *epos*.

CADERNOS: Essa proposta seria seguida também nos escritos amazônicos; é uma forma própria do Euclides, não?

Walnice Nogueira Galvão: Quer dizer, é de seu tempo, porque começa com o Romantismo. Mas também é dele: é ele quem elabora essa versão muito pessoal.

Francisco Foot Hardman: Eu acho que essa tradição romântica, essa matriz romântica, é fundamental para entender a obra – essa magnitude, essa mistura. A professora Walnice lembra muito bem essa matriz do Victor Hugo, que não é privilégio do Euclides, é uma matriz internacional e que pegou de um jeito ou de outro todos os brasileiros. Mas eu diria que devemos lembrar também os brasileiros românticos da geração precedente. Nessas poesias que estamos coletando, fica claríssima a colagem de, principalmente, Castro Alves, e sua dramatização, presente em, por exemplo, *O navio negreiro*. Fagundes Varela, Gonçalves Dias – todos esses são autores lidos e retomados o tempo todo por Euclides.
Quanto ao ponto do embate ficção versus realidade em *O sertões*, eu digo que acho da maior importância todas as pesquisas que vêm sendo feitas em relação aos episódios, para que a gente possa, de alguma forma, ver em detalhes todos esses fios, mas acho que, de qualquer maneira, nós estamos aqui reunidos por conta, sem dúvida alguma, da força literária, da força do texto, da arquitetura, da construção narrativa do livro. A memória de Canudos acabou sendo mediada e é tributária dessa força literária, esteticamente constituída por Euclides da Cunha.
Sobre a saída dele de Canudos, eu só queria retomar outra questão. Sabemos que ele se afasta da cena por vários motivos – está doente também –, e sai de Canudos antes do assalto final. Existe nesse ponto uma mudança do foco narrativo. Será que não houve ali verdadeiramente o processo de um trauma desse lugar tão elevado, que é o lugar de adido militar junto ao Estado-maior e, ao mesmo tempo, correspondente de um dos maiores órgãos da grande imprensa dominante do país? Será que, em algum momento, aquela violência crua, a cena mais violenta, a batalha mais violenta, será que aquilo não desencadeou, desde então e ao longo dos próximos anos, um trauma – e um processo de elaboração, um processo de depuração? A ficcionalização e a dramatização desse episódio resultariam um pouco da elaboração desse trauma vivido por um escritor agora já completamente dilacerado em suas ilusões republicanas. Do ponto de vista da consciência social, da consciência nacional, que nação é essa que produz esse tipo de morticínio? Que Exército é esse? Finalmente, eu acho que *Os sertões* é um produto híbrido disso tudo. Ele é o resultado híbrido, com toda certeza, ambíguo, contraditório necessariamente, antitético dessa dilaceração – tema que, aliás, a professora Walnice já abordou muito bem. Falo agora de um verdadeiro trauma, no sentido psicanalítico, histórico, que começa, talvez, naquela batalha do dia 1º de outubro, citada aqui como a mais violenta, e vai durar no escritor pelos próximos anos em que ele escreve sua grande obra.

Walnice Nogueira Galvão: Muito oportuna a lembrança de Fagundes Varela e Castro Alves, poetas românticos da geração anterior a Euclides. Ele admirava Castro Alves, sobre quem escreveu um ensaio. E, afora os pastiches poéticos, viria a ocupar na Academia Brasileira de Letras a cadeira de que o poeta era patrono. O baiano, por sua vez, já herdara a concepção do vate como justiceiro, defensor dos oprimidos. Castro Alves assume a causa dos escravos – e Euclides, a dos canudenses. É bom lembrar que foram essas gerações românticas do século XIX que trouxeram o povo para dentro da literatura. Antes disso, as personagens eram reis, deuses, heróis etc. A personagem coletiva aparece pela primeira vez na obra dos românticos. E seguem na esteira de Michelet, o historiador que, consciente e explicitamente, coloca o povo como agente da História, ao escrever a crônica da Revolução Francesa. Em literatura, quem vai operar nesse sentido é Victor Hugo na França, com seus romances, e Dickens logo em seguida na Inglaterra. Tendência que depois Zola desenvolverá, de maneira exemplar. Quem faz a mesma coisa no Brasil? Euclides da Cunha. Antes dele não vemos o povo como protagonista de literatura.

Marco Antonio Villa: Uma outra questão que eu gostaria de levantar é relativa ao fato de Euclides ser contraditório. Em *Os sertões*, por exemplo, ele critica a suposta comunhão de bens existente em Canudos, enquanto em "Um velho problema" faz uma ode ao socialismo. Como é que fica isso? É lógico que entre um e outro há um espaço de tempo – mas existe muita contradição no próprio interior do discurso.

Outro ponto é o uso das fontes. Aquele ensaio em que ele faz um balanço do século XIX brasileiro é um plágio do Joaquim Nabuco de *Um estadista do Império*. Até os erros do Joaquim Nabuco ele repete, mas claro que o texto de Euclides é muito mais bonito. Da mesma forma, quando a gente compara Euclides com os jornalistas que estiveram em Canudos cobrindo a guerra, é evidente que os artigos dele se sobressaem. Curiosamente, em *Os sertões*, quando se chega ali no início de outubro, que deveria ser o momento do grande clímax, temos uma interrupção, como se fosse uma curva em ascendência que, de repente, parasse – e termina o livro.

Qual era o sonho de Euclides em seu trabalho para o *Estadão*? Conhecer um conselheirista. Ele conseguiu – conversou com um menino do arraial, o Agostinho, e disso resultou provavelmente sua melhor reportagem. O garoto, de 14 anos, dá respostas excelentes a Euclides, que quebram com todo o esquema de interpretação religiosa que ele tem de Canudos. Por isso o menino não aparece em *Os sertões*, sumiu.

Cadernos: Acredito que o período que Euclides passou em São José do Rio Pardo, junto àquele grupo reunido em torno do Francisco de Escobar, já teria pelo menos aberto a perspectiva dele em relação ao socialismo.

Álvaro Ribeiro de Oliveira Neto: A conclusão a que se chega, lá em São José, é de que ele não era socialista militante, não participou do movimento em nenhum momento, nem assinou manifesto. O José Aleixo Sobrinho, que foi promotor público lá, pesquisou essa questão e tem um livro, *Euclides da Cunha e o socialismo*, em que defende essa tese. Em *Conhecendo Euclides da Cunha*, Rodolpho José Del Guerra também trata desse assunto.

José Carlos Barreto de Santana: O evolucionismo aplicado à política levaria, suponho, Euclides ao socialismo.

Walnice Nogueira Galvão: Tenho a impressão de que ele era aberto a – se não adepto de – alguma espécie de socialismo, dentro do humanitarismo romântico.

Davis Ribeiro de Sena: Ele era positivista e, em conseqüência, pacifista. Porque o positivismo era uma espécie de religião pacifista. Então por ser pacifista teria de ser socialista? Não.

Francisco Foot Hardman: Euclides não foi militante de carteirinha de nenhum grupo. De qualquer modo, nos textos amazônicos, o programa que ele lança a propósito da defesa dos direitos dos seringueiros é claramente um decalque dos programas mínimos de reformas dos partidos da social-democracia e da 2ª Internacional. E, mais que isso, eu fui um pouco adiante nessa investigação: Jean Jaurès – que não é à toa o grande líder socialista francês, pacifista, que se opõe à entrada da França na Primeira Guerra –, fez uma viagem pela América do Sul e elogiou longamente a perspectiva, vamos dizer assim, de solidariedade e de socialista de Euclides da Cunha. Euclides era muito personalista, dificilmente se filiaria. Mas é claro que houve, evidentemente, uma influência, uma simpatia e uma evolução, depois de *Os sertões*, nessa direção.

Consuelo Novais Sampaio: Eu tenho uma última inquietação e queria que vocês me ajudassem. Quando Euclides foi nomeado por Rio Branco para o Alto Purus, será que ele estava incomodando? Será que não foi uma espécie de exílio? Há alguns anos, fui consultora das comissões da Organização Mundial de Saúde. Nessas comissões, que procuravam justamente harmonizar as ciências sociais com a medicina, tínhamos que examinar os projetos através de toda a América Latina. Era difícil encontrar uma pessoa que se dispusesse a ir organizar os projetos na Amazônia. Será que Euclides foi mandado para o Purus como punição? Ou será que estava se autopunindo?

Alberto Venancio Filho: Pelo contrário. Ele pediu o lugar e aceitou de bom grado.

CADERNOS: Foi um desejo também do ponto de vista da carreira literária – e, além do mais, ele estava sem emprego.

José Carlos Barreto de Santana: Ele fica desempregado e o primeiro registro que ele faz dessa intenção é de 1903, a carta de 20 de fevereiro de 1903 para Luís Cruls. Ele diz: "Alimento há dias o sonho de um passeio ao Acre, mas não vejo como realizá-lo". Por que que ele escreve para o Cruls? Por que ele era diretor do Observatório Astronômico e estivera, entre 1900 e 1902, à disposição do Ministério das Relações Exteriores. Servindo como diretor da Comissão de Limites e chefe da Comissão de Limites com a Bolívia, conseqüentemente ele não escreve à toa, escreve dizendo que está querendo uma vaga nessas comissões.

CADERNOS: Voltando um pouco para o ponto do socialismo, na cronologia preparada por Roberto Ventura para este número, ele fez questão de citar no ano de 1904 que, a 1º de maio, Euclides da Cunha publicou em *O Estado de S. Paulo* o citado artigo "Um velho problema", em que criticava a Revolução Francesa e manifestava sua adesão ao socialismo de Karl Marx.

Marco Antonio Villa: Que ele não tinha lido. Por sinal, ninguém tinha lido Marx naquela época. No máximo chegavam aqui vulgatas da 2ª Internacional.

Walnice Nogueira Galvão: A propósito, "Um velho problema" me parece bastante complicado. Você fica sem saber que posição se defende ali, se a do socialismo utópico, ou do evolucionismo; às vezes parece um revolucionário, às vezes um contra-revolucionário. Não fica claro.

Marco Antonio Villa: Só um parêntese, ainda a respeito da ida de Euclides para o Alto Purus. Há um senso comum de que o barão do Rio Branco agia assim: o Joaquim Nabuco, ele mandava para os Estados Unidos e Euclides da Cunha, para a Amazônia. Não é isso. Euclides queria ir para Amazônia. Era um desejo pessoal. O barão não quis se livrar dele ao nomeá-lo para aquela comissão.

Walnice Nogueira Galvão: Na verdade, Euclides lutava pelos cargos. Batalhou para ser professor da Politécnica, batalhou para ser nomeado adido do Estado-maior e enviado especial do *Estadão* a Canudos. Assim como se empenhou em obter a chefia da Comissão do Alto Purus. Pode-se acompanhar essas gestões através de sua correspondência.

CADERNOS: Um outro assunto importante para o debate é o problema da tradução de *Os sertões* e, conseqüentemente, sua recepção no exterior. Talvez a professora Walnice pudesse falar algo a respeito.

Walnice Nogueira Galvão: Bem, já é um livro difícil mesmo para nós, nativos da língua, que dizer então para um estrangeiro. Antonio Houaiss costumava afirmar que um brasileiro só pode ler *Os sertões* dominando um repertório, e ele temia que as novas gerações não mais o conseguissem. O livro é difícil de qualquer maneira – pela linguagem, pelas idéias, pela falta de síntese, pelo excesso de antíteses, pelo ambição enciclopédica, pela mistura de gêneros etc. Agora, pode-se avaliar a corvéia que deve ser traduzi-lo. Da recepção tenho alguma idéia, porque Berthold Zilly me convidou para o lançamento de sua tradução nos anos 90, e participei de umas discussões por lá. A recepção das traduções para outras línguas, já existentes há mais tempo que a alemã, é minúscula: vendem-se mil exemplares ao longo de meio sécculo. No caso da

Alemanha, presenciei algo que me pareceu curiosíssimo: o susto que os críticos literários e os historiadores locais estavam levando ao ler *Os sertões*. Eles achavam, por exemplo, que [Mario] Vargas Llosa tinha escrito o livro definitivo sobre a Guerra de Canudos [em *A guerra do fim do mundo*, de 1981]. Ouvi, numa mesa-redonda, dizerem coisas assim, : "Ah, a gente pensava que aquela fosse a verdade". Então é como assistir a um desenrolar ao contrário: primeiro eles conhecem a Guerra de Canudos via Vargas Llosa e depois é que vão conhecê-la através de Euclides da Cunha – e aí o impacto é tremendo, muda completamente o que eles pensavam. A meu ver, apesar de ser de recepção muito restrita, certamente *Os sertões* vai ter algum reflexo na literatura alemã. Ouvi mais de um escritor dizendo que nunca sonhou que alguém pudesse escrever daquela maneira. De qualquer modo, vamos esperar para ver.

CADERNOS: Se é difícil a recepção na Alemanha, aqui no Brasil o livro, salvo engano, não está presente nos vestibulares. Não só não está como a gente não percebe nenhum esforço para que esteja. Uma das ambições deste número especial dos CADERNOS seria essa, de trazer um olhar amplo sobre Euclides e *Os sertões* que pudesse proporcionar uma aproximação por parte dos leitores que acabam ficando apartados e têm uma experiência negativa de leitura – como costuma acontecer com literatura em geral. Agora, é curioso que um livro canônico por excelência, que encabeça o cânone brasileiro, não esteja presente no vestibular.

Marco Antonio Villa: É que aparecem muitos resumos por aí. *Vidas secas* [de Graciliano Ramos] tem resumo de três páginas, então os estudantes lêem os resumos. E só para fazer um parêntese: em muitas das capas das edições estrangeiras de *Os sertões*, o que se representa é o México. Os conselheiristas, por exemplo, estão sempre a cavalo, tal qual os zapatistas e os villistas.

Consuelo Novais Sampaio: Com relação à tradução em inglês, tenho uma experiência. Eu fiz doutorado na John Hopkins, nos Estados Unidos, e, quando se chega numa universidade americana, eles querem mostrar o que conhecem da sua terra. Para mim falavam de Pelé, Machado de Assis e de *Os sertões*, *Rebellion in the backlands*. Eu não sei entre o grande público, mas no meio acadêmico o livro era bem conhecido.

Walnice Nogueira Galvão: O dr. Galotti se batia muito pela volta de *Os sertões* ao secundário, ao vestibular. Era uma preocupação sua.

Álvaro Ribeiro de Oliveira Neto: Quem também se bate muito por isso é o Adelino Brandão [autor de *Bibliografia comentada de Euclides da Cunha*, livro lançado neste ano]. Ele se queixa muito de o livro não ser usado nos exames vestibulares. Nem os professores conhecem. Temos feito em São José do Rio Pardo ciclos de estudos para os professores, objetivando criar multiplicadores do conhecimento do pensamento euclidiano. Uma das coisas interessantes que ocorrem em São José é que, quando se monta um ciclo – neste ano havia lá 500 alunos, de vários estados –, o que se pede é que o aluno tenha lido *Os sertões*. Mesmo assim, eles chegam sem ter lido o livro. Nós mantemos uma página na internet justamente para facilitar o acesso dos estudantes aos temas euclidianos, através dos artigos que vocês escrevem. As diretoras das escolas são estimuladas a acionar os professores de Português, História e Geografia para lerem todo esse material e passarem para os seus alunos, para que eles possam aproveitar melhor nosso ciclo de estudos. Mas, mesmo chegando lá sem saber nada, eles saem muito entusiasmados com o pensamento euclidiano. O que se falou aqui de uma evolução para o socialismo, a vontade de melhorar o país, eles saem de lá nitidamente com essa postura. Então, se esse livro caísse no vestibular, eu acho que, apesar das dificuldades que ele apresenta, os alunos gostariam de lê-lo e estudá-lo. Mas os professores, principalmente do ensino público, não conhecem o assunto.

Marco Antonio Villa: Eu diria que isso ocorre mesmo no ensino superior. São raríssimos os professores que conhecem *Os sertões*. Como se costuma dizer, é o livro mais falado e menos lido da literatura brasileira.

O euclidiano

Oswaldo Galotti, por Álvaro Ribeiro de Oliveira Neto

"É possível imaginá-lo isolado, não médico, sem a família talvez, mas é impossível pensar o doutor Galotti sem *Os sertões* e seu criador."

A frase com que Wladimir Pereira Júnior encerrou o discurso proferido na inauguração, dia 10 de agosto passado, em São José do Rio Pardo, do Centro de Estudos e Pesquisas Euclidianas que leva o nome de seu tio, doutor Oswaldo Galotti, é irretocável para exprimir a dedicação de um dos maiores guardiães da memória do autor da obra número 1 da cultura brasileira.

Nascido em 1911 na cidade de Espírito Santo do Pinhal, em São Paulo, Oswaldo Galotti foi o segundo dos sete filhos de Francisco Galotti e Fédora del Guerra Galotti. Ex-soldado constitucionalista na Revolução de 1932, formou-se em medicina pela Universidade do Brasil – atual Universidade Federal do Rio de Janeiro – em 1933. Dois anos depois, Galotti se instalaria em São José do Rio Pardo para trabalhar como oftalmologista e otorrinolaringologista, lá permanecendo até 1964. Nesse ano, mudou-se para São Paulo, depois de ter sido preso e julgado por seu empenho na implantação do Estatuto da Terra, que havia sido promulgado pelo governo João Goulart. Na capital paulista, cursaria a Faculdade de Higiene, chegaria à direção da Santa Casa e ajudaria a fundar a Associação Paulista dos Hospitais.

Durante o período em que residiu em São José do Rio Pardo, Galotti teve intensa atividade médica e comunitária. Na Santa Casa local, desenvolveu um trabalho que viria a fazer da cidade um centro fundamental para a medicina do interior. Também fundou a seção regional da Associação Paulista de Medicina, organizou o Sindicato dos Trabalhadores da Lavoura e foi sócio-fundador, secretário e presidente do Rotary Clube, entre outras destacadas atuações.

Seu nome, no entanto, saltaria da órbita médica e social para inserir-se de maneira definitiva no plano da cultura a partir de 1937, quando – tendo ele participado, no ano anterior, da Comissão Organizadora dos Festejos Euclidianos – foi criada, por sua iniciativa, a Semana Euclidiana, que projetou São José do Rio Pardo nacionalmente.

As primeiras Semanas Euclidianas, não raro, foram realizadas às suas expensas. Mais que isso: em sua própria casa. Para ela, Galotti mobilizava irmãs, cunhado e amigos. Sua iniciativa reformulou um movimento que se iniciara em 1912 com uma romaria à cabana de zinco às margens do rio Pardo onde Euclides da Cunha escreveu *Os sertões*, dando-lhe características que permanecem até os dias atuais.

Ao longo de mais de 60 anos, o médico iria se dedicar a Euclides e a sua obra. Foi presidente do Grêmio Euclides da Cunha e secretário e diretor da Casa de Cultura Euclides da Cunha, de São José do Rio Pardo, entre 1946 e 1948, escreveu artigos, deu aulas, orientou pesquisadores, incentivou estudantes. Manteve contato permanente com a família do escritor para o translado dos restos mortais de Euclides da Cunha e de seu filho "Quidinho" para aquela cidade do interior paulista, envolvendo-se pessoalmente em todas as providências tomadas – da exumação no Cemitério São João Batista, no Rio de Janeiro, até o sepultamento, em 1982, no hoje Mausoléu de Euclides da Cunha.

Viajou o país inteiro – em especial, para Canudos, na Bahia – em busca de informações que pudessem colaborar no fortalecimento de seus conhecimentos sobre o euclidianismo. Também esteve nos países em que *Os sertões* foi traduzido, visitando bibliotecas e conhecendo estudiosos. Colecionou uma enormidade de artigos, livros e documentos, constituindo um acervo que a família, após sua morte, doou à Casa de Cultura Euclides da Cunha – dando origem ao Centro de Estudos e Pesquisas Euclidianos "Dr. Oswaldo Galotti", logo considerado uma referência obrigatória para quem pretende se aprofundar na obra do autor de *À margem da História.*

Em co-autoria com a professora Walnice Nogueira Galvão, Galotti escreveu *Correspondência de Euclides da Cunha* (São Paulo: Edusp; 1997), resultado de exaustiva e demorada pesquisa. Na dedicatória do exemplar que lhe ofereceu, Walnice assim se expressou: "...o maior e o mais dedicado dos euclidianistas, cujo desprendimento manteve até hoje seu nome ausente da capa de tantos outros trabalhos de que é, no mínimo, co-autor".

Oswaldo Galotti morreu em 13 de agosto de 2001, em São Paulo. Foi velado na Câmara Municipal de São José do Rio Pardo e na Casa de Cultura Euclides da Cunha. O sepultamento ocorreria no dia seguinte.

Álvaro Ribeiro de Oliveira Neto é diretor da Casa de Cultura Euclides da Cunha e presidente do Grêmio Euclides da Cunha, em São José do Rio Pardo (SP).

O conselheirista

José Calasans, por Fernando da Rocha Peres

Nesta publicação sobre Euclides da Cunha, motivada por sua obra e pelo centenário de *Os sertões*, cabe uma breve notícia ou risco biográfico de José Calasans Brandão da Silva, mais citado como José Calasans. Natural de Sergipe (Aracaju, 1915), Calasans graduou-se em direito (1937), migrando, definitivamente, para Salvador, na Bahia, em 1947. Vocacionado para os estudos históricos, o folclore e a pesquisa, o jovem bacharel jamais advogou, mas orientou sua vida para o magistério, já em sua terra natal, ingressando nas instituições de ensino por meio, sempre, de concursos e de livre-docência. Na Universidade Federal da Bahia consolidou sua carreira de professor a partir de 1954, quando se vinculou à Faculdade de Filosofia e Ciências Humanas, da qual foi chefe do Departamento de História, seu diretor, vice-reitor, em 1980, e professor emérito, em 1992. A Universidade Federal de Sergipe concedeu-lhe o título de doutor *honoris causa* em 1993.

Com outras funções e cargos nas áreas da educação e da cultura, Calasans pertenceu ainda aos institutos históricos de Sergipe, Bahia e Brasileiro, ocupou a cadeira nº 28 da Academia de Letras da Bahia e presidiu o Conselho de Cultura do Estado da Bahia.

Outras atividades e honrarias poderiam ser destacadas de seu currículo, mas, em verdade, o que importa acentuar são dois traços de sua personalidade, vincados, quem sabe, por sua vocação de mestre e pesquisador.

Imagino que, em certo momento, a leitura de *Os sertões* tenha despertado em Calasans a curiosidade de esmiuçar, com discrição, os bastidores do monumento euclidiano – tão lido e esgarçado por gerações de bacharéis até a década de 60 do século passado – para encontrar, em Canudos, "outro" Antônio Vicente Mendes Maciel, o Conselheiro, e seus beatos e jagunços. Esse desejo do pesquisador vai crescer e tomar forma, principalmente, após a leitura das reportagens de Odorico Tavares, publicadas em 1947, com fotos de Pierre Verger, na revista *O Cruzeiro*[1].

O estilo jornalístico resultante da "escuta" de velhas criaturas, conselheiristas que viveram em Canudos e participaram da "guerra", alertou Calasans, então, para uma abordagem ainda não reconhecida e consagrada pela historiografia brasileira e baiana: o valor da fala, da oralidade, da "memória" na boca do cidadão comum e da *história oral* para a reconstrução do passado.

No episódio de Canudos, cenário de *Os sertões*, não só as fontes escritas passarão a ser consultadas para uma "reconstituição" diversa dos fatos, pois estas, muitas vezes, são destruídas pelo homem e pelo tempo, escondidas ou "secretas", ou enevoadas por uma visão "maestra" e unânime, com tabus e preconceitos que envolvem razões de "estado e fé", ainda na velhíssima República, ou quem sabe orgulho "heróico" de uma guerra sem vencedores.

Assim despontava o pesquisador José Calasans, o "verdureiro do sertão", como se autodenomina, aquele que vai buscar nos descampados e nas cercanias de Canudos a voz e a informação sobre a "guerra", seus personagens, beatos e jagunços (tendo conhecido alguns), com o objetivo de construir novos mirantes para uma revisão do "episódio" histórico e, principalmente, com a permanente e sutil habilidade para pintar um novo retrato de Antônio Conselheiro, do seu catolicismo popular, do seu arraial, dos seus seguidores. Deste modo prosseguiu e procedeu Calasans em vários títulos publicados[2], em tantos depoimentos[3] e entrevistas, palestras e salas de aula.

Nesta tarefa de reencontro da história "perdida", José Calasans foi recolhendo depoimentos e informes, fontes documentais outras, impressos ou não, bibliografia, para formar um cimélio de referenciais e textos sobre Canudos e a região sertaneja. Com a sabedoria acumulada e o manejo da palavra, da sala de aula, da boa conversa, o mestre tornou-se o grande conhecedor e informante preciso das coisas e gentes do arraial, dos livros anteriores e contemporâneos ao "episódio" e das fontes euclidianas para a escrita de *Os sertões*.

É neste instante que se revela a grande generosidade do mestre Calasans, ao abrir a sua prodigiosa memória e o seu arquivo com documentos para estudiosos, nacionais e estrangeiros, que escreveram sobre Canudos com diversos enfoques e métodos, como bem disse Leopoldo M. Bernucciu em nota de agradecimento do seu livro *A imitação dos sentidos*: *prógonos, contemporâneos e epígonos de Euclides da Cunha*: "A José Calasans, pelas inúmeras consultas a longa e curta distância e pelas iluminadas lições de histórias de Canudos"[4].

Outro reconhecimento de peso deve ser assinalado – quando Walnice Nogueira Galvão, no seu substantivo livro *No calor da hora* (São Paulo: Ática, 1974), com artigos e reportagens sobre a 4ª Expedição contra Canudos, afirma, em dedicatória a Antonio Candido, José Aderaldo Castello, José Calasans e Olímpio de Sousa Andrade, que esses estudiosos da cultura nacional foram, no momento da sua pesquisa sobre o tema, os mananciais. Posso afirmar que essa primeira dedicatória, em livro publicado, muito agradou o querido mestre.

E não bastou juntar e guardar a documentação preciosa (manuscritos, primeiras edições, recortes de jornais, fotos, folhetos e livros, realias, desenhos, quadros), pois além de escrever e publicar sobre Canudos, circunstância e personagens, Calasans iria doar, em 1983, todo esse acervo ao Centro de Estudos Baianos da Universidade Federal da Bahia, criando assim um conjunto documental considerado o mais completo sobre o tema, sob a denominação de Núcleo Sertão.

Assim procedendo, em generosidade e observações comedidas, Calasans pôde deixar não só as fontes, mas também as pistas para uma demarcação e uma aproximação das fronteiras, em *Os sertões*, entre o ficcional e o histórico, verdadeiro cipoal para uma vasta bibliografia que vem sendo acrescida, ano a ano, sobre Canudos e suas possíveis leituras.

Em Salvador, José Calasans viveu seu percurso com dona Lúcia Margarida Maciel da Silva, sua esposa, e os filhos José Calasans Maciel da Silva, bacharel, já falecido, e Maria Madalena Maciel da Silva, psicóloga. Em 28 de maio de 2001, José Calasans Brandão da Silva, filho de Irineu Ferreira da Silva e Noemi Brandão da Silva, faleceu, lúcido e atento, pois, se conosco estivesse, muito teria que dizer no centenário de *Os sertões*.

Fernando da Rocha Peres é professor e diretor do Centro de Estudos Baianos da Universidade Federal da Bahia.

NOTAS

1 Essas reportagens de Odorico Tavares foram publicadas, com algumas alterações, em: *Bahia: imagens da terra e do povo*. Capa e ilustrações de Carybé. Rio de Janeiro: José Olympio, 1951. *Canudos: cinqüenta anos depois, 1947*. Introdução de José Calasans, ilustrações de Carybé, fotos de Pierre Verger. Salvador: Conselho Estadual de Cultura: Academia de Letras da Bahia/Fundação Cultural do Estado, 1993.

2 A bibliografia de José Calasans inclui *O ciclo folclórico do Bom Jesus Conselheiro: contribuição ao estudo da Campanha de Canudos*. Tese de docência livre de história do Brasil, Faculdade de Filosofia da Universidade da Bahia. Salvador: Tipografia Beneditina, 1950.; "A Guerra de Canudos na poesia popular"., Salvador: CEB/UFBA, 1952 (Centro de Estudos Baianos, n. 14). "Contribuição ao estudo da Campanha de Canudos". In: *Revista Brasiliense*. São Paulo, v. 17, maio/jun. [1957?], pp.176-90; *No tempo de Antônio Conselheiro: figuras e fatos da Campanha de Canudos*. Salvador: Progresso, [1960?] (Col. de Estudos Brasileiros, n. 17); *Notícias de Antônio Conselheiro*. Salvador: CEB/UFBA, 1969 (Centro de Estudos Bahianos, n.56); "Os jagunços de Canudos". In: *Caravelle*. Toulouse, v. 15, pp.31-38, 1970. Numéro consacré au Brésil; "O 'matricídio' de Antônio Conselheiro. In: *Revista Brasileira de Cultura*. Rio de Janeiro, v. 4, n.14, out./dez., 1972, pp.61-68; Algumas fontes de *Os sertões*. In: *Revista do Instituto de Estudos Brasileiros*. São Paulo, v.14, 1973, pp.91-125; "Canudos: origem e desenvolvimento de um arraial messiânico". In: Simpósio Nacional dos Professores Universitários de História, 7, 1973, Belo Horizonte; *Anais... a cidade e a história*. São Paulo, 1974. pp.461-81; *Canudos na literatura de cordel*. São Paulo/ Salvador: Ática/Fundação Cultural do Estado da Bahia, 1984 (Ensaios, n. 110; *Quase biografias de jagunços: o séquito de Antônio Conselheiro*. Salvador: CEB/UFBA, 1986 (Centro de Estudos Baianos n. 122); *Cartografia de Canudos*. Salvador: Secretaria da Cultura e Turismo/Conselho Estadual de Cultura/EGBA, 1997 (Col. Memória da Bahia, n. 5); "Canudos não euclidiano: fase anterior ao início da guerra do Conselheiro". In: *Canudos: subsídios para a sua reavaliação histórica*. Rio de Janeiro: Fundação Casa de Rui Barbosa/Centro de Documentação, 1986. pp.1-21.

3 O mais longo registro sobre Calasans foi recolhido por Marco Antonio Villa e José Carlos da Costa Pinheiro, em *Calasans, um depoimento para a História*. Salvador: Uneb, 1998.

4 Leopoldo M. Bernucci, *A imitação dos sentidos: prógonos, contemporâneos e epígonos de Euclides da Cunha*. São Paulo: Edusp, 1995, p.13.

Rios da permanência

A OBRA DO ESCRITOR E SEUS AFLUENTES

PRODUÇÃO DO AUTOR

1. Editada em vida

Livros

Os sertões (*Campanha de Canudos*). Rio de Janeiro: Laemmert & C., 1902.

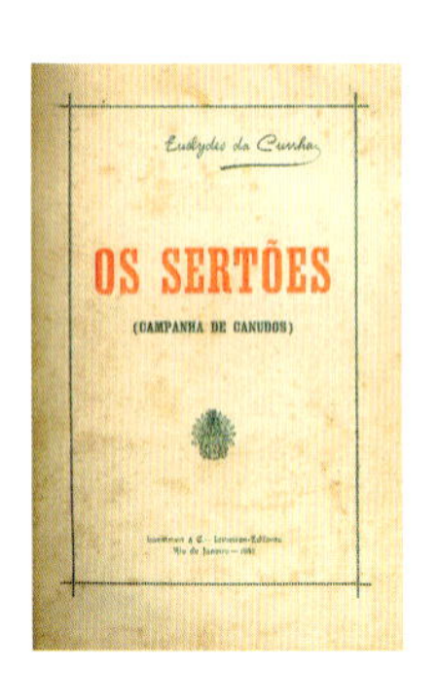

Os sertões (*Campanha de Canudos*). 2 ed., Rio de Janeiro: Laemmert & C., 1903. Com correções do autor.

Os sertões (Campanha de Canudos). 3 ed., Rio de Janeiro: Laemmert & C., 1905. Com novas correções do autor. Esta seria a última edição da obra publicada antes da morte de Euclides, em 15 de agosto de 1909.

Contrastes e confrontos. Porto: Empresa Litteraria e Typographica, 1907; 2 ed., Porto: Empresa Litteraria e Typographica, 1907.

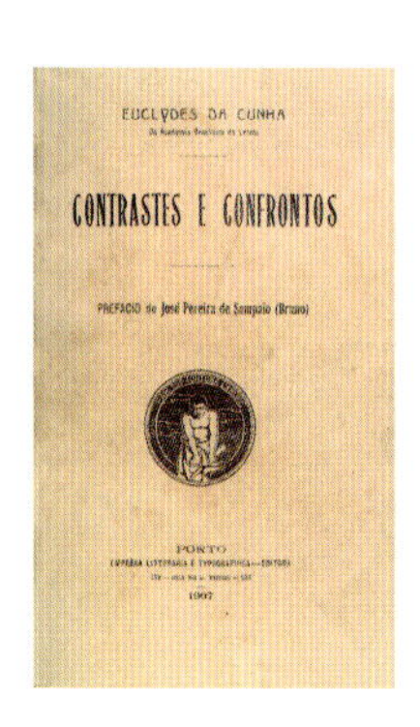

Peru versus Bolívia. Rio de Janeiro: Tipografia do Jornal do Commercio, 1907.

Outros trabalhos

"Relatório da Comissão Mista Brasileiro-peruana de Reconhecimento do Alto Purus". Rio de Janeiro: Imprensa Nacional, 1906.

"Castro Alves e seu tempo". Discurso proferido no Centro Acadêmico XI de Agosto da Faculdade de Direito do Largo São Francisco. Rio de Janeiro: Imprensa Nacional, 1907.

"Antes dos versos" (prefácio). In: CARVALHO, Vicente. *Poemas e canções*. São Paulo: Cardozo Filho, 1908.

"Preâmbulo" (prefácio). In: RANGEL, Alberto. *Inferno verde.* Genova: S.A.I., 1908.

Textos publicados em periódicos

"Em viagem". *O Democrata* (jornal estudantil do Colégio Aquino). Rio de Janeiro, 04.04.1884.

"A flor do cárcere" (poesia). *Revista da Família Acadêmica* (publicação da Escola Militar). Rio de Janeiro, nov. 1887.

"Críticos". *Revista da Família Acadêmica.* Rio de Janeiro, maio 1888.

"A pátria e a dinastia". *A Província de São Paulo,* 22.12.1888.

"Questões sociais – Revolucionários". *A Província de São Paulo,* 29.12.1888.

"Questões sociais – 1889". *A Província de São Paulo,* 04.01. 1889.

"Atos e palavras". *A Província de São Paulo,* entre 10, 11, 12, 15, 16, 18, 23 e 24.01.1889.

"Da corte". *A Província de São Paulo,* 17.05.1889.

"Homens de hoje". *A Província de São Paulo,* 22 e 28.06.1889.

"O ex-imperador". *Democracia.* Rio de Janeiro, 03.03.1890.

"Sejamos francos". *Democracia.* Rio de Janeiro, 18.03. 1890.

"Divagando" *A Província de São Paulo,* 12 e 26.04, 25.05 e 02.06.1890.

"Da penumbra" (artigos, assinados com pseudônimos: o primeiro como "José D Ávila", o segundo e o terceiro como "Davila"). *O Estado de S.Paulo,* 15, 17 e 19.03.1892.

"Dia a dia" (série de 27 artigos). *O Estado de S.Paulo,* entre 29.03 e 06.07.1892.

"Instituto Politécnico". *O Estado de S.Paulo,* 24.05 e 01.06. 1892.

"Carta aberta". *Gazeta de Notícias.* Rio de Janeiro, 18 e 20.02.1894.

"Distribuição dos vegetais no estado de S.Paulo". *O Estado de S.Paulo,* 04.03.1897.

"A nossa Vendéia" (1 e 2). *O Estado de S.Paulo,* em 14.03 e 17.07.1897.

"Anchieta". *O Estado de S.Paulo,* 09.06.1897. Artigo incluído em *Contrastes e confrontos.*

"Canudos"(diário de uma expedição). Série de 22 artigos, cartas e telegramas enviados, da Bahia, por Euclides – como correspondente de guerra do jornal *O Estado de S.Paulo* – e publicados entre 18.08 e 25.10.1897.

"Estudos de higiene" *O Estado de S.Paulo,* 4, 9 e 14.05.1897.

"O Argentaurum". *O Estado de S.Paulo,* 02.07.1897.

"O Batalhão de S. Paulo". *O Estado de S.Paulo,* 26.10.1897.

"Excertos de um livro inédito". *O Estado de S.Paulo,* 19.06. 1898. O "livro inédito" era *Os sertões,* então em elaboração. Esta texto foi depois aperfeiçoado e incluído na primeira parte da obra.

"Fronteiras sul do Amazonas". *O Estado de S.Paulo,* 14.11.1898.

"O Brasil mental". *O Estado de S.Paulo,* 10, 11 e 12.07.1898.

"A guerra no sertão". *Revista Brasileira.* Rio de Janeiro, ano 19, números 92-3, 1899. Parte do texto foi aproveitado em *Os sertões.*

"As secas no nordeste". *O Estado de S.Paulo,* entre 29 e 30.10 e 01.11.1900.

"O 4º centenário do Brasil". *O Rio Pardo.* São José do Rio Pardo, 06.05.1900. Assinado apenas com as iniciais: E.C.

"Fazedores de desertos". *O Estado de S.Paulo,* 21.10.1901. Incluído em *Contrastes e confrontos.*

"O Brasil no século XIX". *O Estado de S.Paulo,* 31.01.1901. Incluído em *À margem da História* (1909, póstumo), sob o título "Da Independência à República".

"Ao longo de uma estrada". *O Estado de S.Paulo,* 18.01.1902.

"Olhemos para os sertões". *O Estado de S.Paulo,* em 18 e 19.03.1902. Incluídos em *Contrastes e confrontos.*

"Viajando". *O Estado de S. Paulo,* 08.09.1902.

"À margem de um livro". *O Estado de S.Paulo,* em 06 e 07.11.1903.

"Os batedores da Inconfidência". *O Estado de S.Paulo,* 21.04.1903. Incluído em *Contrastes e confrontos* sob o título "Garimpeiros".

"Um velho problema". *O Estado de S.Paulo,* 01.05.1904. Incluído em *Contrastes e confrontos.*

"Conflito inevitável". *O Estado de S.Paulo,* 14.05.1904. Incluído em *Contrastes e confrontos.*

"Contra os caucheiros". *O Estado de S.Paulo,* 22.05.1904. Incluído em *Contrastes e confrontos.*

"Entre o Madeira e o Javari". *O Estado de S.Paulo,* 29.05.1904. Incluído em *Contrastes e confrontos.*

"Heróis e bandidos". *O Paiz.* Rio de Janeiro, 11.06.1904. Incluído em *Contrastes e confrontos.*

"Uma comédia histórica". *O Estado de S.Paulo,* 25.06.1904. Incluído em *Contrastes e confrontos.*

"O marechal de ferro". *Correio da Manhã.* Rio de Janeiro, 01.07.1904. Incluído em *Contrastes e confrontos.*

"Civilização". *O Estado de S.Paulo,* 10.07.1904. Incluído em *Contrastes e confrontos.*

"Vida das estátuas". *O Paiz.* Rio de Janeiro, 21.07.1904. Incluído em *Contrastes e confrontos.*

"A Arcádia da Alemanha". *O Estado de S.Paulo,* 06.08.1904. Incluído em *Contrastes e confrontos.*

"Discurso de posse". *Revista do Instituto Histórico e Geográfico do Brasil.* Rio de Janeiro, jul.-dez. 1905.

"Da Independência à República". *Revista do IHGB.* Rio de Janeiro, v. 69, n. 2, 1906. Incluído em *À margem da História.*

"Entre os seringais". *Revista Kosmos.* Rio de Janeiro, ano III, n. 1, jan. 1906.

"Perus versus Bolívia". *Jornal do Commercio.* Rio de Janeiro. Entre 09.07 e 09.08.1908. Os artigos integrariam o livro homônimo.

"A última visita". *Jornal do Commercio.* Rio de Janeiro. Entre 30.09 e 01.10.1908. Reproduzida na revista *Renascença,* Rio de Janeiro, set. 1908.

"Numa volta do passado". *Revista Kosmos.* Rio de Janeiro, out. 1908.

"Rio abandonado (o Purus)". *Almanack Brasileiro Garnier.* Rio de Janeiro, 1909. Incluído em *À margem da História,* sob o título "Rios em abandono".

2. Volumes póstumos

À margem da História. Porto: Lello & Irmão, 1909; 7 ed., São Paulo: Martins Fontes, 1999.

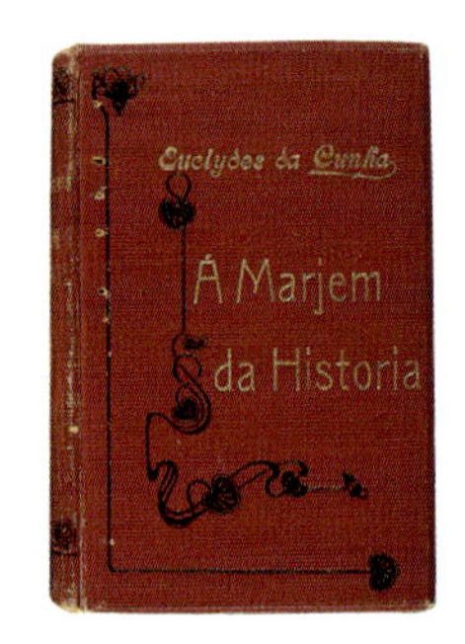

Canudos (diário de uma expedição). Organização de Antônio Simões dos Reis. Rio de Janeiro: José Olympio, 1939. Reeditado em 1967, pela Melhoramentos, de São Paulo, sob o título: *Canudos e inéditos,* com introdução geral, seleção e cronologia de Olímpio de Souza Andrade e estabelecimento de texto a cargo de Dermal de Camargo Monfrê.

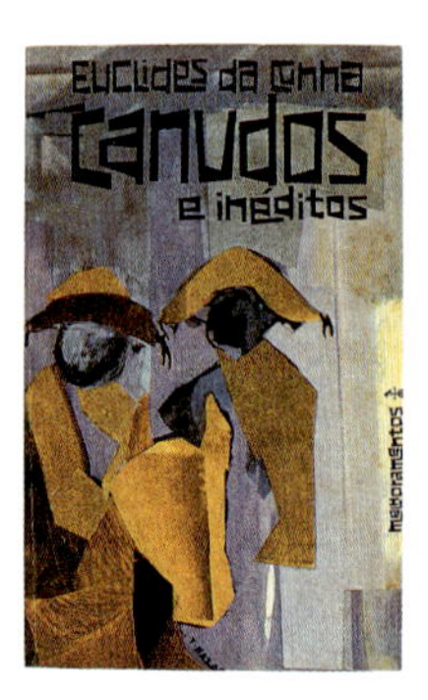

O rio Purus. Rio de Janeiro: Superintendência do Plano de Valorização da Amazônia, 1960.

Um paraíso perdido. Seleção e coordenação de Hildon Rocha. Petrópolis: Vozes, 1976; 3 ed., Brasília: Senado Federal, 2000.

Obra completa. Organização de Afrânio Coutinho. Rio de Janeiro: Aguilar, 1966, 2 v.; 2 ed., Rio de Janeiro: Nova Aguilar, 1995.

Caderneta de campo. Introdução e notas de Olímpio de Souza Andrade. São Paulo: Cultrix, 1975.

Canudos e outros temas. Introdução geral, seleção, cronologia e notas de Olímpio de Souza Andrade. Estabelecimento de texto por Dermal de Camargo Monfrê. Brasília: Centro Editorial e Gráfico da Universidade Federal de Goiás/ Gabinete Editora/Casa de Pernambuco, 1992.

Correspondência de Euclides da Cunha. Organização de Walnice Nogueira Galvão e Oswaldo Galotti. São Paulo: Editora da Universidade de São Paulo, 1997.

Diário de uma expedição. Organização de Walnice Nogueira Galvão. São Paulo: Companhia das Letras, 2000.

3. *Os sertões* em outros idiomas

Alemão

Krieg im Sertão. Tradução de Berthold Zilly. Frankfurt: Suhrkamp, 1994.

Chinês

Fu-di. Tradução de Pei Chin. Pequim: Literatura Popular, 1959. Trata-se de uma versão abreviada.

Dinamarquês

Oproret paa Hojsletten. Tradução de Richard Wagner Hansen. Copenhague: Westermann, 1948.

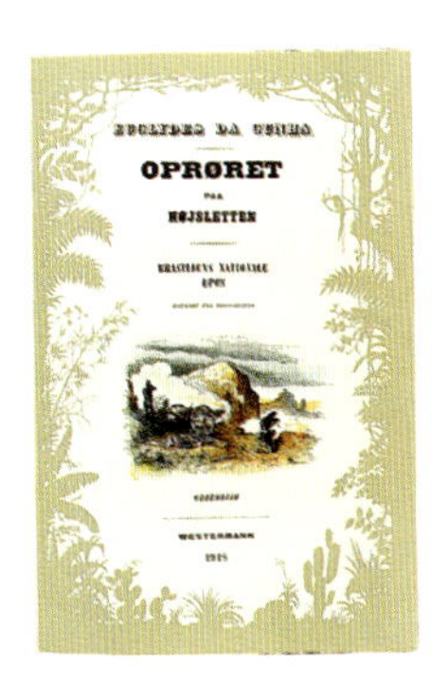

Espanhol

Los Sertones. Tradução de Benjamin de Garay. Buenos Aires: Ministerio de Justicia y Instrucción Pública, 1938; 4 ed., Buenos Aires: Plus Ultra, 1982.

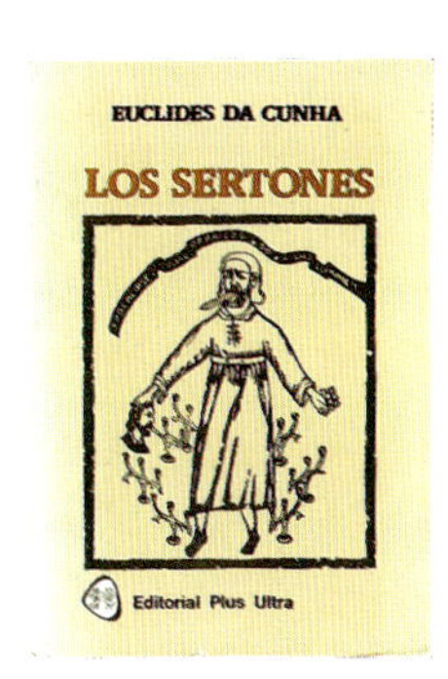

Los Sertones. Tradução de Estela Santos. Introdução, notas e cronologia de Walnice Nogueira Galvão. Caracas: Biblioteca Ayacucho, 1980.

Francês

Terres de Canudos. Tradução de Sereth Neu. Rio de Janeiro: Caravela, 1947; 2 ed., Rio de Janeiro: Caravela, 1951.

Hautes Terres (La Guerre de Canudos). Tradução de Antoine Seel e Jorge Coli. Paris: Éditions Metaillé. Paris, 1993; 2 ed. (poche), 1997.

Holandês

De Binnenlanden, opstand in Canudos. Tradução de M. de Jong. Amsterdam: Wereldbibliotheek, 1954.

Inglês

Rebellion in the Backlands. Tradução de Samuel Putnam. Chicago: Phoenix Books/The University of Chicago Press, 1944; 6 ed., 1990.

Revolt in the Backlands. Tradução de Samuel Putnam. London: Victor Gollanez, 1947.

Italiano

Brasile ignoto (L'assedio di Canudos). Tradução de Cornelio Bisello. Milano: Sperling & Kupfer, 1953.

Sueco

Markerna brinna. Stockolm: Wahlström & Widstrand, 1945.

4. Reedições mais importantes de *Os sertões*

Quinta edição. Rio de Janeiro: Francisco Alves, 1914. Organizada por Afrânio Peixoto. Produzida de acordo com o exemplar da 3ª edição, deixado por Euclides, com as correções e nota de próprio punho, para a edição "definitiva", que seria a 4ª, já no prelo quando foi descoberto o volume anotado pelo autor.

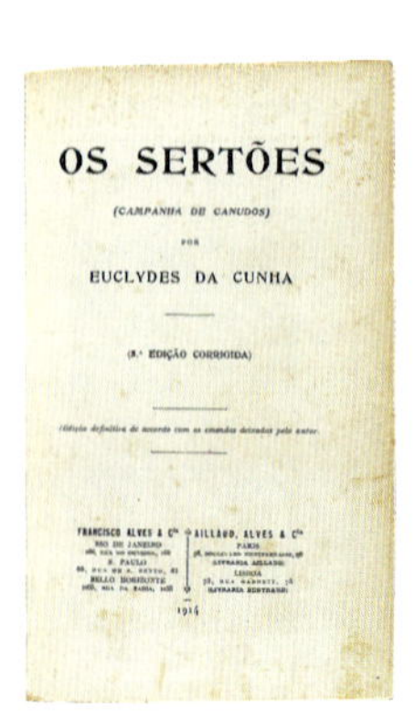

Décima segunda edição. Rio de Janeiro: Francisco Alves, 1933. Preparada por Fernando Nery, que lhe acrescentou subtítulos para orientar o leitor e facilitar as consultas e pesquisas.

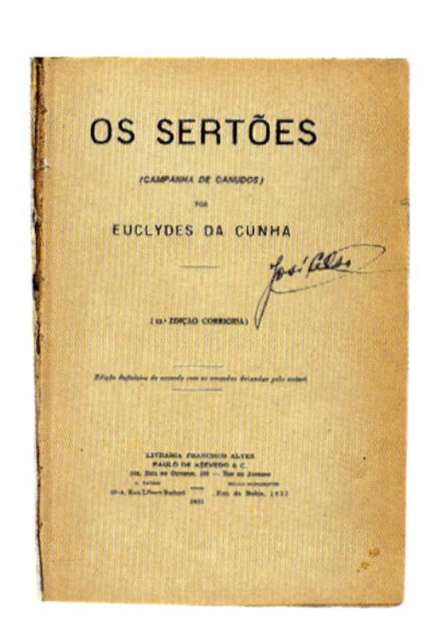

Vigésima sétima edição. Brasília: Editora da Universidade de Brasília, 1963. Introdução de Nelson Werneck Sodré. Texto estabelecido pelo Grêmio Euclides da Cunha, de São José do Rio Pardo (SP), segundo um exemplar da 3ª edição, corrigido pelo próprio autor. Confronto de texto e revisão sob a direção de Dermal de Camargo Monfrê.

Edição crítica. Preparada por Walnice Nogueira Galvão. São Paulo: Brasiliense, 1985; 2 ed., São Paulo: Ática, 1998. Inclui biografia de Euclides escrita por Roberto Ventura.

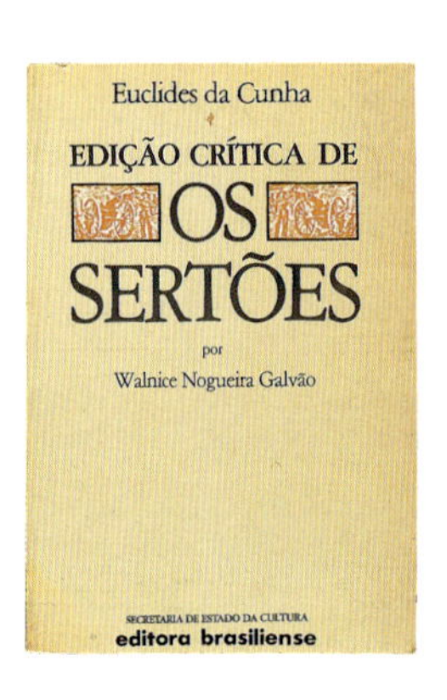

Edição comentada. Prefácio, cronologia, notas e índices de Leopoldo M. Bernucci. São Paulo: Ateliê/Imprensa Oficial do Estado/Arquivo do Estado, 2002.

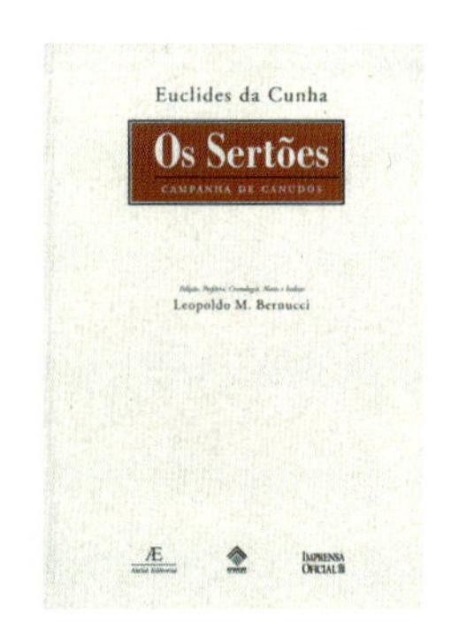

FORTUNA CRÍTICA

1. Livros

ABREU, Modesto de. *Estilo e personalidade de Euclides da Cunha*. Rio de Janeiro: Civilização Brasileira, 1963; 2 ed., 1988.

ABREU, Regina. *O enigma de* Os sertões. Rio de Janeiro: Rocco/Fundação Nacional de Arte, 1998.

ALEIXO, José. *Euclides da Cunha e o socialismo*. São José do Rio Pardo: Casa Euclidiana/Gráfica Supertipo, 1960.

ALVES, Henrique L. (org.). *Euclides da Cunha na Amazônia – 80 anos.* São Paulo/Manaus/São José do Rio Pardo: Centro Cultural Francisco Matarazzo Sobrinho/Instituto Histórico e Geográfico do Amazonas/Casa de Cultura Euclides da Cunha, 1985; 3 ed., 1995.

ANDRADE, Olímpio de Souza. *História e interpretação de* Os sertões. São Paulo: Edart, 1960; 4 ed., revista, Rio de Janeiro: Academia Brasileira de Letras, no prelo.

ANDRADE, Olímpio de Souza. *Euclides e o espírito de renovação:* Os sertões *entre dois vales.* Rio de Janeiro: Livraria São José, 1967.

ATHAYDE, Hélio: *Atualidade de Euclides.* Rio de Janeiro: Presença, 1987; 2 ed., 1989.

BACON, Henry. *A epopéia brasileira: uma introdução a* Os sertões. Rio de Janeiro/Brasília: Antares/Instituto Nacional do Livro, 1983.

BARROS, Frederico Ozanan Pessoa de (org.). *Euclides da Cunha: textos selecionados.* São Paulo: Abril Educação, 1982.

BARROS, João de. *Olavo Bilac e Euclides da Cunha.* Porto: Aillaud e Bertrand, 1923.

BASTOS, Abguar. *A visão histórico-sociológica de Euclides da Cunha.* São Paulo: Companhia Editora Nacional, 1986.

BATISTA, Juarez da Gama. *O real como ficção em Euclides da Cunha.* João Pessoa: Universidade Federal da Paraíba, 1967.

BERNUCCI, Leopoldo M. *A imitação dos sentidos.* Boulder/São Paulo: University of Colorado at Boulder/Edusp, 1995.

BRANDÃO, Adelino (org.). *Enciclopédia de estudos euclidianos.* Jundiaí: Gráfica e Editora Jundiaí, 1982.

BRANDÃO, Adelino. *Euclides e o folclore.* Jundiaí: Literarte, 1985.

BRANDÃO, Adelino. *Águas de amargura.* Rio de Janeiro: Rio Fundo, 1990; 3 ed., 1992.

BRANDÃO, Adelino. *Euclides da Cunha e a questão racial no Brasil (A antropologia de* Os sertões*).* Rio de Janeiro: Presença, 1990.

BRANDÃO, Adelino. *A sociologia de* Os sertões. Rio de Janeiro: Artium, 1996.

BRANDÃO, Adelino. *Paraíso perdido. Euclides da Cunha: vida e obra.* São Paulo: Ibrasa, 1997.

BRANDÃO, Adelino. *Euclides da Cunha: vida e pensamento.* São Paulo: Martin Claret, 1997.

BRANDÃO, Adelino. *Euclides da Cunha: bibliografia comentada (1884-2001).* Jundiaí: Literarte, 2002.

CAMPOS, Augusto de; CAMPOS, Haroldo de. *Os sertões dos Campos – duas vezes Euclides.* Rio de Janeiro: Sette Letras, 1997.

CHAPMAN, Grover. *O episódio de Canudos, de Euclides da Cunha.* Rio de Janeiro: Salamandra, 1978.

COELHO NETO, Henrique Maximiano. *Juízos críticos:* Os sertões (Campanha de Canudos). Rio de Janeiro: Laemmert & C, 1904.

CORRÊA, Nereu. *A tapeçaria lingüística de* Os sertões *e outros estudos.* São Paulo/Brasília: Quiron/INL, 1978.

COUTINHO, Afrânio. *Euclides, Capistrano e Araripe.* Rio de Janeiro: Tecnoprint, 1967.

DANTAS, Paulo. *Euclides: Opus 66.* São Paulo: Arquimedes, 1965.

DANTAS, Paulo. *Os sertões de Euclides e outros sertões.* São Paulo: Conselho Estadual de Cultura do Governo do Estado de São Paulo, 1969.

DANTAS, Paulo. *Euclides da Cunha e Guimarães Rosa.* São Paulo: Massao Ohno, 1996.

DEL GUERRA, Rodolpho José. *Conhecendo Euclides da Cunha.* São José do Rio Pardo: Prefeitura Municipal, 1998.

ETIENNE FILHO, João. *Euclides da Cunha: trechos escolhidos.* Rio de Janeiro: Agir, 1961.

FRANÇA, Mário Ferreira. *Euclides da Cunha e a Amazônia.* Manaus: Governo do Estado do Amazonas, 1966.

FREYRE, Gilberto. *Atualidade de Euclides da Cunha.* Rio de Janeiro: Casa do Estudante do Brasil, 1941; 2 ed., 1943.

FREYRE, Gilberto. *Perfil de Euclides e outros perfis.* Rio de Janeiro: José Olympio, 1944.

FURLANI, Geraldo Majela. *A geografia d'*Os sertões. São José do Rio Pardo: Casa Euclidiana, 1969.

GALOTTI, Oswaldo. *Euclides – 1952.* São José do Rio Pardo: Gazeta do Rio Pardo, 1952.

GALVÃO, Walnice Nogueira. *Euclides da Cunha: história.* São Paulo: Ática, 1984.

GICOVATE, Moisés. *Euclides da Cunha: uma vida gloriosa.* São Paulo: Melhoramentos, 1946; 3 ed. (do autor), 1979.

LACERDA FILHO. *Euclides da Cunha, sua vida e sua obra.* João Pessoa: A União, 1936.

LAURIA, Márcio José. *Ensaios euclidianos.* Rio de Janeiro: Presença, 1987.

LEÃO, Veloso. *Euclides da Cunha e a Amazônia.* Rio de Janeiro: Livraria São José, 1946.

LEVINE, Robert M. *O sertão prometido (o massacre de Canudos).* São Paulo: Edusp, 1995.

LIMA, Luiz Costa. *Terra ignota: a construção de* Os sertões. Rio de Janeiro: Civilização Brasileira, 1997.

LUTTERBACH, Edmo. *A eternidade de Euclides da Cunha.* Rio de Janeiro: Cátedra, 1988.

MELO, Dante de. *A verdade sobre* Os sertões. Rio de Janeiro: Biblioteca do Exército, 1958.

MENDES, João Bosco Fernandes. *Euclides e o Conselheiro.* Fortaleza: Tipografia Minerva, 1987.

MOURA, Clóvis. *Introdução ao pensamento de Euclides da Cunha.* Rio de Janeiro: Civilização Brasileira, 1964.

NEVES, Edgar de Carvalho. *Afirmação de Euclides da Cunha.* Rio de Janeiro: Francisco Alves, 1960.

NUNES, Cassiano. *Monteiro Lobato, admirador de Euclides da Cunha.* Brasília: Editora da Universidade de Brasília, 1999.

OLIVEIRA, Franklin de. *Euclides, a espada e a letra.* Rio de Janeiro: Paz e Terra, 1983.

PEREGRINO, Umberto. *Vocação de Euclides da Cunha.* Rio de Janeiro: Ministério da Educação e Cultura, 1954.

PEREGRINO, Umberto. Os sertões *como história militar.* Rio de Janeiro: Biblioteca do Exército, 1956.

PEREGRINO, Umberto. *Euclides da Cunha e outros estudos.* Rio de Janeiro: Record, 1968.

PEREGRINO, Umberto. *O exercício singular da comunicação na obra de Euclides da Cunha.* Fortaleza/ Rio de Janeiro: Universidade Federal do Ceará/ Tempo Brasileiro, 1983.

PEREGRINO, Umberto. *O desastre amoroso de Euclides da Cunha.* Rio de Janeiro: Casa de Cultura São Saruê, 1987.

PINHEIRO, Célio (org.). *80 Anos de* Os sertões *de Euclides da Cunha.* São Paulo: Arquivo do Estado de São Paulo, 1982.

PINTO, Pedro A. *Brasileirismos e supostos brasileirismos de* Os sertões, *de Euclides da Cunha.* Rio de Janeiro, Tipografia São Benedito, 1931.

PONTES, Eloy. *A vida dramática de Euclides da Cunha.* Rio de Janeiro: José Olympio, 1938.

RABELLO, Sylvio. *Euclides da Cunha.* Rio de Janeiro: Casa do Estudante do Brasil, 1948; 3 ed., Rio de Janeiro: Civilização Brasileira, 1983.

REALE, Miguel: *Face oculta de Euclides da Cunha.* Rio de Janeiro: Topbooks, 1993.

SALGADO, Plínio; SILVEIRA, Tasso da. *Euclides da Cunha.* Rio de Janeiro: Livraria. Clássica, 1954.

SANTANA, José Carlos Barreto de. *Ciência & arte: Euclides da Cunha e as ciências naturais.* São Paulo/Feira de Santana: Hucitec/Universidade Estadual de Feira de Santana, 2001.

SANTOS, Daury da Silveira. *Toponímia indígena n'*Os sertões *de Euclides da Cunha.* Recife: Universidade Federal de Pernambuco, 1983.

SEVCENKO, Nicolau. *Literatura como missão*: tensões sociais e criação cultural na Primeira República São Paulo: Brasiliense, 1983.

TERÊNCIO, Paulo (pseudônimo de. Pedro A Pinto). *Estudos euclidianos: notas para o vocabulário de* Os sertões. Rio de Janeiro: Tipografia Benedito de Souza, 1929.

TOCANTINS, Leandro. *Euclides da Cunha e o paraíso perdido.* Manaus: Governo do Estado do Amazonas, 1966; 4 ed., Rio de Janeiro: Biblioteca do Exército, 1992.

VALENTE, Décio *et alii. Vida e obra de Euclides da Cunha.* São Paulo: Revista dos Tribunais, 1966.

VÁRIOS AUTORES. *Por protesto e adoração. In memoriam de Euclides da Cunha.* Rio de Janeiro: Grêmio Euclides da Cunha, 1919.

VENANCIO FILHO, Francisco. *Notas biográficas* (opúsculo). Rio de Janeiro: s. ed., 1915.

VENANCIO FILHO, Francisco. *Euclides da Cunha: Retrato humano.* Rio de Janeiro: Tipografia Industrial, 1931.

VENANCIO FILHO, Francisco. *Euclides da Cunha: ensaio biobibliográfico.* Rio de Janeiro: Tipografia Industrial, 1931.

VENANCIO FILHO, Francisco. *Euclides da Cunha a seus amigos.* São Paulo: Companhia Editora Nacional, 1938.

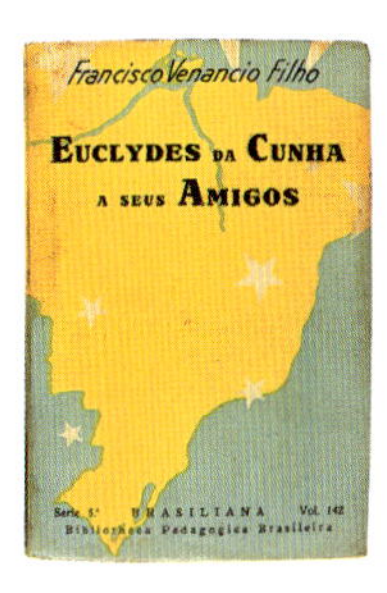

VENANCIO FILHO, Francisco. *A glória de Euclides da Cunha.* São Paulo: Companhia Editora Nacional, 1940.

VENANCIO FILHO, Francisco. *Rio Branco e Euclides da Cunha.* Rio de Janeiro: Imprensa Nacional, 1946.

VENTURA, Roberto. *Folha explica* Os sertões. São Paulo: Publifolha, 2002.

2. Textos incluídos em livros

ANDRADE, Olímpio de Souza. "*Os sertões* numa frase de Nabuco". In: *Joaquim Nabuco e o Brasil na América.* São Paulo: Companhia Editora Nacional, 1978.

ÂNGELO, Hersílio. "O texto de *Os sertões*". In: CUNHA, Euclides da. *Os sertões.* São Paulo: Cultrix, 1973.

ARARIPE JÚNIOR: "Dois grandes estilos". In: CUNHA, Euclides da. *Contrastes e confrontos*, Porto: Lello & Irmão, 1907.

ARRUDA, João; MENEZES, E. Diatahy B. de. (orgs.). *Canudos – as falas e os olhares.* Fortaleza: Universidade Federal do Ceará, 1995.

ATHAYDE, Tristão de (Alceu Amoroso Lima). "Euclides e Taunay". In: *Primeiros estudos.* Rio de Janeiro: Agir, 1948.

AZEVEDO, Fernando de. "O homem Euclides da Cunha". In: *Máscaras e retratos.* São Paulo: Melhoramentos, 1962.

BASTOS, Abguar. "A poesia na obra de Euclides da Cunha". In: BRANDÃO, Adelino (org.). *Enciclopédia de estudos euclidianos – I.* Jundiaí: Gráfica Jundiaí, 1982.

BELLO, José-Maria. "Euclides da Cunha e *Os sertões*". In: *Inteligência do Brasil.* 2 ed., São Paulo: Companhia. Editora Nacional, 1935.

BRANDÃO, Otávio. "Euclides da Cunha". In: *Os intelectuais progressistas.* Rio de Janeiro: Organização Simões, 1956.

CALASANS, José. *Euclides da Cunha e Siqueira de Menezes.* In: *No tempo de Antônio Conselheiro.* Salvador: Editora da Universidade Federal da Bahia, 1959.

CALASANS, José. "As mulheres de *Os sertões*. In: BRANDÃO, Adelino. *Enciclopédia de estudos euclidianos – I.* Jundiaí: Gráfica Jundiaí, 1982.

CARDOSO, Vicente Licínio. "Euclides da Cunha". In: *À margem da história do Brasil.* São Paulo: Companhia Editora Nacional, 1933.

CARDOSO, Vicente Licínio. "A maior descoberta de Euclides". In: *À margem da história do Brasil.* São Paulo: Companhia Editora Nacional, 1979.

CARNEIRO, Edison. "O folclore na obra de Euclides". In: *A sabedoria popular.* Rio de Janeiro: INL/Ministério da Educação e Cultura, 1957.

COELHO NETO, Henrique Maximiano. "Euclides da Cunha: feições do homem". In: *Livro de prata.* São Paulo: Livraria Liberdade, 1928.

COUTINHO, Afrânio. "*Os sertões*, obra de ficção". In: CUNHA, Euclides da. *Obra completa.* Rio de Janeiro: Aguilar, 1966.

DANTAS, Paulo. "Euclides para todos". In: BRANDÃO, Adelino. *Euclides da Cunha: vida e pensamento.* São Paulo: Martin Claret, 1997.

ELUF, Luiza Nagib: "Euclides da Cunha, Anna e Dilermando de Assis". In: *A paixão no banco dos réus.* São Paulo: Saraiva, 2002,

FRANCO, Afonso Arinos de Mello. "Reflexões sobre Euclides da Cunha". In: FRANCO, Afonso Arinos de Mello. *Homens e temas do Brasil.* Rio de Janeiro: Zélio Valverde, 1944.

FREYRE, Gilberto. "Euclides da Cunha, sua interpretação do Brasil" e "Euclides da Cunha, tropicalista". In: *Vida, forma e cor.* Rio de Janeiro: José Olympio, 1962.

FREYRE, Gilberto. "Euclides da Cunha, revelador da realidade brasileira". In: CUNHA, Euclides da. *Obra completa.* Rio de Janeiro: Aguilar, 1966. Incluído em *Prefácios desgarrados.* Rio de Janeiro/Brasília: Cátedra/INL, 1978.

GALVÃO, Walnice Nogueira. "De sertões e jagunços"; "Um enigma" e "O correspondente de guerra Euclides da Cunha". In: *Saco de gatos.* São Paulo: Duas Cidades, 1976.

GALVÃO, Walnice Nogueira. "A pesquisa euclidiana"; "Euclides e a Revolução Francesa"; "Reapresentando *Os sertões*" e "*Os sertões* para estrangeiros". In: *Gatos de outros sacos.* São Paulo: Brasiliense, 1981.

GALVÃO, Walnice Nogueira. "Euclides da Cunha – *Os sertões*". In: MOTTA, Lourenço Dantas (org.). *Introdução ao Brasil.* São Paulo: Senac, 1999.

GALVÃO, Walnice Nogueira. "Euclides da Cunha nas outras reportagens". In: CUNHA, Euclides da. *Diário de uma expedição.* São Paulo: Companhia das Letras, 2000.

GOMES, Eugênio. "À margem de *Os sertões*". In: *Visões e revisões.* Rio de Janeiro: INL/Ministério da Educação e Cultura, 1958.

GUIMARÃES, Argeu. "Euclides da Cunha". In: *Presença de Sílvio Romero.* Rio de Janeiro: Organização Simões, 1955.

JORGE, A.G. de Araújo. "Euclides da Cunha: o seu último livro *À margem da História*". In: *Ensaios de história e crítica.* Rio de Janeiro: Imprensa Nacional, 1916.

KELLY, Celso. "A natureza em Euclides da Cunha". In: *Machado de Assis e outros pretextos.* Rio de Janeiro: Livraria São José, 1972.

LAURIA, Márcio José. "Judas-Ahsverus". In: BRANDÃO, Adelino. *Enciclopédia de estudos euclidianos – I.* Jundiaí: Tipografia Jundiaí, 1982.

LEITE, Dante Moreira. "A originalidade de Euclides da Cunha". In: *O caráter nacional brasileiro.* São Paulo: Pioneira, 4 ed., 1983.

LINS, Álvaro. "Euclides da Cunha". In: *Notas de um diário de crítica.* Rio de Janeiro: José Olympio, s. d.

LINS, Álvaro. "Uma biografia de Euclides da Cunha". *Jornal de Crítica – 6ª Série.* Rio de Janeiro: José Olympio, 1951.

LINS, Álvaro. "Roquette Pinto e Euclides". Rio de Janeiro: Ministério da Educação e Cultura, 1956.

LINS, Álvaro. "Euclides e Machado de Assis". Rio de Janeiro: Ministério da Educação e Cultura, 1956.

LINS, Álvaro. "O culto de Euclides e o ideal nacionalista". *Jornal de Crítica – 7ª Série.* Rio de Janeiro: Edições O Cruzeiro, 1963.

LINS, Álvaro. "Euclides da Cunha". In*: Os mortos de sobrecasaca.* Rio de Janeiro: Civilização Brasileira, 1963.

LITRENTOS, Oliveira. "Euclides da Cunha". In: *Canudos – visões e revisões.* Rio de Janeiro: Biblioteca do Exército, 1998.

LOBATO, Monteiro. "Euclides: um gênio americano". In: *Na antevéspera.* São Paulo: s. ed., 1933.

LUCAS, Fábio. "Euclides da Cunha e a ciência social" e "Psicologia, ciência e arte de Euclides da Cunha". In: *Interpretação da vida social.* São Paulo: Ícone, 1995.

MARTINS, Wilson. "Cunha – Euclides Rodrigues Pimenta da". In: *História da inteligência brasileira.* São Paulo: Cultrix, 1978; 2 ed., São Paulo: T. A. Queiroz, 1996.

MENDONÇA, Renato. "Euclides da Cunha". In: *O ramo de oliveira.* Porto: Lello & Irmão, s. d.

MENEZES, Djacir. "*Os sertões* de Euclides da Cunha". In: *Evolução do pensamento literário no Brasil.* Rio de Janeiro: Organização Simões, 1954.

MEYER, Augusto. "Notas sobre Euclides da Cunha". In: *À sombra da estante.* Rio de Janeiro: José Olympio, 1947.

MILLIET, Sérgio. "Euclides da Cunha". In: *Diário crítico.* São Paulo: Brasiliense, 1945; 2 ed., São Paulo: Martins/Edusp, 1981.

MONTELO, Josué. "Machado de Assis e a gênese de *Os sertões*". In: *Estampas literárias.* Rio de Janeiro: Organização Simões, 1956.

MOTA FILHO, Cândido. "Euclides e a formação específica da sociedade brasileira". In: *Sociologia e história.* São Paulo: Instituto de Sociologia e Política, 1956.

NUNES, Cassiano. "Euclides da Cunha: a personalidade e a obra" e "Ainda uma vez: Euclides". In: *A experiência brasileira.* São Paulo: Conselho Estadual de Cultura, 1964.

OLIVEIRA, Franklin de. "Euclides da Cunha". In: COUTINHO, Afrânio. *A literatura no Brasil.* Rio de Janeiro: Livraria São José, 1959.

OTÁVIO, Rodrigo. "Euclides da Cunha". In: *Minha memória dos outros.* Rio de Janeiro: José Olympio, 1936.

PEIXOTO, Afrânio: "O outro Euclides". In: CUNHA, Euclides. *Obra completa.* Rio de Janeiro: Aguilar, 1966.

PEREIRA, José Veríssimo da Costa. "O espírito geográfico na obra de Euclides da Cunha". In: CUNHA, Euclides. *Obra completa.* Rio de Janeiro: Aguilar, 1966.

PEREIRA, José Veríssimo da Costa. "A geografia no Brasil: Euclides da Cunha". In: AZEVEDO, Fernando de. *As ciências no Brasil.* São Paulo: Melhoramentos, s. d.

PICCHIO, Luciana Stegagno. "Da literatura do sertão a *Os sertões* de Euclides da Cunha". In: *Literatura brasileira: das origens a 1945.* São Paulo: Martins Fontes, 1988.

PINTO, Rolando Morel. "Introdução". In: CUNHA, Euclides da. *Peru versus Bolívia.* São Paulo: Cultrix, 1975.

PROENÇA, Manuel Cavalcanti. "*Os sertões*". In: *Estudos literários.* Rio de Janeiro: José Olympio, 1974.

REGO, José Lins do. "Eu não vi o sertanejo de Euclides". In: *Gordos e magros.* Rio de Janeiro: Casa do Estudante do Brasil, 1942.

ROLAND, Ana Maria. "Genealogia de *Os sertões*" e "Um continente sublevado: Euclides da Cunha". In: *Fronteiras da palavra. Fronteiras da história.* Brasília: Editora da UnB, 1997.

ROMERO, Sílvio. "Euclides da Cunha". In: *História da literatura brasileira.* 3 ed., Rio de Janeiro: José Olympio, 1943.

SANTIAGO, Silviano. "Euclides da Cunha". In: *Nas malhas das letras.* Companhia das Letras, São Paulo, 1989, 2 ed., Rio de Janeiro, Rocco, 2002.

SCHNOOR, Hélio. "Contribuições etnográficas de Euclides da Cunha". In: VENANCIO FILHO, Francisco. *Euclides da Cunha.* Rio de Janeiro: Conselho Nacional de Geografia/Instituto Brasileiro de Geografia e Estatística, 1949.

SODRÉ, Nelson Werneck. "Euclides da Cunha: a intuição e a superstição". In: *A ideologia do colonialismo.* 2 ed., Rio de Janeiro: Civilização Brasileira, 1965.

SODRÉ, Nelson Werneck. "Revisão de Euclides da Cunha": In: CUNHA, Euclides. *Obra completa.* Rio de Janeiro: Aguilar, 1966.

SYLOS, Honório de. "Euclides, escritor escrupuloso e historiador sensato", "O escritor e o culto de uma cidade", "*Os sertões* em voz alta", "Euclides e seu temperamento", "Euclides, orador", "Euclides na amazônia", "Presença de Euclides na história e na geografia", "Euclides no nordeste", "Revisão histórica de Canudos". In: *Gentes & fatos.* São Paulo: Ibrasa, 1988.

TAVARES, Odorico. "O repórter, Euclides da Cunha". In: *Canudos: 50 anos depois.* Salvador: Fundação Cultural do Estado da Bahia, 1993.

TOCANTINS, Leandro. "Euclides da Cunha na Amazônia". In: *Euclides da Cunha na Amazônia.* Rio Branco: Fundação Cultural do Acre, 1985.

VARGAS, Augusto Tamayo. "*Os sertões* de Euclides da Cunha". In: *América Latina em sua literatura.* São Paulo: Perspectiva/Unesco, 1979.

VENANCIO FILHO, Alberto. "Euclides da Cunha". In: *Francisco Venancio Filho: um educador brasileiro.* Rio de Janeiro: Nova Fronteira, 1995.

VENANCIO FILHO, Francisco. "Retrato humano de Euclides da Cunha". In: CUNHA, Euclides da. *Um paraíso perdido.* Petrópolis: Vozes, 1976.

VENTURA, Roberto. "Euclides da Cunha". In: *Estilo tropical.* São Paulo, Companhia das Letras, 1991.

VENTURA, Roberto. "Canudos como cidade iletrada: Euclides da Cunha na *urbs* monstruosa". In: ABDALA JÚNIOR; ALEXANDRE, Isabel. *Canudos – palavra de Deus, sonho na Terra.* São Paulo: Editora do Senac, 1997.

VENTURA, Roberto. "O engenheiro-escritor, Euclides da Cunha". In: CUNHA, Euclides da. *Os sertões.* Edição crítica organizada por Walnice Nogueira Galvão. São Paulo: Ática, 1998.

VENTURA, Roberto. "Introdução a *Os sertões*". In: SANTIAGO, Silviano. *Intérpretes do Brasil.* Rio de Janeiro: Nova Aguilar, 2000.

ZILLY, Berthold: "Palavra e ruptura. A guerra de Canudos e o imaginário da sociedade sertaneja em *Os sertões*, de Euclides da Cunha". In: CHIAPINI, Ligia; AGUIAR, Flávio Wolf. *Literatura e história na América Latina.* 2 ed., São Paulo: Edusp/Centro Ângel Rama, 2001.

3. Dissertações e teses

ABREU, Regina. *O historiador dos bárbaros: A trajetória de Euclides da Cunha e a consagração de* Os sertões (doutorado). Rio de Janeiro, Museu Nacional da Universidade Federal do Rio de Janeiro, 1997.

ALBUQUERQUE, Amaury de Sá. *Processos de adjetivação em* Os sertões, *de Euclides da Cunha* (mestrado). Rio de Janeiro, Instituto de Letras da Universidade do Estado do Rio de Janeiro, 1997.

ANTONIO FILHO, Fadel David. *O pensamento geográfico de Euclides da Cunha: uma avaliação* (mestrado). Rio Claro, Faculdade de Geografia da Universidade Estadual Paulista Júlio de Mesquita, São Paulo, 1990.

ARAÚJO, Joana Luiza Muylaert de. *Euclides da Cunha: pensamento e criação literária* (mestrado). Rio de Janeiro, Faculdade de Letras da Universidade Federal do Rio de Janeiro, 1987.

BARROS, Lourival Holanda. *Canudos, fato e fábula: uma leitura d'*Os sertões*, de Euclides da Cunha* (doutorado). São Paulo, Faculdade de Filosofia, Letras e Ciências Humanas da Universidade de São Paulo, 1992.

BARROS, Wagner Santos de. *Euclides da Cunha, a Amazônia e os viajantes: O pensamento nacional no paraíso em construção* (mestrado). Rio de Janeiro, Departamento de História da Pontifícia Universidade Católica, 2000.

BASTOS, José Augusto Cabral Barreto. *A ideologia dos discursos sobre Canudos* (mestrado). Salvador, Faculdade de Filosofia e Ciências Humanas da Universidade Federal da Bahia, 1979.

BASTOS, José Augusto Cabral Barreto. *Incompreensível e bárbaro inimigo: a guerra simbólica contra Canudos* (doutorado). São Paulo, Faculdade de Filosofia, Letras e Ciências Humanas da Universidade de São Paulo, 1988.

CARVALHO, Flávia Paula. *Representação da natureza no regionalismo pré-modernista* (mestrado). São Paulo, Faculdade de Filosofia, Letras e Ciências Humanas da Universidade de São Paulo, 1994.

CREMONESE, Dejalma. *História e Filosofia: relações entre o esquema hegeliano e* Os sertões *de Euclides da Cunha* (mestrado). Santa Maria, Departamento de Filosofia da Universidade de Santa Maria, 1997.

FACIOLI, Valentim Aparecido. *Euclides da Cunha: a gênese da forma* (doutorado). São Paulo, Faculdade de Filosofia, Letras e Ciências Humanas da Universidade de São Paulo, 1991.

GALVÃO, Walnice Nogueira. *No calor da hora: estudo sobre representação jornalística da Guerra de Canudos; Quarta Expedição* (livre-docência). São Paulo, Faculdade de Filosofia, Letras e Ciências Humanas da Universidade de São Paulo, 1972.

GONÇALVES FILHO, Antenor Antônio. *Euclides da Cunha e o seu ideal de formação humana* (mestrado). São Paulo, Faculdade de Educação da Universidade de São Paulo, 1976.

LEMOS, Maria Alzira Brum. *Os sertões e o que nós chamamos de realidade: ciência e símbolismo num clássico da literatura* (doutorado). São Paulo, Departamento de Pós-graduação em Comunicação e Semiótica da Pontifícia Universidade Católica, 1997.

NOVAES, Cláudio. *Da migração ao nomadismo:* Os sertões *em Vila Real,* Deus e o Diabo na terra do sol *e* Na quadrada das águas perdidas (mestrado). Salvador, Instituto de Letras da Universidade Federal da Bahia, 1998.

PETRILLO, Regina Pentagna. *Euclides da Cunha: do litoral para* Os sertões*: o trajeto de uma visão crítica* (mestrado). Rio de Janeiro, Faculdade de Letras da Universidade Federal do Rio de Janeiro, 1996.

ROCHA, Fátima Cristina Dias. *Quando a morte é a vez: imagens do sertanejo na ficção brasileira – de Euclides da Cunha a Clarice Lispector* (doutorado). Rio de Janeiro, Faculdade de Letras da Universidade Federal do Rio de Janeiro, 2000.

SANTANA, José Carlos Barreto de. *A contribuição das ciências naturais para o consórcio da ciência e da arte em Euclides da Cunha* (mestrado). São Paulo, Faculdade de Filosofia, Letras e Ciências Humanas da Universidade de São Paulo, 1998.

SEVCENKO, Nicolau. *Euclides da Cunha e Lima Barreto: a literatura como missão (1900-1920). Estudo comparativo de história sócio-cultural* (doutorado). São Paulo, Faculdade de Filosofia, Letras e Ciências Humanas da Universidade de São Paulo, 1981.

VENTURA, Roberto. *A narração do mundo: ensaios sobre ficção e História* (livre-docência). São Paulo, Faculdade de Filosofia, Letras e Ciências Humanas da Universidade de São Paulo, 1999.

4. Entrevistas

"Uma entrevista com o dr. Euclides da Cunha". *Jornal do Comércio,* Manaus, 29.10.1905. Sem assinatura.

"Euclides da Cunha". *A Ilustração Brasileira.* Rio de Janeiro, 15.08.1909 (data do assassinato do escritor). Depoimento a Viriato Corrêa.

DOCUMENTÁRIOS

Euclides da Cunha. Direção de Humberto Mauro. Em preto-e-branco, 14 minutos de duração, 1944.

Os sertões. Direção de Cristina Fonseca. Em cores, 67 minutos de duração, 1995. Programa da série "Leituras do Brasil", produzida pela TV Cultura, de São Paulo.

ADAPTAÇÕES

Para o cinema

Deus e o Diabo na terra do sol. Direção de Glauber Rocha, que também assina, com Walter Lima Jr., o roteiro inspirado em *Os sertões.* Preto-e-branco, 125 minutos de duração, 1964. Com Geraldo Del Rey, Yoná Magalhães e Othon Bastos. Disponível em vídeo.

Guerra de Canudos. Direção e roteiro de Sérgio Rezende, inspirado em *Os sertões.* Em cores, 170 minutos de duração, 1997. Com José Wilker, Cláudia Abreu, Paulo Betti e Marieta Severo. Disponível em DVD.

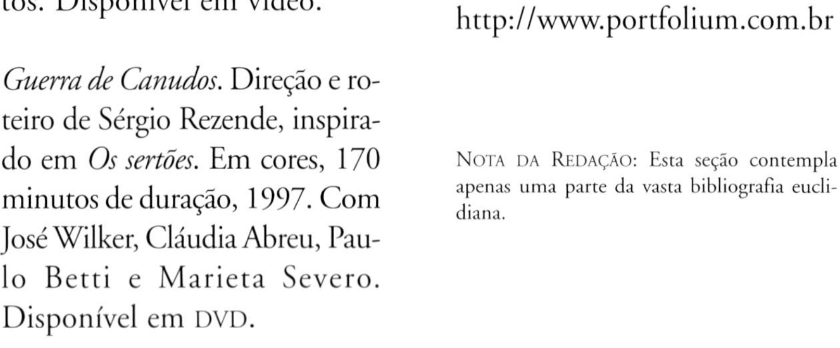

Para o teatro

Os sertões. Direção de José Celso Martinez Corrêa, responsável pela adaptação, ao lado de Tommy Petra e Flavio Rocha. Teatro Oficina, São Paulo, 2002.

INTERNET

http://www.casaeuclidiana.org.br

http://www.euclidesdacunha.com.br

http://euclidesite.tripod.com.br

http://berrante.com.tj

http://www.bn.br/diretrizes/biblioteca/bec/bec.htm

http://www.portfolium.com.br

NOTA DA REDAÇÃO: Esta seção contempla apenas uma parte da vasta bibliografia euclidiana.

FONTES DO GUIA EUCLIDES DA CUNHA

Adelino Brandão (seleção bibliográfica);
Dedoc – Departamento de Documentação da Editora Abril;
Arquivo IMS.

AGRADECIMENTOS

Álvaro Ribeiro de Oliveira Neto, Antonio Olavo, Arquivo Histórico do Exército, Biodiversitas, Boris Kossoy, Casa de Cultura Euclides da Cunha, Celina Fróes, Centro de Estudos Euclides da Cunha da Universidade Estadual da Bahia, Claude Santos, Companhia das Letras, Consuelo Pondé de Sena, Dedoc – Departamento de Documentação da Editora Abril, Evandro Teixeira, família Pinto Dantas de Carvalho, Fernando da Rocha Peres, Francisco Foot Hardman, Fundação Biblioteca Nacional, Fundação Pierre Verger, Gilberto Pinheiro Passos, Giuseppe Baccaro, Guita e José Mindlin, Ildegardo Cordeiro Amador Pinto (Dedega), Instituto Geográfico e Histórico da Bahia, José Carlos Barreto de Santana, Lúcia Telles, Lúcia Maciel da Silva, Luiz Paulo Almeida Leiva, Magno José Vilela, Marco Antonio Villa, Maria Angela Leal, Maria Zelinda Teixeira Lopes, Mario Cravo Neto, Núcleo Sertão do Centro de Estudos Baianos da Universidade Federal da Bahia, Oliveira Lima Library, Rosa Freire d'Aguiar, Walnice Nogueira Galvão.

Casa de Cultura Euclides da Cunha

Mesa e banqueta da cabana de zinco que serviu de escritório a Euclides da Cunha durante o período em que supervisionou a reconstrução da ponte metálica de São José do Rio Pardo (SP); nos intervalos da obra, o escritor redigiu grande parte de *Os sertões*

Euclydes da Cunha

INSTITUTO MOREIRA SALLES

Sede

Av. Paulista, 1294, 14º andar, Bela Vista. CEP: 01310-915. São Paulo - SP.
Tel.: (0 XX 11) 3371-4455; fax: (0 XX 11) 3371-4497.
Internet – http://www.ims.com.br
E-mail: ims@unibanco.com.br

Centros Culturais

Rio de Janeiro
Rua Marquês de São Vicente, 476, Gávea.
CEP: 22451-040. Rio de Janeiro - RJ.
Tel.: (0 XX 21) 512-6448; fax: (0 XX 21) 239-5559.

São Paulo
Rua Piauí, 844, 1º andar, Higienópolis.
CEP: 01241-000. São Paulo - SP.
Tel.: (0 XX 11) 3825-2560; fax: (0 XX 11) 3826-3793.

Belo Horizonte
Av. Afonso Pena, 737, Centro.
CEP: 30130-002. Belo Horizonte - MG.
Tel.: (0 XX 31) 3213-7900; fax: (0 XX 31) 3213-7906.

Poços de Caldas
Rua Teresópolis, 90, Jardim dos Estados.
CEP: 37701-058. Poços de Caldas - MG.
Tel./fax: (0 XX 35) 3722-2776.

CADERNOS DE LITERATURA BRASILEIRA

À venda nas principais livrarias do país, nos espaços culturais do Instituto Moreira Salles e em Portugal

Número 1 – *João Cabral de Melo Neto* (mar. 96)

Número 2 – *Raduan Nassar* (set. 96)

Número 3 – *Jorge Amado* (mar. 97)

Número 4 – *Rachel de Queiroz* (set. 97)

Número 5 – *Lygia Fagundes Telles* (mar. 98)

Número 6 – *Ferreira Gullar* (set. 98)

Número 7 – *João Ubaldo Ribeiro* (mar. 99)

Número 8 – *Hilda Hilst* (out. 99)

Número 9 – *Adélia Prado* (jun. 00)

Número 10 – *Ariano Suassuna* (nov. 00)

Número 11 – *Ignácio de Loyola Brandão* (jun. 01)

Número 12 – *Carlos Heitor Cony* (dez. 01)

Números 13 e 14 – *Euclides da Cunha* (dez. 02)

Jornalista responsável:
Antonio Fernando De Franceschi (MTb: 9.093).

ESTA OBRA FOI COMPOSTA PELA
BEĨ • COMUNICAÇÃO EM GARAMOND
E GILL SANS COM FOTOLITOS E IMPRESSÃO
DA TAKANO EDITORA GRÁFICA
PARA O INSTITUTO MOREIRA SALLES
EM NOVEMBRO DE 2002.

Passeio dentro de Canudos

Caminhadas de Euclides da Cunha no cenário dos combates

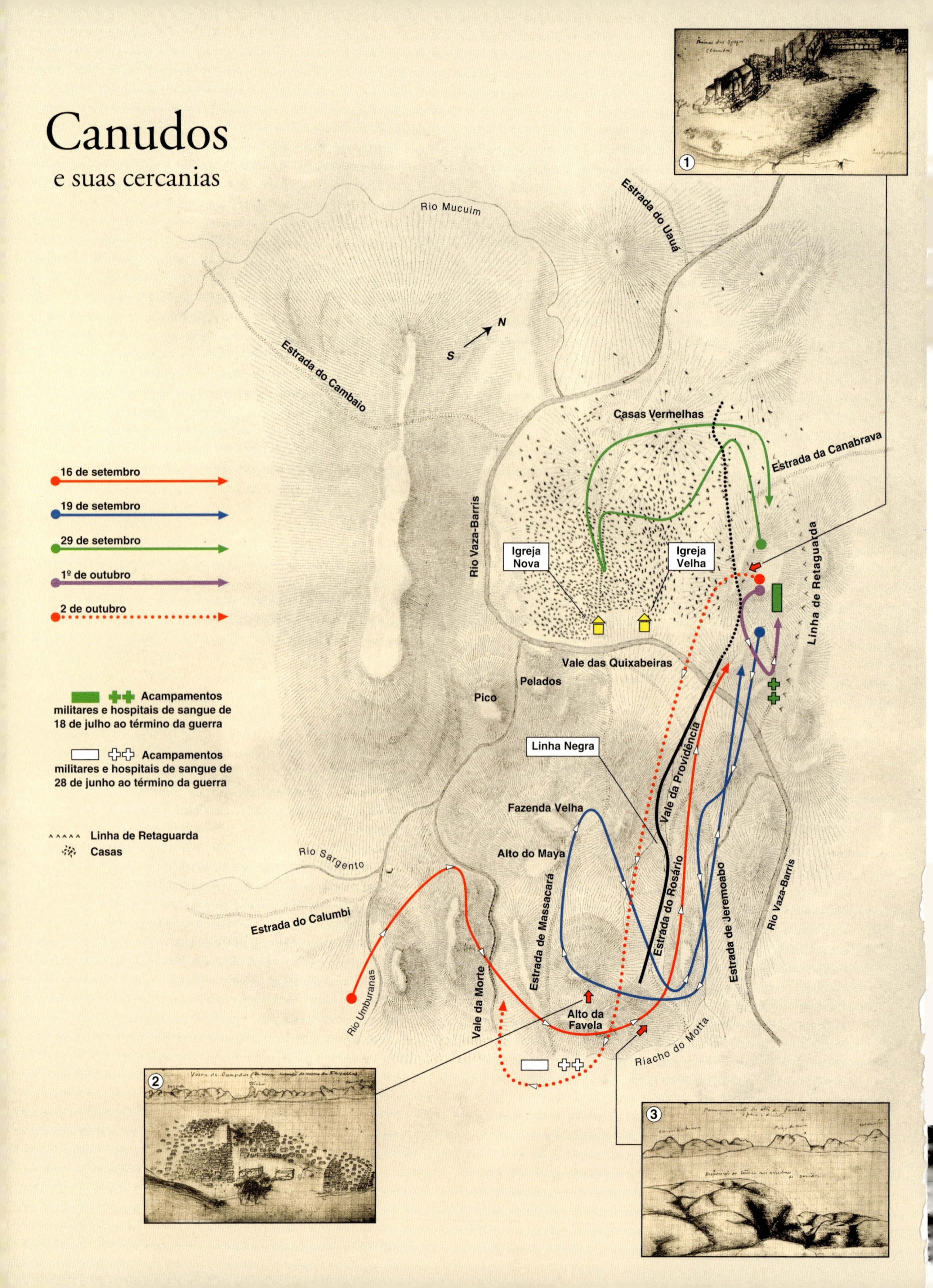
Canudos
e suas cercanias
Rio Mucuim
Estrada do Uauá
Estrada do Cambaio
S
N
Casas Vermelhas
Estrada da Canabrava
Rio Vaza-Barris
Igreja Nova
Igreja Velha
Linha de Retaguarda
16 de setembro
19 de setembro
29 de setembro
1º de outubro
2 de outubro
Vale das Quixabeiras
Pelados
Pico
Acampamentos militares e hospitais de sangue de 18 de julho ao término da guerra
Acampamentos militares e hospitais de sangue de 28 de junho ao término da guerra
Linha Negra
Vale da Providência
Fazenda Velha
Linha de Retaguarda
Casas
Rio Sargento
Alto do Maya
Estrada do Rosário
Estrada de Jeremoabo
Rio Vaza-Barris
Estrada do Calumbi
Estrada de Massacará
Rio Umburanas
Vale da Morte
Alto da Favela
Riacho do Motta
1
2
3

Quando Euclides da Cunha chegou a *Canudos*, às 14h do dia 16 de setembro de 1897, a zona entre o *Alto da Favela* e *Pelados* já estava sob domínio do Exército. Os principais acampamentos (quartéis-generais, comissão de engenharia e hospital de sangue) estavam localizados ao norte de *Canudos*, entre a *linha negra*, trincheira que iniciou o cerco do arraial durante a investida de 18 de julho, e a *linha da retaguarda*.

Na ocasião, o principal objetivo militar era a *praça das igrejas*, onde estavam entrincheirados os jagunços conselheiristas.

Durante sua estada, o jornalista permaneceu a maior parte do tempo nos limites dos acampamentos militares.

Destas locações via-se *Canudos* ao sul.

Neste estudo, assinalamos os principais deslocamentos de Euclides no cenário da guerra.

Claude Santos

mos, demandando o acampamento, aquela povoação estranha.[6]

1º DE OUTUBRO

Não há manhãs que se comparem às de Canudos; nem as manhãs sul-mineiras nem as manhãs douradas do planalto central de São Paulo se equiparam às que aqui se expandem num firmamento puríssimo, com irradiações fantásticas de apoteose...

...Hoje, porém – coincidência bizarra! – observei pela primeira vez uma manhã enevoada e úmida...[7]

No início da manhã, Euclides estava na comissão de engenharia. Dessa locação observou os cruentos combates que levaram os militares, depois de inúmeras baixas, a dominar a *praça das igrejas.* Dessa posição também viu a derrubada das últimas paredes da *Igreja Nova* e o hasteamento da bandeira nacional nos escombros.

Depois o jornalista desceu para a *linha negra*, mas, com o intenso tiroteio sobre a trincheira, desistiu, subiu a encosta e foi ao *hospital de sangue.* Lá impressionou-se com o estado dos feridos em combate. Mais tarde, voltou aos alojamentos militares.

Quando eu voltei, percorrendo, sob os ardores da canícula, o vale tortuoso e longo que leva ao acampamento, sentia um desapontamento doloroso e acreditei haver deixado muitas idéias, perdidas, naquela sanga maldita, compartindo o mesmo destino dos que agonizavam manchados de poeira e sangue...[8]

Dos acampamentos, montados a cavaleiro do *arraial*, Euclides voltou a observar o desenrolar do combate na sede da comissão de engenharia. Dessa locação e das outras por ele visitadas, inclusive a *linha negra*, via-se *Canudos* ao sul; em primeiro plano, as casas tomadas durante o assalto de 18 de julho e, mais adiante, o fundo da *Igreja Velha* e as ruínas da fachada da *Igreja Nova.*

2 DE OUTUBRO

...Chegam à 1 hora em grande número novos prisioneiros – sintoma claro de enfraquecimento entre os rebeldes. Eram esperados. Agitara-se pouco depois do meio-dia uma bandeira branca no centro dos últimos casabres e os ataques cessaram imediatamente do nosso lado. Rendiam-se, afinal. Entretanto não soaram os clarins. Súbito silêncio avassalou as linhas e o acampamento[...][9]

Nesse dia, marco nos relatos jornalísticos e militares pela entrega do *Beatinho* e *prisioneiros*, Euclides começou suas anotações para *O Estado de S. Paulo* nos acampamentos militares. Em *Os sertões*, numa nota de pé de página (2ª edição, p. 599), nos informa que terminou-as à noite, no *Alto da Favela.* É provável que tenha pernoitado nos acampamentos lá existentes. No dia seguinte, 3 de outubro, saiu de Canudos.

BIBLIOGRAFIA

CUNHA, Euclides da. *Os sertões (Campanha de Canudos).* Rio de Janeiro: Laemmert, 1903.
CUNHA, Euclides da. *Canudos; diário de uma expedição.* Rio de Janeiro: José Olympio, 1939.
CUNHA, Euclides da. *Caderneta de campo.* São Paulo: Cultrix, 1975
ARARIPE, Tristão de Alencar. *Expedições militares contra Canudos, seu aspecto marcial.* Rio de Janeiro: SMG/Biblioteca do Exército, 1960.
SAMPAIO NETO, José Augusto Vaz *et al. Canudos: subsídios para a sua reavaliação histórica.* Rio de Janeiro: Fundação Casa de Rui Barbosa, 1986.
GALVÃO, Walnice Nogueira. *No calor da hora: a Guerra de Canudos nos jornais – 4ª Expedição.* São Paulo: Ática, 1977.
PINTO, Pedro A. Os sertões *de Euclides da Cunha, vocabulário e notas lexicológicas.* Rio de Janeiro: Francisco Alves, 1930.

NOTAS

1 *Diário de expedição*, p. 85
2 *Os sertões*, p 328
3 *Caderneta de campo*, p. 54
4 *Diário...*, pp. 86-7
5 *Idem*, p. 106
6 *Idem*, p. 109
7 *Idem*, p. 110
8 *Idem*, p. 120
9 *Os sertões*, p. 599

16 DE SETEMBRO

...E vingando a última encosta divisamos subitamente, adiante, o arraial imenso de Canudos.

Refreei o cavalo e olhei em torno...[1]

Euclides da Cunha chegou a *Canudos* pelo *Alto da Favela*. Essa visão frontal da cidadela, usou depois em *Os sertões* para descrever a chegada da expedição Moreira César.

De súbito, surpreendeu-os a vista de Canudos.

Estavam no Alto da Favela.

Ali estava, afinal, a tapera enorme que as expedições anteriores não haviam logrado atingir...[2]

Para alcançar os acampamentos militares, ao norte do arraial, Euclides se deslocou pela *linha negra*.

Dos acampamentos, Euclides via os fundos da *Igreja Velha* e a fachada, já arruinada pelos bombardeios, da *Igreja Nova*. Desse ponto de visão fez o croqui *Ruínas das igrejas, Canudos* (desenho 1).

19 DE SETEMBRO

Parti depois do almoço com o Guabiru fui à Favela e à trincheira Sete de Setembro... Observei então pela primeira vez Canudos. Surpreendente! Tem mais de duas mil casas...[3]

Nesse dia, Euclides da Cunha voltou ao *Alto da Favela*, provavelmente usando a *linha negra*.

Depois foi à *Fazenda Velha*, já denominada trincheira *Sete de Setembro*.

Do alto da trincheira Sete de Setembro, erguida num contraforte avançado do morro da Favela, quem observa tem a impressão inesperada de achar-se ante uma cidade extensa, dividida em cinco bairros distintos e grandes, revestindo inteiramente o dorso das colinas...

Tenho-a percorrido toda, de longe, cansado de acomodar a vista às lentes dos binóculos...[4]

De uma encosta da *Favela,* Euclides começou a fazer um "pálido esboço de Canudos", que terminou no dia seguinte (desenho 2).

Também dessa locação fez os croquis *Panorama visto do Morro da Favela para a esquerda*, localizando as serras do Calumbi, Cambaio e Caipam, *Alto da Favela para a retaguarda* e *Panorama visto do Alto da Favela para a direita.* Nesse último croqui, localizou as serras da Canabrava, Poço de Cima e Cocorobó (desenho 3).

Retratou, dessa forma, o anfiteatro da tragédia sertaneja.

29 DE SETEMBRO

Às 7 horas, em companhia dos generais Artur Oscar, Carlos Eugênio, tenente coronel Menezes e outros oficiais, segui para uma excursão atraentíssima – um passeio dentro de Canudos!

Seguimos a princípio pelo alto das colinas que se desdobram para o flanco direito da linha, e contornando-as depois numa inflexão para a esquerda descemos por uma sanga apertada e áspera em que as placas duríssimas e negras de talcoxisto cintilavam ao sol – e encontramos as primeiras casas do arraial, casas que ainda dois dias antes estavam adiante em poder dos nossos rudes e valentes adversários...[5]

Nessa manhã, acompanhado dos oficiais citados, Euclides foi às trincheiras comandadas pelas forças amazonenses. Depois entraram no arraial pela rua do Campo Alegre, um prolongamento da *estrada de Uauá*. Essa rua dividia a cidadela ao meio e terminava na *praça das igrejas*, ainda dominada pelos jagunços conselheiristas. No passeio, provavelmente, foram às trincheiras do cerco imposto no ataque do dia 24 de setembro, a aproximadamente 200 metros da *praça das igrejas*. Dessa locação viam-se as casas canudenses em primeiro plano, e, mais abaixo, as laterais da *Igreja Nova*, à direita, e da *Igreja Velha*, à esquerda. Ao fundo, o leito seco do *rio Vaza-Barris* e mais adiante a esplanada que leva ao *Alto da Favela*.

Afinal, de volta, atingimos as Casas Vermelhas, subúrbios minúsculos de Canudos, e deixa-

Encarte da edição especial dos CADERNOS DE LITERATURA BRASILEIRA, números 13 e 14 (dez. 2002), que tem por tema Euclides da Cunha. O presente trabalho do fotógrafo Claude Santos faz parte do projeto "Guia visual do cenário da Guerra de Canudos". O mapa utilizado é de autoria da Comissão de Engenharia da 4ª Expedição Militar contra o Arraial de Canudos e apareceu publicado na primeira edição de *Os sertões* (1902).